UTB 8260

Eine Arbeitsgemeinschaft der Verlage

Beltz Verlag Weinheim und Basel
Böhlau Verlag Köln · Weimar · Wien
Wilhelm Fink Verlag München
A. Francke Verlag Tübingen und Basel
Paul Haupt Verlag Bern · Stuttgart · Wien
Verlag Leske + Budrich Opladen
Lucius & Lucius Verlagsgesellschaft Stuttgart
Mohr Siebeck Tübingen
C. F. Müller Verlag Heidelberg
Ernst Reinhardt Verlag München und Basel
Ferdinand Schöningh Verlag Paderborn · München · Wien · Zürich
Eugen Ulmer Verlag Stuttgart
UVK Verlagsgesellschaft Konstanz
Vandenhoeck & Ruprecht Göttingen
WUV Facultas · Wien

Manuel Castells · Das Informationszeitalter 2

Das Informationszeitalter
Wirtschaft · Gesellschaft · Kultur

Teil 1: Der Aufstieg der Netzwerkgesellschaft
Teil 2: Die Macht der Identität
Teil 3: Jahrtausendwende

Manuel Castells

Die Macht der Identität

Teil 2 der Trilogie
Das Informationszeitalter

Übersetzt von Reinhart Kößler

Leske + Budrich Opladen 2003

Unveränderte Studienausgabe der ersten Auflage von 2002.

Redaktion: Barbara Budrich
Typografische Gestaltung: Beate Glaubitz
Umschlag: disegno, Wuppertal

Gedruckt auf säurefreiem und alterungsbeständigem Papier.

Die Deutsche Bibliothek – CIP-Einheitsaufnahme
Ein Titeldatensatz für die Publikation ist bei
Der Deutschen Bibliothek erhältlich

ISBN 3-8100-3899-7

UTB-ISBN 3-8252-8260-0

Druck: DruckPartner Rübelmann, Hemsbach
Printed in Germany

Inhalt

2 Das andere Gesicht der Erde: Soziale Bewegungen gegen die neue globale Ordnung 75

3 Das Ergrünen des Ich: die Umweltbewegung 121

4 Das Ende des Patriarchalismus. Soziale Bewegungen, Familie und Sexualität im Informationszeitalter 147

Tabellenverzeichnis

Abbildungsverzeichnis

Schaubilder

Vorbemerkung

Die Ideen und Analysen, die ich in diesem Band vortrage, sind aus 25 Jahren der Forschung erwachsen, die ich in verschiedenen Gegenden der Welt über soziale Bewegungen und politische Prozesse durchgeführt habe. Freilich sind sie nun umgearbeitet und in eine umfassendere Theorie des Informationszeitalters integriert, wie sie in den drei Bänden dieses Buches vorgelegt wird. Eine Reihe wissenschaftlicher Institute bildeten für meine Arbeit in diesem spezifischen Forschungsbereich ein lebenswichtiges Umfeld. An erster Stelle ist der Centre d'Étude des Mouvements Sociaux, École des Hautes Études en Sciences Sociales, Paris, zu nennen, der von Alain Touraine gegründet wurde und von ihm geleitet wird, wo ich zwischen 1965 and 1979 geforscht habe. Andere Forschungsinstitutionen, die meine Arbeit über soziale Bewegungen unterstützt haben, waren: Centro Interdisciplinario de Desarrollo Urbano, Universidad Catolica de Chile; Instituto de Investigaciones Sociales, Universidad Nacional Autonoma de Mexico; Center for Urban Studies, University of Hong Kong; Instituto de Sociologia de Nuevas Tecnologias, Universidad Autonoma de Madrid; Faculty of Social Sciences, Hitotsubashi University, Tokyo. Die endgültige Ausarbeitung und Niederschrift des hier vorgelegten Materials erfolgte während der 1990er Jahre dort, wo ich seit 1979 meine intellektuelle Heimat habe, an der University of California at Berkeley. Viele der Ideen wurden in meinem Graduiertenseminar über die „Soziologie des Informationszeitalters“ diskutiert und verfeinert. Dafür danke ich meinen Studierenden als ständiger Quelle der Inspiration und Kritik für meine Arbeit. Dieser Band hat von der außergewöhnlichen Arbeit meiner Forschungsassistentin Sandra Moog profitiert, einer graduierten Soziologiestudentin in Berkeley und einer vielversprechenden Wissenschaftlerin. Zudem habe ich wertvolle Hilfe bei meiner Forschung von Lan-chih Po erhalten, Doktorandin in Stadt- und Regionalplanung, ebenfalls in Berkeley. Wie bei den übrigen Bänden dieses Buches hat Emma Kiselyova meine Forschung erheblich unterstützt, mir den Zugang zu Sprachen erleichtert, die ich nicht kenne, und auch diverse Abschnitte des Bandes beurteilt und kommentiert.

Verschiedene Kolleginnen und Kollegen haben Entwürfe des gesamten Bandes oder einzelner Kapitel gelesen und ausführlich kommentiert, mir geholfen, einige Fehler zu beheben und die Analyse stringenter zu machen, obwohl ich natürlich die volle Verantwortung für die am Ende formulierte Interpretation übernehme. Mein Dank geht an: Ira Katznelson, Ida Susser, Alain Touraine, Anthony Giddens, Martin Carnoy, Stephen Cohen, Alejandra Moreno Toscano, Roberto Laserna, Fernando Calderon, Rula Sadik, You-tien Hsing, Shujiro Yazawa, Chu-joe Hsia, Nancy Whittier, Barbara Epstein, David Hooson, Irene Castells, Eva Serra, Tim Duane und Elsie Harper Anderson. Ich möchte meinen besonderen Dank John Davey, dem Cheflektor von Blackwell, für seine qualifizierten Überlegungen sowie seine wohl überlegten inhaltlichen Vorschläge zu einigen Schlüsselabschnitten dieses Bandes aussprechen.

Das bedeutet, dass wie im Fall der anderen Bände dieses Buches der Prozess des Denkens und Schreibens weitgehend ein kollektives Unterfangen ist, wenn es auch endgültig in der Einsamkeit der Autorschaft abgeschlossen wird.

November 1996 Berkeley, Califomia

Autor und Verlag danken den folgenden Personen und Institutionen für die Erlaubnis zum Nachdruck von Materialien:

Professor Ines Alberdi: Abb. 4.2 und 4.5.
The Economist: Abb. 5.1 and 5.2, beide Copyright © The Economist, London 1996.
The University of Texas Press und den Autoren: Tab. 6.2 aus „Political Corruption and Presidential Elections, 1929-1992“ in *The Journal of Politics,* Bd. 57:4.
The Southern Poverty Law Center, Alabama: Abb. 2.1, zur Verfügung gestellt von ihren Klanwatch Milita Task Force Programs.
The University of Chicago Press: Abb. 4.10 und 4.14 aus E. O. Laumann u.a., *The Social Organization of Sexuality: Sexual Practices in the United States* (1994), Copyright © 1994 by Edward O. Laumann, Robert T. Michael, CSG Enterprises, Inc. und Stuart Michaels. Alle Rechte vorbehalten.
Westview Press, Inc.: Abb. 4.1 aus *The New Role of Women: Family Formation in Modern Societies* von Hans-Peter Blossfeld u.a. (1995), Copyright © 1995 by Westview Press.

Unsere Welt, unser Leben

Blickt hinan, ihr habt ihn bitter nötig
Diesen strahlenden Morgen, der für euch nun anbricht
Geschichte kann trotz aller schweren Schmerzen
Nicht ungeschehen sein, und wenn wir ihr
Mit Mut entgegentreten, muss sie nicht neu durchlebt werden

Blickt hinan auf
Diesen Tag, der für euch anbricht.
Lasst euern Traum
Neu geboren werden.
Maya Angelou, „On the Pulse of the Morning"[1]

Unsere Welt und unser Leben werden durch die einander widerstreitenden Tendenzen der Globalisierung und der Identität geprägt. Die informationstechnologische Revolution und die Neustrukturierung des Kapitalismus haben die Entstehung einer neuen Gesellschaftsform bewirkt, der Netzwerkgesellschaft. Sie ist durch die Globalisierung der strategisch entscheidenden Wirtschaftsaktivitäten gekennzeichnet. Durch die Netzwerkform der Organisation. Durch Flexibilität und Instabilität der Arbeitsprozesse und die Individualisierung der Arbeitsverhältnisse. Durch eine Kultur der realen Virtualität, die durch ein allgegenwärtiges, miteinander verkoppeltes und diversifiziertes Mediensystem geschaffen wird. Und durch die Transformation der materiellen Grundlagen des Lebens, des Raumes und der Zeit, durch die Entstehung des Raumes der Ströme und der zeitlosen Zeit als Ausdrucksformen der herrschenden Tätigkeiten und der Führungseliten. Diese neue Form der gesellschaftlichen Organisation verbreitet sich in ihrer durchdringenden Globalität über die ganze Welt, wie es der industrielle Kapitalismus und sein verfeindetes Gegenstück, der industrielle Etatismus im 20. Jahrhundert getan haben, erschüttert die Institutionen, transformiert die Kulturen, schafft Reichtum und bewirkt Armut, stachelt Gier, Innovation und Hoffnung an und verursacht zugleich Leid und bringt Verzweiflung. Es ist, ob schön oder nicht, wirklich eine neue Welt.

1 Gedicht zur Amtseinführung des US-Präsidenten, 22. Januar 1993.

Aber das ist nicht die ganze Geschichte. Neben der technologischen Revolution und der Transformation des Kapitalismus, dem Ende des Etatismus haben wir im letzten Viertel des 20. Jahrhunderts den Aufschwung machtvoller Ausdrucksformen kollektiver Identität erlebt, die der Globalisierung und dem Kosmopolitismus die Ansprüche auf kulturelle Einzigartigkeit und auf die Kontrolle der Menschen über ihr Leben und ihre Umwelt entgegen stellen. Es gibt viele solcher Ausdrucksformen, und sie sind hochgradig diversifiziert, weil sie den Konturen einer jeden Kultur und den historischen Quellen jeder Identität folgen. Zu ihnen gehören offensive Bewegungen, deren Ziel die Transformation der menschlichen Beziehungen auf fundamentalster Ebene ist, wie der Feminismus und die Umweltbewegung. Aber es gehört auch eine ganze Palette von reaktiven Bewegungen dazu, die Gräben des Widerstandes im Namen von Gott, Nation, Ethnizität, Familie, Lokalität ausheben, also fundamentaler Kategorien jahrtausendealter Existenz, die jetzt durch den kombinierten, gegensätzlichen Ansturm techno-ökonomischer Kräfte und transformativer Sozialbewegungen gefährdet sind. Zwischen diesen gegensätzlichen Tendenzen gefangen wird der Nationalstaat in Frage gestellt, und seine Krise weitet sich bis auf den eigentlichen Begriff politischer Demokratie aus, deren Voraussetzung ja die historische Konstruktion des souveränen, repräsentativen Nationalstaates gewesen ist. Die verschiedenen Streiter setzen meist neue, mächtige technologische Medien ein, wie weltweite interaktive Telekommunikationsnetzwerke, um ihrem Kampf mehr Gehör zu verschaffen und ihn zuzuspitzen, etwa, wenn das Internet zum Instrument für die internationale Umweltbewegung, die mexikanischen Zapatisten oder die amerikanischen Milizen wird, die auf die Globalisierung der Finanzmärkte und die Informationsverarbeitung in deren eigener Sprache antworten.

Das ist die Welt, die in diesem Band erkundet wird, der sich in erster Linie auf soziale Bewegungen und auf Politik konzentriert, wie sie sich aus dem Zusammenspiel zwischen technologisch hervorgerufener Globalisierung, der Macht der (geschlechtsspezifischen, religiösen, nationalen, ethnischen, territorialen, soziobiologischen) Identität und den staatlichen Institutionen ergeben. Mit der Einladung an die Leserinnen und Leser zu dieser intellektuellen Reise durch die Landschaften der gegenwärtigen sozialen Kämpfe und politischen Konflikte verbinde ich zunächst ein paar Bemerkungen, die für die Reise hilfreich sein können.

Dies ist kein Buch über Bücher. Ich werde daher nicht auf die zu jedem Thema vorhandenen Theorien eingehen oder jede denkbare Quelle zu den hier dargestellten Problemen zitieren. Der Versuch, auch nur oberflächlich den gesamten Themenbereich, der in diesem Buch behandelt wird, auf dem Stand der Diskussion darzustellen, würde an Hochstapelei grenzen. Die Quellen, Autorinnen und Autoren, auf die ich mich für jedes Einzelthema beziehe, liefern Materialien, die ich für bedeutsam halte, um die Hypothesen aufzustellen, die ich zu jedem Thema sowie zur Bedeutung dieser Analysen für eine umfassendere

Theorie des sozialen Wandels in der Netzwerkgesellschaft vorbringe. Wer sich für Bibliografie und die kritische Bewertung von Bibliografien interessiert, möge die vielen Standardwerke zu Rate ziehen, die es zu jedem einzelnen Gegenstand gibt.

Die Methode, der ich folge, hat zum Ziel, Theorie durch die Analyse von Praxis in aufeinanderfolgenden Beobachtungswellen in unterschiedlichen kulturellen und institutionellen Kontexten zu vermitteln. Die empirische Analyse wird also hauptsächlich als Instrument der Vermittlung und auch als Methode zur Disziplinierung meines theoretischen Diskurses eingesetzt, weil es so schwieriger oder ganz unmöglich wird, etwas zu sagen, was dem beobachteten kollektiven Handeln in der Praxis zuwider läuft. Ich habe jedoch im Rahmen der Platzbeschränkungen dieses Bandes versucht, ein paar empirische Elemente einzubauen, um meine Interpretation plausibler zu machen und den Leserinnen und Lesern die Möglichkeit zu geben, sich selbst ein Urteil zu bilden.

In diesem Buch herrscht eine bewusste Besessenheit vom Multikulturalismus, davon, den ganzen Planeten mit seinen vielfältigen gesellschaftlichen und politischen Ausdrucksweisen in den Blick zu nehmen. Dieser Ansatz ergibt sich aus meiner Überzeugung, dass der Prozess der techno-ökonomischen Globalisierung, der unserer Welt ihr Gepräge gibt, von verschiedenen Seiten her in Frage gestellt und am Ende transformiert wird, je nach unterschiedlichen Kulturen, Geschichten und Geografien. Wenn ich mich in diesem Band daher thematisch zwischen den Vereinigten Staaten, Westeuropa, Mexiko, Bolivien, der islamischen Welt, China oder Japan bewege, so verfolge ich damit den spezifischen Zweck, ein und denselben analytischen Bezugsrahmen zu benutzen, um sehr unterschiedliche gesellschaftliche Prozesse zu verstehen, die nichtsdestoweniger ihrer Bedeutung nach miteinander in Beziehung stehen. Ich möchte innerhalb der offenkundigen Grenzen meiner Kenntnis und Erfahrung mit dem ethnozentrischen Ansatz brechen, der noch immer einen Großteil der Sozialwissenschaften just zu dem Zeitpunkt beherrscht, an dem unsere Gesellschaften global miteinander verknüpft und kulturell miteinander verflochten werden.

Ein Wort zur Theorie. Die soziologische Theorie, die diesem Buch zugrunde liegt, ist Ihnen zuliebe in der Darstellung von Themen in jedem einzelnen Kapitel verdünnt worden. Sie ist auch, so weit dies möglich war, mit empirischer Analyse verschmolzen. Nur wenn es ganz unvermeidlich ist, werde ich den Leser und die Leserin einem kurzen theoretischen Exkurs aussetzen, denn für mich ist Sozialtheorie ein Werkzeug, um die Welt zu verstehen und kein Selbstzweck intellektuellen egozentrischen Vergnügens. Ich versuche im Schlussabschnitt dieses Bandes, die Analyse in mehr formeller und systematischer Form strikter zu formulieren und die verschiedenen Fäden zusammenzuziehen, die in den einzelnen Kapiteln gesponnen worden sind. Weil das Buch sich jedoch hauptsächlich mit sozialen Bewegungen befasst und weil es große Meinungsverschiedenheiten über die Bedeutung dieses Begriffs gibt, trage ich meine Definition sozialer Bewegungen vor. Sie sind: zielgerichtete soziale Handlungen, deren

Ergebnis in Sieg oder Niederlage die Werte und Institutionen der Gesellschaft transformiert. Weil die Geschichte keinen Sinn außer demjenigen hat, den unsere Sinne spüren, gibt es aus *analytischer Perspektive* keine „guten" und „bösen", progressiven und rückschrittlichen sozialen Bewegungen. Sie sind sämtlich Symptome dafür, was wir sind und Wege unserer Transformation, weil Transformation ebenso gut zu einem ganzen Spektrum von Himmeln wie Höllen oder himmlischen Höllen führen kann. Das ist keine beiläufige Bemerkung, nehmen die Prozesse sozialen Wandels in unserer Welt doch häufig die Form des Fanatismus und der Gewalt an, die wir gewöhnlich nicht mit positivem sozialem Wandel in Verbindung bringen. Und doch ist dies unsere Welt, das sind wir in unserer widersprüchlichen Vielzahl und Vielfalt, und dies ist es, was wir verstehen, wenn nötig, was wir einsehen und überwinden müssen. Wenn Sie nun wissen wollen, was *dies* und *wir* bedeutet, so trauen Sie sich bitte, weiter zu lesen.

1 Die himmlischen Gefilde der Gemeinschaft: Identität und Sinn in der Netzwerkgesellschaft

Die Hauptstadt ist in der Nähe des Zhong-Berges gebaut;
Die Paläste und Schwellen strahlen und glänzen;
Die Wälder und Gärten duften und blühen;
Epidendrum und Kassia ergänzen einander in Schönheit.
Der verbotene Palast ist herrlich;
Bauten und Pavillons hundert Stockwerke hoch.
Hallen und Tore sind schön und gleißend;
Glocken und Glockenspiele klingen harmonisch.
Die Türme reichen bis in den Himmel;
Auf den Altären werden Opfertiere verbrannt.
Gereinigt und geläutert
Fasten wir und baden.
Wir sind in der Anbetung respektvoll und hingegeben,
Würdig und heiter im Gebet.
Mit Eifer flehend
Sucht ein jeder Glück und Freude.
Die unzivilisierten und Grenzvölker bringen Tribut,
Und all die Barbaren sind unterwürfig.
Ganz gleich wie gewaltig das Gebiet,
Alles wird am Ende unserer Herrschaft unterstehen.
Hong Xiuquan

Dies waren die Worte des „Kaiserlich verfassten Berichtes der tausend Worte", den Hong Xiuquan, der Führer und Prophet der Taiping-Rebellion verfasste, nachdem er 1853 in Nanjing sein himmlisches Reich errichtet hatte.[1] Der Aufstand des Taiping Dao (Weg des Großen Friedens) hatte das Ziel, in China ein an einer neo-christlichen Kommune[2] orientiertes fundamentalistisches Reich zu gründen. Das Reich bestand über ein Jahrzehnt lang und war nach der biblischen Offenbarung organisiert, die Hong Xiuquan seinem eigenen Bericht zufolge von seinem älteren Bruder Jesus Christus empfangen hatte, nachdem er zuvor durch evangelische Missionare mit dem Christentum in Berührung ge-

1 Zit. Spence (1996: 190f).

2 Hier und im Folgenden wird der von Castells benutzte Ausdruck „commune" mit „Kommune" wiedergegeben; d.Ü.

kommen war. Zwischen 1845 und 1864 erschütterten Hong Xiuquans Gebete, Lehren und Armeen China bis ins Mark – und auch die Welt, weil sie der zunehmenden ausländischen Kontrolle im Reich der Mitte in die Quere kamen. Das Reich der Taiping ging so zugrunde, wie es gelebt hatte, in Blut und Feuer. Es kostete 20 Mio. Chinesen das Leben. Es war seine Sehnsucht, ein Paradies auf Erden zu errichten, indem es gegen die Dämonen kämpfte, die China unter ihre Kontrolle gebracht hatten, so dass „alle Menschen in ewiger Freude zusammenleben mögen, bis sie am Ende in den Himmel erhoben werden, um ihren Ewigen Vater zu grüßen."[3] Es war eine Zeit der Krisen staatlicher Bürokratien und moralischer Traditionen, eine Zeit der Globalisierung des Handels, profitablen Drogenschmuggels, schneller, sich über die Welt verbreitender Industrialisierung, religiöser Missionsunternehmen, verarmter Bauern, der Erschütterung von Familien und Gemeinschaften, lokaler Banditen und internationaler Armeen, der Ausbreitung des Buchdrucks und des Massen-Analphabetismus, eine Zeit der Ungewissheit und der Hoffnungslosigkeit, der Identitätskrisen. Es war eine andere Zeit – wirklich eine andere?

Die Konstruktion von Identität

Die Identität ist die Quelle von Sinn und Erfahrung für die Menschen. Wie Calhoun schreibt:

> Wir kennen kein Volk ohne Namen und ohne Sprache und auch keine Kultur, in der nicht irgendwie zwischen dem Selbst und dem Anderen, uns und ihnen unterschieden würde ... Selbst-Kenntnis ist immer eine Konstruktion, ganz gleich, wie sehr sie als Entdeckung erfahren wird, und sie ist niemals ganz ablösbar von dem Anspruch, anderen auf bestimmte Art und Weise bekannt zu sein.[4]

Unter Identität verstehe ich, soweit sich dies auf soziale Akteure bezieht, den Prozess der Sinnkonstruktion auf der Grundlage eines kulturellen Attributes oder einer entsprechenden Reihe von kulturellen Attributen, denen gegenüber anderen Quellen von Sinn Priorität zugesprochen wird. Ein bestimmtes Individuum oder ein kollektiver Akteur können mehrere Identitäten haben. Derart plurale Identität ist jedoch eine Quelle von Spannung und Widerspruch. Das gilt für die Selbst-Darstellung ebenso wie für das soziale Handeln. Der Grund liegt darin, dass die Identität von dem unterschieden werden muss, was in der Soziologie traditionell als Rolle oder Rollensätze bezeichnet worden ist. Rollen (wie etwa Arbeiterin, Mutter, Nachbarin, sozialistische Aktivistin, Gewerkschaftsmitglied, Basketballspielerin, Kirchgängerin und Raucherin sein, alles gleichzeitig) werden durch Normen definiert, die durch die Institutionen und

3 Spence (1996: 172).
4 Calhoun (1994: 9f).

Organisationen der Gesellschaft strukturiert werden. Das relative Gewicht, mit dem sie das Verhalten der Menschen beeinflussen, ist abhängig von den Aushandlungen und Arrangements zwischen den Individuen und diesen Institutionen und Organisationen. Identitäten sind für die Handelnden selbst und aufgrund ihrer selbst Quellen von Sinn, die im Verlauf eines Prozesses der Individuation konstruiert werden.[5] Obwohl ich unten zeige, dass Identitäten auch von herrschenden Institutionen ausgehen können, werden sie doch erst dann und unter der Bedingung zu Identitäten, dass sie von sozial Handelnden internalisiert werden, die dann ihren Sinn auf diese Internalisierung gründen. Sicherlich können manche Selbst-Definitionen auch mit sozialen Rollen zusammenfallen, wenn es etwa vom Standpunkt des sozial Handelnden die wichtigste Selbst-Definition ist, Vater zu sein. Identitäten sind jedoch aufgrund des mit ihnen verbundenen Prozesses der Selbst-Konstruktion und Individuation stärkere Quellen von Sinn, als es Rollen sind. Einfach gesagt organisieren Identitäten Sinn, während Rollen Funktionen organisieren. Ich definiere *Sinn* als die symbolische Identifikation des Ziels einer Handlung durch die sozial Handelnden. Ich stelle weiter eine Annahme zur Diskussion, auf die ich weiter unten näher eingehen werde: *In der Netzwerkgesellschaft* ist für die meisten sozial Handelnden der zentrale Bezugspunkt von Sinn eine primäre Identität – also eine Identität, die den anderen den Rahmen vorgibt –, die über Zeit und Raum hinweg selbsterhaltend ist. Dieser Ansatz kommt Eriksons Bestimmung von Identität nahe, aber ich hebe hier vor allem auf kollektive und nicht auf individuelle Identität ab. Individualismus kann aber, im Unterschied zu individueller Identität, auch eine Form „kollektiver Identität" sein, wie dies in Laschs „Kultur des Narzissmus" analysiert wird.[6]

Man kann sich leicht über den Sachverhalt verständigen, dass aus soziologischer Perspektive alle Identitäten konstruiert sind. Die eigentliche Frage ist, wie, wovon, durch wen und wozu. Die Konstruktion von Identitäten bezieht ihre Baumaterialien aus Geschichte, Geografie, Biologie, von produktiven und reproduktiven Institutionen, aus dem kollektiven Gedächtnis und aus persönlichen Phantasien, von Machtapparaten und aus religiösen Offenbarungen. Aber Einzelpersonen, soziale Gruppen und Gesellschaften verarbeiten diese Materialien und ordnen ihren Sinn nach sozialen Determinanten und kulturellen Projekten neu, die in ihrer Sozialstruktur und in ihrem raum-zeitlichen Bezugsrahmen verwurzelt sind. Ich stelle die Hypothese zur Diskussion, dass im Allgemeinen der symbolische Inhalt einer Identität und ihr Sinn für diejenigen, die sich damit identifizieren oder sich außerhalb von ihr verorten, weitgehend dadurch bestimmt wird, wer eine kollektive Identität zu welchem Zweck konstruiert. Weil die soziale Konstruktion von Identität immer in einem Zusammen-

5 Giddens (1991).
6 Lasch (1980).

hang stattfindet, der von Machtbeziehungen geprägt ist, schlage ich eine Unterscheidung zwischen drei Formen und Ursprüngen des Identitätsaufbaus vor:

- *Legitimierende Identität*: wird durch die herrschenden Institutionen einer Gesellschaft eingeführt, um ihre Herrschaft gegenüber den sozial Handelnden auszuweiten und zu rationalisieren. Dies ist das Zentralthema von Sennetts Theorie der Autorität und Herrschaft,[7] fügt sich aber auch verschiedenen Theorien des Nationalismus ein.[8]
- *Widerstandsidentität*: hervorgebracht von Akteuren, deren Position oder Lage durch die Logik der Herrschaft entwertet und/oder stigmatisiert werden. Sie errichten daher Barrikaden des Widerstandes und Überlebens auf der Grundlage von Prinzipien, die sich von denjenigen unterscheiden, die die Institutionen der Gesellschaft durchdrungen haben, oder diesen entgegenstehen. Dies entwickelt Calhoun im Rahmen seiner Erklärung des Entstehens von Identitätspolitik.[9]
- *Projektidentität*: wenn sozial Handelnde auf der Grundlage irgendwelcher ihnen verfügbarer kultureller Materialien eine neue Identität aufbauen, die ihre Lage in der Gesellschaft neu bestimmt, und damit eine Transformation der gesamten Gesellschaftsstruktur zu erreichen suchen. Das ist etwa der Fall, wenn der Feminismus sich aus den Widerstandsgräben der weiblichen Identität und der Frauenrechte aufmacht, um den Patriarchalismus herauszufordern, und damit die patriarchalische Familie, damit die gesamte Struktur von Produktion, Reproduktion, Sexualität und Persönlichkeit, auf der Gesellschaften historisch aufgebaut waren.

Natürlich können Identitäten, die auf der Ebene des Widerstandes beginnen, zu Projekten führen und können im Verlauf der Geschichte auch in den gesellschaftlichen Institutionen vorherrschend und so zu legitimierenden Identitäten werden, die ihre Herrschaft rationalisieren. Die Dynamik von Identitäten entlang dieser Sequenz zeigt gerade, dass aus der Sicht der Sozialtheorie keine Identität etwas Wesensmäßiges sein kann und dass keine Identität an sich schon außerhalb ihres historischen Kontextes als progressiv oder rückschrittlich bewertet werden kann. Eine andere und sehr wichtige Angelegenheit ist der Nutzen, den jede Identität für diejenigen abwirft, die dazu gehören.

Meiner Ansicht nach führen die unterschiedlichen Typen von Identitätsbildungs-Prozessen bei der Konstitution von Gesellschaft zu jeweils unterschiedlichen Ergebnissen. *Legitimierende Identität bringt eine Zivilgesellschaft hervor;* sie umfasst eine Reihe von Organisationen und Institutionen sowie eine Reihe strukturierter und organisierter sozialer Akteure, die – in wenn auch manchmal konflikthafter Art und Weise – jene Identität reproduzieren, die die Grundlagen

---

7 Sennett (1986)
8 Anderson (1983); Gellner (1983).
9 Calhoun (1994: 17).

der strukturellen Herrschaft rationalisiert. Diese Formulierung mag manche Leser und Leserinnen überraschen, weil man mit „Zivilgesellschaft" im Allgemeinen die positive Vorstellung von demokratischem Wandel verbindet. Es ist aber der ursprüngliche Begriff von Zivilgesellschaft, wie er von Gramsci, dem intellektuellen Vater dieses zweideutigen Konzeptes, formuliert worden ist. Bei Gramsci besteht die Zivilgesellschaft sogar aus einer Reihe von „Apparaten" wie Kirche(n), Gewerkschaften, Parteien, Kooperativen, Bürgervereinigungen usw. Sie verlängern auf der einen Seite die Dynamik des Staates, sind aber auf der anderen tief im Volk verwurzelt.[10] Es ist genau dieser Doppelcharakter, der die Zivilgesellschaft zu einem hervorragenden Terrain für politischen Wandel macht. Denn so wird es möglich, sich des Staates ohne einen unmittelbaren, gewaltsamen Angriff zu bemächtigen. Die Eroberung des Staates durch die Kräfte des Wandels (sagen wir in Gramscis Ideologie, die Kräfte des Sozialismus), die in der Zivilgesellschaft gegenwärtig sind, wird genau wegen der Kontinuität zwischen den Institutionen der Zivilgesellschaft und den Machtapparaten des Staates möglich, denn im Mittelpunkt beider steht eine ähnliche Identität: Bürgerrechte, Demokratie, die Politisierung sozialen Wandels, die Beschränkung der Gewalt auf den Staat und seine Verzweigungen usw. Wo Gramsci und de Tocqueville Demokratie und Zivilität sehen, sehen Foucault oder Sennett und vor ihnen Horkheimer oder Marcuse die internalisierte Herrschaft einer aufoktroyierten, undifferenzierten, normierenden Identität.

Der zweite Typus der Identitätsbildung, die *Identität für den Widerstand,* führt zur Herausbildung von *Kommunen* oder in Etzionis Formulierung, von *Gemeinschaften (communities).*[11] Das könnte der wichtigste Typus von Identitätsbildung in unserer Gesellschaft sein. Er baut Formen kollektiven Widerstandes gegen sonst unerträgliche Unterdrückung auf, für gewöhnlich auf der Grundlage von Identitäten, die dem Anschein nach durch Geschichte, Geografie oder Biologie klar definiert sind. Das macht es leichter, den Grenzziehungen des Widerstandes wesensmäßigen Charakter zuzuschreiben. So „entsteht" etwa ethnisch begründeter Nationalismus, wie Scheff meint, häufig „einerseits aus einem Gefühl der Entfremdung und aus Ressentiments gegen ungerechte Ausschließung, sei diese nun politisch, ökonomisch oder sozial."[12] Religiöser Fundamentalismus, territoriale Gemeinschaften, nationalistische Selbstbestätigung oder selbst der Stolz auf die eigene Selbsterniedrigung durch die Umkehr der Terminologie des unterdrückerischen Diskurses – wie in der *queer culture* einiger Strömungen in der Schwulenbewegung – sind alles Ausdrucksformen dessen, was ich als *den Ausschluss der Ausschließenden durch die Ausgeschlossenen* bezeichne. Mit anderen Worten handelt es sich um den Aufbau einer defensiven Identität in der Sprache der herrschenden Institutionen und Ideologien; dabei

10 Buci-Glucksman (1978).

11 Etzioni (1993).

12 Scheff (1994: 281).

kommt es zur Umkehrung des Werturteils bei gleichzeitiger Verschärfung der Abgrenzung. In einem solchen Fall stellt sich die Frage nach der gegenseitigen Kommunizierbarkeit zwischen diesen ausgeschlossenen und ausschließenden Identitäten. Die Antwort kann nur empirisch und historisch sein. Sie entscheidet darüber, ob Gesellschaften Gesellschaften bleiben oder aber, ob sie sich fragmentieren und zu einer Konstellation von Stämmen werden, die manchmal euphemistisch in Gemeinschaften umgetauft werden.

Der dritte Prozess der Konstruktion von Identität ist die *Projektidentität*. Sie bringt *Subjekte* hervor, wie Alain Touraine sie definiert hat:

> Ich bezeichne als Subjekt den Wunsch, ein Individuum zu sein, sich eine persönliche Geschichte zu schaffen, dem gesamten Bereich der Erfahrungen des individuellen Lebens Sinn zu verleihen ... Die Transformation von Individuen in Subjekte entsteht aus der notwendigen Kombination von zwei Affirmationen: derjenigen der Individuen gegenüber den Gemeinschaften und derjenigen der Individuen gegenüber dem Markt.[13]

Subjekte sind keine Individuen. Selbst dann nicht, wenn sie von und in Individuen geschaffen werden. Sie sind die kollektiven sozialen Akteure, durch die die Individuen in ihrer Erfahrung zu einem ganzheitlichen Sinn gelangen.[14] In diesem Fall besteht der Aufbau von Identität in dem Projekt eines andersartigen Lebens, vielleicht auf der Grundlage einer unterdrückten Identität. Dabei kommt es aber zu einer Ausweitung in die Richtung der Transformation der Gesellschaft als Fortsetzung dieses Identitätsprojektes, wie in dem obigen Beispiel einer postpatriarchalischen Gesellschaft, in der Frauen, Männer und Kinder durch die Verwirklichung der Identität von Frauen befreit werden. Oder in völlig anderer Perspektive die endlich erreichte und definitive Versöhnung aller menschlichen Wesen als Gläubige, Brüder und Schwestern unter der Führung des göttlichen Gebotes, sei es nun Allah oder Jesus – als Ergebnis der religiösen Bekehrung der gottlosen, familienfeindlichen, materialistischen Gesellschaften, die auf andere Art unfähig sind, die menschlichen Bedürfnisse und Gottes Plan zu erfüllen.

Wie und von wem unterschiedliche Typen von Identitäten konstruiert werden und mit welchem Ergebnis, lässt sich in allgemeinen, abstrakten Worten nicht sagen: Es ist eine Frage des sozialen Zusammenhanges. Wie Zaretsky schreibt, „muss [Identitätspolitik] auf ihre historischen Umstände bezogen werden."[15]

Unsere Überlegungen müssen daher auf einen spezifischen Kontext Bezug nehmen, auf die Entstehung der Netzwerkgesellschaft. Die Dynamik, die Identität in ihrem Verlauf annimmt, lässt sich besser verstehen, wenn wir sie Giddens' Charakterisierung der Identität in der „Spätmoderne" gegenüberstellen, wobei ich glaube, dass diese historische Periode als Ära an ihr Ende kommt – freilich ohne zu implizieren, wir erreichten in irgendeiner Weise das „Ende der

---

13 Touraine (1995: 29f); nach der Übersetzung von Castells; d.Ü.

14 Touraine (1992).

15 Zaretsky (1994: 198).

Geschichte", wie dies in mancherlei postmodernen Modelaunen behauptet wird. In einer eindrucksvollen theoretischen Ausarbeitung, deren Hauptpositionen ich teile, sagt Giddens, dass „Ich-Identität kein Unterscheidungsmerkmal ist, dass das Individuum besitzt. Es handelt sich um das Ich, wie es von der jeweiligen Person reflexiv unter dem Gesichtspunkt der eigenen Biographie verstanden wird." Und in der Tat, „ein menschliches Wesen zu sein, bedeutet zu wissen, ... sowohl was man tut und warum man es tut ... Im Zusammenhang der posttraditionellen Ordnung wird das Ich zum reflexiven Projekt."[16]

Welche Auswirkungen hat die „Spätmoderne" auf dieses reflexive Projekt? Giddens sagt dazu, dass

> eines der Unterscheidungsmerkmale der Moderne in der zunehmenden Verknüpfung zwischen den beiden Extremen der Extensionalität und der Intentionalität besteht: globalisierende Einflüsse auf der einen und persönliche Dispositionen auf der anderen Seite. ... Je mehr die Tradition ihren Griff verliert und je mehr das Alltagsleben entsprechend dem dialektischen Wechselspiel zwischen dem Lokalen und dem Globalen neu konstituiert wird, desto mehr müssen die Individuen über ihren Lebensstil durch Auswahl unter einer Vielzahl verschiedener Optionen entscheiden ... Reflexiv organisierte Lebensplanung ... wird zu einem zentralen Moment der Strukturierung von Ich-Identität.[17]

Zwar stimme ich Giddens' theoretischer Charakterisierung des Identitätsaufbaus in der Periode der „Spätmoderne" zu. Aufgrund der Analysen, die ich in Band I dieses Buches vorgelegt habe, behaupte ich aber, dass die Entstehung der Netzwerkgesellschaft die Prozesse des Identitätsaufbaus während jener Periode in Frage stellt und so neue Formen sozialen Wandels hervorruft. Der Grund ist, dass die Netzwerkgesellschaft auf der systemischen Trennung des Lokalen und des Globalen beruht, die für die meisten Individuen und sozialen Gruppen Gültigkeit besitzt. Und zwar, wie ich hinzufüge, weil Macht und Erfahrung hier jeweils unterschiedlichen zeiträumlichen Bezugsrahmen zugeordnet sind (Band I, Kap. 6 und 7). Aus diesem Grund wird reflexive Lebensplanung unmöglich, außer für die Elite, die den zeitlosen Raum der Ströme der globalen Netzwerke und die ihnen untergeordneten Örtlichkeiten bewohnt. Und die Schaffung von Intimität auf der Grundlage von Vertrauen erfordert die Neudefinition einer Identität, die vollständig autonom ist gegenüber der Vernetzungslogik der herrschenden Institutionen und Organisationen.

Unter derartig neuen Bedingungen schrumpfen die Zivilgesellschaften zusammen und verlieren ihre Bindung, denn die Kontinuität zwischen der Logik der Schaffung von Macht im globalen Netzwerk und der Logik der Assoziation und Repräsentation in den spezifischen Gesellschaften und Kulturen ist jetzt entfallen. Die Suche nach Sinn findet dann ihre Stätte in der Rekonstruktion defensiver Identitäten, in deren Zentrum kommunale[18] Prinzipien stehen. Der

---

16 Giddens (1991: 53, 35, 32).

17 Giddens (1991: 1, 5).

18 Hier und im Folgenden bezieht sich – entsprechend einem auch in der neueren deutschen *social anthropology* üblichen Sprachgebrauch – „kommunal" selbstverständlich nicht auf die

größte Teil des sozialen Handelns organisiert sich dann durch den Gegensatz zwischen nicht identifizierten Strömen und gegeneinander abgeschlossenen Identitäten. Projektidentitäten treten zwar noch immer auf oder können je nachdem in einer konkreten Gesellschaft auftreten. Aber ich behaupte, dass die Konstituierung der Subjekte im Kern des Prozesses sozialen Wandels anders vonstatten geht, als uns dies aus Moderne und Spätmoderne vertraut ist: *Subjekte bauen sich nämlich, wenn und falls sie konstituiert werden, nicht mehr auf der Grundlage von Zivilgesellschaften auf, die sich vielmehr im Prozess der Desintegration befinden, sondern als Verlängerung des an Kommunen orientierten Widerstandes.* In der – frühen oder späten – Moderne wurde die Projektidentität von der Zivilgesellschaft aus konstituiert, etwa im Fall des Sozialismus auf der Grundlage der Arbeiterbewegung. Jetzt wächst sie, wenn sie sich überhaupt entwickelt, aus dem Widerstand von Kommunen. Dies ist die wirkliche Bedeutung des neuen Vorrangs der Identitätspolitik in der Netzwerkgesellschaft. Die Analyse der Prozesse, Bedingungen und Folgen der Transformation widerständiger Kommunen in transformative Subjekte ist der genaue Gegenstandsbereich einer Theorie des sozialen Wandels im Informationszeitalter.

Nach dieser vorläufigen Formulierung meiner Hypothesen würde es gegen die methodologischen Prinzipien dieses Buches verstoßen, weiter dem Pfad abstrakten Theoretisierens zu folgen, was bald in bibliografischen Kommentar abgleiten könnte. Ich werde versuchen, die präzisen Implikationen meiner Analyse dadurch aufzuzeigen, dass ich mich auf eine Reihe von Schlüsselprozessen in der Konstruktion kollektiver Identität konzentriere, deren Auswahl sich aus ihrer besonderen Bedeutung für den Prozess des sozialen Wandels in der Netzwerkgesellschaft ergibt. Ich beginne mit dem *religiösen Fundamentalismus* in seiner islamischen und seiner christlichen Spielart, wobei dies freilich nicht bedeutet, andere Religionen wie der Hinduismus, der Buddhismus oder das Judentum seien weniger wichtig oder weniger anfällig für Fundamentalismus. Ich fahre fort mit dem *Nationalismus* und behandle nach einem Überblick über das Problem zwei sehr unterschiedliche, aber signifikante Prozesse: die Rolle des Nationalismus bei der Desintegration der Sowjetunion und in den postsowjetischen Republiken und die Herausbildung sowie das Wiederauftreten des katalonischen Nationalismus. Ich wende mich dann der *ethnischen Identität* zu, wobei ich das Schwergewicht auf die gegenwärtige afro-amerikanische Identität lege. Und ich werde mit einer kurzen Behandlung der *territorialen Identität* auf der Grundlage meiner Beobachtungen von städtischen Bewegungen und lokalen Gemeinschaften auf der ganzen Welt enden. Zum Abschluss werde ich eine knappe Synthese der wesentlichen Linien der Untersuchung versuchen, die sich aus der Betrachtung verschiedener gegenwärtiger Prozesse des (neuerlichen)

Attribute von Gebietskörperschaften, sondern der von Castells so bezeichneten „Kommunen"; d.Ü.

Auftretens von Identität auf der Grundlage des Widerstandes von Kommunen ergeben.

Der Himmel Gottes: Religiöser Fundamentalismus und kulturelle Identität

Es ist ein Merkmal von Gesellschaft, und ich wage zu behaupten, der menschlichen Natur – sollte es so etwas geben –, Trost und Zuflucht in der Religion zu finden. Die Angst vor dem Tod, der Schmerz des Lebens brauchen Gott und den Glauben an Gott, damit die Menschen einfach nur weitermachen können – was auch immer die Manifestationen Gottes sein mögen. Und außerhalb von uns würde Gott schließlich heimatlos werden.

Religiöser Fundamentalismus ist etwas anderes. Und ich behaupte, dass dieses „etwas Andere" eine höchst wichtige Quelle für die Konstruktion von Identität in der Netzwerkgesellschaft ist. Die Gründe werden auf den folgenden Seiten hoffentlich noch deutlicher werden. Doch die Erfahrungen, Meinungen, Geschichten und Theorien im Hinblick auf seinen wirklichen Inhalt sind so unterschiedlich, dass sie sich einer Synthese widersetzen. Zum Glück hat die American Academy of Arts and Science Ende der 1980er Jahre ein größeres komparatives Forschungsprojekt mit dem Ziel durchgeführt, Fundamentalismen in unterschiedlichen sozialen und institutionellen Zusammenhängen zu untersuchen.[19] Wir wissen deshalb, dass „Fundamentalisten immer reaktiv, reaktionär sind"[20] und dass

> Fundamentalisten selektiv sind. Sie können durchaus glauben, sie folgten insgesamt der unverfälschten Vergangenheit, aber ihre Energien richten sich darauf, diejenigen Bestandteile davon einzusetzen, die ihre Identität am besten verstärken, ihre Bewegung zusammenhalten, Befestigungen an ihren Grenzen aufbauen und andere auf Distanz halten ... Fundamentalisten kämpfen unter dem Zeichen Gottes – im Fall theistischer Religionen – oder unter den Abzeichen einer transzendentalen Bezugsgröße.[21]

Um genauer zu sein, sehe ich mich in Übereinstimmung mit der Aufsatzsammlung des Projektes „Fundamentalism Observed", wenn ich *Fundamentalismus* nach meinem eigenen Verständnis definiere als *die Konstruktion kollektiver Identität durch die Identifikation des individuellen Verhaltens und der gesellschaftlichen Institutionen mit den vom göttlichen Gebot abgeleiteten Normen, die von einer letztinstanzlichen Autorität interpretiert werden, welche zwischen Gott und der Menschheit vermittelt.* Deshalb ist es, wie Marty schreibt, „für Fundamentalisten unmöglich, etwas mit Leuten zu diskutieren oder auszuhandeln, die nicht ihre Bindung an eine Autorität teilen, ob das nun die niemals irrende Bibel ist, der

19 Marty und Appleby (1991).
20 Marty (1988: 20).
21 Marty und Appleby (1991: ix-x).

unfehlbare Papst, die islamische Ordnung der *Shari'a* oder die Schlussfolgerungen aus der *halacha* im Judentum."[22]

Religiösen Fundamentalismus hat es natürlich während der gesamten Menschheitsgeschichte gegeben, aber an dieser Jahrtausendwende erscheint er als Quelle von Identität überraschend stark und einflussreich. Warum? Meine Analysen des islamischen und des christlichen Fundamentalismus in diesem Abschnitt versuchen, einige Hinweise darauf zu geben, wie wir eine der Tendenzen verstehen können, die unsere Epoche am nachhaltigsten bestimmen.[23]

Umma vs. *Jahiliya*: Islamischer Fundamentalismus

Die einzige Möglichkeit, zur Modernität zu gelangen,
führt über unseren eigenen Weg,
den Weg der uns von unserer Religion, unserer Geschichte
und unserer Zivilisation vorgezeichnet ist.
Rached Gannouchi[24]

Die 1970er Jahre waren das Geburtsdatum der informationstechnologischen Revolution in Silicon Valley und der Ausgangspunkt für die globale kapitalistische Neustrukturierung. Sie hatten für die muslimische Welt eine andere Bedeutung: Es war der Anfang des 14. Jahrhunderts der *Hegira*, eine Zeit islamischen Neuanfangs, der Reinigung und Stärkung, wie dies für den Anfang eines jeden Jahrhunderts gilt. Tatsächlich breitete sich während der folgenden beiden Jahrzehnte in der gesamten muslimischen Welt eine authentische kulturell/religiöse Revolution aus. Manchmal war sie siegreich wie im Iran, manchmal wurde sie gebändigt wie in Ägypten, manchmal löste sie einen Bürgerkrieg aus wie in Algerien, manchmal wurde sie formal durch die staatlichen Institutionen anerkannt wie im Sudan und in Bangladesh. In den meisten Fällen entstand eine unbehagliche Koexistenz mit einem formal islamischen Nationalstaat, der vollständig in den globalen Kapitalismus integriert ist, wie in Saudi-Arabien, Indonesien oder Marokko. Insgesamt wurde in den Moscheen und Vierteln muslimischer, durch die forcierte Urbanisierung überfüllter und durch die fehlgeschlagene Modernisierung desintegrierter Städte um die kulturelle Identität und das politische Schicksal von nahezu einer Milliarde Menschen gerungen. Der islamische Fundamentalismus als rekonstruierte Identität und als politisches Projekt steht im Zentrum eines überaus entscheidenden Prozesses, der in hohem Maße die Zukunft der Welt mitbestimmen wird.[25]

---

22 Marty (1988: 22).

23 S. auch Misztal und Shupe (1992a).

24 Rached Gannouchi, Interview mit *Jeune Afrique*, Juli 1990. Gannouchi ist ein führender Intellektueller in der tunesischen islamistischen Bewegung.

25 Hiro (1989); Balta (1991); Sisk (1992); Choueri (1993); Juergensmayer (1993); Dekmejian (1995).

Aber was ist islamischer Fundamentalismus? Islam bedeutet auf arabisch einen Zustand der Unterwerfung, und ein Muslim ist jemand, der sich Allah unterworfen hat. Es könnte nach meiner oben gegebenen Definition von Fundamentalismus also scheinen, als sei jeglicher Islam fundamentalistisch: Gesellschaften und ihre staatlichen Institutionen müssen nach unbestrittenen religiösen Prinzipien organisiert sein. Eine Reihe angesehener Gelehrter[26] meint aber, dass zwar der Vorrang der im Qur'ān formulierten religiösen Prinzipien dem gesamten Islam gemeinsam ist, die islamischen Gesellschaften und Institutionen aber zugleich auf vielstimmigen Interpretationen beruhen. Außerdem war in den meisten traditionellen islamischen Gesellschaften der Vorrang religiöser Prinzipien über die politische Autorität rein formal. Schließlich bezieht sich die *shari'a* – göttliches Gesetz nach dem Qur'ān und den *Hadithen* – im klassischen Arabisch auf das Verbum *shara'a*, auf eine Quelle zu gehen. Daher ist für die meisten Muslime die *shari'a* kein unwandelbares, starres Gebot, sondern eine Anleitung, zu Gott zu kommen, was je nach historischem und gesellschaftlichem Kontext auch Anpassungen erfordert.[27] Im Gegensatz zu dieser Offenheit des Islam bedeutet der islamische Fundamentalismus die Verschmelzung der *shari'a* mit dem *fiqh,* also der Interpretation und Anwendung durch Juristen und Behörden, unter der absoluten Dominanz der *shari'a.* Natürlich ist der tatsächliche Sinn vom Prozess der Interpretation abhängig sowie davon, wer interpretiert. Es gibt daher ein großes Variationsspektrum zwischen dem konservativen Fundamentalismus, wie er vom saudischen Königshaus vertreten wird, und dem radikalen Fundamentalismus, wie er in den Schriften von al-Mawdudi oder Sayyid Qtub aus den 1950er und 1960er Jahren ausgearbeitet wurde.[28] Es bestehen auch erhebliche Unterschiede zwischen der Tradition der Schia, die Khomeini inspiriert hat, und der sunnitischen Tradition, dem Glauben von etwa 85% der Muslime, einschließlich revolutionärer Bewegungen wie des algerischen *Front Islamique de Salvation* (FIS) oder des ägyptischen *Takfir wal-Hijrah.* Aus der Sicht von Autoren, die das islamistische Denken in diesem Jahrhundert prägen, wie der Ägypter Hassan al Banna und Sayyid Qtub, des Inders Ali al-Nadawi oder des Pakistani Sayyid Abul al-Mawdudi wird die Geschichte des Islam aber so rekonstruiert, dass sie eine beständige Unterwerfung des Staates unter die Religion belegt.[29] Für einen Muslim besteht die grundlegende Bindung nicht an den *watan* (Heimatland) sondern an die *umma,* an die Gemeinschaft der Gläubigen, die durch ihre Unterwerfung unter Allah alle gleich werden. Diese universelle Bruderschaft überlagert die Institutionen des Nationalstaates, die als Quelle der Uneinigkeit unter den Gläubigen betrachtet

26 S. z.B. Bassam Tibi (1991, 1992a); Aziz Al-Azmeh (1993); Farhad Khosrokhavar (1995) u.a.

27 Garaudy (1990).

28 Carre (1984); Choueri (1993).

29 Hiro (1989); Al-Azmeh (1993); Choueri (1993); Dekmejian (1995).

werden.[30] Damit die *umma* leben und sich ausbreiten kann, bis sie schließlich die gesamte Menschheit umfasst, muss sie einen göttlichen Auftrag erfüllen: aufs Neue den Kampf gegen die *Jahiliya* aufzunehmen, den Zustand der Unkenntnis Gottes oder der mangelnden Beachtung seiner Lehren, in den die Gesellschaften zurückgefallen sind. Um die Menschheit wiederzubeleben, muss die Islamisierung zunächst in den muslimischen Gesellschaften erfolgen, die sich säkularisiert haben und von der strikten Befolgung des göttlichen Gesetzes abgewichen sind, und danach auf der ganzen Welt. Dieser Prozess muss mit einer spirituellen Wiedergeburt auf der Grundlage von *al-sirat al-mustaqin* (gerader Weg) beginnen, die sich an der vom Propheten Muhammad in Medina organisierten Gemeinschaft orientiert. Um aber die Mächte der Gottlosigkeit zu überwinden, kann es notwendig sein, mittels des *jihad* (Kampf für den Islam) gegen die Ungläubigen vorzugehen und in extremen Fällen bis zum heiligen Krieg zu gehen. In der schiitischen Tradition stellt das Martyrium, das den Opfertod des Imam Ali im Jahre 681 wiederholt, sogar den Kern religiöser Reinheit dar. Aber dem gesamten Islam ist das Lob für notwendige Opfer gemeinsam, die durch den Anruf Gottes (*al-da'wah*) gefordert werden. Wie dies Hassan al Banna, der 1949 ermordete Gründer und Anführer der Muslimbrüder, formuliert hat: „Der Qur'ān ist unsere Verfassung, der Prophet unser Führer; Tod zum Ruhme Allahs ist unser höchstes Streben."[31] Das letzte Ziel allen menschlichen Handelns muss die Errichtung der Herrschaft des göttlichen Gesetzes über die gesamte Menschheit sein, womit der im Augenblick bestehende Gegensatz zwischen *Dar al-Islam* (der muslimischen Welt) und *Dar al-Harb* (der nicht-muslimischen Welt) beendet wäre.

In diesem kulturell/religiös/politischen Bezugsrahmen wird die islamische Identität auf der Grundlage einer doppelten Dekonstruktion aufgebaut, die durch die sozialen Akteure sowie durch die Institutionen der Gesellschaft erfolgt.

Die sozialen Akteure müssen sich selbst als Subjekte dekonstruieren, sei es als Individuen, als Mitglieder einer ethnischen Gruppe oder als Angehörige einer Nation. Zudem müssen sich Frauen den Männern unterwerfen, die über sie zu bestimmen haben, denn ihnen wird aufgetragen, ihre Erfüllung vor allem im Rahmen der Familie zu finden: „Die Männer sind den Frauen überlegen wegen dessen, was Allah den einen vor den andern gegeben hat, und weil sie von ihren Vermögen (für die Frauen) auslegen".[32] Wie Bassam Tibi schreibt, „ist Habermas' Prinzip der Subjektivität für islamische Fundamentalisten Häresie."[33] Nur in der *umma* kann das Individuum ganz es selbst sein, als Teil der Bruderschaft

30 Oumlil (1992).

31 Zit. nach Hiro (1989: 61).

32 *Der Koran*, 4. Sure, Vers 38(34) (Übers. Max Henning, Leipzig 1974); S. Hiro (1989: 202); Delcroix (1995); Gerami (1996).

33 Tibi (1992b: 8)

der Gläubigen, eines grundlegenden Gleichmachungsmechanismus, der für gegenseitige Hilfe, Solidarität und gemeinsame Sinnzusammenhänge sorgt. Andererseits muss der Nationalstaat selbst seine Identität negieren: *al-dawla islamiyya* (der islamische Staat) auf der Grundlage der *Shari'a* erhält Vorrang vor dem Nationalstaat (*al-dawla qawmiyya*). Diese These ist besonders im Nahen Osten effektiv, einer Region, in der Tibi zufolge „der Nationalstaat fremd und seinen Teilen praktisch aufgepfropft ist ... Die politische Kultur des säkularen Nationalstaates ist im Nahen Osten nicht nur neu, sie bleibt den betroffenen Gesellschaften auch oberflächlich."[34]

Der islamische Fundamentalismus ist jedoch – und das ist entscheidend – keine traditionalistische Bewegung. Ungeachtet aller exegetischen Anstrengungen, die islamische Identität in der Geschichte und den heiligen Texten zu verankern, schritten die Islamisten mit dem Ziel des gesellschaftlichen Widerstandes und des politischen Aufstandes zu einer Rekonstruktion kultureller Identität, die in Wirklichkeit hypermodern ist.[35] Wie Al-Azmeh schreibt: „Die Politisierung des Heiligen, die Heiligung der Politik und die Transformation der islamischen, pseudo-legalen Institutionen in ‚soziale Andacht' sind durchweg Mittel, um die Politik des authentischen Ich zu verwirklichen, eine Politik der Identität und daher das Mittel zur eigentlichen Schaffung, ja zur Erfindung dieser Identität."[36]

Aber wenn der Islamismus – auch wenn er in den Schriften der islamischen Reformer und Erwecker des 19. Jahrhunderts wie al-Afghani verwurzelt ist – im Kern eine Identitätsform der Gegenwart darstellt, warum gerade jetzt? Warum hat er sich in den letzten zwei Jahrzehnten schlagartig ausgebreitet, nachdem er in der postkolonialen Periode wiederholt vom Nationalismus zurückgedrängt worden war, etwa in der Repression gegen die Muslimbrüder in Ägypten und Syrien (einschließlich der Hinrichtung von Qtub 1966), dem Aufstieg Sukarnos in Indonesien oder des *Front de Libération Nationale* in Algerien?[37]
Für Tibi „steht der Aufschwung des islamischen Fundamentalismus im Nahen Osten im wechselseitigen Zusammenhang mit der Einwirkung der Prozesse der Globalisierung, des Nationalismus und des Nationalstaates als globalisierte Organisationsprinzipien auf diesen Teil der islamischen Welt, der sich als ein kollektives Gebilde wahrnimmt."[38]

Das explosionsartige Auftreten islamischer Bewegungen scheint tatsächlich sowohl mit der Zerstörung traditioneller Gesellschaften – und damit auch der Unterminierung der Macht der traditionellen Geistlichen – zusammenzuhängen, wie mit dem Scheitern des Nationalstaates, der von nationalistischen Be-

34 Tibi (1992b: 5).
35 Gole (1995).
36 Al-Azmeh (1993: 31).
37 Piscatori (1986); Moen und Gustafson (1992); Tibi (1992a); Burgat und Dowell (1993); Juergensmayer (1993); Dekmejian (1995).
38 Tibi (1992b: 7).

wegungen geschaffen wurde, um die Modernisierung zu vollziehen, die Wirtschaft zu entwickeln und/oder die Segnungen des Wirtschaftswachstums unter die Gesamtbevölkerung zu verteilen. Daher wird die islamische Identität von den Fundamentalisten in Frontstellung zum Kapitalismus, zum Sozialismus und zum Nationalismus, sei er nun arabisch oder andersartig, (re)konstruiert. Alles dies sind in ihren Augen gescheiterte Ideologien der postkolonialen Ordnung.

Ein wichtiges Fallbeispiel ist natürlich der Iran.[39] Die 1963 eingeleitete Weiße Revolution des Schah war der ehrgeizigste Versuch, mit Unterstützung der Vereinigten Staaten Wirtschaft und Gesellschaft zu modernisieren und verband sich mit dem ausdrücklichen Vorhaben, sich an den neuen, gerade entstehenden globalen Kapitalismus anzuschließen. Dabei untergrub sie grundlegende Strukturen der traditionellen Gesellschaft, von der Landwirtschaft bis hin zur Zeitrechnung. So ging es in einem der großen Konflikte zwischen dem Schah und der *ulema* um die Kontrolle über die Zeit, denn der Schah wechselte am 24. April 1976 vom islamischen Kalender zum vor-islamischen dynastischen Kalender der Achämeniden. Als Khomeini am 1. Februar 1979 in Tehran landete, um die Revolution anzuführen, kehrte er als Vertreter des Imam Nacoste zurück, des Herrn über die Zeit (*wali al-zaman*), um den Vorrang der religiösen Prinzipien geltend zu machen. Die Islamische Revolution richtete sich zu gleicher Zeit gegen die Institution der Monarchie (Khomeini: „Der Islam ist grundsätzlich gegen jegliche Vorstellung von einer Monarchie");[40] gegen den Nationalstaat (Artikel 10 der neuen iranischen Verfassung: „Alle Muslime bilden eine einzige Nation"); und gegen die Modernisierung als Ausdruck von Verwestlichung (Artikel 43 der iranischen Verfassung betont das „Verbot von Extravaganz und Verschwendung in allen Angelegenheiten, die mit der Wirtschaft zu tun haben, einschließlich Konsum, Investition, Produktion, Distribution und Dienstleistungen"). Die Macht der *ulema*, der Hauptangriffspunkt der institutionellen Reformen des Schah, wurde als Mittler zwischen *shari'a* und Gesellschaft verankert. Die Radikalisierung des islamischen Regimes nach dem Angriff des Irak 1980 und dem darauf folgenden, grauenhaften Krieg führte zur Säuberung der Gesellschaft und zur Einsetzung von Sonderrichtern, um gottlose Handlungen wie „Ehebruch, Homosexualität, Glücksspiel, Heuchelei, Sympathie für die Atheisten und Heuchler sowie Hochverrat" zu bestrafen.[41] Es folgten Tausende unterschiedlich begründeter Inhaftierungen, Auspeitschungen und Hinrichtungen. Mit dem Zyklus des Terrors, der sich vor allem gegen linke Kritiker und eine marxistische Guerilla richtete, schloss sich der Kreis der fundamentalistischen Logik im Iran.

Wo liegen die sozialen Grundlagen des Fundamentalismus? Im Iran, wo sich andere revolutionäre Kräfte an den langen, hart ausgefochtenen Bewegungen

39 Hiro (1989); Bakhash (1990); Esposito (1990); Khosrokhavar (1995).

40 Hiro (1989: 161).

41 Offizielle, in der Presse verbreitete Dokumente, zit. nach Hiro (1989: 190).

beteiligt hatten, die zum Sturz der blutigen Diktatur der Pahlavis führten, waren die Führer die Geistlichen, und die Moscheen waren die Orte der revolutionären Komitees, die den Volksaufstand organisierten. Was die sozial Handelnden angeht, lag die Stärke der Bewegung in Tehran und anderen großen Städten, vor allem unter den Studierenden, Intellektuellen, Bazar-Kaufleuten und Handwerkern. Als die Bewegung auf die Straße ging, schlossen sich ihr die Massen neu Zugewanderter an, die in den 1970er Jahren durch die Modernisierung der Landwirtschaft aus ihren Dörfern vertrieben worden waren und nun die schnell wachsenden informellen Siedlungen Tehrans bevölkerten.

Das soziale Profil der Islamisten in Algerien und Tunesien scheint einigen verstreuten Daten zufolge ähnlich zu sein: Die Unterstützung für die FIS ging von einer heterogenen Gruppe von gebildeten Intellektuellen, Hochschullehrern und niederen Beamten aus, denen sich kleine Kaufleute und Handwerker anschlossen. Doch auch diese Bewegungen, die in den 1980er Jahren stattfanden, hatten ihre sozialen Wurzeln in einem Exodus vom Land. So stellte eine Untersuchung in Tunesien fest, dass 48% der Väter von Militanten Analphabeten waren, die während der 1970er Jahre aus verarmten ländlichen Gegenden in die Städte migriert waren. Die Militanten selbst waren jung: In Tunesien betrug das Durchschnittsalter von 72 Militanten, die 1987 in einem großen Prozess verurteilt wurden, 32 Jahre.[42] In Ägypten ist der Islamismus unter den Studierenden an den Universitäten vorherrschend. Die meisten ihrer Vereinigungen stehen seit Mitte der 1980er Jahre unter islamisch fundamentalistischer Führung. Unterstützung kommt auch von Regierungsangestellten, vor allem Lehrern und Lehrerinnen, und die Bewegung hat zunehmenden Einfluss in Polizei und Armee.[43]

Die sozialen Wurzeln des radikalen Fundamentalismus scheinen auf eine Verbindung zwischen einer erfolgreichen, staatlich gelenkten Modernisierung während der 1950er und 1960er Jahre, sowie auf das Scheitern wirtschaftlicher Modernisierung in den meisten muslimischen Ländern während der 1970er und 1980er Jahre zurückzugehen, als ihre Volkswirtschaften nicht in der Lage waren, sich an die neuen Bedingungen des globalen Wettbewerbs und der technologischen Revolution anzupassen. So wurde eine jugendliche städtische Bevölkerung, die als Ergebnis der ersten Welle der Modernisierung ein hohes Bildungsniveau hatte, in ihren Erwartungen enttäuscht, als die Wirtschaft in Schwierigkeiten geriet und neue Formen kultureller Abhängigkeit entstanden. Diese Gruppierung traf sich in ihrer Unzufriedenheit mit den verarmten Massen, die durch die unausgeglichene Modernisierung der Landwirtschaft aus den ländlichen Gebieten vertrieben worden waren. Dieses soziale Gemisch wurde durch die Krise des Nationalstaates explosiv, dessen Angestellte einschließlich des Militärpersonals Einbußen beim Lebensstandard hinnehmen mussten und

42 Daten nach Burgat und Dowell (1993).
43 Hiro (1989); Dekmejian (1995).

den Glauben an das nationalistische Projekt verloren. Die Legitimitätskrise des Nationalstaates war das Ergebnis der weitverbreiteten Korruption, seiner Ineffizienz und Abhängigkeit von äußeren Mächten sowie im Nahen Osten der wiederholten militärischen Demütigungen durch Israel, gefolgt vom Arrangement mit dem zionistischen Feind. Die Konstruktion der gegenwärtigen islamischen Identität erfolgt als Reaktion gegen unerreichbare Modernisierung – in kapitalistischer oder sozialistischer Form –, gegen die schlimmen Folgen der Globalisierung und gegen den Zusammenbruch des postkolonialen nationalistischen Projektes. Das ist der Grund, warum die unterschiedliche Entwicklung des Fundamentalismus in der muslimischen Welt offenbar mit der uneinheitlichen Fähigkeit des Nationalstaates verknüpft ist, in sein Projekt unter staatlicher Vorherrschaft sowohl die städtischen Massen durch wirtschaftlichen Wohlstand wie die muslimischen Geistlichen durch die offizielle Sanktionierung ihrer religiösen Macht in ähnlicher Weise zu integrieren, wie dies unter dem Omajjaden-Kalifat und im Osmanischen Reich gelungen war.[44] So ist Saudi-Arabien zwar formal eine islamische Monarchie, aber die *ulema* werden vom Königshaus bezahlt, dem es gelungen ist, zu ein und derselben Zeit Hüter der heiligen Stätten und Hüter des westlichen Öls zu werden. Indonesien und Malaysia scheinen in der Lage zu sein, islamistischen Druck innerhalb ihrer autoritären Nationalstaaten zu integrieren, indem sie für schnelles Wirtschaftswachstum sorgen und ihren Untertanen damit vielversprechende Aussichten verschaffen. Allerdings akkumulieren sich die Spannungen in den indonesischen Städten. Andererseits sind die nationalistischen Projekte Ägyptens, Algeriens und Tunesiens, die zu den am stärksten verwestlichten muslimischen Ländern gehörten, im Großen und Ganzen während der 1980er Jahre zusammengebrochen. Das hat zu sozialen Spannungen geführt, die sich hauptsächlich Islamisten der gemäßigten (Muslimbrüder), radikalen (*Jama'ah al-Islamiyya*) oder demokratisch-radikalen Version (algerische FIS) zunutze machten.[45] Während der 1990er Jahre könnte die Herausforderung der Hamas gegen den proto-palästinensischen Staat, der in Kooperation mit Israel um die Führungsfigur von Jassir Arafat gebildet wurde, eine der dramatischsten Spaltungen darstellen, zu denen es zwischen dem arabischen Nationalismus – für den die palästinensische Bewegung das Sinnbild ist – und dem radikalen islamischen Fundamentalismus gekommen ist.

Wo, wie in Algerien im Dezember 1991, Wahlerfolge der Islamisten durch militärische Repression zunichte gemacht wurden, waren weit um sich greifende Gewalt und Bürgerkrieg die Folge.[46] Selbst in dem am stärksten verwestlichten muslimischen Land, der Türkei, geriet Kemal Atatürks säkulares, nationalistisches Erbe unter den Druck einer historischen Herausforderung, als in den Wahlen von 1995 die Islamisten zur stärksten politischen Kraft im Lande wur-

44 Balta (1991).
45 Sisk (1992).
46 Nair (1996).

den, wobei sie sich auf die Stimmen der radikalisierten Intellektuellen und der städtischen Armen stützten. Sie bildeten 1996 die Regierung.

Politischer Islamismus und islamische fundamentalistische Identität scheinen sich während der 1990er Jahre in verschiedenen sozialen und institutionellen Zusammenhängen auszubreiten. Dabei geht es immer um die Dynamik der sozialen Exklusion und/oder um die Krise des Nationalstaates. So führen soziale Segregation, Diskriminierung und Arbeitslosigkeit unter französischen Jugendlichen maghrebinischer Herkunft, unter jungen, in Deutschland geborenen Türken, unter Pakistanis in Großbritannien oder unter Afro-Amerikanern zum Auftreten einer neuen islamischen Identität unter den unzufriedenen Jugendlichen. Es kommt zur dramatischen Übertragung des radikalen Islamismus in die sozial exkludierten Gebiete der fortgeschrittenen kapitalistischen Gesellschaften.[47] Auf der anderen Seite löste der Zusammenbruch des Sowjetstaates das Auftreten islamischer Bewegungen im Kaukasus und in Zentralasien und sogar die Bildung einer Partei der islamischen Wiedergeburt in Russland aus. So drohten die Befürchtungen Wirklichkeit zu werden, die islamischen Revolutionen könnten sich von Afghanistan und Iran in die früheren Sowjetrepubliken ausbreiten.[48]

Durch eine Reihe von politischen Prozessen, ist abhängig von der Dynamik eines jeden Nationalstaates und der Form der globalen Anbindung einer jeden Volkswirtschaft in allen muslimischen Gesellschaften und in den muslimischen Minderheiten der nicht-muslimischen Gesellschaften ein islamisch-fundamentalistisches Projekt in Erscheinung getreten. Eine neue Identität wird hergestellt, nicht durch eine Rückkehr zur Tradition, sondern durch die Arbeit mit traditionellen Materialien bei der Schaffung einer neuen, gottgefälligen, kommunenhaften Welt, in der die entrechteten Massen und unzufriedenen Intellektuellen eine neue Sinngrundlage in einer globalen Alternative finden können, die im Gegensatz zu der globalen Ordnung steht, aus der sie ausgeschlossen sind.[49] Khosrokhavar fügt dem hinzu:

> Wenn das Projekt der Konstitution von Individuen, die vollständig an der Modernität teilhaben, in der wirklichen Erfahrung des Alltagslebens seine Absurdität enthüllt, wird die Gewalt für das neue Subjekt zur einzigen Form der Selbstbestätigung. ... Die Neo-Gemeinschaft wird dann zur Nekro-Gemeinschaft. Die Ausschließung von der Moderne nimmt religiöse Bedeutung an: So wird die Selbstaufopferung zu einem Weg, auf dem man gegen die Exklusion ankämpfen kann.[50]

Durch die Negation der Exklusion bis hin zur extremen Form der Selbstopferung entsteht im historischen Prozess des Aufbaus der *umma*, des kommunalen Himmels für die wahren Gläubigen, eine neue islamische Identität.

47 Luecke (1993); Kepel (1995).
48 Mikulsky (1992).
49 Tibi (1992a, b); Gole (1995).
50 Khosrokhavar (1995: 249f)

Gott, rette mich! Der amerikanische christliche Fundamentalismus

Wir sind in ein neues elektronisches Mittelalter eingetreten, in dem die neuen heidnischen Horden mit ihrer Verfügung über die Macht der Technologie dabei sind, die letzten Befestigungen der zivilisierten Menschheit zu zerstören. Der Tod steht uns unmittelbar bevor. Wenn wir die Gestade des christlichen westlichen Menschen hinter uns lassen, breitet sich nur ein dunkles und stürmisches Meer endlos vor uns aus ... wenn wir nicht kämpfen!

Francis Schaeffer, *Time for Anger*[51]

Christlicher Fundamentalismus ist eine Konstante der amerikanischen Geschichte. Er reicht von den Ideen der Föderalisten wie Timothy Dwight und Jedidiah Morse in der Zeit nach der Revolution über die Erweckungsbewegung um 1900 mit Namen wie Dwight J. Moody und die Rekonstruktionisten der 1970er Jahre, die von Rousas J. Rushdoony inspiriert waren, bis zu Pat Robertsons Eschatologie des Jahrtausendendes.[52] Eine Gesellschaft, die sich unablässig an der Front von sozialem Wandel und individueller Mobilität befindet, muss notwendig periodisch die Segnungen der Moderne und der Säkularisierung in Zweifel ziehen. Sie sehnt sich nach der Sicherheit traditioneller Werte und Institutionen, die in der ewigen Wahrheit Gottes wurzeln. Sogar der Begriff „Fundamentalismus", der auf der ganzen Welt weithin in Gebrauch ist, entstand in Amerika. Er bezieht sich auf eine zehnbändige Buchreihe mit dem Titel *The Fundamentals*. Sie wurde zwischen 1910 und 1915 privat von zwei Brüdern und Geschäftsleuten veröffentlicht, um heilige Texte zu sammeln, die um die Wende zum 20. Jahrhundert von konservativen evangelikalen Theologen herausgegeben wurden. Der Einfluss der Fundamentalisten war zu verschiedenen Zeiten unterschiedlich stark, er ist aber nie ganz verschwunden. Während der 1980er und 1990er Jahre hat er sicherlich einen Aufschwung erlebt. Zwar gab die Auflösung der *Moral Majority* von Jerry Falwell 1989 manchen Beobachtern Anlass, den Niedergang des Fundamentalismus zu verkünden – als Parallele zum kommunistischen Satan, dessen Gegnerschaft eine wesentliche Quelle der Legitimation und der Spenden für den Fundamentalismus gewesen war. Aber es wurde schnell offenkundig, dass es sich um die Krise einer Organisation und einer politischen Idee handelte, nicht jedoch um eine Krise der fundamentalistischen Identität.[53] Während der 1990er Jahre trat der Fundamentalismus nach dem Sieg Clintons im Präsidentschaftswahlkampf 1992 in den Vordergrund der

---

51 Schaeffer (1982: 122). Francis Schaeffer ist einer der führenden Geister des heutigen amerikanischen christlichen Fundamentalismus. Sein *Christian Manifesto*, das 1981 kurz nach seinem Tod erschien, war die einflussreichste Broschüre in der Anti-Abtreibungsbewegung im Amerika der 1980er Jahre.

52 Marsden (1980); Ammerman (1987); Misztal und Shupe (1992b); Wilcox (1992).

53 Lawton (1989); Moen (1992); Wilcox (1992).

politischen Szene. Diesmal geschah dies in Form der *Christian Coalition* unter Führung von Pat Robertson und Ralph Reed. Sie hatten nach eigenen Angaben 1,5 Mio. organisierte Mitglieder und verfügten unter der republikanischen Wählerschaft über erheblichen Einfluss. Außerdem scheinen Ideen und Weltanschauung der Fundamentalisten im Amerika des *fin-de-siècle* auf erhebliche Resonanz zu stoßen. So erklärte nach einer nationalen Gallup-Umfrage 1979 ein Drittel der Erwachsenen, sie hätten eine religiöse Bekehrung erfahren; fast die Hälfte glaubte, die Bibel sei unfehlbar; und über 80%, Jesus Christus sei göttlich.[54] Natürlich ist Amerika immer schon eine sehr religiöse Gesellschaft gewesen, und das ist es noch immer in weit höherem Maße als etwa Westeuropa oder Japan. Aber diese religiöse Gefühlslage scheint immer mehr die Tonlage einer Erweckungsbewegung anzunehmen und in eine mächtige fundamentalistische Strömung hinein zu treiben. Wie Simpson schreibt:

> Der Fundamentalismus in seiner ursprünglichen Bedeutung besteht aus einer Reihe christlicher Glaubens- und Erfahrungssätze. Dazu gehören (1) die Anerkennung der wortwörtlichen und vollständigen göttlichen Inspiration der Bibel und ihrer Unfehlbarkeit; (2) individuelle Erlösung durch Christus und seine Annahme als persönlichen Heiland (Wiedergeburt) durch Christus' wirkungsvolles stellvertretendes Sühneopfer durch seinen Tod und Auferstehung; (3) die Erwartung der Wiederkunft Christi aus dem Himmel am Ende der Zeiten; (4) die Bekräftigung von orthodoxen protestantisch-christlichen Dogmen wie der Jungfrauengeburt und der Dreifaltigkeit.[55]

Aber der christliche Fundamentalismus ist eine so breite und weit aufgefächerte Strömung, dass er sich einer einfachen Definition widersetzt, die die Abgründe überspannen müsste, die zwischen Pfingstgemeinden und charismatischen Evangelikalen, zwischen *pre-millennial* und *post-millennial*, zwischen Pietisten und Aktionisten klaffen. Zum Glück können wir uns auf die ausgezeichnete, gut dokumentierte wissenschaftliche Synthese amerikanischer fundamentalistischer Schriften und Lehren von Michael Lienesch stützen. Auf dieser Grundlage und mit Hilfe anderer Quellen, die seine Darstellung und Argumente insgesamt bestätigen, will ich versuchen, die wesentlichen Züge christlich-fundamentalistischer Identität zu rekonstruieren.[56]

Wie Lienesch schreibt, „befindet sich im Zentrum des konservativen christlichen Denkens die Vorstellung von der Bekehrung. Dieser Akt des Glaubens und der Vergebung, durch den die Sündigen aus der Sünde in einen Stand ewig währender Erlösung versetzt werden, bestimmt und formt ihr Selbstgefühl."[57] Durch diese persönliche Erfahrung der spirituellen Wiedergeburt wird die gesamte Persönlichkeit umgeformt. Dies wird zum „Ausgangspunkt für die Entwicklung eines Gefühls nicht nur von Autonomie und Identität, sondern auch

54 Lienesch (1993: 1).
55 Simpson (1992: 26).
56 Zeskind (1986); Jelen (1989, 1991); Barron und Shupe (1992); Lienesch (1993); Riesebrodt (1993); Hicks (1994).
57 Lienesch (1993: 23)

von gesellschaftlicher Ordnung und politischer Zielstrebigkeit."[58] Die Verknüpfung zwischen Persönlichkeit und Gesellschaft erfolgt über die Wiederherstellung der Familie, der zentralen Institution der Gesellschaft, die einst Zuflucht vor der rauen und feindlichen Welt bot und jetzt in unserer Gesellschaft zerbröckelt. Diese „Festung christlichen Lebens" muss durch die Betonung des Patriarchalismus neu erbaut werden. Das bedeutet die Heiligkeit der Ehe (Ausschluss von Scheidung und Ehebruch) und vor allem anderen die Herrschaft von Männern gegenüber Frauen (buchstäblich nach biblischem Gebot: 1. Mose 1; Epheser 5.22-23), strikten Gehorsam der Kinder, der wo nötig durch Schläge erzwungen wird. Schließlich werden die Kinder im Stand der Sünde geboren: „Es ist für Eltern von großem Nutzen, wenn sie einsehen, dass es nur natürlich ist, wenn es ihre Kinder nach Bösem gelüstet".[59] Es ist daher entscheidend, dass Kinder in der Familie in der Furcht Gottes und im Respekt vor elterlicher Autorität erzogen werden. Die Familie muss sich dabei auf die Unterstützung durch eine christliche Erziehung in der Schule verlassen können. Es ist eine offenkundige Folge dieser Ansichten, dass die öffentlichen Schulen zum Schlachtfeld zwischen Gut und Böse werden, zwischen der christlichen Familie und den weltlichen Institutionen.

Christen, die es wagen, für diese Prinzipien einzustehen und Gottes Plan gegenüber ihren eigenen unvollkommenen Lebensplänen den Vorzug zu geben, erwartet eine Fülle irdischer Belohnungen. Angefangen mit einem tollen Sexualleben in der Ehe. Das Bestseller-Sexualhandbuch von Tim und Beverly La Haye wird als „vollständig biblisch und praxisnah"[60] angepriesen und zeigt mit Hilfe von Illustrationen die Freuden der Sexualität, die, wenn sie erst einmal geheiligt und auf die Zeugung hin kanalisiert sind, in voller Übereinstimmung mit dem Christentum stehen. Da können Männer wieder Männer sein. Anders als die gegenwärtigen „Christianettes" sollten Männer wie Männer aussehen und sich auch so benehmen. Eine weitere christliche Tradition besagt: „Jesus war keine Memme".[61] Die Kanalisierung der männlichen Aggressivität in einer erfüllten Ehe ist für die Gesellschaft sogar notwendig. So wird Gewalt kontrolliert, und zur Quelle der „protestantischen Arbeitsethik" und damit wirtschaftlicher Produktivität. Aus dieser Sicht ist sexuelle Sublimierung die Grundlage der Zivilisation. Was Frauen angeht, so sind sie biologisch zur Mutterschaft und zur emotionalen Ergänzung der rationalen Männer bestimmt (soweit Phyllis Schlafly). Ihre Unterordnung wird ihnen helfen, Selbstwertgefühl zu erlangen. Durch Aufopferung machen Frauen ihre Identität unabhängig von Männern geltend. So schreibt Beverly La Haye: „Habt keine Angst, zu geben und zu ge-

58 Lienesch (1993: 23)
59 Beverly La Haye, zit. nach Lienesch (1993: 78).
60 Zit. nachLienesch (1993: 56).
61 Edwin L. Cole, zit. nach Lienesch (1993: 63).

ben und zu geben".[62] Das Ergebnis wird die Rettung der Familie sein, „dieser kleinen Republik, des Fundaments, auf dem die gesamte Gesellschaft steht."[63]

Da Rettung und Erlösung garantiert sind, solange der Christ sich nur strikt an die Bibel hält, und in einer stabilen patriarchalischen Familie Halt im Leben findet, werden auch die Geschäfte gut laufen – vorausgesetzt, dass sich die Regierung nicht in die Wirtschaft einmischt, die selbst verschuldet Armen sich selbst überlässt und die Besteuerung auf akzeptable Grenzen zurückfährt (etwa 10% des Einkommens). Die christlichen Fundamentalisten scheint der Widerspruch nicht weiter zu stören, dass sie moralisch für Theokratie und ökonomisch für Libertinage eintreten.[64] Ferner wird Gott den guten Christen in seinem Geschäftsleben unterstützen: Schließlich hat er seine Familie zu versorgen. Nach seiner eigenen Darstellung ist der Führer der Christian Coalition, der bekannte TV-Evangelist Pat Robertson, dafür ein lebendes Beispiel. Nach seiner Bekehrung wandte er sich mit seinem wiedergeborenen Selbstbewusstsein seinen Geschäften zu: „Gott hat mich hier her geschickt, um Ihre Fernsehstation zu kaufen", und er bot eine Summe „auf der Grundlage von Gottes Vorgaben": „Der HErr sprach: ‚Biete nicht mehr als zweieinhalb Millionen'."[65] Insgesamt erwies sich das als hervorragendes Geschäft, für das Pat Robertson Gott allwöchentlich in seiner Fernsehsendung „700 Club" dankte.

Es ist jedoch für eine Einzelperson unmöglich, dem christlichen Pfad zu folgen, denn die Institutionen der Gesellschaft und besonders die Regierung, die Medien und das öffentliche Bildungswesen werden von Humanisten unterschiedlicher Provenienz kontrolliert, die je nach den verschiedenen Ausgaben von Fundamentalismus mit Kommunisten, Bankiers, Häretikern und Juden zu tun haben. Die hinterhältigsten und gefährlichsten Feinde sind Feministinnen und Homosexuelle, denn sie sind es, die die Familie untergraben, die wichtigste Quelle sozialer Stabilität, christlichen Lebens und persönlicher Erfüllung (Phyllis Schlafly sprach von der „Krankheit namens Befreiung der Frau").[66] Der Kampf gegen die Abtreibung symbolisiert all die Kämpfe zur Bewahrung der Familie, des Lebens und des Christentums und schafft eine Brücke zu anderen christlichen Glaubensrichtungen. Das ist der Grund, weshalb die *pro-life*-Bewegung die militanteste und einflussreichste Ausdrucksform des christlichen Fundamentalismus in Amerika ist.

Der Kampf muss intensiviert und die nötigen politischen Kompromisse mit der institutionellen Politik müssen erreicht werden, denn die Zeit wird knapp. Das „Ende der Zeiten" rückt heran, und wir müssen Buße tun und unsere Gesellschaft in Ordnung bringen und bereit sein für die Wiederkunft Jesu Christi,

---

62 Beverly La Haye, zit. nach Lienesch (1993: 77).
63 Lienesch (1993: 77); „Republik" steht hier für „commonwealth", d.Ü.
64 Hicks (1994).
65 Bericht von Pat Robertson, zit. nach Lienesch (1993: 40).
66 Zit. nach Lienesch (1993: 71).

die ein neues Zeitalter eröffnen wird, ein neues Zeitalter von nie dagewesenem Frieden und Wohlstand. Doch gibt es da einen gefährlichen Übergang, denn wir müssen die furchtbare Schlacht von Armageddon bestehen, die im Nahen Osten ihren Ausgang nimmt und sich dann auf die ganze Welt ausdehnt. Israel und das Neue Israel (Amerika) werden am Ende über ihre Feinde siegen, jedoch um einen entsetzlichen Preis und nur, weil auf die Fähigkeit unserer Gesellschaft Verlass ist, sich wieder zu regenerieren. Das ist der Grund, aus dem die Transformation der Gesellschaft (durch christliche Basispolitik) und die Regeneration des Ich (durch ein frommes und familienorientiertes Leben) beide notwendig sind und einander ergänzen.

Wer sind die gegenwärtigen amerikanischen Fundamentalisten? Clyde Wilcox liefert einige interessante Daten über die demografischen Charakteristika der Evangelikalen im Vergleich zur Gesamtbevölkerung 1988.[67] Wenn man die Charakteristika der doktrinären Evangelikalen betrachtet, so scheint es, dass sie relativ wenig gebildet, arm und einflussreich bei Hausfrauen sind, dass sie häufig im Süden wohnen und signifikant religiöser als der Durchschnitt sind. Weiter halten 100% von ihnen die Bibel für unfehlbar, verglichen mit 27% der Gesamtbevölkerung. Nach anderen Quellen[68] ist neuerdings die Ausbreitung des christlichen Fundamentalismus besonders stark in den Vorstädten des Neuen Südens, des Südwestens und Südkaliforniens, unter Angehörigen der unteren Mittelklasse und Beschäftigten im Dienstleistungsbereich, die vor kurzem in die neuen Vorstädte der schnell expandierenden Ballungsräume gezogen sind. Dies regt Lienesch zu der Hypothese an, dass es sich hier um die „erste modernisierte Generation traditioneller Gruppen“ handeln könne, „die vor kurzem migriert sind und in einer säkularisierten urbanen Gesellschaft an ländlichen Werten festhalten.“[69] Es hat jedoch den Anschein, als seien Werte, Anschauungen und politische Positionen wichtigere Antriebsmomente für den christlichen Fundamentalismus, als demografische und berufliche Charakteristika oder der Wohnort. Aufgrund umfangreichen Materials zu dieser Frage kommt Wilcox zu dem Schluss, dass „die Daten darauf hindeuten, dass die besten Indikatoren für eine künftige Unterstützung der christlichen Rechten religiöse Identitäten, Doktrinen, Verhaltensweisen, Mitgliedschaften und politische Überzeugungen sind“.[70] Der Fundamentalismus scheint keine Rationalisierung von Klasseninteressen oder territorialer Verortung zu sein. Er wirkt vielmehr auf den politischen Prozess mit dem Ziel ein, christliche moralische Werte zu verteidigen.[71] Es handelt sich dabei wie bei den meisten Fundamentalismen in der Geschichte um eine reaktive Bewegung mit dem Ziel, soziale und persönliche Identitäten auf die

67 Wilcox (1992).
68 Zit. nach Lienesch (1993).
69 Lienesch (1993: 10).
70 Wilcox (1992: 223).
71 Jelen (1991).

Grundlage von Bildern der Vergangenheit zu stellen und sie auf eine utopische Zukunft zu projizieren, um die unerträgliche Gegenwart zu überwinden.

Aber Reaktion worauf? Was ist unerträglich? Es scheint vor allem zwei unmittelbare Quellen des christlichen Fundamentalismus zu geben: die Bedrohung durch die Globalisierung und die Krise des Patriarchalismus.

Wie Misztal und Shupe schreiben, „hat die Dynamik der Globalisierung auf dialektische Weise die Dynamik des Fundamentalismus gefördert."[72] Lechner entwickelt die Mechanismen dieser Dialektik genauer:

> Im Prozess der Globalisierung sind Gesellschaften als globale Sachverhalte institutionalisiert worden. Als Organisationen funktionieren sie auf säkularisierte Weise; in ihren Beziehungen folgen sie säkularisierten Regeln; kaum eine religiöse Tradition schreibt den weltlichen Gesellschaften in ihrer gegenwärtigen Form transzendentale Bedeutung zu ... Nach den Standards der meisten religiösen Traditionen ist institutionalisierte Gesellschaftlichkeit gleichbedeutend mit Götzendienst. Aber das bedeutet, dass das Leben innerhalb der Gesellschaft ebenfalls zur Herausforderung für die traditionelle Religion geworden ist ... Gerade weil die globale Ordnung eine institutionalisierte, normative Ordnung ist, ist es plausibel, dass es zu einer Suche nach „letzten" Grundlagen kommt, nach einer transzendentalen Wirklichkeit jenseits dieser Welt, die es erlauben würde, diese in Bezug auf das Transzendentale klarer zu definieren.[73]

Ferner hatte die kommunistische Bedrohung die Identifikation zwischen den Interessen der US-Regierung, des Christentums und Amerikas als der auserwählten Nation begründet. Der Zusammenbruch der Sowjetunion und das Entstehen einer neuen globalen Ordnung schaffen nun eine bedrohliche Unsicherheit im Hinblick auf die Kontrolle über das Schicksal Amerikas. Ein wiederkehrendes Thema des christlichen Fundamentalismus in den USA während der 1990er Jahre ist das Eintreten gegen die Kontrolle des Landes durch eine „Weltregierung". Es wird argumentiert, diese könne die US-Bundesregierung – der eine Komplizenschaft dabei zugeschrieben wird – verdrängen und würde ins Werk gesetzt durch die Vereinten Nationen, den Internationalen Währungsfonds und die Welthandelsorganisation sowie einige weitere internationale Körperschaften. In manchen eschatologischen Schriften kommt diese neue „Weltregierung" dem Antichrist gleich, und ihre Symbole einschließlich des Mikrochips sind das Mal des apokalyptischen Tieres, das das „Ende der Zeiten" verkündet. Die Konstruktion der christlich-fundamentalistischen Identität scheint ein Versuch zu sein, die Kontrolle über das Leben und über das Land wieder zu beanspruchen, in unmittelbarer Reaktion auf die Prozesse der Globalisierung, die sich in Wirtschaft und Medien zunehmend bemerkbar machen.

Die wichtigste Quelle des christlichen Fundamentalismus der 1980er und 1990er Jahre ist jedoch vermutlich die Reaktion auf die Herausforderung, die sich gegen den Patriarchalismus richtete, und die von den Revolten der 1960er Jahre ausging und Ausdruck fand in der Frauen-, Lesben- und Schwulenbewe-

---

72 Misztal und Shupe (1992a: 8).

73 Lechner (1991: 276f).

gung.[74] Außerdem ist diese Schlacht nicht rein ideologisch. Die amerikanische patriarchalische Familie befindet sich wirklich in einer Krise. Dafür sprechen alle Indikatoren: Scheidungs- und Trennungsraten, Gewalt in der Familie, uneheliche Kinder, späte Heiraten und abnehmende Bereitschaft zur Mutterschaft, Lebensstile von Singles, schwulen und lesbischen Paaren und die weit verbreitete Ablehnung der patriarchalen Autorität (s. Kap. 4). Es gibt eine offenkundige Reaktion von Männern, die ihre Privilegien verteidigen, wozu die göttliche Legitimität am ehesten geeignet ist, nachdem ihre Rolle als einzige Brotverdiener zurückgegangen ist und so die materiellen und ideologischen Grundlagen des Patriarchalismus untergraben wurden. Aber es gibt noch etwas anderes, was Männer, Frauen und Kinder gemeinsam haben. Eine tief sitzende Furcht vor dem Unbekannten, die besonders stark ist, wenn es bei dem Unbekannten um die alltägliche Grundlage des persönlichen Lebens geht. Unfähig, unter dem säkularen Patriarchalismus zu leben, aber verschreckt durch die Einsamkeit und Unsicherheit in einer individualistischen, durch wilde Konkurrenz geprägten Gesellschaft, in der die Familie als Mythos und als Realität den einzigen sicheren Hort darstellte, flehen viele Männer, Frauen und Kinder zu Gott, sie in den Stand der Unschuld zurückzuversetzen, in dem sie sich unter Gottes Gesetz mit einem wohlwollenden Patriarchalismus zufrieden geben könnten. Und durch das gemeinsame Gebet werden sie wieder fähig, zusammen zu leben. Das ist der Grund, weshalb der amerikanische christliche Fundamentalismus zutiefst durch die Charakteristika der amerikanischen Kultur geprägt ist, durch ihren familistischen Individualismus, durch ihren Pragmatismus und durch die personalisierte Beziehung zu Gott und zu Gottes Plan als Methode zur Lösung persönlicher Probleme in einem zunehmend unvorhersagbaren und unkontrollierbaren Leben. Als ob das fundamentalistische Gebet durch die Gnade Gottes die Wiederherstellung der verloren gegangenen amerikanischen Lebensart (*American Way of Life*) erlangen werde, wenn die Sünder nur bereit sind zu Reue und christlichem Zeugnis.

74 Lamberts-Bendroth (1993).

Nationen und Nationalismus im Zeitalter der Globalisierung: Vorgestellte Gemeinschaften oder gemeinschaftsorientierte Vorstellungen?

Erst wenn wir alle – wir alle – unser Gedächtnis wieder erlangen, werden wir in der Lage sein, wir und sie, aufzuhören, Nationalisten zu sein.
Rubert de Ventos, *Nationalismos*[75]

Das Zeitalter der Globalisierung ist auch das Zeitalter des Wiederaufkommens des Nationalismus. Das kommt sowohl in der Herausforderung gegenüber etablierten Nationalstaaten zum Ausdruck, als auch in der weit verbreiteten (Re-) Konstruktion von Identität auf der Grundlage einer Nationalität, die es stets dem Fremden gegenüber zu behaupten gilt. Diese historische Tendenz hat manche Beobachter überrascht, nachdem man doch den Nationalismus aus drei Gründen für tot erklärt hatte: wegen der Globalisierung der Wirtschaft und der Internationalisierung der politischen Institutionen; wegen des Universalismus einer weitgehend gemeinsamen Kultur, die über elektronische Medien, Erziehung, Alphabetisierung, Urbanisierung und Modernisierung verbreitet wird; und wegen des Angriffs der Wissenschaft auf den Begriff der Nationen selbst, die in der milden Version anti-nationalistischer Theorie zu „vorgestellten Gemeinschaften",[76] oder aber in Gellners eindringlicher Formulierung sogar zu „willkürlichen historischen Erfindungen" erklärt wurden,[77] die durch Eliten und die von ihnen beherrschten Bewegungen auf dem Weg zum Aufbau des modernen Nationalstaates geschaffen wurden. Für Gellner sind denn auch „Nationalismen einfach jene Tribalismen – oder auch jede andere Art von Gruppe –, denen es durch Glück, Anstrengung oder Zufall gelingt, unter modernen Bedingungen zu einer durchsetzungsfähigen Macht zu werden".[78] Erfolg bedeutet sowohl für Gellner als auch für Hobsbawm[79] den Aufbau eines modernen, souveränen Nationalstaates. So erfinden aus dieser Sicht nationalistische Bewegungen als Rationalisierung der Interessen einer bestimmten Elite eine nationale Identität, die im Erfolgsfall im Nationalstaat symbolisiert wird und dann durch Propaganda unter seinen Untertanen bis zu dem Punkt verbreitet wird, wo die „Volksgenossen" bereit sind, für ihre Nation zu sterben. Hobsbawm berücksichtigt die historischen Belege dafür, dass Nationalismus von unten her auftrat, auf der Grundlage gemeinsamer sprachlicher, territorialer, ethnischer, religiöser und historischer Attribute. Aber er bezeichnet dies als „Protonationalismus", denn nur von dem Zeitpunkt an, zu dem der Nationalstaat konstituiert ist, treten Nationen und Nationalismus ins Leben, entweder als Ausdruck dieses Na-

75 Rubert de Ventos (1994: 241); nach der Übersetzung von Castells; d.Ü.
76 Anderson (1983).
77 Gellner (1983: 56).
78 Gellner (1983: 87); nach Gellner (1991: 132)
79 Hobsbawm (1992).

tionalstaates, oder aber als gegen ihn im Namen eines künftigen Staates gerichtete Herausforderung. Die Explosion des Nationalismus an diesem Jahrtausendende, die eng mit der Schwächung bestehender Nationalstaaten verbunden ist, fügt sich nicht gut in dieses Modell ein, das Nationen und Nationalismus an das Auftreten und die Konsolidierung des modernen Nationalstaates in der französischen Revolution bindet, die in einem Großteil der Welt als ihre Gründungsform fungierte. Doch einerlei. Für Hobsbawm ist dieses offenbare Wiederaufbrechen tatsächlich das historische Resultat der ungelösten nationalen Probleme, die durch die territoriale Neustrukturierung Europas zwischen 1918 und 1921 geschaffen wurden.[80] Wie aber David Hooson in der Einleitung zu dem von ihm herausgegebenen globalen Überblicksband *Geography and National Identity* schreibt,

> wird die zweite Hälfte des 20. Jahrhunderts in die Geschichte eingehen als ein neues Zeitalter überhandnehmender und sich ausbreitender Nationalismen von dauerhafterer Art als die schrecklichen und jetzt gebannten Tyranneien, die unser Jahrhundert ebenfalls charakterisiert haben ... Der Drang, seine Identität auszudrücken und für sie nachvollziehbar Anerkennung durch andere zu bekommen, wird immer ansteckender und muss selbst in der eingeschrumpften und offenbar sich homogenisierenden Hightech-Welt am Ende des 20. Jahrhunderts als elementare Kraft zur Kenntnis genommen werden.[81]

Und wie Eley und Suny in der Einleitung zu ihrem aufschlussreichen Sammelband *Becoming National* schreiben:

> Schließt die Betonung von Subjektivität und Bewusstsein jegliche „objektive" Grundlage für die Existenz von Nationalität aus? Eindeutig wäre eine solch radikal subjektivistische Sichtweise absurd. Die meisten erfolgreichen Nationalismen setzen eine vorherige Gemeinsamkeit von Territorium, Sprache oder Kultur voraus, die das Rohmaterial für das intellektuelle Projekt der Nationalität liefern. Jedoch sollten diese vorgängigen Gemeinschaften nicht „naturalisiert" werden, als hätten sie auf irgendeine essenzielle Weise schon immer bestanden oder einfach eine Geschichte vorweggenommen, die sich noch ereignen sollte ... Kultur ist in den meisten Fällen nicht das, was Menschen gemeinsam haben, sondern das, worüber sie sich entscheiden zu kämpfen.[82]

Ich meine, dass die Inkongruenz zwischen manchen Sozialtheorien und der gegenwärtigen Praxis von der Tatsache herrührt, dass Nationalismus und Nationen ein eigenes Leben führen, das unabhängig ist von Staatlichkeit, obwohl es in kulturelle Konstrukte und politische Projekte eingebettet ist. Wie groß die Attraktivität des einflussreichen Konzeptes von „vorgestellten Gemeinschaften" auch sein mag, so ist es doch entweder banal oder empirisch unzulänglich. Für Sozialwissenschaftler offenkundig, wenn es bedeutet, dass alle Gefühle der Zugehörigkeit, jede Verehrung von Ikonen kulturell konstruiert sind. Nationen sind da wohl keine Ausnahme. Die Gegenüberstellung von „wirklichen" und „vorgestellten" Gemeinschaften ist analytisch wenig hilfreich über das löbliche

80 Hobsbawm (1992: 131-162)

81 Hooson (1994b: 2f).

82 Eley und Suny (1996: 9).

Bemühen hinaus, Ideologien des essenzialistischen Nationalismus vom Schlage Michelets zu entmystifizieren. Aber wenn dies, wie ausdrücklich in Gellners Theorie des Nationalismus gesagt wird, bedeuten soll, Nationen seien bloße ideologische Kunstprodukte, die von Intellektuellen durch willkürliche Manipulation historischer Mythen im Interesse sozialer und wirtschaftlicher Eliten verfertigt worden seien, dann scheinen die historischen Fakten einen solch exzessiven Dekonstruktivismus Lügen zu strafen.[83] Gewiss sind Ethnizität, Religion, Sprache, Territorium allein nicht ausreichend, um Nationen zu begründen und Nationalismus hervorzurufen. Gemeinsame Erfahrung ist es: Die Vereinigten Staaten ebenso wie Japan sind Länder mit einer starken nationalen Identität, und die meisten ihrer Staatsangehörigen empfinden und äußern starke nationale Gefühle. Dennoch ist Japan eines der ethnisch homogensten Länder auf der Erde, und die Vereinigten Staaten sind eines der ethnisch heterogensten. Aber in beiden Fällen gibt es eine gemeinsame Geschichte und ein gemeinsames Projekt, und ihre historischen Erzählungen bauen auf eine Erfahrung auf, die in sozialer, ethnischer und territorialer Hinsicht und ebenso nach Geschlecht[84] unterschiedlich ist, aber dennoch aus vielen Gründen dem Volk eines jeden Landes gemeinsam. Andere Nationen und Nationalismen haben keine moderne nationale Staatlichkeit erreicht – etwa Schottland, Katalonien, Quebec, Kurdistan, Palästina – und doch zeigen sie, und zwar in einigen Fällen seit Jahrhunderten, eine starke kulturell-territoriale Identität, die sich in einem Nationalcharakter ausdrückt.

Demnach müssen vier analytische Gesichtspunkte betont werden, wenn man über den gegenwärtigen Nationalismus im Hinblick auf Sozialtheorien des Nationalismus spricht. Erstens kann der gegenwärtige Nationalismus auf den Aufbau eines souveränen Nationalstaates hin orientiert sein oder auch nicht, und daher sind Nationen historisch und analytisch Gebilde, die vom Staat unabhängig sind.[85] Zweitens sind Nationen und Nationalstaaten historisch nicht auf den modernen Nationalstaat beschränkt, wie er sich in Europa in den zweihundert Jahren nach der französischen Revolution herausgebildet hat. Die augenblickliche politische Erfahrung scheint gegen die Vorstellung zu sprechen, der Nationalismus sei ausschließlich mit der Periode der Herausbildung des modernen Nationalstaates verbunden, mit einem Höhepunkt im 19. Jahrhundert, der im Entkolonisierungsprozess Mitte des 20. Jahrhunderts durch den Import des westlichen Nationalstaates in die Dritte Welt nachgeahmt worden

---

83 Moser (1985); Smith (1986); Johnston u.a. (1988); Touraine (1988); Perez-Argote (1989); Chatterjee (1993); Blas Guerrero (1994); Hooson (1994b); Rubert de Ventos (1994) ; Eley und Suny (1996).

84 Hier und im Folgenden wird, soweit nicht anders angegeben, der im Englischen für das soziale Geschlecht eingeführte Terminus „gender“ mit „Geschlecht“ wiedergegeben; d.Ü.

85 Keating (1995).

sei.[86] Diese modische Behauptung ist, wie Chatterjee argumentiert, einfach eurozentrisch.[87] Und Panarin schreibt:

> Das Missverständnis des Jahrhunderts war die Vermengung der Selbstbestimmung von Menschen mit der Selbstbestimmung der Nation. Die mechanische Übertragung bestimmter westeuropäischer Prinzipien auf den Boden nichteuropäischer Kulturen setzt häufig Monster in die Welt. Eines dieser Ungeheuer war der Begriff der nationalen Souveränität, als er auf nichteuropäischen Boden verpflanzt wurde ... Der Synkretismus des Begriffs der Nation im politischen Lexikon Europas hindert die Europäer an den äußerst wichtigen Unterscheidungen zwischen „Volkssouveränität", „nationaler Souveränität" und „Rechten eines Volkes".[88]

Die Analyse Panarins wird denn auch zur Jahrtausendwende durch die Entwicklung nationalistischer Bewegungen in vielen Gegenden der Welt bestätigt. Sie zeigen eine große Vielfalt kultureller Orientierungen und verfolgen vielerlei politische Projekte.

Drittens ist Nationalismus nicht zwangsläufig ein Elite-Phänomen, und in Wirklichkeit ist Nationalismus heutzutage in den meisten Fällen eine Reaktion gegen die globalen Eliten. Natürlich sind die Führungsgruppen wie in allen sozialen Bewegungen meist gebildeter und eher lese- sowie in unserer Zeit computerkundig als die Volksmassen, die sich durch nationalistische Ziele in Bewegung setzen lassen. Aber damit sind Wirkung und Bedeutung von Nationalismus nicht auf die Mobilisierung der Massen durch Eliten im eigenen Interesse dieser Eliten beschränkt. Wie Smith mit offensichtlichem Bedauern schreibt:

> Durch eine Gemeinsamkeit von Geschichte und Schicksal können Erinnerungen wachgehalten werden, und Taten können ihren Glanz bewahren. Denn nur in der Kette der Generationen derer, die ein historisches und quasi-familiäres Band vereint, können Individuen hoffen, in Zeiten rein irdischer Horizonte ein Gefühl der Unsterblichkeit zu erlangen. In diesem Sinne erscheinen die Herausbildung der Nationen und der Aufstieg ethnischer Nationalismen eher als die Institutionalisierung von „Ersatzreligion" denn als eine politische Ideologie. Und deshalb sind sie weit dauerhafter und wirkungsmächtiger, als wir zugestehen möchten.[89]

Viertens ist der zeitgenössische Nationalismus eher reaktiv als initiativ und daher eher kulturell als politisch. Es geht ihm eher um die Verteidigung einer bereits institutionalisierten Kultur als um die Schaffung oder Verteidigung eines Staates. Wenn neue politische Institutionen geschaffen oder wieder geschaffen werden, so sind sie Verteidigungsbollwerke der Identität und nicht Startrampen der politischen Souveränität. Das ist der Grund, weshalb ich meine, dass Kosaku Yoshinos Analyse des kulturellen Nationalismus in Japan ein angemessenerer Ausgangspunkt für die theoretische Erarbeitung eines Verständnisses des gegenwärtigen Nationalismus ist:

---

86 Badie (1992).
87 Chatterjee (1993).
88 Panarin (1994/1996: 37).
89 Smith (1989/1996: 125).

> Kultureller Nationalismus zielt darauf ab, die nationale Gemeinschaft dadurch wiederherzustellen, dass die kulturelle Identität eines Volkes geschaffen, bewahrt und gestärkt wird, wenn ihr Mangel oder ihre Gefährdung wahrgenommen werden. Der kulturelle Nationalist betrachtet die Nation als ein Produkt ihrer einzigartigen Geschichte und Kultur und als eine Solidargemeinschaft, die mit einzigartigen Eigenschaften ausgestattet ist. Kurz, dem kulturellen Nationalismus geht es um die Besonderheit der kulturellen Gemeinschaft als Wesen einer Nation.[90]

Demnach wird der Nationalismus von den Eliten ebenso wie von den Massen durch soziale Aktion und Reaktion geschaffen, wie Hobsbawm gegenüber Gellners Betonung der „Hochkultur" als des ausschließlichen Ursprungs von Nationalismus argumentiert. Aber abweichend von der Meinung Hobsbawms oder Andersons lässt sich der Nationalismus als Quelle von Identität nicht auf eine bestimmte historische Periode, noch ausschließlich auf die Mechanismen des modernen Nationalstaates einschränken. Wenn man Nationen und Nationalismen auf den Prozess der Schaffung des Nationalstaates begrenzt, so wird es unmöglich, das Zusammenfallen des Aufstiegs des postmodernen Nationalismus und des Niedergangs des Nationalstaates zu erklären.

Rubert de Ventos hat in einer aktualisierten und verfeinerten Version der klassischen Sichtweise von Deutsch[91] eine komplexere Theorie vorgelegt, die das Entstehen nationaler Identität durch die historische Interaktion von vier Faktorenreihen verstehen will: *primäre Faktoren* wie Ethnizität, Territorium, Sprache, Religion und Ähnliches; *generative Faktoren* wie die Entwicklung von Kommunikation und Technologie, die Herausbildung von Städten und die Entstehung moderner Armeen und zentralisierter Monarchien; *induzierte Faktoren* wie die Kodifizierung von Sprache in offiziellen Grammatiken, das Wachstum der Bürokratien und die Schaffung eines nationalen Erziehungswesens; schließlich *reaktive Faktoren*, also die Verteidigung von Identitäten und Interessen, die durch eine herrschende soziale Gruppe oder einen institutionellen Apparat unterdrückt oder zurückgedrängt worden sind, was dazu führt, dass im kollektiven Gedächtnis der Menschen nach alternativen Identitäten gesucht wird.[92] Welche Faktoren bei der Herausbildung eines jeden einzelnen Nationalismus welche Rolle spielen, ist abhängig vom jeweiligen historischen Kontext, von den Materialien, die dem kollektiven Gedächtnis zur Verfügung stehen und von den Auseinandersetzungen zwischen einander widerstreitenden Machtstrategien. Demnach ist der Nationalismus tatsächlich kulturell und auch politisch konstruiert; worauf es theoretisch ebenso wie praktisch aber wirklich ankommt, ist dieselbe Frage, die sich für jedwede Identität stellt: wie, woraus, von wem und wozu er konstruiert wird.

In diesem *fin de siècle* steht die Explosion von Nationalismen, von denen einige multinationale Staaten dekonstruieren, andere pluri-nationale Gebilde

---

90 Yoshino (1992: 1).

91 Deutsch (1953); Rubert de Ventos (1994).

92 Rubert de Ventos (1994: 139-200).

schaffen, nicht mit dem Aufbau klassischer, souveräner moderner Staaten in Zusammenhang. Vielmehr tritt der Nationalismus als wichtige Kraft auf, die hinter der Bildung von Quasi-Staaten steht; das bedeutet politische Gebilde mit geteilter Souveränität, entweder in Form eines forcierten Föderalismus (wie in der noch unabgeschlossenen (Re-)Konstitution Kanadas oder wie in der Nation von Nationalitäten, die in der spanischen Verfassung von 1978 verkündet und in ihrer Praxis während der 1990er Jahre erheblich ausgedehnt wurde); oder im internationalen Multilateralismus (wie in der Europäischen Union oder in der Neuaushandlung der Gemeinschaft Unabhängiger Staaten der ehemaligen Sowjetrepubliken). Zentralisierte Nationalstaaten, die sich dieser Tendenz nationalistischer Bewegungen auf der Suche nach Quasi-Staatlichkeit als neuer historischer Tatsache widersetzen (wie Indonesien, Nigeria, Sri Lanka oder selbst Indien), können durchaus einem tödlichen Irrtum zum Opfer fallen, nämlich die Nation dem Staat zu assimilieren; das musste auch ein so starker Staat wie Pakistan nach der Sezession von Bangladesh erfahren.

Um die Komplexität der (Re-)Konstruktion nationaler Identität in unserem neuen historischen Kontext genauer kennen zu lernen, werde ich in aller Kürze zwei Fallbeispiele näher betrachten. Sie repräsentieren die beiden Pole der Dialektik, die ich für diese Periode als charakteristisch betrachten möchte: die Dekonstruktion eines zentralisierten, multinationalen Staates, der früheren Sowjetunion, und die darauf folgende Entstehung von Gebilden, die ich als Quasi-Nationalstaaten betrachte; und den nationalen Quasi-Staat, der in Katalonien durch die doppelte Bewegung des Föderalismus in Spanien und des Konföderalismus in der Europäischen Union entstanden ist. Wenn ich die Analyse mit diesen beiden Fallstudien veranschaulicht habe, gebe ich einige Hinweise zu den neuen historischen Wegen des Nationalismus als erneuerter Quelle kollektiver Identität.

Nationen gegen den Staat: das Auseinanderbrechen der Sowjetunion und die Gemeinschaft Unmöglicher Staaten (*Sodružestvo Nevozmožnych Gosudarstv*)

Das russische Volk in den Städten und Dörfern, halbwilde Tiere, dumm, geradezu furchteinflößend, wird sterben, um einem neuen Menschengeschlecht Platz zu machen.
Maxim Gorki, „Über die russische Bauernschaft“[93]

Die Revolte seiner konstitutiven Nationen gegen den Sowjetstaat war ein wesentlicher, wenn auch nicht der einzige Faktor für den überraschenden Zusammenbruch der Sowjetunion, wie neben anderen Wissenschaftlern Helène Car-

93 1922, in *SSR vnutrennie protivore)ija*, Izdanija T)alidze, 1987: 128, zit. nach Carrère d'Encausse (1993: 173).

rère d'Encausse und Ronald Grigor Suny meinen.[94] Ich werde (in Band III) das komplexe Geflecht aus Wirtschaft, Technologie, Politik und nationaler Identität analysieren, die *zusammengenommen* eine der außerordentlichsten Entwicklungen in der Geschichte erklären, in der die russischen Revolutionen die politische Spanne des 20. Jahrhunderts sowohl eröffnet als auch abgeschlossen haben. Wenn man jedoch die Herausbildung nationaler Identität und ihre neuen Konturen in den 1990er Jahren behandelt, ist es unverzichtbar, sich mit der sowjetischen Erfahrung und ihrem Nachspiel auseinanderzusetzen. Dies ist nämlich ein besonders geeignetes Feld, um das Zusammenspiel zwischen Nationen und dem Staat zu beobachten – zwei Gebilde, die meiner Ansicht nach historisch und analytisch zu unterscheiden sind. Der nationalistischen Revolte gegen die Sowjetunion kommt sogar besondere Bedeutung zu, weil dies einer der wenigen modernen Staaten war, der explizit als pluri-nationaler Staat aufgebaut war, wobei die Nationalität sowohl als persönliche Eigenschaft anerkannt war – jede Sowjetbürgerin und jeder Sowjetbürger hatte eine zugeschriebene Nationalität im Pass eingetragen – wie auch Ausdruck in der territorialen Verwaltungsgliederung der Sowjetunion fand. Der Sowjetstaat war in ein komplexes System von Unionsrepubliken, Gauen (*kraj*), und autonomen nationalen Kreisen (*okrug*) gegliedert, wobei jede Republik noch mehrere Gebiete (*oblast*) umfasste. Jede Unionsrepublik wie auch die Autonomen Republiken innerhalb der Unionsrepubliken beruhten auf dem Prinzip des nationalen Territoriums. Dieser institutionelle Aufbau war keine bloße Fiktion. Sicherlich wurden autonome nationale Bestrebungen, die im Widerspruch zum Willen der Kommunistischen Partei standen, rücksichtslos unterdrückt. Das geschah vor allem während der stalinistischen Periode, und Millionen von Ukrainern, Esten, Letten, Litauern, Wolgadeutschen, Krimtataren, Tschetschenen, Mescheten, Inguschen, Balkaren, Karatschaiern und Kalmüken wurden nach Sibirien und Zentralasien deportiert, um sie an einer Kollaboration mit den deutschen Invasoren oder anderen potenziellen Feinden zu hindern, oder einfach, um Land für strategische staatliche Projekte frei zu bekommen. Doch das geschah aus unterschiedlichen, oft willkürlichen Gründen auch Millionen von Russen. Aber die Wirklichkeit einer auf Nationalitäten beruhenden Verwaltungsgliederung ging über symbolische Ernennungen von Angehörigen nationaler Eliten auf führende Positionen in der Republikverwaltung hinaus.[95] Strategien der Nativisierung (*korenizacija*) wurden bis in die 1930er Jahre von Lenin und Stalin unterstützt und in den 1960er Jahren erneuert. Sie förderten eingeborene Sprachen und Gebräuche, führten Programme zur positiven Diskriminierung durch, was die Rekrutierung und Beförderung nicht-russischer Nationalitäten im Rahmen der Staats- und Parteiapparate der Republiken sowie in den Bildungsinstitutionen und auch die

94 Carrère d'Encausse (1993); Suny (1993).
95 Slezkine (1994).

Entwicklung nationaler kultureller Eliten begünstigte – natürlich unter der Bedingung, dass sie sich der Sowjetmacht unterwarfen. Wie Suny schreibt:

> In der gewaltigen nationalistischen Rhetorik geht jedes Gefühl dafür verloren, bis zu welchem Grad die langen und schwierigen Jahre der Herrschaft der Kommunistischen Partei in Wirklichkeit den Prozess des „Schaffens von Nationen" aus der vorrevolutionären Zeit fortsetzten ... Dabei wurden ethnische Solidarität und nationales Bewusstsein in den nichtrussischen Republiken verstärkt, wenn auch die vollständige Formulierung eines nationalen Programms durch die Bedingung der Konformität mit der verordneten politischen Ordnung verhindert wurde.[96]

Die Gründe für diese auffällige Offenheit gegenüber nationaler Selbstbestimmung, die mit dem Recht der Republiken auf Sezession von der Union auch in der sowjetischen Verfassung verankert war, gehen weit in die Geschichte und Strategie des Sowjetstaates zurück.[97] Der sowjetische pluri-nationale Föderalismus war das Ergebnis intensiver politischer und ideologischer Debatten während der Revolutionszeit. Ursprünglich hatte die bolschewistische Position in Übereinstimmung mit dem marxistischen Denken die Bedeutung der Nationalität als eines wichtigen Kriteriums zum Aufbau des neuen Staates geleugnet: Der proletarische Internationalismus sollte die „künstlichen" oder „sekundären" nationalen Unterschiede zwischen den Arbeiterklassen überwinden, die durch imperialistische Interessen zur Teilnahme an blutigen interethnischen Konfrontationen manipuliert worden waren, wie sich dies im Ersten Weltkrieg gezeigt hatte. Im Januar 1918 überzeugte jedoch die dringende Notwendigkeit, im Bürgerkrieg und für den Widerstand gegen die ausländische Invasion militärische Verbündete zu finden, Lenin, nachdem er die Lebhaftigkeit des nationalen Bewusstseins beobachtet hatte, von der Notwendigkeit, die Unterstützung der nationalistischen Kräfte außerhalb Russlands, besonders in der Ukraine zu gewinnen. Der Dritte All-Russische Sowjetkongress verabschiedete die „Deklaration der Rechte der arbeitenden und unterdrückten Völker", wodurch die Ruinen des Russischen Reiches in „die brüderliche Union der Sowjetrepubliken Russlands, die sich in freier Weise auf einer internen Grundlage zusammentun," transformiert wurden. Dieser „internen Föderalisierung" fügten die Bolschewiki im April den Aufruf zur „externen Föderalisierung" anderer Nationen hinzu. Dabei wurden ausdrücklich die Völker Polens, der Ukraine, der Krim, Transkaukasiens, Turkestans, Kirgisistans „und andere" genannt.[98] Der springende Punkt der ganzen Debatte war das Prinzip, nach dem die nationale Identität in dem neuen föderalen Staat anerkannt werden sollte. Die Bundisten und andere sozialistische Strömungen wünschten, dass nationale Kulturen ohne territoriale Abgrenzung in der gesamten staatlichen Struktur anerkannt würden; denn das Ziel der Revolution bestehe genau in der Überwindung der altherge-

96 Suny (1993: 101, 130).

97 Pipes (1954); Conquest (1967); Carrère d'Encausse (1987); Suny (1993); Slezkine (1994).

98 Singh (1982: 61).

brachten Bindungen von Ethnizität und Territorium im Interesse eines neuen, sozialistischen Universalismus auf Klassengrundlage. Dieser Ansicht stellten Lenin und Stalin das Prinzip der Territorialität als Grundlage der nationalen Existenz entgegen. Das Ergebnis war die vielschichtige nationale Struktur des sowjetischen Staates: Nationale Identität wurde in den Regierungsinstitutionen anerkannt. Aber nach dem Prinzip des demokratischen Zentralismus würde diese Vielfalt territorialer Subjekte unter der Kontrolle der herrschenden Apparate der sowjetischen Kommunistischen Partei und des Sowjetstaates stehen. Also lag der Sowjetunion eine doppelte Identität zugrunde: einerseits ethnisch-nationale Identitäten (einschließlich russisch); andererseits sowjetische Identität als das Fundament der neuen Gesellschaft: *soveckij narod*, das Sowjetvolk, sollte die neue kulturelle Identität sein, die im historischen Horizont des kommunistischen Aufbaus erreicht werden sollte.

Es gab auch strategische Gründe für diese Bekehrung proletarischer Internationalisten zu territorialen Nationalisten. A.M. Salmin hat ein interessantes Modell zur Interpretation, der leninistisch-stalinistischen Strategie vorgelegt, auf der der sowjetische Föderalismus basierte.[99] Die Sowjetunion war ein zentralisiertes, aber flexibles institutionelles System, dessen Struktur offen und anpassungsfähig bleiben sollte, um neue Länder als Unionsmitglieder aufzunehmen, wenn die Sache des Kommunismus sich auf der ganzen Welt durchsetzen würde. Fünf konzentrische Ringe wurden entworfen, sowohl als Sicherheitszonen wie als Expansionswellen des Sowjetstaates als der Avantgarde der Revolution. Die erste dieser Zonen waren Russland und seine Satelliten-Republiken, die in der RSFSR organisiert waren. Paradoxerweise war Russland mit der Russischen Föderation die einzige Republik ohne eine autonome Kommunistische Partei, es gab keinen Präsidenten des Obersten Sowjets dieser Republik, und ihre republikanischen Institutionen waren am wenigsten ausgebildet: Dies war die exklusive Domäne der sowjetischen Kommunistischen Partei. Um diese Bastion sicherer zu machen, hatte Russland keine Landgrenzen zu der potenziell aggressiven kapitalistischen Welt. Daher wurden um Russland herum in den äußeren Gebieten der Sowjetunion Sowjetrepubliken organisiert. Sie sollten zugleich die Sowjetmacht und die nationale Unabhängigkeit schützen. Deshalb wurden manche ethnisch bestimmten Gebiete wie Aserbaidschan zu Sowjetrepubliken, weil sie an die Außenwelt grenzten, während andere, die ihrer ethnischen Zusammensetzung nach genauso deutlich herausgehoben waren, wie etwa Tschetschenien, innerhalb der Russischen Föderation gehalten wurden. Sie lagen nämlich geografisch dem Zentrum näher. Den dritten Ring der sowjetischen Geopolitik bildeten die Volksdemokratien unter sowjetischer Militärmacht. Das galt ursprünglich für Chiwa, Buchara, die Mongolei und Tannu-Tuva. Sie wurden zu Vorläufern für die Einbeziehung Osteuropas nach dem Zweiten Weltkrieg. Der vierte Ring bestand aus den entfernt liegenden sozialistischen Ländern, wie Jah-

99 Salmin (1992).

re später Cuba, Nordkorea oder Vietnam. China wurde zu keinem Zeitpunkt als Teil dieser Kategorie betrachtet, weil man der künftigen Macht Chinas zutiefst misstraute. Schließlich bildeten verbündete progressive Regierungen und revolutionäre Bewegungen auf der ganzen Welt den fünften Ring. Ihre Möglichkeiten würden davon abhängen, dass sie die Balance zwischen ihrem Internationalismus (also ihrer pro-sowjetischen Haltung) und ihrer nationalen Glaubwürdigkeit hielten. Es war die ständige Spannung zwischen dem auf die Klasse gegründeten Universalismus der kommunistischen Utopie und den geopolitischen Interessen, die auf den ethnisch-nationalen Problemen möglicher Bündnispartner beruhten, welche die Schizophrenie der sowjetischen Politik in der nationalen Frage begründete.

Das Ergebnis dieser Widersprüche, die während der gesamten qualvollen Geschichte der Sowjetunion Bestand hatten, war der zusammenhanglose Flickenteppich von Völkern, Nationalitäten und staatlichen Institutionen.[100] Die über hundert Nationalitäten und ethnischen Gruppen der Sowjetunion wurden über ihren gesamten unermesslichen Raum hinweg verteilt, entsprechend geopolitischer Strategien, kollektiver Strafaktionen und Belohnungen und individueller Einfälle. So wurde das armenisch besiedelte Berg-Karabach von Stalin Aserbaidschan zugeschlagen, um der Türkei zu Gefallen zu sein, indem man ihre Erzfeinde der Kontrolle der Azeris, eines Turkvolkes unterstellte; die Wolga-Deutschen landeten in Kasachstan, in dessen nördlichem Gebiet sie jetzt die treibende wirtschaftliche Kraft sind, wobei sie von deutschen Hilfeleistungen unterstützt werden, die sie aus Deutschland heraushalten sollen; Kosaken-Siedlungen breiteten sich in Sibirien und im Fernen Osten aus; die Osseten wurden zwischen Russland (Norden) und Georgien (Süden) aufgespalten, während die Inguschen auf Tschetschenien, Nord-Ossetien und Georgien verteilt wurden; die Krim, die die Russen den Tataren 1783 abgenommen hatten und von wo die Tataren während des Zweiten Weltkrieges von Stalin deportiert worden waren, wurde von Chruschtschow, der selbst Ukrainer war, 1954 angeblich nach einer sehr trinkfreudigen Nacht der Ukraine angegliedert, um die 300-jährige russisch-ukrainische Freundschaft zu feiern. Außerdem wurden Russen über das gesamte Territorium der Sowjetunion verschickt, zumeist als Facharbeiter oder eifrige Pioniere, manchmal als Herrscher, manchmal als Verbannte. Als sich die Sowjetunion auflöste, hielt das Prinzip der territorialen Nationalität Millionen von plötzlich „ausländischen Staatsangehörigen“ in den neuerlich unabhängig gewordenen Republiken in der Falle. Das Problem scheint besonders für die 25 Mio. Russen akut zu sein, die außerhalb der neuen russischen Grenzen leben.

Eine der Paradoxien des sowjetischen Föderalismus besteht darin, dass Russland wahrscheinlich die am meisten diskriminierte Nationalität von allen war. Die Russische Föderation besaß eine viel geringere Autonomie vom sowje-

100 Kozlov (1988); Suny (1993); Slezkine (1994)

tischen Zentralstaat als irgendeine andere Republik. Regionalökonomische Analysen zeigten, dass es grob gesprochen einen Nettotransfer von Reichtum, Ressourcen und Fertigkeiten aus Russland in die übrigen Republiken gab (Sibirien, das am deutlichsten ethnisch russische Gebiet innerhalb der Russischen Föderation, war die wesentliche Quelle von Exporten und damit von harter Währung für die Sowjetunion).[101] Unter den nationalen Identitäten wurden russische Geschichte, Religion und traditionelle Identität zum Hauptziel der sowjetischen kulturellen Repression, wie dies in den 1980er Jahren von russischen Schriftstellern und Intellektuellen wie Licha ev, Belov, Astafiev, Rasputin, Soluchin oder Zalygin dokumentiert wurde. [102] Schließlich musste die neue sowjetische Identität auf den Ruinen der historischen russischen Identität aufgebaut werden – mit ein paar taktischen Ausnahmen während des Zweiten Weltkrieges, als Stalin alles, einschließlich des Andenkens an Aleksandr Nevskij gegen die Deutschen mobilisieren musste. Obwohl es daher durchaus eine Politik der Russifizierung der Kultur in der gesamten Sowjetunion gab – die auch der parallelen Tendenz zur *korenizacija* zuwiderlief – und obwohl Großrussen die Kontrolle über Partei, Armee und KGB innehatten (Stalin war freilich Georgier und Chruschtschow Ukrainer), so wurde doch die russische Identität als nationale Identität in viel höherem Ausmaß unterdrückt als die anderer Nationalitäten, von denen einige sogar dem pluri-nationalen Föderalismus zuliebe symbolisch wiederbelebt wurden.

Diese paradoxe Verfassung des Sowjetstaates fand Ausdruck in der Revolte gegen die Sowjetunion, die die Atempause nutzte, welche die *glasnost'* Gorbatschows bot. Die baltischen Republiken, die 1940 unter Missachtung des Völkerrechtes gewaltsam annektiert worden waren, waren die ersten, die ihr Recht auf Selbstbestimmung beanspruchten. Ihnen folgte eine starke russische nationalistische Bewegung auf dem Fuße, die sogar die mächtigste Kraft war, die sich gegen den Sowjetsaat mobilisierte. Es war die Verschmelzung des Kampfes um Demokratie und die Wiedergewinnung der russischen nationalen Identität unter der Führung Jelzins 1989-1991, die dann die Bedingungen für das Ende des Sowjetkommunismus und das Auseinanderbrechen der Sowjetunion schuf.[103] Die erste demokratische Wahl eines Staatsoberhauptes in der russischen Geschichte, die Wahl Jelzins am 2. Juni 1991, bezeichnete eigentlich den Beginn des neuen Russland und damit auch das Ende der Sowjetunion. Es war die traditionelle Fahne Russlands, welche im August 1991 den Widerstand gegen den kommunistischen Coup anführte. Es war Jelzins Strategie des Abbaus des Sowjetstaates durch die Konzentration von Macht und Ressourcen in den Institutionen der Republiken, die im Dezember 1991 zu dem Abkommen mit den anderen Republiken, zuerst mit der Ukraine und mit Belarus, führte, die Sowjet-

101 Granberg und Spehl (1989); Granberg (1993).
102 Carrère d'Encausse (1993: Kap. 9).
103 Castells (1992b); Carrère d'Encausse (1993).

union zu beseitigen und die ehemaligen Sowjetrepubliken in unabhängige Staaten zu transformieren, die locker in der Gemeinschaft Unabhängiger Staaten (*Sodružestvo Nezavisimych Gosudarstv*) konföderiert sind. Der Angriff auf den Sowjetstaat wurde nicht allein von den nationalistischen Bewegungen geführt: Er verband sich mit den Forderungen der Demokraten und mit den Interessen der politischen Eliten in einer Reihe von Republiken, die sich aus den Ruinen des zerfallenden Imperiums ihr eigenes Reich herausschnitten. Aber er nahm nationalistische Form an, und im Namen der Nation erhielt er massenhafte Unterstützung. Das Interessante daran ist, dass der Nationalismus in den ethnisch von den Russen am stärksten unterschiedenen Republiken, etwa in Zentralasien, viel weniger aktiv war als in den baltischen Staaten und in Russland selbst.[104]

Die ersten Jahre des Bestehens dieses neuen Konglomerates unabhängiger Staaten zeigten deutlich, wie brüchig diese Konstruktion war, und ebenso, wie hartnäckig sich die historisch verwurzelten Nationalitäten über die von der Auflösung der Sowjetunion ererbten Grenzen hinweg erhielten.[105] Als Russlands schwierigstes Problem erwies sich der Krieg in Tschetschenien. Die baltischen Republiken praktizierten eine Diskriminierung ihrer russischen Bevölkerung, was zu neuen inter-ethnischen Konflikten führte. Die Ukraine erlebte die friedliche Revolte der russischen Mehrheit auf der Krim gegen die ukrainische Herrschaft und die andauernden Spannungen zwischen einer stark nationalistischen Stimmung in der Westukraine und panslavischen Gefühlen im östlichen Landesteil. Moldavien wurde zwischen seiner historischen rumänischen Identität und dem russischen Charakter der Bevölkerung im Ostteil hin und her gerissen, die versuchte, eine Dnestr-Republik zu gründen. In Georgien kam es zum blutigen Ausbruch der Konfrontation zwischen seinen vielen Nationalitäten – Georgiern, Abchasiern, Armeniern, Osseten, Adscharen, Mescheten, Russen. Aserbaidschan kämpfte weiterhin mit Unterbrechungen gegen Armenien um Berg-Karabach und führte anti-armenische Pogrome in Baku herbei. Und die muslimischen zentralasiatischen Republiken wurden hin und her gerissen zwischen ihren historischen Verbindungen mit Russland und der Perspektive, in den islamisch fundamentalistischen Wirbelwind gerissen zu werden, der von Iran und Afghanistan hinüberraste. Im Endeffekt durchlitt Tadschikistan einen regelrechten Bürgerkrieg, und andere Republiken islamisierten ihre Institutionen und ihr Erziehungswesen, um den radikalen Islam einzubinden, bevor es zu spät war. So scheint die historische Erfahrung zu zeigen, dass die künstliche, halbherzige Anerkennung der nationalen Frage durch den Marxismus-Leninismus nicht nur die historischen Konflikte nicht gelöst, sondern sie sogar noch virulenter gemacht hat.[106] Wenn wir diese außergewöhnliche Episode und ihr Nachspiel in

104 Carrère d'Encausse (1993); Starovoytova (1994).
105 Hooson (1994b); Lyday (1994); Stebelsky (1994); Khazanov (1995).
106 Twinning (1993); Panarin (1994); Khazanov (1995).

den 1990er Jahren bedenken, so verdienen mehrere Schlüsselfragen von theoretischer Bedeutung einen Kommentar.

Zunächst einmal war einer der mächtigsten Staaten in der Menschheitsgeschichte innerhalb von 74 Jahren nicht in der Lage, eine neue nationale Identität zu schaffen. Der *soveckij narod* war trotz der gegenteiligen Behauptung von Carrère d'Encausse kein Mythos.[107] Er besaß in den Köpfen und im Leben der Generationen, die in der Sowjetunion geboren wurden, in der Wirklichkeit von Leuten, die mit Angehörigen anderer Nationalitäten Familien gründeten und auf dem gesamten sowjetischen Territorium lebten und arbeiteten, ein gewisses Maß an Realität. Der Widerstand gegen den Nazi-Moloch führte die Menschen unter der Sowjetfahne zusammen. Als der stalinistische Terror Ende der 1950er Jahre nachgelassen hatte und als sich die materiellen Bedingungen in den 1960er Jahren verbesserten, entwickelte sich durchaus ein gewisser Stolz darauf, Teil einer Nation zu sein, die eine Supermacht war. Und trotz des weitverbreiteten Zynismus und der Rückzugsmentalität schlug die Ideologie der Gleichheit und menschlichen Solidarität Wurzeln in der Sowjetbürgerschaft, so dass sich insgesamt eine neue sowjetische Identität herauszubilden begann. Sie war jedoch so zerbrechlich und so abhängig vom Mangel an Informationen über die wirkliche Lage des Landes und der Welt, dass sie den Schocks der wirtschaftlichen Stagnation und der Einsicht in die Wahrheit nicht stand hielt. In den 1980er Jahren wurden Russen, die es wagten, sich als „Sowjetbürger" zu bezeichnen, von ihren Landsleuten als *Sovoki* belächelt. Wenn der *soveckij narod* auch nicht unbedingt ein gescheitertes Identitätsprojekt war, so löste er sich doch auf, bevor er sich in den Köpfen und im Leben der Menschen in der Sowjetunion festsetzen konnte. Die sowjetische Erfahrung straft daher die Theorie Lügen, nach der der Staat allein nationale Identität schaffen kann. Der mächtigste Staat, der mehr als sieben Jahrzehnte lang den umfassendsten ideologischen Apparat der Geschichte eingesetzt hatte, scheiterte daran, historische Materialien und projizierte Mythen in der Weise neu zusammenzusetzen, dass eine neue Identität entstand. Gemeinschaften können vorgestellt werden, aber man glaubt nicht unbedingt daran.

Zweitens scheiterten die formale Anerkennung nationaler Identitäten in der territorialen Verwaltungsgliederung des Sowjetstaates sowie die Strategien der „Nativisierung" an dem Ziel, diese Nationalitäten in das Sowjetsystem zu integrieren – mit einer Ausnahme: die muslimischen Republiken in Zentralasien, genau diejenigen, die sich von der herrschenden slawischen Kultur am stärksten abhoben. Diese Republiken waren für ihr tägliches Überleben so sehr von der Zentralmacht abhängig, dass ihre Eliten erst in den letzten Momenten der Auflösung der Sowjetunion den Vorstoß für die Unabhängigkeit wagten. Im Rest der Sowjetunion konnten die nationalen Identitäten in den künstlich geschaffenen Institutionen des sowjetischen Föderalismus keinen Ausdruck

107 Carrère d'Encausse (1993: 234).

finden. Ein charakteristischer Fall ist Georgien, ein multi-ethnisches Puzzle, das auf einem historischen Königreich beruht. Die Georgier machen etwa 70% der Bevölkerung von 5,5 Mio. aus. Sie gehören im Allgemeinen zur georgisch-orthodoxen Kirche. Aber sie mussten mit den Osseten zusammenleben, die hauptsächlich russisch-orthodox sind und deren Bevölkerung zwischen der Autonomen Republik Nord-Ossetien (in Russland) und dem Autonomen Gebiet Süd-Ossetien (in Georgien) aufgespalten ist. In der Nordwest-Ecke von Georgien zählen die Abchasen, ein sunnitisch-muslimisches Turkvolk, nur etwa 80.000 Menschen; aber sie bildeten 17% der Abchasischen Autonomen Sozialistischen Sowjetrepublik, die innerhalb Georgiens als Gegengewicht zum georgischen Nationalismus geschaffen worden war. Das war erfolgreich: 1990 erkämpften die Abchasen mit Unterstützung Russlands eine Quasi-Unabhängigkeit auf ihrem Territorium, obwohl sie dort bevölkerungsmäßig nur eine Minderheit sind. Georgiens zweite autonome Republik, Adscharien, ist ebenfalls sunnitisch-muslimisch, aber dies sind in ethnischer Hinsicht Georgier, die daher Georgien unterstützen und zugleich nach Autonomie streben. Muslimische Inguschen befinden sich in den Grenzgebieten zwischen Georgien, Ossetien und Tschetschenien-Inguschetien in Konflikt mit Osseten. Zudem kehren meschetische Türken, die von Stalin deportiert worden waren, nach Georgien zurück, und die Türkei hat ihre Absicht bekundet, sie zu schützen, was Misstrauen in der armenischen Bevölkerung Georgiens ausgelöst hat. Das Nettoresultat dieser territorial verwickelten Geschichte war Folgendes: 1990-1991 führte Gamsachurdija eine radikale georgische Bewegung an und erklärte die Unabhängigkeit, ohne die Interessen der nationalen Minderheiten Georgiens zu berücksichtigen und ohne die bürgerlichen Freiheiten zu beachten. Er löste einen Bürgerkrieg aus, in dem er selbst umkam. Der Krieg wurde sowohl zwischen seinen Kräften und den georgischen Demokraten geführt, wie zwischen den georgischen Truppen, Abchasen und Osseten. Die Intervention Russlands und die befriedende Rolle von Schewardnadse, der 1991 als letztes Mittel zur Rettung des Landes zum Präsidenten gewählt wurde, brachte der Region einen instabilen Frieden, und sogleich danach brach im benachbarten Tschetschenien ein grauenhafter, langwieriger, kräftezehrender Guerillakrieg aus. Der Fehlschlag bei der Integration nationaler Identitäten in die Sowjetunion kam daher nicht durch deren Anerkennung zustande, sondern durch die Tatsache, dass ihre künstliche Institutionalisierung einer bürokratischen und geopolitischen Logik folgte und der tatsächlichen Geschichte und kulturell-religiösen Identität jeder einzelnen nationalen Gemeinschaft und ihrer geografischen Besonderheit keine Beachtung schenkte. Das ist es, was Suny berechtigt, von der „Rache der Vergangenheit“[108] zu sprechen oder David Hooson zu schreiben:

108 Suny (1993).

> Die Frage der Identität ist eindeutig die hartnäckigste, die nach der langen Eiszeit [in der früheren Sowjetunion] zum Vorschein gekommen ist. Aber es ist reicht nicht aus, sie als eine rein ethnische oder kulturelle Frage zu behandeln. Um was es hier geht, ist eine gänzlich neue Suche nach den wirklichen Regionen von Kulturen, Ökonomien *und* Umwelt, die den Menschen, die sie bewohnen, etwas (und in manchen Fällen alles) bedeuten. Der Prozess der Kristallisation dieser Regionen über die kahlen und verfehlten Grenzen der „Republiken" von heute hinweg verspricht lang und schmerzhaft zu werden, er ist aber unvermeidlich und am Ende das Richtige.[109]

Drittens wurde die ideologische Leere, die von dem Versagen des Marxismus-Leninismus bei der effektiven Indoktrination der Massen hervorgerufen wurde, in den 1980er Jahren, als die Menschen in der Lage waren, sich auszudrücken, durch die einzige Quelle der Identität ersetzt, die sich im kollektiven Gedächtnis erhalten hatte: die *nationale Identität.* Aus diesem Grund traten die meisten antisowjetischen Mobilisierungen einschließlich der demokratischen Bewegungen unter der jeweiligen nationalen Fahne auf. Es trifft zu, wie gesagt wurde, und wie ich selbst gesagt habe, dass die politischen Eliten in Russland und in den Unionsrepubliken den Nationalismus als die letzte Waffe gegen die kommunistische Ideologie benutzt haben, um den Sowjetstaat zu untergraben und die Macht in den Institutionen jeder einzelnen Republik zu erringen.[110] Doch benutzten die Eliten diese Strategie, weil sie wirkungsvoll war, weil die nationalistische Ideologie in den Köpfen der Menschen mehr Resonanz fand als abstrakte Appelle für Demokratie oder Verweise auf die Vorzüge des Marktes, die in der persönlichen Erfahrung der Menschen oft mit Spekulantentum zusammengebracht wurden. Daher lässt sich das Wiederaufleben des Nationalismus nicht mit politischer Manipulation erklären: Wenn ihn die Eliten einsetzen, so ist dies vielmehr ein Beleg für die Hartnäckigkeit und Vitalität der nationalen Identität als mobilisierendes Prinzip. Als die Menschen nach 74 Jahren endloser Wiederholungen der offiziellen sozialistischen Ideologie entdeckten, dass der Kaiser keine Kleider anhatte, konnte der Neuaufbau ihrer Identität nur um die grundlegenden Institutionen ihres kollektiven Gedächtnisses herum erfolgen: Familie, Gemeinde, die ländliche Vergangenheit, manchmal die Religion und vor allem die Nation. Aber Nation sollte nicht das Äquivalent für Staatlichkeit und Beamtentum bedeuten, sondern die persönliche Selbst-Identifikation in dieser jetzt verwirrenden Welt: Ich bin Ukrainer, ich bin Russe, ich bin Armenier wurde zur Einheitsparole, zum dauerhaften Fundament, von dem aus das Leben in der Kollektivität neu geschaffen werden konnte. Das ist der Grund, warum die sowjetische Erfahrung die Dauerhaftigkeit der Nationen jenseits und trotz des Staates bezeugt.

Vielleicht das größte Paradox von allen besteht darin, dass die neuen Nationalstaaten, die am Ende dieses historischen Parcours entstanden, um ihren unterdrückten Identitäten Geltung zu verschaffen, *wahrscheinlich nicht in der Lage*

---

109 Hooson (1994a: 140).
110 Castells (1992b); Hobsbawm (1994).

sein werden, als vollständig souveräne Staaten zu fungieren. Das liegt zu allererst an der Verflechtung eines Mosaiks von Nationalitäten und historischen Identitäten innerhalb der gegenwärtigen Grenzen der unabhängigen Staaten.[111] Das offensichtlichste Problem betriff die 25 Millionen Russen, die unter einer fremden Fahne leben. Aber die Russische Föderation wird heute zwar zu 82% von Großrussen bewohnt, besteht aber aus 60 unterschiedlichen ethnisch-nationalen Gruppen, von denen einige auf einem riesigen Reichtum natürlicher und mineralischer Ressourcen sitzen, wie Sacha-Jakutien und Tatarstan. In den anderen Republiken mit Ausnahme des instruktiven Falls Georgiens sind die Kasachen in Kasachstan nur eine Minderheit; in Tadschikistan leben 62% Tadschiken und 24% Usbeken; Kirgisen machen nur 52% der Bevölkerung Kyrgystans aus; in Usbekistan leben 72% Usbeken und eine große Vielfalt anderer Nationalitäten; 14% der Einwohner Moldawiens sind Ukrainer und 13% Russen. Ukrainer machen nur 73% der Bevölkerung der Ukraine aus. 52% der Bevölkerung Lettland sind Letten, in Estland 62% Esten. Jegliche strikte Definition eines nationalen Interesses auf der Grundlage der institutionell herrschenden Nationalität würde daher auf dem ganzen eurasischen Kontinent zu Problemen führen, die einfach nicht handhabbar wären. Schewardnadse hat das eingeräumt, als er seine Bereitschaft erklärte, nach anfänglicher Feindseligkeit mit Russland zu kooperieren. Außerdem wäre es wegen der gegenseitigen Durchdringung der Volkswirtschaften und der gemeinsamen Infrastruktur vom Elektrizitätsverbund bis zu den Pipelines und zur Wasserversorgung extrem kostspielig, die Territorien der früheren Sowjetunion zu entflechten. Vielmehr setzt dies eine entschiedene Prämie auf Kooperation. Erst recht in einem Prozess der multilateralen Integration in die globale Wirtschaft, der interregionale Verbindungen erfordert, um effizient zu funktionieren. Natürlich wird die tiefsitzende Furcht vor einer neuen Form des russischen Imperialismus einen breiten Schatten über die künftige Entwicklung dieser neuen Staaten werfen. Deshalb wird es unabhängig davon, wer in Russland an der Macht ist, keine Wiederbelebung der Sowjetunion geben. Die volle Anerkennung der nationalen Identität kann jedoch nicht in der vollständigen Unabhängigkeit der neuen Staaten zum Ausdruck kommen – *genau wegen der Stärke der Identitäten, die die Staatsgrenzen durchschneiden.* Aus diesem Grund schlage ich als die wahrscheinlichste und vielversprechendste Zukunft die Vorstellung der Gemeinschaft Unzertrennlicher Staaten (*Sodružestvo Nerazdelymych Gosudarstv*) vor – also eines Gewebes von Institutionen, das flexibel und dynamisch genug ist, die Autonomie der nationalen Identität und die gemeinsamen politischen Zwecke im Kontext der globalen Wirtschaft miteinander zu verbinden. Andernfalls wird die Betonung schierer Staatsmacht über eine fragmentierte Landkarte historischer Identitäten zu einer Karikatur des europäischen Nationalismus im 19. Jahrhundert: Sie wird zur Gemeinschaft der Unmöglichen Staaten (*Sodružestvo Nevozmožnych Gosudarstv*) führen.

---

111 Twinning (1993); Hooson (1994b).

Nationen ohne Staat: *Catalunya*

Der Staat muss grundsätzlich von der Nation getrennt werden, weil der Staat eine politische Organisation ist, von außen eine unabhängige Macht, nach innen die höchste Macht, mit materiellen Kräften an Menschen und Geld, um seine Unabhängigkeit und Autorität aufrechtzuerhalten. Wir können das eine nicht mit dem anderen identifizieren, wie dies sogar die katalonischen Patrioten selbst zu tun pflegten, die von einer katalonischen Nation im Sinne eines unabhängigen katalonischen Staates redeten und schrieben ... Catalunya ist weiter Catalunya geblieben, auch Jahrhunderte, nachdem es seine Selbstregierung verloren hatte. So haben wir eine klare und spezifische Vorstellung von Nationalität erreicht, einen Begriff von einer primären, grundlegenden gesellschaftlichen Einheit, deren Bestimmung es ist, in der Weltgesellschaft, innerhalb der Menschheit das zu sein, was der einzelne Mensch für die zivile Gesellschaft ist.[112]

Enric Prat de la Riba, La nacionalitat catalana

Wenn die Analyse der Sowjetunion die Möglichkeit zeigt, dass Staaten – wie mächtig auch immer – daran scheitern, Nationen hervorzubringen, so ermöglicht uns die Erfahrung Kataloniens (oder auf katalanisch *Catalunya*), über die Bedingungen zu reflektieren, unter denen Nationen existieren und sich im Lauf der Geschichte (re-)konstruieren – ohne einen Nationalstaat und ohne den Versuch, einen zu schaffen.[113] Jordi Pujol, der gegenwärtige Präsident und nationale Führer von *Catalunya* während des letzten Viertels des 20. Jahrhunderts, formuliert es so: „*Catalunya* ist eine Nation ohne Staat. Wir gehören zum spanischen Staat, aber wir streben nicht nach Sezession. Das muss eindeutig gesagt werden ... Der Fall von *Catalunya* ist etwas Besonderes: Wir haben unsere eigene Sprache und Kultur, wir sind eine Nation ohne Staat."[114] Um diese Aussage zu verdeutlichen und ihre weiterreichenden analytischen Implikationen darzustellen, ist ein kurzer historischer Rückblick notwendig. Weil sich nicht alle Leser und Leserinnen mit katalonischer Geschichte auskennen, werde ich die historischen Gründe knapp rekapitulieren, die es rechtfertigen, von der Kontinuität von *Catalunya* als einer materiell gelebten, unterscheidbaren nationalen Realität zu sprechen, wofür der langfristige Bestand der Sprache und ihre gegenwärtig weit verbreitete Benutzung gegen alle Widrigkeiten ein machtvoller Indikator ist.[115]

Der offizielle Geburtstag von *Catalunya* als Nation wird allgemein auf 988 datiert, als Graf Borell endgültig die Verbindungen zu den Resten des karolingi-

---

112 Zuerst 1906; nach der Ausgabe 1978: 49f.

113 Keating (1995).

114 1986; zit. nach Pi (1996: 254).

115 Zu historischen Quellen s. das Kompendium zur katalonischen Geschichte in Vilar (1987-1990) und die Sondernummer von *L'Avenc: Revista d'Historia* (1996); S. auch Vicens Vives und Llorens (1958); Vicens Vives (1959); Vilar (1964); Jutglar (1966); Sole-Tura (1967); McDonough (1986); Rovira i Virgili (1988); Azevedo (1991); Garcia-Ramon und Nogue-Font (1994); Keating (1995); Salrach (1996).

schen Reiches löste, das um 800 das Land und die Bewohner dieser südlichen Grenzregion des Reiches unter seinen Schutz genommen hatte, um der Bedrohung entgegenzutreten, die von einer arabischen Invasion nach Okzitanien ausging. Ende des neunten Jahrhunderts erhielt Graf Guifrè el Pelòs, der erfolgreich gegen die arabische Herrschaft gekämpft hatte, die Grafschaften Barcelona, Urgell, Cerdanya-Conflent und Girona vom französischen König. Seine Erben wurden selbstständige Grafen, ohne die Einsetzung durch die französischen Königen nötig zu haben und sicherten die Hegemonie des Casal de Barcelona über die Grenzgebiete, die im zwölften Jahrhundert *Catalunya* genannt werden sollten. Während also der größte Teil des christlichen Spaniens acht Jahrhunderte lang mit der *Reconquista* gegen die Araber beschäftigt war und währenddessen die Königreiche Kastilien und Leon aufbaute, entwickelte sich *Catalunya* nach einer Periode arabischer Herrschaft im achten und neunten Jahrhundert aus seinen karolingischen Ursprüngen und wurde zwischen dem frühen 13. und der Mitte des 15. Jahrhunderts ein Mittelmeerreich. Es breitete sich nach Mallorca (1229) aus, nach Valencia (1238), Sizilien (1282), Teilen Griechenlands mit Athen (1303), Sardinien (1323) und Neapel (1442) und bezog auch französische Territorien jenseits der Pyrenäen ein, vor allem Roussillon und Cerdagne. Obwohl *Catalunya* ein bedeutendes landwirtschaftliches Hinterland besaß, war es doch in erster Linie ein Handelsimperium, das von einem Bündnis zwischen dem Adel und den städtischen Kaufmannseliten in ähnlicher Weise regiert wurde wie die Kaufmannsrepubliken in Norditalien. Aus Sorge über die Militärmacht Kastiliens willigten die vorsichtigen Katalanen ein, als das kleine, aber günstig gelegene Königreich Aragon 1137 die Vereinigung vorschlug. Erst Ende des 15. Jahrhunderts hörte *Catalunya* nach der freiwilligen Vereinigung mit dem proto-imperialen Kastilien durch die Heirat zwischen Fernando, König von *Catalunya*, Valencia und Aragon, und Isabella, Königin von Kastilien, aufgrund des Schiedsspruchs von Caspe (1412) auf, eine souveräne politische Einheit zu sein. Bei der Heirat der beiden Nationen sollten Sprache, Gebräuche und Institutionen respektiert und der Reichtum geteilt werden. Doch Macht und Reichtum der spanischen Krone und ihres grundbesitzenden Adels sowie der Einfluss der fundamentalistischen, durch die Gegenreformation bestimmten Kirche lenkten die geschichtliche Entwicklung in eine andere Richtung. Es kam zur Unterwerfung der nicht-kastilischen Völker in Europa und auf der iberischen Halbinsel ebenso wie in Amerika. *Catalunya* wurde ebenso wie das übrige Europa vom Handel mit den amerikanischen Kolonien ausgeschlossen, einer wichtigen Quelle des Reichtums im spanischen Königreich. Es reagierte, indem es seine eigene Konsumgüterindustrie entwickelte und in seiner regionalen Umgebung Handel trieb. Dies löste ab der zweiten Hälfte des 16. Jahrhunderts einen Prozess der beginnenden Industrialisierung und der Kapitalakkumulation aus. Inzwischen hatte Kastilien 1520-1523 die freien katalonischen Städte (*Communidades*) zerschlagen, wo eine Handwerkerklasse und eine Proto-Bourgeoisie am Entstehen gewesen waren. Kastilien baute dann eine Renten-Ökonomie auf, um mit den Erträgen seiner amerikanischen Kolonien und aus der schweren Besteuerung seiner Untertanen einen theokratischen Militärstaat zu finanzieren. Der Zusammenstoß der Kulturen und Institutionen beschleunigte sich im 17. Jahrhundert, als Philipp IV zusätzliche fiskalische Einkünfte benötigte und den Zentralismus verschärfte. Das führte 1640 zum Aufstand sowohl in Portugal als auch in *Catalunya*, wo es zum Schnitteraufstand kam. Portugal erlangte mit Hilfe Englands seine Unabhängigkeit zurück. *Catalunya* wurde besiegt, und ihm wurden die meisten seiner Freiheiten genommen. Zwischen 1705 und 1714 kämpfte *Catalunya* erneut um seine Autonomie und unterstützte im Spanischen Erbfolgekrieg die Sache der österreichischen Habsburger gegen Philipp V aus der bourbonischen Dynastie. Es ist typisch für den katalonischen Charakter, dass die Niederlage und der Einzug der Armeen Philipps V nach Barcelona am 11. September 1714 jetzt als Nationalfeiertag von *Catalunya* gefeiert werden. *Catalunya* verlor all seine auf Selbstverwaltung aufgebauten politischen Institutionen, die seit dem Mittelalter bestanden hatten: die Stadtregierung auf der Grundlage demokratischer Ratsversammlungen, das Parlament, die souveräne katalonische Regierung (*Generalitat*). Die neuen Institutionen, die durch den *Decreto de nueva planta* geschaffen wurden, den Philipp V erließ, konzentrierten die Macht in der Hand des Militärkommandeurs, des Generalkapitäns von *Catalunya*. Es folgte eine lange Periode regelrechter institutioneller und kultureller Unterdrückung durch die Zentralgewalt. Wie die Geschichtsforschung zeigt, versuchte sie gezielt, allmählich die katalanische Sprache zu eliminieren. Sie wurde zuerst in der Verwaltung verboten, dann in Handelsgeschäften und schließlich in den Schulen. So wurde ihre Benutzung auf die Bereiche der Familie und der Kirche beschränkt.[116] Die Katalanen wiederum reagierten darauf, indem sie sich von den Staatsangelegenheiten abschotteten und wieder an die Arbeit gingen. Den Berichten zufolge geschah dies in organisierter Form bereits zwei Tage nach der Einnahme Barcelonas. So industrialisierte sich *Catalunya* ab Ende des 18. Jahrhunderts und war mehr als ein Jahrhundert lang das einzig wirklich industrielle Gebiet Spaniens.

Die wirtschaftliche Stärke der katalonischen Bourgeoisie und das relativ hohe Bildungsniveau der gesamten Gesellschaft standen das ganze 19. Jahrhundert hindurch im Gegensatz zu ihrer politischen Randposition. Als dann die Madrider Handelspolitik sich zu einer Bedrohung für die noch schwache katalonische Industrie zu entwickeln begann, entstand seit dem späten 19. Jahrhundert eine starke katalonische Nationalbewegung. Sie wurde von artikulierten Ideologen wie dem pragmatischen Nationalisten Enric Prat de la Riba oder den Föderalisten Valenti Almirall und Francesc Pi i Maragall inspiriert, besungen von Nationaldichtern wie Joan Maragall; aufgezeichnet von Historikern wie Rovira i Virgili und unterstützt durch die Arbeit von Philologen wie Pompeu Fabra, der im 20. Jahrhundert die moderne katalanische Schriftsprache kodifiziert hat. Die

---

116 Ferrer i Girones (1985).

politische Klasse in Madrid hat jedoch niemals wirklich die Zusammenarbeit mit katalonischen Nationalisten akzeptiert, noch nicht einmal mit der Lliga Regionalista, einer eindeutig konservativen Partei, vermutlich der ersten modernen politischen Partei in Spanien, die 1901 im Auftrag der Zentralregierung als Reaktion auf die Kontrolle der Wahlen durch lokale Machthaber (*caciques*) gegründet wurde. Andererseits entstand im ersten Drittel des 20. Jahrhunderts eine mächtige, hauptsächlich anarcho-syndikalistisch orientierte Arbeiterbewegung. Sie zwang die katalonischen Nationalisten, die im Großen und Ganzen bis in die 1920er Jahre von ihrem konservativen Flügel beherrscht wurden, dazu, sich gegen die Forderungen der Arbeiter und die Bedrohung der sozialen Revolution auf den Schutz aus Madrid zu besinnen.[117] Als jedoch 1931 in Spanien die Republik ausgerufen wurde, waren die linken Republikaner (*Esquerra republicana de Catalunya*) in der Lage, eine Brücke zwischen der katalonischen Arbeiterklasse, der Kleinbourgeoisie und den nationalistischen Idealen zu schlagen. So wurden sie zur beherrschenden Kraft im katalonischen Nationalismus. Unter der Führung von Lluis Companys, einem Arbeiter-Anwalt, der zum Präsidenten der wiedererrichteten *Generalitat* gewählt worden war, schuf *Esquerra* ein ganz Spanien umfassendes Bündnis mit den spanischen Republikanern, den Sozialisten, den Kommunisten und den anarchistischen und sozialistischen Gewerkschaften. 1932 billigte die spanische Regierung unter dem Druck von unten, der in einem Referendum zum Ausdruck gebracht wurde, ein Autonomiestatut, das *Catalunya* seine Freiheiten, Selbstregierung und sprachlich-kulturelle Autonomie zurückgab. Die Erfüllung nationalistischer Forderungen aus *Catalunya* und dem Baskenland durch die spanische Republik bildete einen der stärksten Auslöser für den Militäraufstand, der zum Bürgerkrieg von 1936-1939 führte. Dementsprechend wurde nach dem Bürgerkrieg die systematische Unterdrückung katalonischer Institutionen, Sprache, Kultur, Identität und politischer Führer – angefangen mit der Hinrichtung von Companys 1940, nachdem er von der Gestapo an Franco ausgeliefert worden war – zu einem der hervorstechenden Merkmale der Franco-Diktatur. Ein Teilaspekt dieser Repression war die systematische Eliminierung katalanisch-sprachiger Lehrkräfte aus den Schulen, um das Lehren von Katalanisch unmöglich zu machen. Aus diesen Gründen wurde andererseits der Nationalismus in *Catalunya* wie auch im Baskenland zum Bindemittel für die gegen Franco gerichteten Kräfte. Deshalb waren die demokratischen politischen Kräfte, von den Christdemokraten und Liberalen bis zu den Sozialisten und Kommunisten, zugleich auch katalonische Nationalisten. Das bedeutet beispielsweise, dass alle politischen Parteien in *Catalunya* während des Widerstandes gegen Franco ebenso wie seit der Schaffung der spanischen Demokratie 1977 katalonisch und nicht spanisch waren und sind. Auch wenn sie meist mit ähnlichen Parteien in Spanien verbündet sind, so bewahren sie doch ihre Autonomie als Parteien – beispielsweise ist die Katalonische Sozia-

---

117 Sole-Tura (1967).

listische Partei mit der PSOE verbunden; die Vereinigte Sozialistische Partei von *Catalunya* mit den Kommunisten usw. 1978 erklärte Artikel 2 der neuen spanischen Verfassung Spanien zu einer „Nation von Nationalitäten“ und 1979 schuf das Autonomiestatut von *Catalunya* die institutionelle Basis für die katalonische Autonomie innerhalb Spaniens. Das bedeutete auch die Proklamation der offiziellen Zweisprachigkeit, wobei Katalanisch als „die eigene Sprache von Cataluña“ anerkannt wurde. In den Regionalwahlen für *Catalunya* hat das katalonische nationalistische Bündnis (*Convergencia i Unio*), das vom gegenwärtigen Führer von *Catalunya*, dem gebildeten, kosmopolitischen, aus bescheidenen Verhältnissen stammenden Arzt Jordi Pujol angeführt wird, fünf Mal hintereinander die Mehrheit erreicht und ist 1996 weiterhin an der Macht. Die *Generalitat* – die katalonische Regierung – ist gestärkt und zu einer dynamischen Institution geworden. Sie verfolgt an allen Fronten eine autonome Politik, auch in der internationalen Arena. In den 1990er Jahren war Jordi Pujol Präsident der Arbeitsgemeinschaft Europäischer Regionen. Die Stadt Barcelona kam eigenständig unter Führung einer weiteren charismatischen Gestalt, des Bürgermeisters Pasqual Maragall von den katalonischen Sozialisten, Professor für Stadtökonomie und Enkel des Nationaldichters von *Catalunya*, in Bewegung. Barcelona stellte sich der Welt vor und nutzte die Olympischen Sommerspiele 1992 geschickt, um international zu einem wichtigen städtischen Zentrum zu werden, das historische Identität mit informationeller Modernität verbindet. Während der 1990er Jahre begann die Katalonische Nationalistische Partei eine wesentliche Rolle in der spanischen Politik zu spielen. Als es sowohl der Sozialistischen Partei bis 1993 wie dem konservativen Partido Popular 1996 nicht gelang, bei den gesamtspanischen Wahlen eine Mehrheit zu erringen, wurde Jordi Pujol zum unverzichtbaren Partner jeder parlamentarischen Regierungskoalition. Er unterstützte zuerst die Sozialisten und später die Konservativen, und er ließ sich das bezahlen. *Catalunya* erhielt die Verfügung über 30% seines Einkommenssteueraufkommens sowie die ausschließliche Zuständigkeit für das Erziehungswesen, das auf allen Ebenen in Katalanisch arbeitet, weiter für Gesundheit, Umwelt, Kommunikation, Tourismus, Kultur, soziale Dienstleistungen und für die meisten Polizeiaufgaben. Langsam aber sicher zwingt *Catalunya* gemeinsam mit dem Baskenland Spanien dazu, widerwillig zu einem hochgradig dezentralisierten föderalen Staat zu werden, weil die anderen Regionen dasselbe Maß an Autonomie und Ressourcen beanspruchen, wie es die Katalanen und die Basken erhalten. Und dennoch lehnen die Katalanen und die katalonische nationalistische Koalition die Idee des Separatismus ab und sagen einfach, dass sie Institutionen brauchen, um als Nation bestehen zu können, nicht aber, um ein Nationalstaat zu werden. Eine Ausnahme macht lediglich eine kleine, demokratische und friedliche Unabhängigkeitsbewegung, die hauptsächlich von jungen Intellektuellen unterstützt wird.[118]

---

118 Keating (1995).

Was ist also diese katalonische Nation, die in der Lage war, Jahrhunderte der Verleugnung zu überleben und doch nicht der Versuchung zu erliegen, sich in den Prozess des Aufbaus eines Staates gegen eine andere Nation, Spanien, hineinzubegeben, was ebenfalls zu einem Teil der Identität von *Catalunya* wurde? Für Prat de la Riba, wahrscheinlich den klarsten Ideologen des konservativen katalonischen Nationalismus in seinem formativen Zeitalter, „ist Catalunya die lange Kette von Generationen, die vereint sind durch die katalanische Sprache und Tradition, die aufeinander in dem Territorium folgen, auf dem wir leben."[119] Jordi Pujol besteht ebenfalls wie die meisten Beobachter darauf, dass die Sprache die Grundlage der katalonischen Identität ist: „Die Identität von Catalunya ist in hohem Maße sprachlich und kulturell. Catalunya hat niemals eine ethnische oder religiöse Besonderheit beansprucht, noch hat es auf die Geografie gepocht oder behauptet, im engen Sinne politisch zu sein. Unsere Identität hat viele Komponenten, aber Sprache und Kultur sind ihr Rückgrat."[120] Schließlich war *Catalunya* über mehr als 2000 Jahre hinweg ein Land des Durchgangsverkehrs und der Migration zwischen verschiedenen europäischen und mediterranen Völkern. So bildete es seine souveränen Institutionen in Auseinandersetzung mit mehreren Kulturen aus, von denen es sich zu Anfang des zwölften Jahrhunderts deutlich zu unterscheiden begann, wo der Name *Catalunya* zum ersten Mal belegt ist.[121] Dem führenden französischen Historiker von *Catalunya*, Pierre Vilar, zufolge war das, was die Katalanen als Volk von früh an – bereits im 13. und 14. Jahrhundert – auszeichnete, die Sprache. Sie unterscheidet sich deutlich vom Spanischen und vom Französischen und hatte schon im 13. Jahrhundert eine entwickelte Literatur, für die die Schriften von Raimon Llull (1235-1315) stehen können, der *Catalanes*c benutzte, das sich parallel zum Provenzalischen und Spanischen aus dem Lateinischen entwickelt hatte. Sprache als Identität erhielt in der letzten Hälfte des 20. Jahrhunderts besondere Bedeutung, als die in moderner Zeit traditionell niedrige Geburtenrate der Katalanen zusammen mit der höheren Industrialisierung von *Catalunya* zu einer massiven Zuwanderung aus dem verarmten Süden Spaniens führte. Die Katalanischsprachigen, die noch immer gegen das Verbot ihrer Sprache kämpften, wurden so von immer neuen Wellen spanischsprachiger Arbeiter überschwemmt, die ihren Lebenszusammenhang und ihre Familien in *Catalunya* etablierten, vor allem in den Vorstädten von Barcelona. Als daher *Catalunya* nach der spanischen Verfassung von 1978 seine Autonomie wiedererlangt hatte, stimmte das katalonische Parlament 1983 einstimmig für ein „Gesetz zur sprachlichen Normalisierung", das den Unterricht auf Katalanisch in allen öffentlichen Schulen und Universitäten einführte. Ebenso wurde die katalanische Sprache in der Verwaltung, auf öffentlichen Plätzen, Straßen und Wegen sowie im öffentlichen Fernsehen ein-

---

119 Prat de la Riba (1894), zit. nach Sole-Tura (1967: 187), nach der Übersetzung von M.C.
120 Pujol (1995), zit. nach Pi (1996: 176), nach der Übersetzung von M.C.
121 Salrach (1996).

geführt.[122] Das ausdrückliche politische Ziel bestand darin, mit der Zeit die vollständige Integration der nicht-katalonischen Bevölkerung in die katalonische Kultur zu erreichen, damit keine kulturellen Ghettos entstünden, die die Gesellschaft entlang von Klassenlinien fragmentieren könnten. In dieser Strategie wird also der Staat benutzt, um die Nation zu stärken oder auch zu produzieren, ohne dass gegenüber dem spanischen Staat Souveränität eingeklagt würde.

Warum ist die Sprache für die Definition der katalonischen Identität so wichtig? Eine Antwort ist historisch: Sie ist das, was über Hunderte von Jahren neben demokratischen Institutionen der Selbstregierung, solange sie nicht unterdrückt waren, das Erkennungsmerkmal ausgemacht hat, Katalane zu sein. Obwohl die katalonischen Nationalisten alle als Katalanen definieren, die in *Catalunya* leben und arbeiten, fügen sie doch hinzu „und Katalane sein will". Und das Zeichen dafür, „es sein zu wollen", ist die Benutzung der Sprache oder der Versuch dazu – „es versuchen" ist sogar besser, weil es das wirkliche Zeichen für Bereitschaft ist. Eine andere Antwort ist politisch: Es ist die einfachste Möglichkeit, die katalonische Bevölkerung auszudehnen und zu reproduzieren, ohne auf Kriterien der nationalen Souveränität zurückzugreifen, was notwendig mit der Territorialität des spanischen Staates kollidieren würde. Es lässt sich jedoch mit dem, was die Sprache als System von Codes darstellt, eine weitere und grundsätzlichere Antwort verbinden. Sie kristallisiert eine historische Konfiguration, die eine symbolische Gemeinsamkeit ermöglicht, ohne dass man andere Ikonen verehren muss als diejenigen, die sich aus der Kommunikation des alltäglichen Lebens ergeben. Es kann durchaus sein, dass Nationen ohne Staat um Sprachgemeinschaften herum organisiert sind – ich werde das weiter unten ausführen. Allerdings macht eine gemeinsame Sprache offenkundig noch keine Nation aus. Die lateinamerikanischen Nationen würden einem solchen Ansatz sicherlich widersprechen, und ebenso die Vereinigten Staaten und das Vereinigte Königreich. Aber für den Augenblick wollen wir in *Catalunya* bleiben.

Ich hoffe, dass man nach diesem historischen Rückblick zugestehen wird, dass dies keine erfundene Identität ist. Über mehr als 1000 Jahre hinweg hat eine bestimmte menschliche Gemeinschaft, in deren Zentrum in erster Linie Sprache steht, aber auch ein Gutteil territoriale Kontinuität sowie eine Tradition indigener politischer Demokratie und Selbstregierung besitzt, sich als Nation identifiziert – in unterschiedlichen Zusammenhängen, gegen unterschiedliche Gegner und als Teil unterschiedlicher Staaten. Sie hatte ihren eigenen Staat, strebte nach Autonomie, ohne den spanischen Staat in Frage zu stellen, integrierte Einwanderer, ertrug Demütigungen – derer sie sogar alljährlich gedenkt – und bestand doch fort als *Catalunya.* In manchen Analysen ist versucht worden, den Katalanismus mit den historischen Bestrebungen einer frustrierten industriellen Bourgeoisie gleichzusetzen, die von einer vorkapitalistischen, büro-

122 Puiggene i Riera u.a. (1991).

kratischen Monarchie erstickt wurde.[123] Das war gewiss ein wesentliches Moment, das in der katalanistischen Bewegung des späten 19. Jahrhunderts und bei der Gründung der Lliga präsent war.[124] Aber die Klassenanalyse kann nicht die Kontinuität eines expliziten Diskurses der katalonischen Identität während der gesamten Geschichte erklären, trotz aller Anstrengungen des spanischen Zentralismus, sie auszulöschen. Prat de la Riba bestritt, dass *Catalunya* sich auf Klasseninteressen reduzieren lässt, und er hatte Recht, auch wenn seine Lliga in erster Linie eine bürgerliche Partei war.[125] Der Katalanismus ist häufig mit der Romantik des 19. Jahrhunderts in Verbindung gebracht worden, aber er stand auch mit der modernistischen Bewegung der Wende zum 20. Jahrhundert in Beziehung und war auf Europa und die internationale Bewegung der Ideen hin ausgerichtet, weg von der traditionellen spanischen Erneuerungsbewegung, die sich nach dem Verlust der letzten Reste des Imperiums 1898 auf die Suche nach einer neuen Quelle transzendentaler Werte begab. Als kulturelle Gemeinschaft, in deren Mittelpunkt Sprache und gemeinsame Geschichte stehen, ist *Catalunya* kein vorgestelltes Gebilde, sondern ein beständig erneuertes historisches Produkt, auch wenn die nationalistischen Bewegungen die Ikonen ihrer Selbst-Identifikation mit Codes konstruieren und rekonstruieren, die für jeden historischen Zusammenhang spezifisch sind und ihren politischen Zielen entsprechen.

Ein entscheidendes Charakteristikum des katalonischen Nationalismus betrifft sein Verhältnis zum Nationalstaat.[126] Wenn sie *Catalunya* gleichzeitig für europäisch, mediterran und hispanisch erklären, dann streben die katalonischen Nationalisten, wenn sie auch die Abspaltung von Spanien ablehnen, doch nach einer neuen Art von Staat. Das wäre ein Staat mit variabler Geometrie, der den Respekt für den historisch ererbten spanischen Staat zusammenführt mit der wachsenden Autonomie der katalonischen Institutionen bei der Erfüllung der öffentlichen Aufgaben sowie mit der Integration sowohl von Spanien als auch von *Catalunya* in ein umfassenderes Gebilde, Europa. Dies übersetzt sich nicht nur in die Europäische Union, sondern in verschiedene Netzwerke regionaler und kommunaler Regierungen und Verwaltungen und auch staatsbürgerlicher Organisationen, die unter der dünnen Schale moderner Nationalstaaten die horizontalen Beziehungen in ganz Europa vervielfachen. Das ist in den 1990er Jahren nicht nur eine pfiffige Taktik. Es stammt aus der jahrhundertealten proeuropäischen Einstellung der katalonischen Eliten im Gegensatz zu dem stolzen kulturellen Isolationismus, dessen sich die meisten kastilischen Eliten während der meisten historischen Perioden befleißigt haben. Es findet sich auch explizit im Denken einiger der universellsten katalonischen Schriftsteller und Philosophen wie Josep Ferrater Mora, der 1960 schreiben konnte: „Die Katalanisierung

123 Jutglar (1966).
124 Sole-Tura (1967).
125 Prat de la Riba (1906).
126 Keating (1995); Pi (1996); Trias (1996).

von *Catalunya* könnte die letzte Gelegenheit sein, aus den Katalanen ‚gute Spanier' zu machen und aus den Spaniern ‚gute Europäer'.«[127] Denn nur ein Spanien, das seine plurale Identität akzeptieren könnte – und dabei spielt *Catalunya* eine herausragende Rolle – könnte vollständig offen für ein demokratisches, tolerantes Europa sein. Und damit das geschieht, müssen sich die Katalanen erst in der territorialen Souveränität des spanischen Staates zu Hause fühlen und dabei in der Lage sein, katalonisch zu denken und zu sprechen, wobei sie ihre Kommune innerhalb eines weiteren Netzwerkes schaffen. Diese Differenzierung zwischen kultureller Identität und Staatsmacht zwischen der unbestrittenen Souveränität der Apparate und der Vernetzung der Institutionen, die die Macht teilen, ist im Vergleich zu den meisten Prozessen beim Aufbau von Nationalstaaten eine historische Innovation, fest verankert auf historisch schwankendem Grund. Sie scheint besser als traditionelle Souveränitätsvorstellungen zu einer Gesellschaft zu passen, die auf Flexibilität und Anpassungsfähigkeit beruht, zu einer globalen Wirtschaft, zur Vernetzung der Medien, zur Variation und gegenseitigen Durchdringung der Kulturen. Indem sie nicht nach einem neuen Staat gestrebt, aber darum gekämpft haben, ihre Nation zu bewahren, könnten die Katalanen wieder am Ausgangspunkt ihrer Ursprünge als Volk des grenzenlosen Handels, der sprachlich-kulturellen Identität und flexiblen Regierungsinstitutionen angekommen sein – alles Merkmale, die für das Informationszeitalter charakteristisch zu sein scheinen.

Nationen im Informationszeitalter

Der Ertrag unseres Exkurses an die beiden gegensätzlichen Enden Europas besteht in einigen Einsichten über die neue, wesentliche Rolle von Nationen und Nationalismus als Quelle von Sinn im Informationszeitalter. Um Klarheit zu schaffen, werde ich Nationen den obigen Argumenten und Darstellungen entsprechend als *kulturelle Kommunen* definieren, *die in den Köpfen und im kollektiven Gedächtnis der Menschen durch eine gemeinsame Geschichte und gemeinsame politische Projekte konstruiert werden.* Wie viel gemeinsame Geschichte es geben muss, damit ein Kollektiv zur Nation wird, variiert mit den Kontexten und Perioden. Ebenso variabel sind die Ingredienzien, die zu der Prädisposition führen, solche Kommunen zu bilden. So wurde die katalonische Nationalität durch einen tausendjährigen Prozess der Gemeinsamkeit destilliert, während die Vereinigten Staaten von Amerika trotz oder wegen ihrer Multi-Ethnizität in gerade zwei Jahrhunderten eine sehr starke nationale Identität geschmiedet haben. Wesentlich ist die historische Unterscheidung zwischen Nationen und Staaten, zu deren Verschmelzung es erst im modernen Zeitalter gekommen ist, aber nicht für alle Nationen. So wissen wir aus unserer Perspektive zum Jahrtausendende von Nationen ohne Staaten (wie Katalonien, das Baskenland, Schottland oder

127 Ferrater Mora (1960: 120).

Quebec), von Staaten ohne Nation (Singapur, Taiwan oder Südafrika), von pluri-nationalen Staaten (die frühere Sowjetunion, Belgien, Spanien oder das Vereinigte Königreich), von uni-nationalen Staaten (Japan) oder Staaten mit geteilter Nation (Südkorea und Nordkorea) und von Staaten, die sich Nationen teilen (Schweden in Schweden und in Finnland, Iren in Irland und im Vereinigten Königreich, vielleicht Serben, Kroaten und bosnische Muslime in einem künftigen Bosnien-Herzegowina). Klar ist, dass Staatsbürgerschaft nicht gleichbedeutend ist mit Nationalität, oder zumindest nicht mit exklusiver Nationalität, denn Katalanen fühlen sich vor allem als Katalanen, die meisten bezeichnen sich aber zugleich als Spanier oder sogar zusätzlich noch als „Europäer". Berücksichtigt man Belege, die über einen langen Zeitraum hinweg und in globaler Perspektive erhoben werden, so widerspricht die Beobachtung daher einfach der Annahme, Nationen und Staaten würden – abgesehen von konkreten historischen Zusammenhängen – einander so weit assimiliert, dass es zu einem zusammengesetzten Nationalstaat kommt. Es scheint, als habe die rationalistische Reaktion – marxistisch oder wie auch immer – gegen den deutschen Idealismus (Herder, Fichte) und gegen die französische Historiographie (Michelet, Renan) das Verständnis der „nationalen Frage" vernebelt und daher zu Verwirrung geführt, als man sich Ende des 20. Jahrhunderts der Macht und dem Einfluss des Nationalismus gegenübersah.

Zwei Phänomene, die in diesem Abschnitt illustriert worden sind, scheinen für die gegenwärtige historische Periode charakteristisch zu sein: erstens die Desintegration der pluri-nationalen Staaten, die versuchen, ihre volle Souveränität zu wahren oder die Pluralität ihrer nationalen Bestandteile zu leugnen. Das war der Fall in der früheren Sowjetunion, im früheren Jugoslawien, im früheren Äthiopien, in der Tschechoslowakei und vielleicht wird es in Zukunft auf Sri Lanka, Indien, Indonesien, Nigeria und andere Länder zutreffen. Das Ergebnis dieser Desintegration ist die Bildung von *Quasi-Nationalstaaten.* Dies sind Nationalstaaten, weil ihnen die Attribute der Souveränität auf der Grundlage einer historisch konstituierten nationalen Identität zukommen, wie etwa der Ukraine. Aber sie sind es nur „quasi", weil das verwickelte System von Beziehungen zu ihrem historischen Mutterboden sie dazu zwingt, ihre Souveränität entweder mit ihrem früheren Staat oder mit einer weiterreichenden Konfiguration zu teilen, wie etwa im Fall der GUS oder der osteuropäischen Republiken, die mit der Europäischen Union assoziiert sind. Zweitens beobachten wir die Entwicklung von Nationen, die an der Schwelle zur Staatlichkeit Halt machen, aber ihren Mutterstaat dazu zwingen, sich anzupassen und Souveränität abzugeben, wie es in *Catalunya*, im Baskenland, in Flandern, der Wallonie, Schottland, Quebec der Fall ist und potenziell auch in Kurdistan, Kaschmir, dem Punjab oder Osttimor.[128] Ich bezeichne diese Gebilde als *nationale Quasi-Staaten*, weil sie nicht

128 Die ehemalige portugiesische Kolonie Osttimor wird nach mehr als 20-jähriger illegaler Annektion an Indonesien 2002 unabhängig; d.Ü.

vollständig ausgewachsene Staaten sind, aber auf der Grundlage ihrer nationalen Identität politische Teilautonomie gewinnen.

Die Eigenschaften, die in dieser historischen Periode nationale Identität verstärken, sind unterschiedlich, obwohl in allen Fällen eine Voraussetzung in einer gemeinsamen Geschichte über eine gewisse Zeit hinweg besteht. Ich würde aber *die Hypothese aufstellen, dass die Sprache und besonders eine vollständig entwickelte Sprache ein grundlegendes Attribut der Selbst-Anerkennung und der Schaffung einer unsichtbaren nationalen Grenze ist, die weniger willkürlich ist als die Territorialität und weniger exklusiv als die Ethnizität.* In historischer Perspektive liegt der Grund darin, dass Sprache die Verbindung zwischen der privaten und der öffentlichen Sphäre und zwischen Vergangenheit und Gegenwart herstellt, unabhängig von der tatsächlichen Anerkennung einer kulturellen Gemeinsamkeit durch die staatlichen Institutionen. Und nur weil Fichte dieses Argument zur Schaffung des alldeutschen Nationalismus benutzt hat, sollten die historischen Belege nicht einfach abgetan werden. Es gibt auch eine folgenreiche Ursache für das Auftreten eines auf Sprache beruhenden Nationalismus in unseren Gesellschaften. Wenn Nationalismus in den meisten Fällen eine Reaktion auf die Gefährdung autonomer Identität ist, dann wird in einer Welt, die der kulturellen Homogenisierung durch die Ideologie der Modernisierung und die Macht der globalen Medien unterliegt, die Sprache als unmittelbare Ausdrucksform der Kultur zum Wall kulturellen Widerstandes, zur letzten Bastion eigenständiger Kontrolle, zur Zuflucht eines identifizierbaren Sinns. Deshalb scheinen Nationen letztlich doch nicht „vorgestellte Gemeinschaften" zu sein, die im Dienste von Machtapparaten konstruiert worden sind. Vielmehr sind sie aus den Mühen gemeinsamer Geschichte hervorgegangen und dann in den Bildern von kommunalen Sprachen ausgesprochen worden, deren erstes Wort *wir (we)* ist, das Zweite *wir (us)* und unglücklicherweise das Dritte *sie.*

Die Auflösung ethnischer Bindungen: Rasse, Klasse und Identität in der Netzwerkgesellschaft

Seh euch 100 Schwarze Männer ... Seh euch eingesperrt. Seh euch im Käfig.
Seh euch gezähmt. Seh euern Schmerz. Seh euch drohen. Seh, wie ihr euch anseht.
Seh, ihr wollt. Seh, ihr braucht. Seh euch schwindelig. Seh euch bluten. Seh euch gelähmt.
Seh euch Brüder. Seh euch nüchtern. Seh euch geliebt. Seh euch zuhaus. Seh euch hören.
Seh euch lieben. Seh euch dabei. Seh euch treu. Seh euch verrückt. Seh euch herausgefordert.
Seh, wie ihr euch ändert. Seh euch. Seh euch. Seh euch ... Ich möcht' ganz sicher ihr sein.
Peter J. Harris, „Praisesong for the Anonymous Brothers"[129]

Wollen *Sie* vielleicht auch? Wirklich? Ethnizität war während der gesamten menschlichen Geschichte eine grundlegende Quelle von Sinn und Anerken-

129 Aus Wideman und Preston (1995: xxi).

nung. Sie ist in vielen zeitgenössischen Gesellschaften von den Vereinigten Staaten bis ins subsaharanische Afrika eine Grundstruktur sozialer Differenzierung und sozialer Anerkennung und auch von Diskriminierung. Sie ist die Basis für Aufstände im Namen der sozialen Gerechtigkeit gewesen und ist es noch, wie für die mexikanischen Indianer in Chiapas 1994, sie begründet aber auch die irrationale Zielsetzung der ethnischen Säuberung, wie sie von den bosnischen Serben 1994 praktiziert wurde. Und sie ist in hohem Maße die kulturelle Grundlage, die zu Vernetzung und vertrauensvollen Geschäften in der neuen Wirtschaftswelt führt, von den chinesischen Geschäftsnetzwerken (Bd. I, Kap. 3) bis zu den ethnischen „Stämmen“, die in der neuen globalen Wirtschaft über den Erfolg entscheiden. Wie Cornel West so richtig schreibt: „In diesem Zeitalter der Globalisierung mit seinen eindrucksvollen wissenschaftlichen und technologischen Innovationen im Bereich von Information, Kommunikation und angewandter Biologie erscheint eine Konzentration auf die verbleibenden Folgen von Rassismus als überholt und antiquiert ... Aber Rasse ist immer noch – in der kodierten Sprache der Reform des Wohlfahrtsstaates, der Einwanderungspolitik, der Bestrafung von Kriminellen, von *affirmative action* und der Privatisierung der Vorstädte – von zentraler Bedeutung in der politischen Diskussion.“[130] Wenn Rasse und Ethnizität für Amerika jedoch ebenso wie für die Dynamik anderer Gesellschaften zentral sind, so scheinen sich ihre Ausdrucksformen durch die gegenwärtigen sozialen Entwicklungstendenzen grundlegend geändert zu haben.[131] Ich behaupte zunächst, dass Rasse wahrscheinlich mehr als jemals zuvor eine Rolle als Quelle von Unterdrückung und Diskriminierung spielt;[132] Ethnizität dagegen ist dabei, als Quelle von Sinn und Identität spezifiziert zu werden, d.h. sie verschmilzt nicht mit anderen Ethnizitäten, sondern verschränkt sich mit den übergreifenden Prinzipien kultureller Selbstbestimmung wie Religion, Nation oder Geschlecht. Um die Argumente zur Stützung dieser Hypothese deutlich zu machen, werde ich kurz auf die Entwicklung der afro-amerikanischen Identität in den Vereinigten Staaten eingehen.

Die gegenwärtige Lage der Afro-Amerikaner hat sich während der letzten drei Jahrzehnte durch ein fundamentales Phänomen verändert: ihre tiefe Teilung entlang von Klassenlinien, wie dies in der Pionierarbeit von William Julius Wilson gezeigt wurde.[133] Die Implikationen dieser Veränderung haben für immer die Art und Weise erschüttert, wie Amerika die Afro-Amerikaner sieht und wichtiger noch, wie die Afro-Amerikaner sich selbst sehen. Wilsons These und ihre Weiterentwicklung werden durch eine Flut von Studien aus dem letzten Jahrzehnt gestützt. Sie deuten auf eine drastische Polarisierung unter den Afro-Amerikanern hin. Einerseits hat sich, angeregt durch die Bürgerrechtsbewegung

130 West (1996: 107f).
131 Appiah und Gates (1995).
132 Wieviorka (1993); West (1995).
133 Wilson (1987).

der 1960er Jahre und vor allem durch die Programme für *affirmative action* (positive Diskriminierung), eine große, gebildete und relativ wohlsituierte afroamerikanische Mittelklasse gebildet, der erhebliche Einbrüche in die politische Machtstruktur gelungen sind, von Bürgermeisterposten bis zum Vorsitz im gemeinsamen Generalstab. In gewissem Umfang gilt dies auch für die Welt der Konzerne. Damit sind etwa ein Drittel der Afro-Amerikaner jetzt Teil der amerikanischen Mittelklasse, obwohl Männer anders als Frauen viel weniger verdienen als ihre weißen Kollegen. Andererseits geht es etwa einem Drittel der Afro-Amerikaner, in den 1990er Jahren viel schlechter als in den 1960er Jahren. Dazu gehören die 45% der afro-amerikanischen Kinder an der Armutsgrenze oder darunter. Wilson ist sich mit anderen Forscherinnen und Forschern wie Blakeley und Goldsmith oder Gans darin einig, dass die Herausbildung dieser „Unterklasse" auf das Zusammentreffen der Folgen einer ungleichgewichtigen Informationswirtschaft, räumlicher Segregation und verfehlter öffentlicher Politik zurückzuführen ist. Das Wachstum der Informationswirtschaft erhöht die Bedeutung von Bildung und reduziert das Angebot an stabilen Jobs im Bereich der Handarbeit, wodurch Schwarze auf der Eingangsstufe zum Arbeitsmarkt benachteiligt werden. Die schwarze Mittelklasse entrinnt den inneren Stadtbezirken und hinterlässt die Massen der städtischen Armut in der Falle. Der Kreis schließt sich dadurch, dass die neue schwarze politische Elite Unterstützung bei der armen städtischen Wählerschaft findet, aber nur solange, wie sie für Sozialprogramme sorgen kann, was wiederum eine Funktion des Grades der moralischen oder politischen Besorgnis ist, welche die städtischen Armen bei der weißen Mehrheit auslösen. Die Position der neuen schwarzen Führungsschicht beruht demnach auf ihrer Fähigkeit, als Mittler zwischen der Welt der Konzerne, dem politischen Establishment und den in die Ghettos verbannten, unberechenbaren städtischen Armen zu fungieren. Zwischen diesen beiden Gruppen bemüht sich das letzte Drittel von Afro-Amerikanern, nicht in die Hölle der Armut zu fallen, indem sie sich an Dienstleistungsjobs klammern, die sich unverhältnismäßig oft im öffentlichen Sektor befinden, sowie an allgemein- und berufsbildende Programme, die einige Fertigkeiten zum Überleben in einer deindustrialisierten Wirtschaft vermitteln sollen.[134] Die negativen Folgen, unter denen diejenigen zu leiden haben, die es nicht schaffen, werden immer schrecklicher. Von den schlecht ausgebildeten, männlichen schwarzen Einwohnern der Innenstädte hatten 1992 kaum ein Drittel einen festen Job. Und sogar von denen, die arbeiten, leben 15% unter der Armutsgrenze. Der durchschnittliche Nettowert des Besitzes des ärmsten Fünftels von Schwarzen lag 1995 bei exakt Null. Ein Drittel der armen schwarzen Haushalte wohnt in Gebäuden unterhalb des Mindeststandards, die unter anderem dadurch gekennzeichnet sind, „dass es Hinweise auf Ratten gibt". Das Verhältnis der städtischen Kriminalitätsrate zur

134 Wilson (1987); Blakeley und Goldsmith (1993); Carnoy (1994); Wacquant (1994); Gans (1995); Hochschild (1995); Gates (1996).

Kriminalitätsrate der Vorstädte ist zwischen 1973 und 1992 von 1,2 auf 1,6 gestiegen. Und natürlich sind es die Bewohner der Innenstädte, die unter diesen Verbrechen am meisten zu leiden haben. Außerdem wird die männliche schwarze Bevölkerung massenhafter Gefangensetzung unterworfen oder lebt unter Kontrolle des Justizvollzugssystems (Untersuchungshaft, Bewährung). Während Schwarze etwa 12% der amerikanischen Bevölkerung ausmachen, stellten sie in den 1990er Jahren mehr als 50% der Gefängnisinsassen.[135] Die Gesamtquote der Gefangenen lag für schwarze Amerikaner 1990 bei 1.860 auf 100.000, das ist 6,4 mal soviel wie für Weiße. Und sicher sind die Afro-Amerikaner inzwischen besser ausgebildet, aber 1993 erhielten 23.000 schwarze Männer ein College-Zeugnis, während 2,3 Millionen im Gefängnis saßen.[136] Wenn wir dazu alle Personen hinzurechnen, die sich 1996 in Amerika unter Aufsicht des Justizvollzugssystems befanden, kommen wir auf 5,4 Mio. Menschen. Schwarze machten 1991 53% der Gefängnisinsassen aus.[137] Die Quoten von Inhaftierung und Überwachung sind für arme Schwarze viel höher und gar schwindelerregend für junge schwarze Männer. In Städten wie Washington, D.C. befindet sich in der Altersgruppe von 18-30 Jahre die Mehrheit der schwarzen Männer im Gefängnis oder auf Bewährung. Frauen und Familien müssen mit dieser Situation fertig werden. Das gängige Argument, dass in armen afro-amerikanischen Familien der Mann fehle, muss die Tatsache berücksichtigen, dass viele arme Männer eine beträchtliche Zeit ihres Lebens im Gefängnis verbringen. Deshalb müssen die Frauen darauf eingerichtet sein, die Kinder alleine großzuziehen oder sie von vorneherein ganz allein auf ihre eigene Verantwortung zu bekommen.

Dies sind wohl bekannte Tatsachen, deren soziale Wurzeln im neuen technologischen und wirtschaftlichen Zusammenhang ich in Band III versuchen will zu analysieren. Doch an diesem Punkt meiner Analyse geht es mir um die Konsequenzen dieser tiefen Kluft zwischen den Klassen für die Transformation der afro-amerikanischen Identität.

Um diese seit den 1960er Jahren eingetretene Transformation zu begreifen, müssen wir zu den historischen Wurzeln dieser Identität zurückgehen: Wie Cornel West zeigt, sind Schwarze in Amerika genau Afrikaner und Amerikaner. Ihre Identität wurde als gekidnappte, versklavte Menschen unter der freiesten Gesellschaft jener Zeit konstituiert. Um also die offensichtlichen Widersprüche zwischen den Idealen der Freiheit und der hoch produktiven, auf Sklaverei basierenden Wirtschaftsform miteinander zu vereinbaren, musste Amerika die Zugehörigkeit der Schwarzen zur Menschheit verleugnen, weil man in einer Gesellschaft, die auf dem Grundsatz basiert, dass „alle Menschen gleich geboren sind", nur nicht-menschlichen Wesen die Freiheit verweigert werden konnte. Wie Cornel West schreibt: „Dieser unablässige Angriff auf die Menschenwürde der

---

135 Tonry (1995: 59).
136 Gates (1996: 25).
137 S. Band III, Kap. 2.

Schwarzen schuf den fundamentalen Zustand der schwarzen Kultur – den der *schwarzen Unsichtbarkeit* und *Namenlosigkeit.*“[138] Die schwarze Kultur musste also nach der Analyse von Cornel lernen, mit ihrer Negation fertig zu werden, ohne in Selbstvernichtung zu verfallen. Sie schaffte es. Von den Liedern bis zur Kunst, von kommunalen Kirchen bis zur Bruderschaft zeigte die schwarze Gesellschaft ein tiefes Gefühl für kollektiven Sinn. Dieses Gefühl ging im massenhaften Exodus in die Ghettos des Nordens nicht verloren und wurde in eine außerordentliche Kreativität in der Kunst, der Musik und Literatur, und in eine machtvolle, vielgestaltige politische Bewegung übersetzt, deren Träume und Möglichkeiten in den 1960er Jahren durch Martin Luther King Jr. personifiziert wurden.

Die grundlegende Scheidelinie, die unter den Schwarzen durch den Teilerfolg der Bürgerrechtsbewegung entstanden ist, hat diese kulturelle Landschaft jedoch gründlich verändert. Aber wie genau? Auf den ersten Blick könnte es scheinen, als könne die schwarze Mittelklasse auf ihrem relativen wirtschaftlichen Wohlstand und politischen Einfluss aufbauen und sich der Mehrheitsströmung assimilieren. Sie könnte sich unter neuer Identität als Afro-Amerikaner konstituieren und eine Position ähnlich wie die Italo-Amerikaner oder Sino-Amerikaner einnehmen. Schließlich sind die Sino-Amerikaner während des größten Teils der kalifornischen Geschichte scharf diskriminiert worden, haben aber doch in den letzten Jahren einen recht geachtet Sozialstatus erreicht. So könnten die Afro-Amerikaner aus dieser Perspektive einfach ein weiteres, spezifisches Segment im multi-ethnischen Flickenteppich der amerikanischen Gesellschaft werden. Dagegen würde die „Unterklasse“ eher arm als schwarz werden.

Diese These einer kulturellen Doppelentwicklung scheint aber der Überprüfung durch vorhandene Daten nicht standzuhalten. Die eindrucksvolle Studie von Jennifer Hochschild über die kulturelle Transformation von Schwarzen und Weißen in ihrem Verhältnis zum „amerikanischen Traum“ von Chancengleichheit und individueller Mobilität zeigt genau das Gegenteil.[139] Schwarze aus der Mittelklasse sind gerade diejenigen, die Bitterkeit empfinden, weil ihre Illusion vom amerikanischen Traum enttäuscht worden ist, und die sich am meisten durch die anhaltende Präsenz des Rassismus diskriminiert fühlen. Dagegen meint eine Mehrheit unter den Weißen, Schwarze würden durch die Politik der *affirmative action* übermäßig bevorzugt und klagen über umgekehrte Diskriminierung. Andererseits sind arme Schwarze sich zwar ihrer Diskriminierung vollständig bewusst, scheinen aber in größerem Umfang an den amerikanischen Traum zu glauben als die Angehörigen der schwarzen Mittelklasse; in jedem Fall gehen sie stärker fatalistisch und/oder individualistisch mit ihrem Schicksal um (es war schon immer so), wenn auch ein Blick auf die Entwicklung der Meinungsumfragen im Zeitverlauf darauf hinzudeuten scheint, dass auch die armen

---

138 West (1996: 80).
139 Hochschild (1995).

Schwarzen jeglichen Glauben in das System zu verlieren beginnen, den sie einmal gehabt haben mögen. Die herausragende Tatsache, die sich jedenfalls aus Hochschilds Anstrengung, eine Fülle empirischer Daten zu analysieren, klar ergibt, ist dies: Insgesamt fühlen sich die wohlhabenden Afro-Amerikaner in der Mitte der Gesellschaft nicht willkommen. Und sie sind es auch nicht. Nicht nur ist der Rassenhass unter Weißen weiterhin allgegenwärtig, sondern ihre Zugewinne ändern für schwarze Männer der Mittelklasse nichts daran, dass sie an Bildung, beruflicher Stellung und Einkommen immer noch weit hinter den Weißen zurück sind, wie dies Martin Carnoy zeigt.[140]

Rasse spielt demnach eine große Rolle.[141] Aber zugleich hat die Scheidelinie zwischen den Klassen unter den Schwarzen so grundlegend unterschiedliche Lebensverhältnisse geschaffen, dass es eine zunehmend Feindseligkeit unter den Armen gegen ihre früheren Brüder gibt, die sie außen vor gelassen haben.[142] Die meisten Schwarzen der Mittelklasse arbeiten angestrengt, um vorwärts zu kommen, nicht nur weg von der Wirklichkeit des Ghettos, sondern weg von dem Stigma, das die Resonanz aus dem sterbenden Ghetto durch ihre Haut auf sie projiziert. Sie tun dies vor allem, indem sie ihre Kinder von den armen schwarzen Gemeinschaften isolieren, in die Vorstädte ziehen, sie in von Weißen beherrschte Privatschulen integrieren. Zugleich erfinden sie eine afro-amerikanische Identität neu, die afrikanische ebenso wie amerikanische Themen der Vergangenheit wiederbelebt, aber stillschweigt über die Misere der Gegenwart.

In einer Parallelbewegung entwickeln die Ghettos zum Jahrtausendende eine neue Kultur, die gemacht ist aus Elend, Wut und individueller Reaktion auf die kollektive Exklusion, wo Schwarzsein weniger wichtig ist als die Situationen der Exklusion, die neue Quellen der Zusammengehörigkeit schaffen wie etwa territoriale Gangs, die auf den Straßen gegründet werden und in und aus den Gefängnissen heraus konsolidiert werden.[143] Aus dieser Kultur entsteht Rap, kein Jazz. Diese neue Kultur bringt ebenfalls Identität zum Ausdruck, und sie ist auch in der schwarzen Geschichte verwurzelt – und ebenso in der ehrwürdigen amerikanischen Tradition von Rassismus und Rassenunterdrückung. Aber sie bezieht neue Elemente mit ein: Polizei und Justizvollzugssystem als zentrale Institutionen, die kriminelle Ökonomie als Werkstatt, die Schulen als umkämpftes Terrain, Kirchen als Inseln der Versöhnung, mutterzentrierte Familien, ein heruntergekommenes Umfeld, auf Gangs beruhende Sozialorganisation, Gewalt als Lebensform. Das sind die Themen der neuen schwarzen Kunst und Literatur, die aus der neuen Ghetto-Erfahrung entsteht.[144] Aber es ist keineswegs dieselbe

140 Carnoy (1994).
141 West (1996).
142 Hochschild (1995); Gates (1996).
143 Sanchez Jankowski (1991, 1996).
144 Wideman und Preston (1995); Giroux (1996).

Identität, die im Afro-Amerika der Mittelklasse durch die sorgsame Rekonstruktion des Menschseins der Rasse entsteht.

Aber selbst wenn man ihre kulturelle Spaltung akzeptiert, so sieht sich die Konstituierung beider Formen der Identität offenbar unüberwindlichen Schwierigkeiten gegenüber. Im Fall der wohlhabenden Afro-Amerikaner liegt dies an dem folgenden Widerspruch:[145] Sie spüren die Zurückweisung durch den institutionellen Rassismus, so dass sie sich nur als Führer von ihresgleichen in den amerikanischen *mainstream* integrieren können, als das „begabte Zehntel", das Du Bois, der führende schwarze Intellektuelle an der Wende zum 20. Jahrhundert, als die notwendigen Retter der „Negerrasse" betrachtete, was ebenso auf alle anderen Rassen zutreffen sollte.[146] Die soziale, wirtschaftliche und kulturelle Scheidelinie zwischen dem „begabten Zehntel" und einem wesentlichen, zunehmenden Teil des schwarzen Amerika ist aber so scharf, dass sie es sich selbst und ihren Kindern gerade versagen müssten, eine solche Rolle auszufüllen, wenn sie Teil einer Koalition von mehreren Klassen und vielen Rassen für fortschrittlichen sozialen Wandel werden wollten. In ihrem glänzenden kleinen Buch, das sich mit dieser Frage auseinandersetzt, scheinen Henry Louis Gates Jr und Cornel West einerseits zu meinen, es gebe keine andere Möglichkeit, und doch haben sie ernste Zweifel daran, ob eine solche Option einlösbar ist. Gates: „Die wahre Krise der schwarzen Führerschaft besteht gerade in der Vorstellung, dass sich die schwarze Führung in einer Krise befindet."[147] West:

> Weil ein multi-rassisches Bündnis von progressiven Mittelklasseleuten, liberalen Segmenten der Konzernelite und subversiver Energie von unten die einzige Methode ist, durch die eine Form radikaler demokratischer Verantwortlichkeit in einer Weise Ressourcen und Reichtum umverteilen und die Wirtschaft und Regierung neu strukturieren können, die allen zum Nutzen gereicht, werden die bedeutenden sekundären Anstrengungen des schwarzen begabten Zehntels allein für sich genommen im 21. Jahrhundert jämmerlich unzureichend und zutiefst frustrierend sein.[148]

Und schließlich hat Du Bois selbst 1961 Amerika verlassen und ist nach Ghana gegangen, weil, wie er sagte, „ich die Behandlung durch dieses Land einfach nicht mehr aushalten kann. ... Kopf hoch und weiterkämpfen, aber wisst, dass der amerikanische Neger nicht gewinnen kann."[149]

Wird dieses Scheitern der Bemühungen um vollständige Integration in Amerika zu einer Wiederbelebung des schwarzen Separatismus führen? Könnte dies die neue Grundlage für Identität sein, in direkter Linie mit den radikalen Bewegungen der 1960er Jahre, für die beispielhaft die Black Panthers stehen? Es könnte wenigstens unter den militanten Jugendlichen so aussehen, wenn wir an das Wiederaufleben des Kultes für Malcolm X, den steigenden Einfluss der *Na-*

145 Hochschild (1995).
146 Gates und West (1996: 133).
147 Gates (1996: 38).
148 West (1996: 110).
149 Gates und West (1996: 111).

tion of Islam von Farakhan denken oder noch mehr an die außordentliche Wirkung des „Million Men March“ von 1995 in Washington, D.C., die auf der Forderung nach Genugtuung, auf Moral und schwarzem männlichem Stolz beruhte. Diese neuen Ausdrucksformen kulturell-politischer Identität legen aber weitere Bruchstellen unter den Afro-Amerikanern offen, und in ihrem Mittelpunkt stehen in Wirklichkeit Prinzipien der Selbst-Identifikation, die nicht ethnisch, sondern religiös – Islam, schwarze Kirchen – und hochgradig geschlechtsspezifisch sind – Männerstolz, männliche Verantwortung, Unterordnung der Frauen. Die Auswirkungen des „Million Men March“ und seine absehbare künftige Entwicklung überschreiten Klassengrenzen, führen aber zur Schrumpfung der Geschlechterbasis der afro-amerikanischen Identität und verwischen die Grenzen zwischen den Selbst-Identifikationen aufgrund von Religion, Rasse und Klasse. Mit anderen Worten bestand seine Grundlage nicht in Identität, sondern im Widerschein einer verschwindenden Identität. Wie kann es kommen, dass einerseits die weiße Gesellschaft die Schwarzen jede Minute daran erinnert, dass sie schwarz und damit eine andere, stigmatisierte menschliche Art sind, die auf einem langen Weg aus der Nicht-Menschlichkeit gekommen ist, dass aber andererseits die Schwarzen selbst so viele unterschiedliche Lebensformen haben, dass sie nichts gemeinsam haben können und dass sie stattdessen zunehmend Gewalt gegeneinander üben? Es ist diese Sehnsucht nach der verlorenen Gemeinsamkeit, die im schwarzen Amerika der 1990er Jahre auftritt – weil vielleicht die tiefste Wunde, die den Afro-Amerikanern während des vergangenen Jahrzehnts geschlagen wurde, der allmähliche Verlust ihrer kollektiven Identität war, der dazu führte, dass die Menschen individuell ihren Halt verloren, obwohl sie noch immer ein kollektives Stigma trugen.

Dieser Prozess folgt keiner Notwendigkeit. Soziopolitische Bewegungen wie Jessie Jacksons „Rainbow Coalition“ bemühen sich weiter energisch, schwarze Kirchen, Minderheiten, Gemeinschaften, Gewerkschaften und Frauen unter einem gemeinsamen Banner zusammenzuführen, um politisch für Gerechtigkeit und Rassengleichheit zu kämpfen. Doch ist dies ein Prozess des Aufbaus politischer Identität, der nur dann, wenn er auf lange Sicht vollständig Erfolg hat, eine kollektive, kulturelle Identität schaffen könnte, die sowohl für Weiße als auch für Schwarze etwas Neues darstellen müsste, wenn sie den Rassismus überwinden und dabei historische, kulturelle Unterschiede aufrechterhalten soll. Cornel West, der sich zu einer „Hoffnung, die nicht hoffnungslos, aber unhoffnungsvoll ist“ bekennt, fordert „radikale Demokratie“, um sowohl die Rassenschranken als auch den schwarzen Nationalismus hinter sich zu lassen.[150] Aber in den Schützengräben der Ghettos und in den Vorstandszimmern der Konzerne wird die historische afro-amerikanische Identität fragmentiert und individualisiert, ohne schon in eine multirassische, offene Gesellschaft integriert zu werden.

150 West (1996: 112).

Ich formuliere daher die Hypothese, dass Ethnizität nicht die Grundlage für kommunale Himmel in der Netzwerkgesellschaft bietet, weil sie auf primären Bindungen beruht: Diese verlieren ihre Bedeutung als Grundlage der Rekonstruktion von Sinn in einer Welt von Strömen und Netzwerken, der Rekombination von Bildern und der Neuzuweisung von Sinn, wenn sie von ihrem historischen Kontext abgeschnitten sind. Ethnische Materialien werden in kulturelle Kommunen integriert, die mächtiger und weiter ausgreifend definiert sind als Ethnizität, etwa Religion oder Nationalismus. Sie dienen dort als Belege kultureller Autonomie in einer Welt von Symbolen. Oder anders wird Ethnizität zur Grundlage für Verteidigungslinien, wenn territorialisierte lokale Gemeinschaften oder sogar Gangs ihr Revier verteidigen. Zwischen den kulturellen Kommunen und auf Selbstverteidigung angelegten territorialen Einheiten werden die ethnischen Wurzeln verdreht, geteilt, neu bearbeitet, vermischt, unterschiedlich stigmatisiert oder belohnt, entsprechend der neuen Logik der Informationalisierung und Globalisierung der Kulturen und Volkswirtschaften, die aus verwaschenen Identitäten symbolische Komposita macht. Rasse spielt eine Rolle, aber sie trägt kaum noch dazu bei, Sinn aufzubauen.

Territoriale Identität: die lokale Gemeinschaft

Eine der ältesten Debatten in der Stadtsoziologie bezieht sich auf den Verlust von Gemeinschaft, erst als Folge der Urbanisierung und später als Konsequenz der Entwicklung der Vorstädte. Empirische Forschung, vor allem von Claude Fischer und Barry Wellman[151] scheint vor einiger Zeit die vereinfachte Vorstellung einer systematischen Kovarianz zwischen Raum und Kultur ad acta gelegt zu haben. Menschen haben innerhalb ihres lokalen Umfeldes Kontakte und interagieren dort, ob dies nun im Dorf, in der Stadt, in der Vorstadt ist, und sie bauen im Kreis ihrer Nachbarn soziale Netzwerke auf. Andererseits überschneiden sich lokal begründete Identitäten mit anderen Quellen von Sinn und sozialer Anerkennung auf hochgradig diversifizierte Art und Weise. Das gibt Raum für alternative Interpretationen. Wo daher Etzioni in den letzten Jahren die Wiederbelebung der Gemeinschaft auf weitgehend lokaler Basis sieht, erblickt Putnam in Amerika, wo Mitgliedschaft und Aktivität in freiwilligen Vereinigungen während der 1980er Jahre erheblich zurückgegangen sind, die Auflösung der Vision einer dichten Zivilgesellschaft à la de Tocqueville.[152] Berichte aus anderen Weltgegenden sind in ihren Einschätzungen ähnlich widersprüchlich. Ich glaube jedoch, es ist nicht ungenau, wenn man sagt, dass lokale Gemeinschaften als solche kein spezifisches Verhaltensmuster hervorrufen und sicher keine unterscheidbare Identität. Was jedoch kommunitaristische Autoren

151 Wellman (1979); Fischer (1982).
152 Etzioni (1993); Putnam (1995).

behaupten würden und was mit meiner eigenen interkulturellen Beobachtung übereinstimmt, ist, dass die Menschen dem Prozess der Individualisierung und sozialen Atomisierung Widerstand leisten und dazu tendieren, sich in Gemeinschaftsorganisationen zusammenzuschließen. Sie bringen mit der Zeit ein Zugehörigkeitsgefühl hervor und am Ende in vielen Fällen eine kommunale, kulturelle Identität. Ich behaupte, dass damit dies geschieht, ein Prozess der sozialen Mobilisierung erforderlich ist. Das heißt, Menschen müssen sich an städtischen Bewegungen (nicht gerade revolutionären) beteiligen, durch die gemeinsame Interessen entdeckt und verteidigt werden, Leben auf irgend eine Weise geteilt wird und neuer Sinn produziert werden kann.

Ich verstehe etwas von diesem Thema – immerhin habe ich ein Jahrzehnt meines Lebens damit zugebracht, städtische soziale Bewegungen auf der ganzen Welt zu erforschen.[153] Als Resümee meiner Einsichten und der entsprechenden Literatur habe ich Folgendes vorgebracht: Städtische Bewegungen sind Prozesse zielbewusster sozialer Mobilisierung, die auf einem bestimmten Territorium organisiert und auf Ziele hin orientiert sind, die mit dem städtischen Kontext in Zusammenhang stehen. Diese Bewegungen sind auf drei wesentliche Gruppen von Zielen konzentriert: städtische Forderungen im Hinblick auf Lebensbedingungen und kollektiven Konsum; Einklagen der lokalen kulturellen Identität; und Erringung lokaler politischer Autonomie und Bürgerpartizipation. Unterschiedliche Bewegungen haben diese drei Gruppen von Zielsetzungen zu unterschiedlichen Anteilen miteinander kombiniert, und die Ergebnisse ihrer Anstrengungen waren genauso unterschiedlich. In vielen Fällen brachte jedoch unabhängig von den Errungenschaften der Bewegung allein schon ihre Existenz Sinn hervor. Das galt nicht nur für die an der Bewegung Beteiligten, sondern für die gesamte Gemeinde. Und nicht nur während der – gewöhnlich kurzen – Lebensspanne der Bewegung, sondern im kollektiven Gedächtnis des Ortes. Ich behauptete sogar und behaupte es noch, dass diese Produktion von Sinn ein wesentlicher Bestandteil von Städten während der gesamten Geschichte ist. Denn die gebaute Umwelt und ihr Sinn entstehen durch einen konfliktreichen Prozess zwischen den Interessen und Werten einander entgegenstehender Akteure.

Ich habe etwas anderes hinzugefügt, das sich auf den historischen Moment meiner Beobachtung bezieht – die späten 1970er und frühen 1980er Jahre –, womit ich meinen Blick aber auf die Zukunft richtete: Städtische Bewegungen wurden zu entscheidenden Quellen des Widerstandes gegen die einseitige Logik von Kapitalismus, Etatismus und Informationalismus. Der Grund war im Wesentlichen, dass das Versagen vorwärtstreibender Bewegungen und Politikformen wie der Arbeiterbewegung und politischer Parteien im Widerstand gegen wirtschaftliche Ausbeutung, kulturelle Dominanz und politische Unterdrükkung den Menschen keine andere Wahl gelassen hatte, als entweder zu kapitulieren, oder auf der Grundlage der unmittelbarsten Quelle der Selbst-Aner-

153 Castells (1983).

kennung und autonomen Organisation zu reagieren: ihres Wohnortes. Auf diese Weise ergab sich also das Paradox zunehmend lokaler Politik in einer Welt, die durch zunehmend globale Prozesse strukturiert ist. Es gab da Produktion von Sinn und Identität: meine Nachbarschaft, meine Gemeinde, meine Stadt, meine Schule, mein Baum, mein Fluss, mein Strand, meine Kirche, mein Frieden, meine Umwelt. Doch dies war eine defensive Identität, eine Identität des Rückzuges auf das Bekannte gegen die Unvorhersagbarkeit des Unbekannten und Unkontrollierbaren. Plötzlich einem globalen Wirbelwind schutzlos ausgeliefert, hielten die Menschen sich an sich selbst: Was auch immer sie hatten und was auch immer sie waren, wurde zu ihrer Identität. Ich schrieb 1983:

> Städtische Bewegungen greifen die wirklichen Fragen unserer Zeit auf, wenn auch weder in der Größenordnung noch in dem Bezugsrahmen, die der Aufgabe entsprechen. Und doch haben sie keine Wahl, weil sie die letzte Reaktion auf die Herrschaft und erneuerte Ausbeutung sind, die die Welt überfluten. Aber sie sind mehr als eine letzte symbolische Verteidigungslinie und ein verzweifelter Aufschrei: Sie sind Symptome unserer eigenen Widersprüche und deshalb potenziell in der Lage, diese Widersprüche zu verdrängen ... Sie produzieren durchaus neuen historischen Sinn – in der Dämmerzone, die entsteht, wenn sie vorgeben, innerhalb der Mauern der lokalen Gemeinschaft eine neue Gesellschaft zu bauen, von der sie wissen, dass sie unerreichbar ist. Und sie tun dies, indem sie die Embryos der sozialen Bewegungen von morgen innerhalb der lokalen Utopien nähren, die städtische Bewegungen aufgebaut haben, um sich niemals der Barbarei zu ergeben.[154]

Was ist seither geschehen? Die empirische Antwort ist natürlich außerordentlich vielgestaltig, vor allem wenn wir unterschiedliche Kulturen und Weltgegenden betrachten.[155] Im Interesse der Analyse wage ich es jedoch, die hauptsächlichen Entwicklungslinien der städtischen Bewegungen während der 1980er und 1990er Jahre unter vier Kategorien zusammenzufassen.

Erstens sind in vielen Fällen städtische Bewegungen und ihre Diskurse, Akteure und Organisationen direkt oder indirekt in die Struktur und Praxis der Lokalverwaltung integriert worden. Dies geschah durch ein diversifiziertes System der Bürgerbeteiligung und Gemeindeentwicklung. Diese Tendenz hat einerseits die städtischen Bewegungen als Quelle alternativen sozialen Wandels liquidiert, hat aber andererseits die Lokalverwaltung erheblich gestärkt. So hat sich die Möglichkeit ergeben, dass der lokale Staat bei der Rekonstruktion von politischer Kontrolle und sozialem Sinn zu einer wichtigen Instanz wird. Ich komme auf diese grundlegende Entwicklung in Kapitel 5 zurück, wenn ich die Transformation des Staates im Zusammenhang analysiere.

Zweitens haben lokale Gemeinschaften und ihre Organisationen tatsächlich die Graswurzeln einer weit verbreiteten und einflussreichen Umweltbewegung genährt. Das geschah vor allem in den Vierteln der Mittelklasse und in den Vorstädten, im außerstädtischen und im verstädterten ländlichen Raum (s. Kap. 3).

---

154 Castells (1983: 331).

155 Massolo (1992); Fisher und Kling (1993); Calderon (1995); Judge u.a. (1995); Tanaka (1995); Borja und Castells (1996); Yazawa (i.E.).

Diese Bewegungen sind jedoch oft defensiv und reaktiv. Sie konzentrieren sich auf den rigorosen Schutz ihres Bereichs und ihrer unmittelbaren Umwelt, wie dies in den Vereinigten Staaten durch die Einstellung „nicht in meinem Hinterhof" versinnbildlicht wird. Mit ein und derselben ablehnenden Haltung werden Giftmüll, Atomkraftwerke, öffentlicher Wohnungsbau, Gefängnisse und Wohnwagensiedlungen miteinander vermengt. Ich mache eine wesentliche Unterscheidung, die ich in Kapitel 3 bei der Analyse der Umweltbewegung entwikkele, zwischen dem Bestreben, den Raum zu kontrollieren – eine defensive Reaktion – und dem Bestreben, die Zeit zu kontrollieren. Letzteres richtet sich auf die Bewahrung der Natur und des Planeten für künftige Generationen. Das erfolgt auf sehr lange Sicht, nämlich aus der Perpsektive der kosmologischen Zeit im Gegensatz zum Ansatz der Augenblickszeit im Sinne instrumenteller Entwicklung. Die Identitäten, die sich aus diesen beiden Perspektiven ergeben, sind ziemlich unterschiedlich, denn Verteidigunsräume führen zu kollektivem Individualismus, während offensive Zeitauffassung die Möglichkeit zur Versöhnung zwischen Kultur und Natur eröffnet und so eine neue, ganzheitliche Lebensphilosophie einführt.

Drittens kümmert sich eine riesige Anzahl armer Gemeinschaften auf der ganzen Welt um ihr kollektives Überleben, etwa in Form der Gemeinschaftsküchen, die in den 1980er Jahren in Santiago de Chile oder Lima aufblühten. In den Barackensiedlungen Lateinamerikas, in den amerikanischen Innenstädten oder in den Arbeitervierteln asiatischer Städte haben Gemeinschaften mangels verantwortwortungsvoller öffentlicher Politik ihre eigenen „Wohlfahrtsstaaten" aufgebaut. Sie beruhen auf Netzwerken von Solidarität und Reziprozität, sind oft um Kirchen herum organisiert oder werden von international finanzierten Nichtregierungsorganisationen (NRO) unterstützt; manchmal helfen auch linke Intellektuelle. Diese organisierten lokalen Gemeinschaften spielten und spielen eine wichtige Rolle im alltäglichen Überleben eines bedeutenden Teils der städtischen Bevölkerung der ganzen Welt, die sich an der Schwelle zu Hungersnot und Epidemien befinden. Diese Tendenz wurde beispielsweise durch die Erfahrung von Gemeinde-Assoziationen, die während der 1980er Jahre von der Katholischen Kirche in São Paulo organisiert wurden[156] oder durch international geförderte NRO in Bogota in den 1990er Jahren illustriert.[157] In den meisten dieser Fälle entsteht wirklich eine kommunale Identität, auch wenn sie oft durch einen religiösen Glauben absorbiert wird. Ich würde sogar die Hypothese wagen, dass diese Art des Kommunalismus im Kern eine religiöse Kommune ist, die verknüpft ist mit dem Bewusstsein, man stelle die Ausgebeuteten und/oder die Ausgeschlossenen dar. So mögen Menschen, die sich in armen lokalen Gemeinschaften organisieren, sich durch religiöse Erlösung neu belebt und als menschliche Wesen anerkannt fühlen.

---

156 Cardoso de Leite (1983); Gohn (1991).

157 Espinosa und Useche (1992).

Viertens gibt es eine dunklere Seite der Geschichte, bei der es um die Entwicklung von städtischen Bewegungen vor allem in segregierten Stadtgebieten geht. Diese Tendenz habe ich vor einiger Zeit vorausgesehen:

> Wenn die Forderungen der städtischen Bewegungen nicht beachtet werden, wenn die neuen politischen Wege verschlossen bleiben, wenn sich die neuen zentralen sozialen Bewegungen (Feminismus, neue Arbeiterbewegung, Selbst-Management, alternative Kommunikation) nicht voll entfalten, dann werden die städtischen Bewegungen – reaktive Utopien, die versuchten, den Pfad zu erhellen, auf dem sie nicht gehen konnten – wiederkehren, aber dieses Mal als städtische Schatten, die darauf brennen, die geschlossenen Mauern der Stadt, in der sie gefangen sind, zu zerstören.[158]

Glücklicherweise war das Scheitern nicht vollständig, und die vielfältigen Ausdrucksformen organisierter lokaler Gemeinschaften haben wirklich Wege der Reform, des Überlebens und der Selbst-Identifikation gewiesen, trotz des Ausbleibens größerer sozialer Bewegungen, die in der Lage gewesen wären, die Perspektive des Wandels in die neue Gesellschaft hineinzutragen, die während der letzten beiden Jahrzehnte entstanden ist. Aber harte Strategien der wirtschaftlichen Anpassung während der 1980er Jahre, eine verbreitete Krise der politischen Legitimität und die exkludierenden Auswirkungen des Raumes der Ströme auf den Raum der Orte (s. Band I) haben ihren Tribut vom gesellschaftlichen Leben und seinen Organisationen in armen lokalen Gemeinschaften gefordert. In den amerikanischen Städten sind Gangs als wesentliche Form der Assoziation, Arbeit und Identität von Hunderttausenden von Jugendlichen in Erscheinung getreten. Und wie Sanchez Jankowski in seiner umfassenden, auf eigenen, unmittelbaren Erhebungen beruhenden Studie über Gangs gezeigt hat,[159] spielen sie wirklich in vielen Gegenden eine strukturierende Rolle. Das erklärt das ambivalente Gefühl der Einwohner ihnen gegenüber, teils furchtsam, aber teils unter dem Eindruck, sich auf die Ganggesellschaft besser beziehen zu können, als auf die Institutionen des *mainstream*, die gewöhnlich nur in ihrer repressiven Ausdrucksform präsent sind. Gangs oder ihre funktionalen Äquivalente sind keineswegs eine amerikanische Spezialität. Die *pandillas* in den meisten lateinamerikanischen Städten sind ein Schlüsselelement der Soziabilität in armen Vierteln, und ähnliches gilt für Jakarta, Bangkok, Manila, Mantes-la-Jolie (Paris) oder Meseta de Orcasitas (Madrid). Gangs haben zwar in vielen Gesellschaften eine lange Geschichte (man denke an William Whites *Street Corner Society*). Es gibt aber etwas Neues an den Gangs der 1990er Jahre, das die Konstruktion von Identität ebenso kennzeichnet wie den verdrehten Spiegel der informationellen Kultur. Es ist das, was Magaly Sanchez und Yves Pedrazzini auf der Grundlage ihrer Studie der *malandros* (Schlingel) von Caracas die *Kultur der Dringlichkeit* nennen.[160] Es ist die Kultur des sofortigen Endes des Lebens, nicht

---

158 Castells (1983: 327).

159 Sanchez Jankowski (1991).

160 Sanchez und Pedrazzini (1996).

seiner Negation, sondern seiner Feier. Deshalb muss alles ausprobiert, gefühlt, experimentiert, vollbracht werden, bevor es zu spät ist, weil es kein Morgen gibt. Unterscheidet sich das wirklich so sehr von der Kultur des Konsumenten-Narzissmus à la Lasch? Haben die Schlingel von Caracas oder anderswo schneller als der Rest von uns verstanden, worum es in unserer neuen Gesellschaft im Grunde geht? Ist die neue Gang-Identität die Kultur des kommunalen Hyper-Individualismus? Individualismus, weil im Muster sofortiger Gratifikation nur das Individuum die richtige Rechnungseinheit sein kann. Kommunalismus, weil der Hyper-Individualismus, wenn er eine Identität sein – also als Wert und nicht einfach als sinnloser Konsum sozialisiert werden – soll, ein Milieu der Wertschätzung und der reziproken Unterstützung benötigt: eine Kommune, wie zu den Zeiten von White. Aber anders als die von White ist diese Kommune jederzeit bereit, auseinander zu fliegen, es ist eine Kommune am Ende der Zeit, es ist eine Kommune der zeitlosen Zeit, welche die Netzwerkgesellschaft charakterisiert. Und sie existiert und explodiert territorial. Die lokalen Kulturen der Dringlichkeit sind der umgekehrte Ausdruck der globalen Zeitlosigkeit.

Demnach sind lokale Gemeinschaften, die durch kollektives Handeln geschaffen und durch kollektives Gedächtnis bewahrt werden, spezifische Quellen der Identität. Aber diese Identitäten sind in den meisten Fällen defensive Reaktionen gegen die Zumutungen der globalen Unordnung und des unkontrollierbaren, schnellen Wandels. Sie bieten zwar eine Heimat, aber kein Himmelreich.

Schluss: Die kulturellen Kommunen des Informationszeitalters

Die Transformation unserer Kultur und unserer Gesellschaft müsste auf einer mehereren Ebenen erfolgen. Wenn sie nur in den Köpfen von Individuen stattfände (was in gewissem Maße bereits geschehen ist), wäre sie kraftlos. Wenn sie nur von staatlicher Initiative ausginge, wäre sie tyrannisch. Persönliche Transformation bei vielen Menschen ist entscheidend, und dies darf nicht nur eine Transformation des Bewusstseins sein, sondern muss individuelles Handeln einschließen. Aber Individuen bedürfen der Unterstützung durch Gruppen, die eine moralische Tradition verkörpern und damit ihre eigenen Bestrebungen verstärken.[161]
Robert Bellah u.a., *Habits of the Heart*

Unsere intellektuelle Reise durch kommunale Landschaften gibt uns einige vorläufige Antworten auf die Fragen, die zu Beginn dieses Kapitels über die Konstruktion von Identität in der Netzwerkgesellschaft aufgeworfen wurden.

Für diejenigen sozialen Akteure, die von der Individualisierung der Identität, wie sie mit dem Leben in den globalen Netzwerken von Macht und Reichtum verbunden ist, ausgeschlossen sind oder ihr Widerstand leisten, scheinen

161 Bellah u.a. (1985: 286).

kulturelle Kommunen auf religiösem, nationalem oder territorialem Fundament in unserer Gesellschaft die hauptsächliche Alternative zur Konstruktion von Sinn zu bieten. Diese kulturellen Kommunen zeichnen sich durch drei Hauptmerkmale aus. Sie treten als Reaktionen auf vorherrschende gesellschaftliche Entwicklungstendenzen auf, denen im Namen autonomer Quellen von Sinn Widerstand entgegengesetzt wird. Sie sind zu Beginn defensive Identitäten, die als Zuflucht und Solidaritätszusammenhang operieren, um Schutz gegen eine feindselige Außenwelt zu gewähren. Sie sind kulturell konstituiert; das heißt, in ihrem Mittelpunkt steht eine spezifische Gruppe von Werten, deren Bedeutung und Gemeinsamkeit durch spezifische Codes der Selbst-Identifikation markiert sind: die Gemeinschaft der Gläubigen, die Ikonen des Nationalismus, die Geografie des Ortes.

Ethnizität ist zwar ein grundlegender Charakterzug unserer Gesellschaften, vor allem als Quelle von Diskriminierung und Stigma, dürfte aber für sich genommen nicht zur Bildung von Kommunen führen. Es ist vielmehr anzunehmen, dass sie von Religion, Nation oder Lokalität verarbeitet und einbezogen wird, deren Besonderheit sie in der Regel verstärkt.

Die Herausbildung dieser Kommunen erfolgt nicht willkürlich. Sie arbeitet mit Rohmaterial aus Geschichte, Geografie, Sprache und Umwelt. Die Kommunen sind daher konstruiert, aber sie sind materiell konstruiert, und in ihrem Zentrum stehen Reaktionen und Projekte, die historisch/geografisch determiniert sind.

Religiöser Fundamentalismus, kultureller Nationalismus, territoriale Kommunen sind insgesamt gesehen defensive Reaktionen, Reaktionen gegen drei grundlegende Bedrohungen, die von der Mehrheit der Menschheit an diesem Jahrtausendende in allen Gesellschaften wahrgenommen werden. Reaktion gegen die Globalisierung, die die Autonomie der Institutionen, Organisationen und Kommunikationsnetzwerke auflöst, in denen die Menschen leben. Reaktion gegen Vernetzung und Flexibilität, die die Grenzen von Zugehörigkeit und Engagement verwischen, gesellschaftliche Produktionsverhältnisse individualisieren und zur strukturellen Instabilität von Arbeit, Raum und Zeit führen. Und Reaktion gegen die Krise der patriarchalischen Familie, die grundlegend ist für die Transformation der Mechanismen, die Sicherheit hervorbringen, Sozialisation und Sexualität organisieren, daher der Transformation der Persönlichkeitssysteme. Zu Zeiten, da die Welt zu groß wird, um kontrolliert zu werden, versuchen sozial Handelnde, sie wieder auf ihre Größe und Reichweite zurückzuschrumpfen. Wenn Netzwerke Zeit und Raum auflösen, verankern sich Menschen in Orten und rufen ihr historisches Gedächtnis auf. Wenn die patriarchalischen Stützen der Persönlichkeit zusammenbrechen, betonen Menschen den transzendentalen Wert von Familie und Gemeinschaft als den Willen Gottes.

Diese defensiven Reaktionen werden dadurch zu Quellen von Sinn und Identität, dass aus historischen Materialien neue kulturelle Codes konstruiert werden. Die neuen Herrschaftsprozesse, auf die die Menschen reagieren, sind in

Informationsflüsse eingebettet; daher muss sich der Aufbau von Autonomie auf umgekehrte Informationsflüsse stützen. Von Gott, Nation, Familie und Gemeinschaft wird die Bereitstellung unverbrüchlicher, ewiger Codes erwartet, von denen aus eine Gegenoffensive gegen die Kultur der realen Virtualität unternommen werden soll. Ewige Wahrheit lässt sich nicht virtualisieren. Sie ist in uns verkörpert. So werden gegen die Informationalisierung der Kultur Körper informationalisiert. Das heißt, die Individuen tragen ihren Gott im Herzen. Sie reflektieren nicht, sie glauben. Sie sind die leibliche Manifestation von Gottes ewigen Werten, und deshalb können sie sich nicht auflösen oder sich im Wirbelwind der Informationsströme und der die Organisationen durchkreuzenden Netzwerke verirren. Das ist der Grund, weshalb Sprache und eine kommunale Bilderwelt so wichtig sind, um die Kommunikation zwischen den autonomisierten Körpern wiederherzustellen, um der Herrschaft der ahistorischen Strömungen zu entrinnen und doch zu versuchen, neue Formen sinnvoller Kommunikation unter den Gläubigen herzustellen.

Diese Form des Identitätsaufbaus kreist im Wesentlichen um das Prinzip der *Widerstandsidentität,* wie es zu Anfang dieses Kapitels definiert wurde. *Legitimierende Identität* scheint wegen der schnellen Desintegration der aus der industriellen Ära ererbten Zivilgesellschaft und wegen des Absterbens des Nationalstaates als Hauptquelle von Legitimität in eine fundamentale Krise geraten zu sein (s. Kap. 5). Die kulturellen Kommunen, die den neuen Widerstand organisieren, treten denn auch als Quellen von Identität gerade durch die Abspaltung von den Zivilgesellschaften und den staatlichen Institutionen auf, aus denen sie sich herleiten. Das gilt für den islamischen Fundamentalismus, der mit der wirtschaftlichen Modernisierung (Iran) und/oder dem Nationalismus der arabischen Staaten gebrochen hat; oder mit den nationalistischen Bewegungen, die den Nationalstaat und die staatlichen Institutionen der Gesellschaften in Frage stellen, in denen sie ins Leben treten. Diese mit dem Auftreten von kulturellen Kommunen verbundene Negation von Zivilgesellschaften und politischen Institutionen führt zur Schließung der Grenzen der Kommune. Im Gegensatz zu pluralistischen, differenzierten Zivilgesellschaften zeigen kulturelle Gemeinschaften wenig innere Differenzierung. Ihre Stärke und ihre Fähigkeit, Zuflucht, Trost, Sicherheit und Schutz zu gewähren, rührt ja gerade genau aus ihrem Charakter als Kommunen, aus ihrer kollektiven Verantwortlichkeit, die individuelle Projekte ausstreicht. So bricht die (Re-)Konstruktion von Sinn durch defensive Identitäten in der ersten Reaktionsstufe mit den Institutionen der Gesellschaft und verspricht den Neuaufbau von unten nach oben, während sich die Beteiligten in einem kommunalen Himmel verschanzen.

Möglicherweise werden sich aus solchen Kommunen neue Subjekte – d.h. kollektive Agenten sozialer Transformation – entwickeln und so neuen Sinn aufbauen, in dessen Zentrum eine *Projektidentität* steht. Ich würde sogar behaupten, dass dies angesichts der strukturellen Krise der Zivilgesellschaft und des Nationalstaates die wichtigste potenzielle Quelle sozialen Wandels in der Netzwerkgesellschaft sein dürfte. Die Gründe, aus denen sich diese neuen offensiven Subjekte aus diesen reaktiven kulturellen Kommunen bilden können, und die Form, in der sie dies tun, bilden den Kern meiner Analyse sozialer Bewegungen in der Netzwerkgesellschaft, die im Verlauf dieses ganzen Bandes ausgeführt werden soll.

Wir können aber aufgrund der Beobachtungen und Überlegungen dieses Kapitels bereits etwas sagen. Das Auftreten von Projektidentitäten unterschiedlicher Art ist keine historische Notwendigkeit. Es kann durchaus sein, dass der kulturelle Widerstand innerhalb der Grenzen der Kommunen eingeschlossen bleibt. Wenn dies geschieht, an dem Ort und zu der Zeit, wo es geschieht, wird der Kommunitarismus den Kreis seines latenten Fundamentalismus um seine eigenen Bestandteile herum schließen und so einen Prozess auslösen, der Himmel von Kommunen in himmlische Höllen verwandeln könnte.

2 Das andere Gesicht der Erde: Soziale Bewegungen gegen die neue globale Ordnung

Eine Menge Leute haben genau Dein Problem. Es hat mit der sozialen und ökonomischen Doktrin zu tun, dem „Neoliberalismus". Aber das ist ein metatheoretisches Problem, sag ich Dir. Ihr geht von der Annahme aus, dass der Neoliberalismus eine Doktrin ist. Und mit „Ihr" meine ich alle, deren Pläne und Vorstellungen so starr und klobig sind wie ihre Köpfe. Du hältst den „Neoliberalismus" für eine kapitalistische Doktrin, die sich gegen wirtschaftliche Krisen wendet, die der Kapitalismus auf den „Populismus" zurückführt. Nun, tatsächlich ist die „Neoklassik" keine Theorie, um Krisen zu erklären oder mit ihnen fertig zu werden. Sie selbst ist die Krise, die zur Theorie und zur ökonomischen Doktrin gemacht worden ist! Das heißt also: Der „Neoliberalismus" hat nicht den mindesten inneren Zusammenhang, und er hat weder Pläne noch historische Perspektive. Ich meine, es ist reine theoretische Scheiße.

Durito im Gespräch mit Subkommandante Marcos im Lakandonischen Regenwald, 1994[1]

Globalisierung, Informationalisierung und soziale Bewegungen[2]

Globalisierung und Informationalisierung, die durch Netzwerke von Reichtum, Technologie und Macht verwirklicht werden, sind dabei, unsere Welt zu transformieren. Sie steigern unsere produktiven Fähigkeiten, unsere kulturelle Kreativität und unser Kommunikationspotenzial. Zugleich schicken sie sich an, Gesellschaften zu entrechten. Weil die staatlichen Institutionen und die Organisa-

---

1 *Durito* ist eine ständig auftauchende Figur in den Schriften des Subkommandante Marcos, des Sprechers der Zapatisten. *Durito* ist ein Käfer, aber ein sehr schlauer: Er ist sogar der intellektuelle Berater von Marcos. Das Problem ist, er hat immer Angst, von den allzu zahlreichen Guerillas um Marcos herum zerquetscht zu werden, deshalb fleht er Marcos an, die Bewegung klein zu halten. Dieser Text von *Durito* stammt aus *Ejercito Zapatista de Liberación Nacional*/Subkommandante Marcos (1995: 58f); nach der Übersetzung von M.C., mit Zustimmung von *Durito*.

2 Dieses Kapitel hat von dem wertvollen intellektuellen Austausch beim International Seminar on Globalization and Social Movements profitiert, das vom Research Committee in Social Movements der International Sociological Society vom 16.-19. April 1996 in Santa Cruz, Cal. abgehalten wurde. Ich danke Barbara Epstein und Louis Maheu, die das Seminar organisiert haben, für die freundliche Einladung.

tionen der Zivilgesellschaft auf Kultur, Geschichte und Geografie beruhen, führen die plötzliche Beschleunigung des historischen Tempos und die Abstraktion von Macht in ein Gewebe von Computern zur Desintegration bestehender Mechanismen sozialer Kontrolle und politischer Repräsentation. Mit Ausnahme einer kleinen Elite von *Globapolitanerinnen* und *Globapolitanern* (halb Wesen, halb Strom), haben Menschen auf der ganzen Welt etwas gegen den Verlust von Kontrolle über ihr eigenes Leben, über ihre Umwelt, über ihre Arbeitsplätze, über ihre Volkswirtschaften, über ihre Regierungen, über ihre Länder und letztlich über das Schicksal der Erde. Nach einem alten Gesetz der sozialen Evolution stellt sich der Herrschaft Widerstand in den Weg, Bemächtigung reagiert gegen Machtlosigkeit, und alternative Projekte fordern die Logik heraus, die in der neuen globalen Ordnung eingebettet ist, die wiederum von Menschen auf dem gesamten Planeten zunehmend als Unordnung erfahren wird. Diese Reaktionen und Mobilisierungen erfolgen jedoch – wie dies in der Geschichte häufig geschieht – in ungewohnten Formen und entwickeln sich auf unerwarteten Wegen. Dieses ebenso wie das nächste Kapitel sollen diese Wege erkunden.

Um die empirische Reichweite meiner Untersuchung zu erweitern und zugleich ihren analytischen Schwerpunkt beizubehalten, werde ich drei Bewegungen miteinander vergleichen, die sich ausdrücklich gegen die neue globale Ordnung der 1990er Jahre gewandt haben. Sie stammen aus äußerst unterschiedlichen kulturellen, wirtschaftlichen und institutionellen Zusammenhängen und vertreten scharf miteinander kontrastierende Ideologien: die Zapatisten in Chiapas, Mexiko, die amerikanische Miliz (*American militia*) und der japanische *Aum Shinrikyo*-Kult.

Im folgenden Kapitel analysiere ich dann die Umweltbewegung, von der gesagt werden kann, sie sei die umfassendste und einflussreichste Bewegung unserer Zeit. Auf ihre eigene Weise und durch die kreative Kakophonie ihrer vielfältigen Stimmen stellt die Umweltbewegung auch eine Herausforderung gegenüber der globalen ökologischen Unordnung, ja dem Risiko des Öko-Suizids dar, das eine Folge der unkontrollierten globalen Entwicklung ist, die wiederum durch nie dagewesene technologische Kräfte entfesselt wurde, ohne dass deren soziale und ökologische Nachhaltigkeit überprüft worden wäre. Aber die kulturelle und politische Besonderheit der Umweltbewegung und ihr Charakter als vorwärtstreibende, nicht reaktive soziale Bewegung legen es nahe, sie analytisch getrennt zu behandeln und sie von den defensiven Bewegungen zu unterscheiden, denen es an zentraler Stelle um die Verteidigung spezifischer Identitäten geht.

Bevor ich zum Kern der Sache komme, möchte ich drei kurze, zum Verständnis der folgenden Analysen notwendige methodologische Bemerkungen machen.[3]

---

3 Beiträge zur theoretischen Behandlung sozialer Bewegungen, die für die hier vorgelegte Untersuchung unmittelbare Bedeutung haben, sind Castells (1983); Dalton und Kuechler

Erstens muss man *soziale Bewegungen* in ihren eigenen Begriffen verstehen: also, *sie sind, was sie sagen, dass sie sind.* Ihre Praxen – und vor allem ihre Diskurspraxen – sind ihre Selbstdefinition. Dieser Ansatz entlastet uns von der riskanten Aufgabe zu interpretieren, was das „wirkliche" Bewusstsein der Bewegungen ist, als ob sie nur dadurch existieren könnten, dass sie die „wirklichen" strukturellen Widersprüche offen legen. Als ob sie, um lebendig zu werden, unbedingt diese Widersprüche zur Schau stellen müssten, so wie sie ihre Waffen tragen und ihre Fahnen schwingen. Eine andere und notwendige Forschungsoperation besteht darin, die Beziehung festzustellen, die zwischen den Bewegungen einerseits, wie sie durch ihre Praxis, ihre Werte und ihren Diskurs definiert sind, und andererseits den sozialen Prozessen besteht, mit denen sie in Verbindung zu stehen scheinen: beispielsweise Globalisierung, Informationalisierung, die Krise der repräsentativen Demokratie und die Dominanz symbolischer Politik im Medienraum. In meiner Analyse will ich versuchen, beide Operationen durchzuführen: die Charakterisierung jeder Bewegung aus ihrer eigenen spezifischen Dynamik heraus; und ihre Interaktion mit den weiter ausgreifenden Prozessen, die sie ins Leben gerufen haben und die gerade durch ihre Existenz verändert werden. Die Bedeutung, die ich dem Diskurs der jeweiligen Bewegung zumesse, wird in meinem Text zum Ausdruck kommen. Bei der Darstellung und Analyse der Bewegungen halte ich mich sehr eng an ihre *eigenen* Worte, nicht nur an ihre Vorstellungen, wie sie in den Dokumenten, die ich bearbeitet habe, festgehalten sind. Um den Leserinnen und Lesern aber die Details genauer Nachweise zu ersparen, habe ich mich entschlossen, allgemeine Verweise auf die Materialien zu geben, durch die die Diskurse erschlossen worden sind und es Interessierten zu überlassen, in diesen Materialien die genauen Formulierungen selbst aufzufinden, die ich benutze.

Zweitens können soziale Bewegungen sozial konservativ sein, sozial revolutionär, oder Beides oder keins von Beiden. Schließlich sind wir jetzt – wie ich hoffe, definitiv – zu dem Schluss gekommen, dass es in der sozialen Evolution keine vorbestimmte Richtung gibt, dass der einzige Sinn und die einzige Richtung der Geschichte die Geschichte ist, die wir sinnlich wahrnehmen. Deshalb gibt es aus analytischer Perspektive keine „schlechten" und „guten" sozialen Bewegungen. Sie sind alle Symptome unserer Gesellschaften und haben alle, mit wechselnden Intensitäten und Ergebnissen, Auswirkungen auf die gesellschaftlichen Strukturen, die durch die Forschung festgestellt werden müssen. So mag ich die Zapatisten, verabscheue die amerikanische Miliz und bin entsetzt über *Aum Shinrikyo*. Wie ich aber zeigen will, sind sie alle wichtige Anzeichen für neue soziale Konflikte und Embryos sozialen Widerstandes und in manchen Fällen auch von sozialem Wandel. Nur wenn wir mit offenen Augen die neue

---

(1990); Epstein (1991); Riechmann und Fernandez Buey (1994); Calderon (1995); Dubet und Wievorka (1995); Maheu (1995); Melucci (1995); Touraine (1995); Touraine u.a. (1996); Yazawa (i.E.).

historische Landschaft absuchen, werden wir in der Lage sein, die leuchtenden Pfade, die dunklen Abgründe und die wirren Durchbrüche in die neue Gesellschaft zu finden, die aus den augenblicklichen Krisen auftauchen.

Drittens möchte ich etwas Ordnung in die Masse disparaten Materials über die sozialen Bewegungen bringen, die in diesem und dem folgenden Kapitel analysiert werden. Ich halte es deshalb für nützlich, sie nach der klassischen Typologie von Alain Touraine zu kategorisieren, die soziale Bewegungen durch drei Prinzipien definiert: die *Identität* der Bewegung, den *Gegner* der Bewegung und die Zielvorstellung oder das soziale Modell der Bewegung, was ich *gesellschaftliches Ziel* nennen werde.[4] In meiner persönlichen Verwendung dieser Termini – die ich für konsistent mit der Theorie Touraines halte – bezeichnet *Identität* die Selbstdefinition der Bewegung, was sie ist, in wessen Namen sie spricht. *Gegner* bezeichnet den Hauptfeind der Bewegung, wie er von der Bewegung ausdrücklich kenntlich gemacht wird. *Gesellschaftliches Ziel* bezeichnet die Vision der Bewegung von der Art sozialer Ordnung oder sozialer Organisation, die sie im historischen Horizont ihres kollektiven Handelns erreichen möchte.

Nachdem wir uns über den Ausgangspunkt verständigt haben, wollen wir auf diese Reise über die andere Seite der Erde gehen, über jene, die sich gegen Globalisierung um des Kapitals und Informationalisierung um der Technologie willen wendet. Und wo Träume von der Vergangenheit und Alpträume von der Zukunft eine chaotische Welt von Leidenschaft, Großzügigkeit, Vorurteil, Furcht, Phantasie, Gewalt, verfehlten Strategien und Glücksgriffen bewohnen. Es geht schließlich um die Menschheit.

Die drei Bewegungen, die ich ausgewählt habe, um den Aufstand gegen die Globalisierung zu verstehen, sind im Hinblick auf ihre Identität, ihre Zielsetzungen ihre Ideologie und ihre Beziehung zur Gesellschaft äußerst unterschiedlich.[5] Das ist genau das Interessante an dem Vergleich, sie ähneln sich nämlich in ihrer ausdrücklichen Gegnerschaft gegen die neue globale Ordnung, die in ihrem Diskurs und in ihrer Praxis als der Feind identifiziert wird. Und von allen ist zu erwarten, dass sie direkt oder indirekt weitreichende Auswirkungen auf ihre Gesellschaften haben werden. Die Zapatisten haben Mexiko bereits transformiert und eine Krise in der korrupten Politik und ungerechten Wirtschaft hervorgerufen, die in Mexiko herrschen, und sie haben dabei Vorschläge für einen demokratischen Neuaufbau vorgelegt, die in Mexiko und auf der ganzen Welt

4 Touraine (1965, 1966): Touraine benutzt eine ein wenig abweichende Terminologie, auf Französisch: *principe d'identité, principe d'opposition, principe de totalité*. Ich habe mich entschieden, dass es für ein internationales Publikum eindeutiger ist, einfachere Wörter zu benutzen, die dasselbe ausdrücken, auch wenn ich damit Gefahr laufe, das französische Flair einzubüßen.

5 Diese komparative Analyse beruht auf einer gemeinsamen Studie mit Shujiro Yazawa und Emma Kiselyova, die 1995 durchgeführt wurde. Zur ersten Ausarbeitung der Studie vgl. Castells u.a. (1996).

eine breite Diskussion ausgelöst haben. Die amerikanische Miliz, der militanteste Bestandteil einer breiteren soziopolitischen Bewegung, die sich selbst als *The Patriots* bezeichnet (während Kritiker sie *False Patriots* nennen), hat viel tiefere Wurzeln in der amerikanischen Gesellschaft, als normalerweise zur Kenntnis genommen wird, und kann, wie ich unten zeige, unvorhersagbare, bedeutsame Konsequenzen für die angespannte politische Szene Amerikas haben. *Aum Shinrikyo* ist zwar nach wie vor ein in der japanischen Gesellschaft marginaler Kult, hat aber die Medienaufmerksamkeit und die öffentliche Diskussion mehr als ein Jahr lang (1995-1996) auf sich gezogen und hat ferner als Symptom für nicht wahrgenommene Verletzungen und sich erst entfaltende Dramen hinter den Kulissen japanischer Gelassenheit fungiert. Wenn ich diese unterschiedlichen, mächtigen Aufstandsbewegungen zusammenbringe, geht es mir gerade um die Unterschiedlichkeit der Quellen des Widerstandes gegen die neue globale Ordnung. Zusammen mit der Erinnerung daran, dass die neoliberale Illusion vom Ende der Geschichte passé ist, wenn historisch spezifische Gesellschaften Rache an ihrer Unterwerfung unter die globalen Ströme nehmen.

Mexikos Zapatisten: die erste informationelle Guerillabewegung[6]

Der Moviemento Civil Zapatista *ist eine Bewegung, die dem organisierten Verbrechen, das von der Macht des Geldes und der Regierung ausgeht, soziale Solidarität entgegensetzt.*
Manifest des Movimiento Civil Zapatista, *August 1995*

Die Neuheit in der politischen Geschichte Mexikos bestand in der Umkehrung des Prozesses der Kontrolle, die sich nun auf der Grundlage alternativer Kommunikation gegen die etablierten Mächte kehrte ... Die Neuheit im politischen Krieg von Chiapas bestand im Auftauchen verschiedener Sender von Interpretationen, die die Ereignisse auf sehr unterschiedliche Weise interpretierten.
Der Strom öffentlicher Information, der die Gesellschaft durch die Medien und durch neue technologische Mittel erreichte, war viel größer als das, was konventionelle Kommunikationsstrategien hätten kontrollieren können. Marcos sagte seine Meinung, die Kirche sagte ihre Meinung und unabhängige Journalisten, NGOs, Intellektuelle aus dem Wald, aus Mexiko-Stadt, aus den finanziellen und politischen Hauptstädten der Welt – sie alle sagten ihre Meinung. Diese alternativen Meinungen wurden möglich gemacht durch offene Medien oder durch geschlossene Medien, die den Druck der offenen Medien spürten. Sie stellten die Formen der Konstruktion von „Wahrheit" in Frage und führten auch innerhalb des politischen Regimes zu einer Vielfalt von Meinungen. Der Blick vom Standpunkt der Macht aus wurde fragmentiert.
Moreno Toscano, Turbulencia politica (1996), S. 82

Mexiko, die Nation, die den Prototypus der sozialen Revolution des 20. Jahrhunderts hervorgebracht hat, ist jetzt der Schauplatz des Prototypus des transnationalen gesellschaftlichen Netzkrieges des 21. Jahrhunderts.
Rondfeldt, Rand Corporation, 1995

---

6 Die hier vorgelegte Analyse der Zapatisten-Bewegung verdankt wie vieles andere in diesem Buch viel den Beiträgen von zwei Frauen. Professor Alejandra Moreno Toscano, eine hervorragende Stadthistorikerin an der Universidad Nacional Autónoma de México und ehemalige Sekretärin für soziale Wohlfahrt des Bundesdistrikts Mexiko, war während der entscheidenden Verhandlungsperiode zwischen der mexikanischen Regierung und den Zapatisten in den ersten Monaten des Jahres 1994 Stellvertreterin von Manuel Camacho, des Repräsentanten des Präsidenten. Sie hat mir Dokumente, Meinungen und Einsichten zur Verfügung gestellt und mein Verständnis des Gesamtprozesses der mexikanischen Politik 1994-1996 entscheidend gefördert. Ihre Analyse – der intelligenteste Ansatz, den ich gelesen habe – ist in Moreno Toscano (1996) enthalten. Zweitens war Maria Elena Martinez Torres, eine meiner Doktorandinnen in Berkeley, eine sorgfältige Beobachterin der Bauernschaft in Chiapas. Im Lauf unseres intellektuellen Austausches hat sie mir ihre eigenen Analysen erschlossen (Martinez Torres 1994, 1996). Natürlich trage ich die alleinige Verantwortung für die Interpretation und mögliche Fehler in den Schlussfolgerungen, die in diesem Buch enthalten sind. Zusätzliche Quellen, die ich zur Zapatisten-Bewegung benutzt habe, sind: Garcia de Leon (1985); Arquilla und Rondfeldt (1993); Collier und Lowery Quaratiello (1994); *Ejercito Zapatista de Liberación Nacional* (1994, 1995); Trejo Delarbre (1994a,b); Collier (1995); Hernandez Navarro (1995); Nash u.a. (1995); Rojas (1995); Rondfeldt (1995); Tello Diaz (1995); Woldenberg (1995).

Am 1. Januar 1994, dem Tag, an dem das Nordamerikanische Freihandelsabkommen (NAFTA) in Kraft trat, übernahmen etwa 3.000 im *Ejercito Zapatista de Liberación Nacional* organisierte, leicht bewaffnete Männer und Frauen die Kontrolle über die wichtigsten Städte am Rande des Lakandonischen Regenwaldes im südmexikanischen Bundesstaat Chiapas: San Cristobal de las Casas, Altamirano, Ocosingo und Las Margaritas. Die meisten waren Indianerinnen und Indianer aus unterschiedlichen ethnischen Gruppen, obwohl es auch Mestizen gab und einige ihrer Anführer und besonders ihr Sprecher, Subkommandante Marcos, städtische Intellektuelle waren. Die Gesichter der Anführer waren durch Skimasken verhüllt. Als die mexikanische Armee Verstärkungen schickte, zogen sich die Guerillas in guter Ordnung in den Regenwald zurück. Mehrere Dutzend von ihnen und auch einige Zivilpersonen sowie eine Reihe von Soldaten starben jedoch während der Auseinandersetzung oder wurden danach von den Soldaten standrechtlich erschossen. Die Wirkung des Aufstandes in Mexiko und die weit verbreitete Sympathie, die das Anliegen der Zapatisten sofort im Land und in der Welt hervorrief, veranlassten den mexikanischen Präsidenten Carlos Salinas de Gortari, Verhandlungen zuzustimmen. Am 12. Januar verkündete Salinas einen einseitigen Waffenstillstand und ernannte Manuel Camacho, einen geachteten mexikanischen Politiker, zu seinem „Friedensrepräsentanten". Er hatte einmal als wahrscheinlicher Nachfolger des Präsidenten gegolten und war gerade aus der Regierung zurückgetreten, als seine Hoffnungen durch Salinas zunichte gemacht worden waren (s. meine Analyse der politischen Krise in Mexiko in Kap. 5). Manuel Camacho und seine zuverlässige intellektuelle Beraterin Alejandra Moreno Toscano, reisten nach Chiapas, trafen den einflussreichen katholischen Bischof Samuel Ruiz und waren in der Lage, schnell ernsthafte Friedensgespräche mit den Zapatisten aufzunehmen. Diese würdigten frühzeitig die Ernsthaftigkeit des Dialoges, obwohl sie zu Recht weiterhin vor möglicher Repression und/oder Manipulation auf der Hut waren. Camacho las den Aufständischen einen Text in *Tzotzil* vor und hielt auch Rundfunkreden in *Tzeltal* und *Chol*: das erste Mal überhaupt, dass ein führender mexikanischer Beamter die indianischen Sprachen zur Kenntnis genommen hatte. Am 27. Januar wurde ein Abkommen unterzeichnet, das einen Waffenstillstand vorsah und ferner die Freilassung der Gefangenen auf beiden Seiten und die Einleitung eines Verhandlungsprozesses zu einem weiten Themenkreis politischer Reformen, Rechten der Indianer und sozialen Forderungen.

Wer sind die Zapatisten?

Wer waren die Aufständischen, die dem Rest der Welt trotz zweier Jahrzehnte weit verbreiteter bäuerlicher Mobilisierung in den Dorfgemeinschaften von Chiapas und Oaxaca bis zu diesem Zeitpunkt unbekannt gewesen waren? Sie waren Bauern, die meisten Indianer, *Tzeltales, Tzotziles* und *Choles*, generell aus den Dorfgemeinschaften, die während der 1940er Jahre im Lakandonischen Regenwald an der Grenze zu Guatemala gegründet worden waren. Diese Dorfgemeinschaften wurden mit Unterstützung der Regierung gegründet, um einen Ausweg aus der sozialen Krise zu finden, die durch die Vertreibung der *acasillados* – landloser, für Grundherren arbeitender Bauern – von den *Fincas* und Viehfarmen mittlerer und großer Grundeigentümer, meist Mestizen, ausgelöst worden war. Jahrhundertelang wurden die Indianer und Bauern durch Kolonisatoren, Bürokraten und Siedler drangsaliert. Und jahrzehntelang wurden sie in ständiger Unsicherheit gehalten: Der Status ihrer Ansiedlungen änderte sich ständig entsprechend den Interessen der Regierung und der Grundeigentümer. 1972 beschloss Präsident Echeverria, in den Montes Azul ein „Bioreservat" zu gründen und den größten Teil des Waldes an die 66 Familien des ursprünglichen Lakandonen-Stammes zurückzugeben. Damit befahl er die Umsiedlung von 4.000 Familien, die sich hier nach ihrer Vertreibung aus ihren ursprünglichen Dorfgemeinschaften neu angesiedelt hatten. Hinter den Lakandonen-Stämmen und der plötzlichen Liebe zur Natur standen die Interessen der Waldgesellschaft Cofolasa, die unterstützt durch die staatliche Entwicklungsgesellschaft NAFINSA Rechte zum Holzeinschlag erhielt. Die meisten Siedler weigerten sich, umzuziehen und begannen einen 20 Jahre dauernden Kampf um ihr Recht auf Land, der sich noch immer hinzog, als Salinas 1988 die Präsidentschaft übernahm. Salinas erkannte schließlich die Rechte einiger der Ansiedler an, beschränkte seine Großherzigkeit aber auf die Wenigen, welche den PRI (*Partido Revolucionario Institucional*), die Regierungspartei, unterstützten. 1992 widerrief ein neues Dekret die Rechtsansprüche der neu angesiedelten indianischen Dorfgemeinschaften ein zweites Mal. Diesmal war der Vorwand die Umweltkonferenz in Rio und die Notwendigkeit, den Regenwald zu schützen. Die Viehweide wurde in der Gegend ebenfalls eingeschränkt, um den Ranchern von Chiapas zu helfen, die mit geschmuggeltem Vieh aus Guatemala konkurrieren mussten. Den Todesstoß für die anfällige Wirtschaft der Bauerngemeinschaften brachte dann die mexikanische Liberalisierungspolitik der 1990er Jahre, als zur Vorbereitung von NAFTA die Importbeschränkungen für Mais aufgehoben und der Schutz des Kaffeepreises abgeschafft wurde. Die lokale Wirtschaft, die auf Waldnutzung, Vieh, Kaffee und Mais aufgebaut gewesen war, wurde zerstört. Außerdem wurde der Status von Dorfgemeinschaftsland unsicher, nachdem Salinas den historischen Artikel 27 der mexikanischen Verfassung reformieren ließ und damit den kommunalen Besitz landwirtschaftlichen Eigentums durch die Dorfbewohner (*ejidos*) zugunsten der vollständigen Kommerzialisierung des Individualeigentums beendete. Auch diese Maßnahme stand in unmittelbarem Zusammenhang mit Mexikos Anschluss an die Privatisierungspolitik entsprechend den NAFTA-Bestimmungen. 1992 und 1993 mobilisierten sich die Bauern friedlich gegen diese Politik. Aber nachdem ihre machtvolle Demonstration von Xi' Nich, bei der Tausende von Bauern aus Palanque nach Mexiko-Stadt gekommen waren, ohne Antwort geblieben war, änderten sie ihre

Taktik. Mitte 1993 wurde in den meisten Dorfgemeinschaften in Lakandonien kein Mais gepflanzt, der Kaffee blieb an den Büschen, Kinder zogen sich aus der Schule zurück, und das Vieh wurde verkauft, um Waffen zu beschaffen. Die Überschrift des Manifestes der Aufständischen am 1. Januar 1994 lautete: „*Hoy decimos* BASTA!“ (Heute sagen wir GENUG!)

Diesen zumeist indianischen Bauerngemeinschaften schlossen sich andere Siedlungen aus dem Los Altos-Gebiet an. Sie waren nicht allein in den sozialen Kämpfen, die sie seit Anfang der 1970er Jahre aufgenommen hatten. Sie erhielten Unterstützung von der Katholischen Kirche und wurden von ihr in gewissem Maße organisiert. Das ging auf die Initiative des Bischofs Samuel Ruiz von San Cristóbal de las Casas zurück, der Kontakt zur Theologie der Befreiung hatte. Die Priester unterstützten nicht nur die Forderungen der Indianer und legitimierten sie. Sie halfen auch bei der Ausbildung von Hunderten von Kadern der Bauernvereinigungen. Es gab mehr als hundert *tuhuneles* (Priesterhelfer) und über tausend Katecheten. Sie bildeten das Rückgrat der Bewegung, die sich in der Form von Bauernvereinigungen entwickelte, von denen jede in einer Dorfgemeinschaft (*ejido*) verankert war. Die starken religiösen Gefühle der indianischen Bauern wurden durch Erziehung, Information und Unterstützung der Kirche weiter bekräftigt, was zu häufigen Konflikten zwischen der lokalen Kirche einerseits und den Ranchern sowie dem PRI-Apparat in Chiapas auf der anderen Seite führte. Während jedoch die Kirche bei der Erziehung, Organisierung und Mobilisierung der indianischen Bauerngemeinschaften eine entscheidende Rolle spielte, wandten sich Samuel Ruiz und seine Helfer entschieden gegen den bewaffneten Kampf und befanden sich im Gegensatz zu den Anschuldigungen der Rancher von Chiapas nicht unter den Aufständischen. Die Kader, die den bewaffneten Aufstand organisierten, kamen in ihrer Mehrzahl aus den indianischen Dorfgemeinschaften selbst und stammten vor allem aus den Reihen der jungen Männer und Frauen, die in dem neuen Klima wirtschaftlicher Not und sozialer Kämpfe aufgewachsen waren. Andere Kader kamen aus maoistischen Gruppen, die sich in den 1970er Jahren nach der Niederschlagung der Studentenbewegung im Massaker von Tlatelolco 1968 in den mexikanischen Städten gebildet hatten, vor allem in Mexiko-Stadt und Monterrey. Die *Fuerzas de Liberación Nacional* scheinen in der Gegend seit langem aktiv gewesen zu sein, obwohl die Berichte in diesem Punkt auseinandergehen. Wie immer auch der Anfang ausgesehen haben mag, so scheint es jedenfalls, dass ein paar Revolutionäre – Männer wie Frauen – nach einer Reihe von Rückschlägen in den städtischen Gebieten sich auf den langen Marsch begaben. Der bestand darin, ihre Glaubwürdigkeit unter den am stärksten unterdrückten Sektoren des Landes durch geduldige Arbeit und die alltägliche Teilnahme an ihren Leiden und Kämpfen aufzubauen. Marcos scheint einer dieser Militanten gewesen zu sein. Regierungsquellen zufolge kam er Anfang der 1980er Jahre in die Region. Zuvor hatte er das Studium der Soziologie und Kommunikationswissenschaften in Mexiko und Paris abgeschlossen und an einer der besten Universitäten im Bundesdistrikt Mexiko Sozialwissenschaften gelehrt.[7] Er ist eindeutig ein hochqualifizierter Intellektueller, der mehrere Sprachen spricht, gut schreibt und außerordentlich phantasievoll ist, einen herrlichen Sinn für Humor hat und locker mit den Medien umgehen kann. Diese revolutionären Intellektuellen wurden von den Priestern wegen ihrer Ehrlichkeit und Hingabe willkommen geheißen. Über lange Zeit hinweg arbeiteten sie trotz ideologischer Differenzen gemeinsam daran, die Bauerngemeinschaften zu organisieren und ihre Kämpfe zu unterstützen. Erst 1992, als die Reformversprechen noch immer nicht erfüllt waren und die Lage der lakandonischen Dorfgemeinschaften wegen der übergreifenden Prozesse der wirtschaftlichen Modernisierung in Mexiko immer entsetzlicher wurde, begannen Militante unter den Zapatisten ihre eigene Struktur aufzubauen und den Guerillakrieg vorzubereiten. Im Mai 1993 kam es zu einem ersten Gefecht mit der Armee, aber die mexikanische Regierung spielte den Vorfall herunter, um Probleme bei der Ratifizierung von NAFTA durch den US-Kongress zu vermeiden. Es sollte aber betont werden, dass die Führung der Zapatisten wirklich aus Bauern, hauptsächlich aus Indianern besteht. Marcos und andere städtische Intellektuelle könnten nicht auf eigene Faust handeln.[8] Der Beratungsprozess wie auch die Verhandlungen mit der Regierung bestanden aus langwierigen Prozeduren unter voller Beteiligung der Dorfgemeinschaften. Das war von entscheidender Bedeutung, denn wenn eine Entscheidung einmal getroffen worden war, musste die gesamte Dorfgemeinschaft dieser gemeinsamen Entscheidung folgen. Das ging so weit, dass in ein paar Fällen Dorfbewohner ausgeschlossen wurden, weil sie sich weigerten, am Aufstand teilzunehmen. Während des zweieinhalb Jahre andauernden offenen Aufstandes hat jedoch die überwältigende Mehrheit der lakandonischen Dorfgemeinschaften und auch eine Mehrheit der Indianer in Chiapas ihre Unterstützung für die Aufständischen gezeigt und ist ihnen in den Wald gefolgt, als die Armee im Februar 1995 ihre Dörfer besetzte.

Die Wertestruktur der Zapatisten: Identität, Gegner und Ziele

Die tieferen Ursachen der Rebellion sind offenkundig. *Aber was sind die Forderungen, Ziele und Werte der Aufständischen? Wie sehen sie sich selbst und wie identifizieren sie ihren Feind?* Einerseits stellen sie sich in die historische Kontinuitätslinie mit fünfhundert Jahren Kampf gegen Kolonisierung und Unterdrükkung. So war denn der Wendepunkt für die Bauernbewegung die massenhafte

7 Die mexikanische Regierung behauptet, sie habe Subkommandante Marcos und die wichtigsten Führer der Zapatisten identifiziert, und das scheint plausibel zu sein. Es wurde in den Medien vielfach berichtet. Doch weil sich die Zapatisten zur Zeit der Niederschrift noch immer im Aufstand befinden, halte ich es nicht für richtig, diese Behauptungen als Tatsache zu akzeptieren.

8 Moreno Toscano (1996).

Demonstration in San Cristóbal de las Casas am 12. Oktober 1992, als aus Protest gegen das fünfhundertste Jubiläum der spanischen Eroberung Amerikas die Statue des Eroberers von Chiapas, Diego de Mazariegos zerstört wurde. Andererseits sehen sie die Reinkarnation dieser Unterdrückung in der gegenwärtigen Form der neuen globalen Ordnung: NAFTA und die Liberalisierungsreformen unter Präsident Salinas, die es versäumen, Bauern und Indianer in den Modernisierungsprozess einzubeziehen. Die Änderungen an dem historischen Artikel 27 der mexikanischen Verfassung, der die Forderungen der Agrarrevolutionäre unter Führung von Emiliano Zapata formal befriedigt hatte, wurden zum Symbol des Ausschlusses der Bauerngemeinschaften aus der neuen Ordnung der Freihändler. Dieser Kritik, die von der gesamten Bewegung geteilt wird, fügten Marcos und andere ihre eigene Herausforderung der neuen globalen Ordnung hinzu: die Fortsetzung des sozialistischen revolutionären Traums über das Ende des Kommunismus und das Hinscheiden der Guerillabewegungen in Zentralamerika hinaus. Wie Marcos voller Ironie formuliert hat:

> Es gibt nichts mehr, wofür man kämpfen müsste. Der Sozialismus ist tot. Lang lebe der Konformismus, die Reform, die Modernität, der Kapitalismus und alle Arten grausamer Undsoweiters. Seien wir vernünftig. Damit nichts in der Stadt oder auf dem Land passiert, damit alles genauso weitergeht. Der Sozialismus ist tot. Lang lebe das Kapital. Radio, Presse und Fernsehen wiederholen es. Manche Sozialisten, die jetzt vernünftig und reumütig sind, wiederholen es auch.[9]

Die Einwände der Zapatisten gegen die neue globale Ordnung richten sich demnach gegen zweierlei: Sie kämpfen gegen die ausschließenden Konsequenzen der wirtschaftlichen Modernisierung; aber sie hinterfragen auch die Unausweichlichkeit einer neuen geopolitischen Ordnung, unter der der Kapitalismus universell akzeptiert wird.

Die Aufständischen haben auf ihrem indianischen Stolz beharrt und für die Anerkennung indianischer Rechte in der mexikanischen Verfassung gekämpft. Aber es sieht nicht so aus, als sei die Verteidigung ethnischer Identität das beherrschende Element in der Bewegung. Die lakandonischen Dorfgemeinschaften sind schließlich durch erzwungene Umsiedlung entstanden, in der die ursprünglichen Identitäten aus unterschiedlichen Dorfgemeinschaften aufgebrochen und dann als Bauern zusammengeführt wurden. Außerdem scheint es, dass – wie Collier schreibt –

> ethnische Identität früher die indigenen Dorfgemeinschaften im zentralen Hochland von Chiapas voneinander getrennt hat. Die neueren Ereignisse unterstreichen, dass es eine Transformation gegeben hat. Jetzt betonen unter dem Eindruck der Zapatisten-Rebellion Völker unterschiedlichen indigenen Ursprungs das, was sie in der Überwindung wirtschaftlicher, sozialer und politischer Ausbeutung miteinander gemeinsam haben.[10]

---

9 EZLN (1994: 61); nach der Übersetzung von M.C.

10 Collier (1995: 1); ähnlich argumentiert Martinez Torres (1994): In dem im November 1995 über das Internet verbreiteten Manifest zum zwölften Jahrestag der Gründung ihrer Organisation betonen die Zapatisten entschieden ihren Charakter als mexikanische Bewegung für

Somit ist diese neue indianische Identität durch ihren Kampf geschaffen worden und schließt unterschiedliche ethnische Gruppen mit ein: „Was uns gemeinsam ist, ist das Land, das uns das Leben und die Kraft zum Kämpfen gegeben hat."[11]

Die Zapatisten sind keine Subversiven, sondern legitime Rebellen. Sie sind *mexikanische Patrioten*, die sich in Waffen gegen neue Formen ausländischer Herrschaft durch den amerikanischen Imperialismus erheben. Und sie sind Demokraten, die sich auf Artikel 39 der mexikanischen Verfassung berufen, der „das Recht des Volkes, die Regierungsform zu ändern oder zu modifizieren" proklamiert. So rufen sie die Mexikaner zur Unterstützung der Demokratie auf, zur Beendigung der faktischen, auf Wahlbetrug beruhenden Einparteien-Herrschaft. Dieser Aufruf kam aus Chiapas, dem mexikanischen Bundesstaat mit dem größten Stimmenanteil für PRI-Kandidaten, der traditionell von den Kaziken erzwungen wurde. Er traf auf starke Resonanz bei den städtischen Mittelklasse-Sektoren einer mexikanischen Gesellschaft, die nach Freiheit lechzte und der systemischen Korruption überdrüssig war. Dass der Aufstand gerade in einem Präsidentschaftswahljahr stattfand und zudem im Vorfeld einer Wahl, die die Kontrolle des PRI über den Staat liberalisieren sollte, ist ein Zeichen für die taktische Fähigkeit der Zapatisten, und dies war auch ein wesentlicher Faktor, der sie vor ungehemmter Repression geschützt hat. Präsident Salinas wollte sein Haus als wirtschaftlicher Modernisierer und als politischer Liberalisierer bestellen, nicht nur im Hinblick auf seinen Platz in der Geschichte, sondern auch wegen seines nächsten Jobs: seiner Kandidatur als erster Generalsekretär der neu gebildeten Welthandelsorganisation, just der Institution, die das Symbol der neuen Weltwirtschaftsordnung ist. Unter diesen Bedingungen konnte ein in Harvard ausgebildeter Wirtschaftsexperte schwerlich gegen eine genuine indianische Bauernbewegung, die gegen soziale Exklusion kämpfte, eine rücksichtslose militärische Repressionskampagne beginnen.

Die Kommunikationsstrategie der Zapatisten: das Internet und die Medien

Der Erfolg der Zapatisten beruhte weitgehend auf ihrer Kommunikationsstrategie. Man kann sie sogar als die erste *informationelle Guerillabewegung* bezeichnen. Sie inszenierten ein Medienereignis, um ihre Botschaft zu verbreiten, wobei

---

Gerechtigkeit und Demokratie, die über die Verteidigung indianischer Identität hinausreiche: „Das Land, das wir wollen, wir wollen es für alle Mexikaner, nicht nur für die Indianer. Die Demokratie, Freiheit und Gerechtigkeit, die wir wollen, wir wollen sie für alle Mexikaner, nicht nur für die Indianer. Wir wollen uns nicht von der mexikanischen Nation abspalten, wir wollen ein Teil von ihr sein, wir wollen als Gleiche, als Personen mit Würde, als menschliche Wesen anerkannt werden. ... Hier sind wir Brüder, die Toten seit jeher. Erneut sterben wir, aber jetzt um zu leben" (EZLN, *Communicado* im Internet, 17. November 1995; nach der Übersetzung von M.C.

11 Deklaration der Zapatisten vom 25. Januar 1994, zit. in Moreno Toscano (1996: 92).

sie mit allen Mitteln vermeiden wollten, in einen blutigen Krieg hineingezogen zu werden. Selbstverständlich gab es wirkliche Tote und wirkliche Waffen, und Marcos und seine Genossen waren bereit zu sterben. Aber tatsächliche Kriegführung war nicht ihre Strategie. Die Zapatisten benutzten Waffen, um eine Aussage zu machen und nutzten dann die Möglichkeit ihres Opfers vor den Weltmedien, um Verhandlungen zu erzwingen und eine Reihe vernünftiger Forderungen vorzubringen, die nach Meinungsumfragen in der gesamten mexikanischen Gesellschaft verbreitet Unterstützung fanden.[12] Autonome Kommunikation war eine höchst wichtige Zielsetzung der Zapatisten:

> Als die Bomben auf die Berge südlich von San Cristobal fielen, als unsere Kämpfer den Angriffen der Bundestruppen Widerstand leisteten, als die Luft nach Pulver und Blut roch, meldete sich das „Comite Clandestino Revolucionario Indígena del ELZN" und sagte mir mehr oder weniger: Wir müssen uns jetzt zu Wort melden und uns Gehör verschaffen. Wenn wir es nicht jetzt tun, werden andere unsere Stimme nehmen und Lügen werden aus unserem Mund kommen, ohne dass wir es wollen. Suche nach einer Möglichkeit, unser Wort für diejenigen auszusprechen, die es hören wollen.[13]

Die Fähigkeit der Zapatisten, mit der Welt und mit der mexikanischen Gesellschaft zu kommunizieren, die Phantasie der Menschen und der Intellektuellen für sich einzunehmen, beförderte eine lokale, schwache Gruppe von Aufständischen in die erste Reihe der Weltpolitik. Um das zu erreichen, kam Marcos entscheidende Bedeutung zu. Er besaß keine organisatorische Kontrolle über eine Bewegung, die in den indianischen Dorfgemeinschaften verwurzelt war, und er zeigte keinerlei Anzeichen, ein großer Militärstratege zu sein, obwohl er klug genug war, jedes Mal den Rückzug zu befehlen, wenn die Armee angreifen wollte. Aber bei der Herstellung einer Kommunikationsbrücke zu den Medien war er außerordentlich kompetent. Dies geschah durch seine Schriften, durch seine Selbstinszenierung (Maske, Pfeife, Ort der Interviews), die etwas zufällig zustande kam, wie im Fall der Maske, die eine so große Rolle bei der Popularisierung des Bildes von den Revolutionären spielte: Auf der ganzen Welt konnte jede und jeder durch das Tragen einer Maske Zapatist werden. Außerdem sind Masken in den vorkolumbischen indianischen Kulturen in Mexiko ein wiederkehrender Bestandteil von Ritualen. Dies mag zwar eine übertriebene Theoretisierung sein, aber so griffen Rebellion, Gleichmachen der Gesichter und historische Rückblenden in einer höchst innovativen Theatralik der Revolution ineinander. Entscheidende Bedeutung hatte bei dieser Strategie der Einsatz der Telekommunikation, von Videos und von computervermittelter Kommunikation durch die Zapatisten. So konnten sie sowohl ihre Botschaften aus Chiapas in die ganze Welt verbreiten – obwohl sie vermutlich nicht aus dem Wald gesendet wurden – und zugleich ein weltweites

---

12 Nach einer am 8. und 9. Dezember 1994 durchgeführten Umfrage hatten 59% der Bewohner von Mexiko-Stadt eine „gute Meinung" von den Zapatisten und 78% hielten ihre Forderungen für gerechtfertigt (veröffentlicht in der Zeitung *Reforma*, 11. Dezember 1994).

13 Marcos, 11. Februar 1994; zit. von Moreno Toscano (1996: 90).

Netzwerk von Solidaritätsgruppen organisieren, die buchstäblich die repressiven Absichten der mexikanischen Regierung einkreisten; etwa während der Invasion der Armee am 9. Februar 1995. Es ist interessant und bemerkenswert, dass am Ursprung der Internetnutzung durch die Zapatisten zwei Entwicklungen der 1990er Jahre standen: die Gründung von *La Neta*, eines alternativen Computernetzwerkes in Mexiko und Chiapas; und seine Nutzung durch Frauengruppen – vor allem durch *„De mujer a mujer"* – um die NGOs von Chiapas mit anderen mexikanischen Frauen und auch mit Frauennetzwerken in den USA zusammenzuschließen. *La Neta*[14] ging 1989-1993 aus der Verknüpfung zwischen mexikanischen NGOs hervor, die von der Katholischen Kirche und dem Institute for Global Communication in San Francisco unterstützt wurde. Hinzu kamen qualifizierte Computer-Experten, die für den guten Zweck Zeit und Kenntnisse beisteuerten. 1994 konnte *La Neta* mit Hilfe eines Zuschusses der Ford Foundation mit einem privaten mexikanischen Internet-Provider einen Knoten installieren. 1993 war *La Neta* in Chiapas eingerichtet worden, um die lokalen NGOs on-line zu bringen. Dazu gehörten das Menschenrechtszentrum „Bartolomé de las Casas" und ein Dutzend anderer Organisationen, die eine wichtige Rolle dabei spielen sollten, die Welt über den Aufstand der Zapatisten zu informieren. Der ausgiebige Einsatz des Internet ermöglichte es den Zapatisten, Informationen und ihren Aufruf augenblicklich auf der ganzen Welt zu verbreiten und ein Netzwerk von Unterstützungsgruppen zu schaffen, das ihnen half, eine Bewegung innerhalb der internationalen öffentlichen Meinung hervorzubringen, die es der mexikanischen Regierung buchstäblich unmöglich machte, Repression im großen Stil zu betreiben. Bilder und Informationen von den Zapatisten und über sie hatten einschneidende Wirkungen für die mexikanische Politik und Wirtschaft. Wie Martinez Torres schreibt:

> Der Ex-Präsident Salinas hatte eine Spekulationswirtschaft geschaffen, die mehrere Jahre lang die Illusion der Prosperität auf der Grundlage eines massiven Zustroms spekulativer Investitionen in hochverzinsliche Staatsanleihen ermöglichte, die es wiederum der Mittel- und Arbeiterklasse durch eine Spirale von Handelsdefizit und Verschuldung erlaubte, sich eine zeitlang einer Vielfalt importierter Konsumgüter zu erfreuen. Aber so leicht es war, Investoren anzulocken, so konnte jeder Vertrauensverlust der Investoren sich zur Panik und zum Run auf mexikanische Anleihen auswachsen, mit der Möglichkeit, dass das gesamte System zusammenbrach. In Wirklichkeit war die mexikanische Wirtschaft [1994] ein riesiges Spiel um und mit Vertrauen. Weil aber Vertrauen im Grunde durch die Manipulation von Information geschaffen wird, kann es auf genau dieselbe Weise auch wieder zerstört werden. In der neuen Weltordnung, in der Information die wertvollste Ware ist, kann eben diese Information mächtiger sein als Gewehrkugeln.[15]

---

14 Es ist wohl notwendig, für nicht-mexikanische Leserinnen und Leser die Mehrdeutigkeit von *La Neta* zu erklären. Neben der anschaulichen weiblichen spanischen Form für „Das Netz" bedeutet *la neta* in der mexikanischen Umgangssprache auch „die wahre Geschichte".

15 Martinez Torres (1996: 5).

Das war der Schlüssel zum Erfolg der Zapatisten. Nicht etwa, dass sie bewusst die Wirtschaft sabotiert hätten. Aber sie wurden durch ihre unablässige Verbindung zu den Medien und durch ihre auf das Internet gegründeten weltweiten Bündnisse vor ungezügelter Repression geschützt. So konnten sie Verhandlungen erzwingen und das Problem der sozialen Exklusion und der politischen Korruption ins Blickfeld der öffentlichen Meinung der Welt rücken und dortzu Gehör bringen.

Auch die Experten der Rand Corporation stimmen übrigens dieser Analyse zu.[16] Sie haben die Möglichkeit eines „Netzkrieges" vom Typus der Zapatisten seit 1993 vorhergesagt: „Die revolutionären Kräfte der Zukunft könnten in zunehmendem Maße aus weit ausgreifenden multi-organisationellen Netzwerken bestehen, die keine spezifische nationale Identität haben, die für sich in Anspruch nehmen, aus der Zivilgesellschaft hervorzugehen und zu denen aggressive Gruppen und Individuen gehören, die äußerst geschickt mit fortgeschrittener Technologie im Kommunikations- wie auch im militärischen Bereich umgehen."[17] Die Zapatisten haben anscheinend die schlimmsten Alpträume der Experten der neuen globalen Ordnung Wirklichkeit werden lassen.

Die widersprüchliche Beziehung zwischen sozialer Bewegung und politischer Institution

Während jedoch die Forderungen der Zapatisten das politische System und sogar die Wirtschaft Mexikos erschütterten, verwickelten sie sich selbst in ihre widersprüchliche Beziehung zum politischen System. Einerseits forderten die Zapatisten die Demokratisierung des politischen Systems und verstärkten damit ähnliche Forderungen aus der mexikanischen Gesellschaft. Aber sie waren nie in der Lage, die Bedeutung ihres politischen Projektes abgesehen von der naheliegenden Verurteilung der Wahlfälschung zu präzisieren. Mittlerweile war der PRI unumkehrbar erschüttert worden und brach in Gruppierungen auseinander, die sich buchstäblich gegenseitig umbrachten (s. Kap. 5). Die Präsidentschaftswahlen vom August 1994 waren einigermaßen sauber, was Zedillo, einem gesichtslosen PRI-Kandidaten, der durch zufällige Umstände ins Rampenlicht geraten war, einen Triumph verschaffte, wobei er zusätzlich von der Furcht vor dem Unbekannten profitierte. Ironischerweise trugen politische Reformen des Wahlvorgangs teils als Folge des von den Zapatisten ausgeübten Drucks nach dem Abkommen zwischen allen Präsidentschaftskandidaten vom 27. Januar 1994 zur Legitimität der Wahlen bei. Die linke Oppositionspartei, deren Führer die Zapatisten abgewiesen hatten, büßte Wählerstimmen ein, weil sie sich um die Unterstützung von Marcos bemüht hatte. Im August 1994 beriefen die Zapatisten an einem Ort im Lakandonischen Regenwald eine Nationale Demo-

16 Rondfeldt (1995).
17 Arquilla und Rondfeldt (1993).

kratische Versammlung ein, die sie Aguascalientes nannten, nach dem historischen Ort, an dem 1915 revolutionäre Führer – Villa, Zapata, Orozco – sich zur Gründung der Revolutionären Versammlung getroffen hatten. Trotz massenhafter Teilnahme von Basisorganisationen, linken Parteien, Intellektuellen und Medien erschöpfte Aguascalientes sich in der Symbolik des Ereignisses. Dieses auf einen kurzen Augenblick beschränkte Treffen war nicht in der Lage, die neue zapatistische Sprache in konventionelle linke Politik zu übersetzen. So organisierten die Zapatisten im Mai 1995, mitten in den langwierigen Verhandlungen mit der Regierung in San Andres Larrainzar, eine Volkskonsultation über die Möglichkeit, zur zivilen politischen Kraft zu werden. Ungeachtet der offenkundigen Schwierigkeiten – sie waren noch immer eine aufständische Organisation – beteiligten sich in ganz Mexiko fast 2 Millionen Menschen an der Konsultation und unterstützten den Vorschlag mit überwältigender Mehrheit. So beschlossen die Zapatisten im Januar 1996 zum zweiten Jahrestag ihres Aufstandes, sich in eine politische Partei zu transformieren und nach vollständiger Beteiligung am politischen Prozess zu streben. Sie beschlossen jedoch auch, ihre Waffen solange zu behalten, bis ein Übereinkommen mit der Regierung über alle strittigen Punkte erreicht wäre. Im Januar 1996 wurde eine wichtiges Übereinkommen über die künftige Anerkennung der Rechte der Indianer erreicht, aber zum Zeitpunkt der Niederschrift (Oktober 1996) waren die Verhandlungen in den Bereichen politische Reformen und wirtschaftliche Fragen noch nicht abgeschlossen. Eine Schwierigkeit schien der Anspruch der indianischen Dorfgemeinschaften darzustellen, das Eigentum an ihrem Land einschließlich der unterirdischen Ressourcen zu behalten. Diese Forderung wurde von der mexikanischen Regierung auf das Strikteste abgelehnt, weil weithin angenommen wird, dass Chiapas reich an unterirdischen Kohlenwasserstoffen ist. Bei politischen Reformen erschwerte die mangelnde Bereitschaft des PRI, seine Kontrolle über die politische Macht zu lockern, ein Abkommen.

Die Zukunft einer zapatistischen politischen Partei ist ungewiss. Einerseits ist Marcos Ende 1996 noch immer einer der populärsten politischen Führer in Mexiko. Andererseits hängt viel von seiner Popularität mit seinem Status als revolutionärer Mythos zusammen. Als Kompromisse schließender *publico* könnte Marcos einen Großteil seiner Anziehungskraft verlieren, und er scheint sich dessen bewusst zu sein. So zögerten er und seine *compañeros* zum Zeitpunkt der Niederschrift noch, die vollständige Institutionalisierung ihrer politischen Stellung zu vollziehen, selbst im Rahmen der noch immer ungewissen Transformation des mexikanischen politischen Systems.

Unabhängig von ihrem weiteren Schicksal hat der Aufstand der Zapatisten jedoch Mexiko unzweifelhaft verändert. Er hat die einseitige Logik der Modernisierung in Frage gestellt, die für die neue globale Ordnung charakteristisch ist. Die von den Zapatisten ausgelöste Debatte wirkte auf die mächtigen Widersprüche ein, die innerhalb des PRI zwischen den Modernisierern und den Interessen eines korrupten Parteiapparates bestanden und trug damit erheblich dazu bei, die Kontrolle des PRI über Mexiko zu brechen. Die Schwachpunkte der mexikanischen Wirtschaft, die 1993 zuversichtlich und euphorisch gewesen war, wurden schonungslos aufgedeckt, was die Kritiker von NAFTA in den USA veranlasste, sich bestätigt zu sehen. Die indianische Bauernschaft – etwa 10% der mexikanischen Bevölkerung – war zuvor als Akteur im Modernisierungsprozess abwesend gewesen und wurde nun plötzlich lebendig. Eine Verfassungsreform, die im November 1996 gerade vom Parlament behandelt wurde, sollte den pluri-kulturellen Charakter Mexikos anerkennen und den Indianern neue Rechte geben, einschließlich der Veröffentlichung von Lehrbüchern in 30 indianischen Sprachen, zur Benutzung in öffentlichen Schulen. Gesundheits- und Erziehungswesen wurden in vielen indianischen Dorfgemeinschaften verbessert und eine begrenzte Selbstverwaltung wurde gerade eingeführt.

Das Insistieren auf kultureller Identität, wenn auch in rekonstruierter Form, durch die Indianer war verknüpft mit ihrer Revolte gegen ihre empörende Behandlung. Aber ihr Kampf um Würde wurde wesentlich durch ihre religiöse Bindung begünstigt, die Ausdruck fand in der tiefen Strömung eines populistischen Katholizismus in Lateinamerika, und ebenso vom letzten Anlauf der marxistischen Linken in Mexiko. Dass diese Linke, deren Grundidee das mit dem Gewehr für den Sozialismus kämpfende Proletariat gewesen war, nun in eine indianische, bäuerliche Bewegung transformiert wurde, in der die Ausgeschlossenen für Demokratie kämpften und über das Internet und die Massenmedien verfassungsmäßige Rechte einklagten, zeigt, wie tief die Wege der Befreiung in Lateinamerika transformiert worden sind. Dies zeigt auch, dass die neue globale Ordnung zu vielfältiger lokaler Unordnung führt, die von historisch verwurzelten Quellen des Widerstandes gegen die Logik der globalen Kapitalströme ausgeht. Die Indianer von Chiapas, die mittels ihres Bündnisses mit ex-maoistischen Militanten und Befreiungstheologen gegen NAFTA kämpfen, sind eine spezifische Ausdrucksweise des alten Strebens nach sozialer Gerechtigkeit unter neuen historischen Bedingungen.

Unter Waffen gegen die neue Weltordnung: die amerikanische Miliz und die Patrioten-Bewegung in den 1990er Jahren[18]

Kurz gesagt ist die Neue Weltordnung ein utopisches System, in dem die Wirtschaft der USA – zusammen mit der Wirtschaft aller anderen Nationen – „globalisiert" werden soll; das Lohnniveau der Arbeiter in den USA und Europa wird generell auf das Niveau abgesenkt, das die Arbeiter in der Dritten Welt bekommen; nationale Grenzen wird es praktisch nicht mehr geben; ein anschwellender Strom von Einwanderern aus der Dritten Welt in die Vereinigten Staaten und nach Europa wird überall in den zuvor weißen Gebieten der Welt zu einer nicht-weißen Mehrheit führen; eine Elite aus internationalen Finanziers, den Herren der Massenmedien und Managern multinationaler Konzerne wird die Richtung bestimmen; und die Friedenstruppen der Vereinten Nationen werden benutzt werden, um einen jeden davon abzuhalten, aus dem System auszusteigen.

William Pierce, *National Vanguard*[19]

Das Internet war einer der wesentlichen Gründe dafür, dass die Milizbewegung sich schneller ausgebreitet hat als je eine andere Hassgruppe in der Geschichte. Dass die Miliz kein organisiertes Zentrum hatte, wurde durch die Möglichkeiten zur augenblicklichen Kommunikation und Verbreitung von Gerüchten, die dieses neue Medium bietet, mehr als ausgeglichen. Jedes Milizmitglied im hintersten Montana, das einen Computer und ein Modem hatte, konnte Teil eines ganzen weltumspannenden Netzwerkes sein, das seine oder ihre Gedanken, Bestrebungen, Organisationsstrategien und Ängste teilte – eine globale Familie.

Kenneth Stern, *A Force upon the Plain (1996), S. 228*

---

18 Die Hauptinformationsquelle zur amerikanischen Miliz und zu den „Patriots" ist das Southern Poverty Law Center mit Hauptsitz in Montgomery, Alabama. Diese bemerkenswerte Organisation hat seit ihrer Gründung 1979 außerordentlichen Mut und Effizienz dabei bewiesen, Bürger und Bürgerinnen in Amerika gegen Hassgruppen zu schützen. Als Bestandteil ihres Programms hat sie eine spezielle „Klanwatch/Militia Task Force" gebildet, die genaue Informationen und Analysen liefert, um alte und neue gegen Staat und Verwaltung und gegen Menschen gerichtete extremistische Gruppen zu verstehen und gegen sie vorzugehen. Die jüngste in meiner Analyse verwendete Information stammt aus Klanwatch/Militia Task Force (1996, im folgenden KMTF). Eine gut dokumentierte Darstellung der amerikanischen Miliz in den 1990er Jahren ist Stern (1996). Ich habe auch die vorzügliche Analyse benutzt, die mein Doktorand Matthew Zook 1996 über Milizgruppen und das Internet vorgelegt hat (Zook 1996). Zusätzliche Quellen, die speziell für die in diesem Kapitel enthaltene Analyse benutzt wurden, sind J. Cooper (1995); Anti-Defamation League (1994, 1995); Armond (1995); Armstrong (1995); Bennett (1995); Berlet und Lyons (1995); Broadcasting and Cable (1995) *Business Week* (1995d); Coalition for Human Dignity (1995); Cooper (1995); Heard (1995); Helvarg (1995); Jordan (1995); Ivins (1995); Maxwell und Tapia (1995); Sheps (1995); *The Nation* (1995); Orr (1995); Pollith (1995); Ross (1995); The Gallup Poll Monthly (1995); *The New Republic* (1995); *The New York Times Sunday* (1995a,b); *The Progressive* (1995); *Time* (1995); WEPIN Store (1995); Dees und Corcoran (1996); Winerip (1996).

19 Zitat aus dem Artikel des weißen Suprematisten William Pierce in der Märzausgabe seiner Zeitschrift *National Vanguard*, zit. nach KMTF (1996: 37). Pierce ist Anführer der National Alliance und Autor des Bestseller-Romans *The Turner Diaries*.

Die Explosion einer Lastwagenladung mit auf Düngemittelbasis hergestelltem Sprengstoff jagte am 19. April 1995 in Oklahoma City nicht nur ein Gebäude der US-Bundesregierung in die Luft und tötete 169 Menschen, sondern sie legte auch einen mächtigen unterirdischen Strom innerhalb der amerikanischen Gesellschaft offen, der bis dahin auf traditionelle Hassgruppen und eine politische Randexistenz beschränkt gewesen war. Timothy McVeigh, der Hauptverdächtigte des Bombenanschlages, pflegte den Roman von William Pierce mit sich herum zu tragen, der von einer Untergrundzelle, *The Patriots*, handelt, die ein Bundesgebäude in die Luft sprengt: Wenige Stunden vor der tatsächlichen Bombenexplosion hat McVeigh angeblich die private Telefonnummer von Pierce gewählt. Es wurde festgestellt, dass McVeigh und sein Freund aus der Armeezeit, Terry Nichols – beide zur Zeit der Niederschrift in Untersuchungshaft – lockere Verbindungen zur Michigan Militia hatten. Die Bombe explodierte am zweiten Jahrestag des Angriffs auf Waco, bei dem die meisten Mitglieder des davidianischen Kultes und ihre Kinder während der Belagerung durch Mitglieder Kräfte der Bundespolizei getötet worden waren – ein Ereignis, das von Milizgruppen überall in den Vereinigten Staaten verurteilt worden war und das zum Sammlungsruf wurde.[20]

Die Milizgruppen sind nicht terroristisch, aber einige ihrer Mitglieder könnten es durchaus sein. Sie sind in einer anderen, aber ideologisch verwandten Art von Bewegung organisiert, den „Patrioten im Untergrund". Sie bestehen aus autonomen, geheimem Zellen, die sich in Übereinstimmung mit Ansichten, wie sie in der gesamten Bewegung verbreitet sind, ihre eigenen Ziele setzen. Man schreibt diesen Gruppen eine Reihe von Bombenanschlägen, Banküberfällen, Eisenbahnsabotage und anderen Gewaltakten während der Jahre 1994-1996 zu. Die Intensität und Tödlichkeit ihrer Aktionen nehmen zu. Tonnen von Sprengstoff sind aus Geschäften gestohlen worden, und Vorräte von Militärwaffen, auch tragbare Stinger-Raketen, sind aus den Militärarsenalen verschwunden. Es sind auch Versuche aufgedeckt worden, bakteriologische Waffen zu entwickeln. Und Zehntausende von „Patrioten" auf dem gesamten Gebiet der Vereinigten Staaten sind mit Kriegswaffen ausgerüstet und nehmen regelmäßig an militärischer Ausbildung in Guerillataktik teil.[21]

Die Milizen sind der militanteste und am besten organisierte Flügel der viel umfassenderen „Patrioten-Bewegung", wie sie sich selbst bezeichnet.[22] Ihre ideologische Galaxie umfasst etablierte, extrem konservative Organisationen wie die John Birch Society; eine ganze Reihe traditioneller, weiß-suprematistischer, Ne-

---

20 Die Texas Militia gab ein paar Tage vor dem 19. April 1995, dem zweiten Jahrestag des Waco-Zwischenfalls, folgenden Aufruf heraus: „Alle körperlich geeigneten Bürger sollen sich mit ihren Waffen versammeln, um das Recht zu feiern, Waffen zu besitzen und zu tragen und sich als Milizen zur Verteidigung der Republik zu versammeln" (zit. im Editorial von *The Nation* 1995: 656).

21 KMTF (1996).

22 KMTF (1996); Stern (1996).

onazi- und antisemitischer Gruppen wie den Ku-Klux-Klan und den Posse Comitatus; fanatische religiöse Gruppen wie Christian Identity, eine antisemitische Sekte, die aus dem British Israelism des viktorianischen England hervorgegangen ist; gegen die US-Bundesregierung gerichtete Gruppen, wie die Counties' Rights Movement, die gegen die Umweltbewegung gerichtete Koalition Wise Use, die National Taxpayers' Union und Anhänger der „Common Law"-Gerichte. Die Galaxie der Patrioten erstreckt sich auch in lockerer Form auf die mächtige Christian Coalition sowie auf eine Reihe militanter „Lebensrechts"-Gruppen, und sie zählt auf die Sympathien vieler Mitglieder der National Rifle Association und Befürworter von Schusswaffen. Der direkte Wirkungsradius der Patrioten könnte nach gut unterrichteten Quellen bis zu 5 Millionen Menschen in Amerika umfassen.[23] Freilich macht allein schon der Charakter der Bewegung mit ihren verschwommenen Grenzen und dem Fehlen einer organisierten Mitgliedschaft eine genaue statistische Schätzung unmöglich. Dennoch muss man ihren Einfluss nach Millionen, nicht nach Tausenden von Anhängern zählen. Was diese extrem unterschiedlichen Gruppen, die früher nichts miteinander zu tun gehabt hatten, in den 1990er Jahren allmählich als Gemeinsamkeit entdeckten und was ihren Wirkungskreis erweitert, ist ihr gemeinsamer erklärter Feind: die US-Bundesregierung als Repräsentantin der „Neuen Weltordnung", die gegen den Willen der amerikanischen Bürgerinnen und Bürger geschaffen wird. In der gesamten Patrioten-Bewegung wird allgemein angenommen, diese „Neue Weltordnung" sei mit dem Ziel der Zerstörung der amerikanischen Souveränität durch eine Verschwörung globaler Finanzinteressen und globaler Bürokraten ins Werk gesetzt, die sich der US-Bundesregierung bemächtigt habe. Den Kern dieses neuen Systems bilden die Welthandelsorganisation, die Trilateral Commission, der Internationale Währungsfonds und vor allem die Vereinten Nationen, deren „Friedenstruppen" als internationale Söldnerarmee gesehen werden – mit Hongkonger Polizisten und Gurkha-Einheiten an der Spitze, bereit, die Volkssouveränität zu unterdrücken. Vier Ereignisse schienen in den Augen der Patrioten diese Verschwörung zu bestätigen: die Verabschiedung von NAFTA 1993; die Billigung der Brady Bill durch Clinton 1994, womit begrenzte Kontrollen beim Verkauf einiger Typen von automatischen Waffen eingeführt wurden; die Belagerung des weißen Suprematisten Randy Weaver in Idaho 1992, die zur Tötung seiner Frau durch den FBI führte; und die tragische Belagerung von Waco, die 1993 zum Tod von David Koresh und seinen Anhängern führte. Ein paranoides Verständnis dieser Ereignisse führte zu der Überzeugung, dass die Regierung dabei sei, die Bürgerinnen und Bürger zu entwaffnen, um sie dann zu unterdrücken, und dass sie beabsichtige, die Amerikaner der Überwachung durch versteckte Kameras und schwarze Hubschrauber auszuliefern sowie Neugeborenen Biochips einzusetzen. Dieser globalen Bedrohung von Jobs, Privatsphäre, Freiheit, amerikanischer Lebensform stellen sie

23 Berlet und Lyons (1995); KMTF (1996); Winerip (1996).

die Bibel und die ursprüngliche, von ihren Zusatzartikeln[24] gereinigte amerikanische Verfassung entgegen. Unter Berufung auf diese Texte, die beide von Gott stammen sollen, berufend, verkünden sie die Souveränität der Bürger, die in den Regierungen der counties[25] unmittelbar zum Ausdruck kommen soll. Dabei erkennen sie die Autorität der Bundesregierung, ihre Gesetze, ihre Gerichte sowie die Zuständigkeit der Federal Reserve Bank nicht an. Die eingeforderte Entscheidung ist drastisch. In den Worten der Montana Militia, die im Februar 1994 gegründet wurde und eine organisatorische Inspiration der gesamten Bewegung darstellt: „Schließe Dich der Armee an und diene den UN oder schließe Dich Amerika an und diene in der Miliz" (Motto der www-Homepage der Montana Militia). Bundes-*Agents*, vor allem die vom Amt für Alkohol, Tabak und Schusswaffen gelten als diejenigen, die bei der Unterdrückung der Amerikaner im Namen der entstehenden Weltregierung in vorderster Front stehen. Das rechtfertigt es in den Augen der Miliz, Bundes-*Agents* zu potenziellen Schießscheiben der Bewegung zu machen. So hat es der populäre Radiomann Gordon Liddy in einer seiner Talkshows formuliert: „Sie haben eine dicke Zielmarke [auf der Brust]: ATF. Schießt nicht da drauf, denn sie haben eine Weste darunter. Kopfschüsse, Kopfschüsse. Killt die Hurensöhne!"[26] In manchen Segmenten dieser äußerst vielfältigen Patrioten-Bewegung gibt es auch eine mächtige Mythologie, die in eschatologischen Weltanschauungen und Prophezeiungen über das Ende der Zeiten wurzelt (s. Kap. 1). Nach dem Buch der Offenbarung, Kapitel 13, erinnern Prediger wie der Tele-Evangelist Pat Robertson, der Führer der *Christian Coalition*, die Christen daran, dass von ihnen verlangt werden könnte, sich dem satanischen „Malzeichen des Tieres" zu unterwerfen, das einmal mit neuen Codes auf dem Papiergeld, dann mit Barcodes in Supermärkten oder mit der Mikrochip-Technologie identifiziert wird.[27] Der Widerstand gegen die neue globale, gottlose Ordnung, die am Ende der Zeiten kommt, wird als christliche Pflicht und als amerikanisches Bürgerrecht betrachtet. Die sinistre Buntscheckigkeit der Mythologie dieser Bewegung verdeckt jedoch zuweilen ihr Profil und spielt ihre politische und soziale Bedeutung sogar herunter. Deshalb ist wichtig, die Vielfalt der Bewegung zu beachten und doch zugleich ihre grundlegende Gemeinsamkeit zu unterstreichen.

---

24 Gemeint ist die 1789 der Verfassung von 1787 angefügte *Bill of Rights*, die im Wesentlichen die Menschen- und Bürgerrechte enthält; d.Ü.

25 Gebietskörperschaften mit Rechtssetzungs- und Verwaltungskompetenz; entspricht etwa dem deutschen (Land-)Kreis; d.Ü.

26 Stern (1996: 221); ATF – Alcohol, Tobacco, Firearms; d.Ü.

27 Berlet und Lyons (1995).

Die Milizen und die Patrioten: ein multi-thematisches Informationsnetzwerk

Milizen, selbstorganisierte Bürger, die bewaffnet waren, um ihr Land, ihre Religion und ihre Freiheit zu verteidigen – das sind Institutionen, die im ersten Jahrhundert des Bestehens Amerikas eine wichtige Rolle gespielt haben.[28] Die Milizen der Bundesstaaten wurden 1900 durch die Nationalgarden der Bundesstaaten ersetzt. In den 1990er Jahren haben jedoch rechte populistische Gruppen, angefangen mit der *Montana Militia*, „unorganisierte Milizen" gegründet. Dabei haben sie eine rechtliche Unklarheit in der Bundesgesetzgebung ausgenutzt, um das rechtliche Verbot zur Bildung von militärischen Einheiten außerhalb der Kontrolle der Regierung zu umgehen. Das Hauptmerkmal der Milizgruppen besteht darin, dass sie bewaffnet sind, manchmal auch mit Kriegswaffen, und dass sie militärisch in einer Kommandokette strukturiert sind. Ende 1995 konnte die KMTF 441 aktive Milizen zählen, verteilt über alle 50 Staaten, wobei es in wenigstens 23 Staaten paramilitärische Übungsplätze gab (s. Abb. 2.1). Die Mitgliederzahl der Milizen lässt sich nur schwer abschätzen. Berlet und Lyons haben sie 1995 mit 15.000 bis 40.000 beziffert.[29] Allen Darstellungen zufolge sind sie in schnellem Wachstum begriffen. Es gibt keine nationale Organisation. Die Miliz eines jeden Staates ist unabhängig, und es gibt manchmal mehrere, miteinander nicht in Beziehung stehende Milizgruppen in ein und demselben Staat: Nach Polizeiangaben 33 in Ohio mit etwa 1.000 Mitgliedern und Hunderttausenden von Sympathisanten.[30] Die *Montana Militia* ist das Gründungsbeispiel, aber die größte ist die *Michigan Militia* mit mehreren Tausend aktiven Mitgliedern. Ihre Ideologie ist jenseits der gemeinsamen Gegnerschaft zur neuen Weltordnung und zur Bundesregierung äußerst unterschiedlich. Die Mitglieder sind in ihrer überwältigenden Mehrzahl weiß, christlich und vorwiegend männlich. Sie haben sicher eine bedeutende Anzahl von Rassisten, Antisemiten und Sexisten in ihren Reihen. Aber die meisten Milizgruppen definieren sich selbst nicht als rassistisch oder sexistisch, und einige – etwa die *Michigan Militia* – machen in ihrer Propaganda eine ausdrücklich antirassistische Aussage. Nach Zooks Analyse von Miliz-Seiten im World Wide Web, die sich auf elf der populärsten Milizen konzentrierte, enthielten sieben der Homepages antirassistische Aussagen, vier erwähnten Rasse nicht und keine enthielt offenen Rassismus.[31] Zwei Seiten bezogen antisexistische Positionen, zwei hießen Frauen willkommen, und die anderen enthielten keinen Bezug auf das Geschlecht. Die *Michigan Militia* verweigerte auch 1996 den belagerten „Montana freemen" die Unterstützung mit der Begründung, diese seien rassistisch. Und

28 Whisker (1992); J. Cooper (1995).
29 Berlet und Lyons (1995).
30 Winerip (1996).
31 Zook (1996).

eine der Miliz-Homepages „E Pluribus Unum“[32], ein Teil der *Ohio Militia*, wird von einem afro-amerikanischen christlich-fundamentalistischen Paar betrieben. Sicherlich könnten diese Aussagen verfälscht sein, aber wenn man die Bedeutung der Darstellung im Internet für den Kontakt zu neuen Mitgliedern bedenkt, so wäre es inkonsequent, die Ideologie, die neue Rekruten anziehen soll, falsch darzustellen. Es scheint, dass die Miliz und die Patrioten zwar durchaus traditionelle rassistische, antisemitische Hassgruppen mit umfassen, dass sie aber eine viel breitere ideologische Anhängerschaft haben. Und dies genau ist einer der Gründe dafür, dass sie letzthin so erfolgreich sind. Nämlich ihre Fähigkeit, über das ideologische Spektrum hinweg auszugreifen, um alle Quellen der Unzufriedenheit mit der Bundesregierung zu vereinen. Wie es im Bericht der KMTF heißt:

> Anders als sektiererische weiß-suprematistische Vorläufer waren die Patrioten imstande, kleinere ideologische Differenzen zugunsten einer breiten Einheit unter der gegen die Bundesregierung gerichteten Hauptstoßrichtung zu überbrücken. Im Ergebnis haben sie die einladendste aufständische Kraft in der neueren Geschichte geschaffen, die Heimat für eine breite Vielfalt von gegen die Regierung eingestellten Gruppen ist, deren organisatorische Rollen sich drastisch voneinander unterscheiden können.[33]

Zwei schnell wachsende Bestandteile der Patrioten-Bewegung sind die Counties' Rights Movement und die „Common Law“-Gerichte. Die erste ist ein militanter Flügel der *Wise Use*-Koalition, die in den westlichen Staaten zunehmend an Einfluss gewinnt. Die Koalition wendet sich gegen Umweltbestimmungen, die von der Bundesregierung durchgesetzt werden und beruft sich auf die „Sitten und Kultur“ des Holzeinschlags, des Bergbaus und des Weidens auf öffentlichem Land. Die Ausweisung von Flächennutzungsplänen wird mit Sozialismus gleichgesetzt, und der kontrollierte Umgang mit dem Ökosystem gilt als Teil der neuen Weltordnung.[34] Dementsprechend behauptet die Bewegung, die *county*-Sheriffs hätten ein Recht, Naturschutzbeauftragte der Bundesregierung festzunehmen. Das hat eine Reihe gewaltsamer Zwischenfälle hervorgerufen. Die Leute und die Gemeinschaften werden aufgerufen, ausschließlich die Autorität ihrer gewählten Funktionsträger auf Orts- und *county*-Ebene anzuerkennen und das Recht der Bundesregierung zu bestreiten, Gesetze zu machen, die ihr Eigentum betreffen. Sieben *counties* haben Bestimmungen im Sinne von *Wise Use* verabschiedet und beanspruchen lokale Kontrolle über öffentliches Land. Gewaltsame Aktionen haben Umweltaktivisten und Naturschutzbeauftragte des Bundes von New Mexico bis Nevada und von Nord-Idaho bis Washington eingeschüchtert. Gerichte nach dem „Common Law“ sind mit Hilfe einer Reihe von Büchern und Videos in 40 Staaten eingerichtet worden. Sie behaupten, eine rechtliche Basis zu bieten, von der aus die Leute das Justizsystem ablehnen und

---

32 Zugleich Staatsdevise der USA, d.Ü.
33 KMTF (1996: 14).
34 Helvarg (1995).

Abbildung 2.1: Geografische Verteilung der Patrioten-Gruppen in den USA nach Anzahl der Gruppen und paramilitärischen Übungsplätzen in den Einzelstaaten, 1996

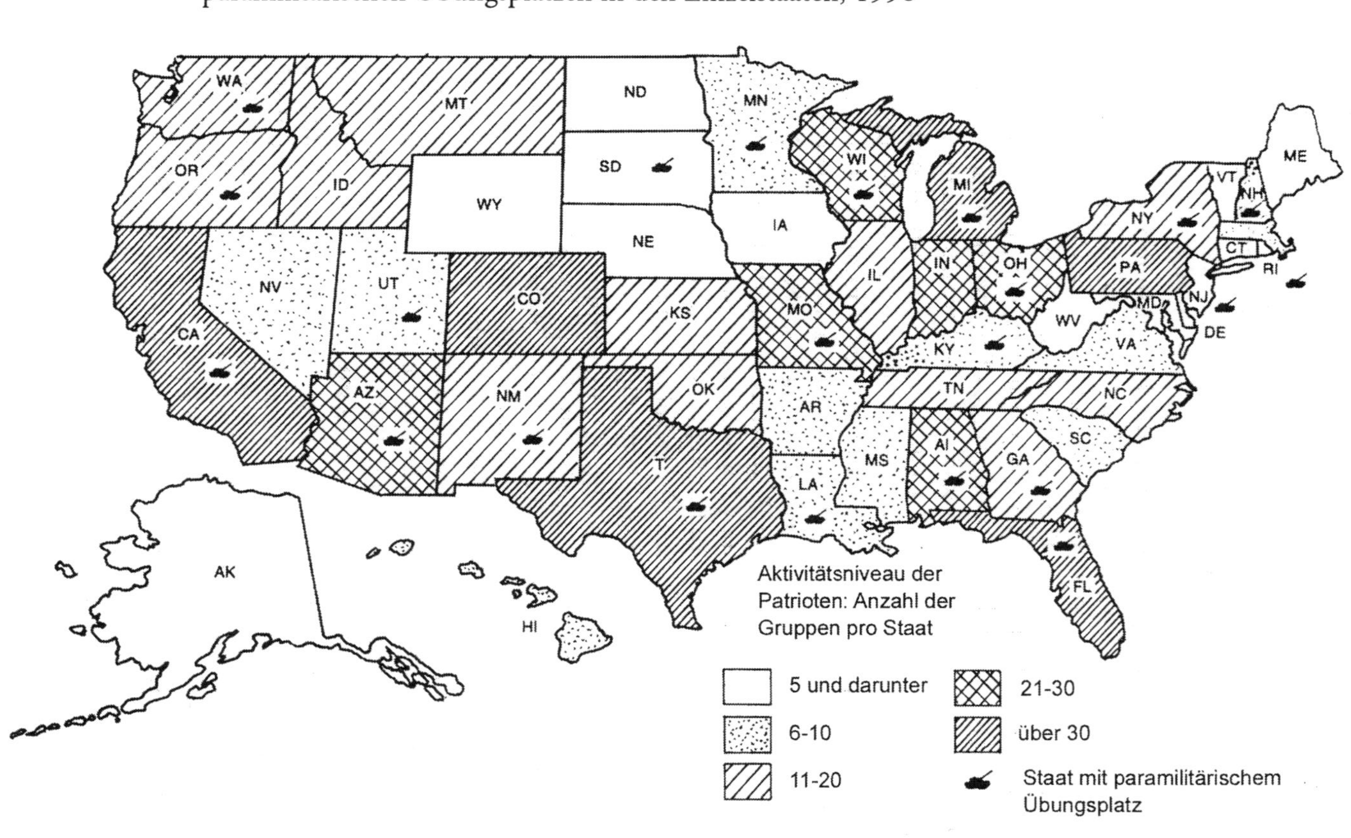

Quelle: Southern Poverty Law Center, Klanwatch/Militia Task Force, Montgomery, Alabama, 1996

ihre eigenen „Richter", „Prozesse" und „Geschworenengerichte" einsetzen können. Es ist sogar ein nationaler „Supreme Court of *Common Law*" mit 23 Richtern eingerichtet worden. Er beruft sich auf die Bibel und das eigene Rechtsverständnis der Richter. Anhänger des *Common Law* erklären sich für „souverän", d.h. zu freien Männern oder *freemen* und weigern sich dementsprechend, Steuern und Sozialversicherung zu zahlen, sich an die Führerscheinbestimmungen zu halten und sich jeglichen Kontrollen von Regierung und Verwaltung zu unterwerfen, die im ursprünglichen amerikanischen Gesetzeskorpus nicht vorkommen. Um ihre Souveränität zu schützen und sich an öffentlichen Beamten zu rächen, bringen sie oft kommerzielle Pfandverschreibungen gegen Beamte vor, die zu Zielscheiben erwählt wurden, und schaffen so in einer Anzahl von *county*-Gerichten einen Alptraum von Verwirrung. Eine Verzweigung der *Common Law*-Bewegung ist das schnell anwachsende Netzwerk von Leuten, die von Montana bis Kalifornien das Recht der Federal Reserve Bank bestreiten, Geld zu drucken. Sie geben ihre eigenen Bankdokumente aus, auch Barschecks, und das mit einer so perfekten Reproduktionstechnologie, dass sie häufig eingelöst worden sind, was zu einer Anzahl von Verhaftungen wegen Fälschung und Betrug geführt hat. Diese Praktiken machen die *Common Law*-Bewegung zu der konfrontativsten von allen Patrioten-Gruppen, und auf sie war auch die drei Monate lang andauernde Pattsituation 1996 zwischen „freemen" und dem FBI auf einer Ranch in Jordan, Montana, zurückzuführen.

Eine so vielfältige, nahezu chaotische Bewegung kann keine feste Organisation haben und noch nicht einmal eine Koordinationsinstanz. Und doch sind die Homogenität der in ihrem Kern vertretenen Weltanschauung und vor allem ihre Identifikation eines gemeinsamen Feindes bemerkenswert. Der Grund besteht darin, dass es durchaus Verbindungen zwischen Gruppen und Individuen gibt, dass sie aber durch die Medien (hauptsächlich das Radio), über Bücher, Broschüren, Vortragsreisen und eine alternative Presse, mittels Fax und hauptsächlich durch das Internet aufrechterhalten werden.[35] Nach Meinung der KMTF „ist der Computer das wichtigste Ausrüstungsstück im Arsenal der Patrioten-Bewegung."[36] Es gibt im Internet zahlreiche *Bulletin Boards* der Milizen, Homepages und *chat*-Gruppen wie etwa die Usenet-Gruppe MAM, die 1995 gegründet wurde. Für die weit verbreitete Nutzung des Internet durch Milizmänner sind verschiedene Gründe angeführt worden. Einer davon ist, wie Stern schreibt, dass das „Internet die perfekte Kultur ist, in der man das Virus der Verschwörungstheorie großziehen kann. Botschaften tauchten auf dem Bildschirm auf, ohne dass es eine einfache Möglichkeit gab, Schrott von Glaubwürdigem zu trennen. ... Verschwörungsenthusiasten wie die Mitglieder der Milizen fühlten sich durch unüberprüfte Aussagen aus dem Cyberspace in ihren vorgefassten Schlussfolgerungen durch einen endlosen Strom zusätzlicher ‚Beweise'

35 KMTF (1996); Stern (1996); Zook (1996).
36 KMTF (1996: 16).

bestätigt".[37] Der für das Internet typische Pioniergeist passt außerdem gut zu den *freemen*, die sich ohne Vermittlung oder Regierungskontrolle ausdrücken und ihre Meinung sagen können. Wichtiger noch, die Netzwerkstruktur des Internet reproduziert genau die autonome, spontane Vernetzung der Milizgruppen und allgemein der Patrioten, die keine Grenzen und keinen festen Plan haben, aber ein gemeinsames Ziel, ein gemeinsames Gefühl und vor allem einen gemeinsamen Feind. So ist es hauptsächlich das Internet – ergänzt durch Fax und Werbebriefe –, durch das die Bewegung gedeiht und sich organisiert. Die Verbreitung einer Verschwörungstheorie war der Associated Electronic Network News zuzuschreiben, die von den Thompsons in Indianapolis organisiert werden; derzufolge war der Bombenanschlag in Oklahoma eine Provokation der Bundesregierung, um sich – ähnlich wie bei Hitlers Reichtagsbrand – einen Vorwand für das Vorgehen gegen die Miliz zu verschaffen. Andere Systeme von *„Schwarzen Brettern"* wie das „Paul Revere Net" verknüpfen Gruppen im ganzen Land miteinander, fungieren als Informationsbörse, verbreiten Gerüchte und koordinieren Aktionen. So erfahren Surfer aus vertraulichen Berichten, dass Gorbatschow nach einer Rede in Kalifornien gesagt habe, „wir treten nun in die neue Weltordnung ein" und sich dann auf einer südkalifornischen Marinebasis versteckt habe, um die Demontage der amerikanischen Streitkräfte zu beaufsichtigen und so die Ankunft der Heerscharen der Weltordnung vorzubereiten. Und deren Ankunft wurde im Mai 1996 Wirklichkeit, als in New Mexico eine ständige Basis eingerichtet wurde, um in Zusammenarbeit mit der US Air Force Hunderte von deutschen Piloten auszubilden. Das dachten jedenfalls Tausende von Anrufern, die das Telefonsystem des Pentagon blockierten, nachdem CNN von der Eröffnung dieser Basis berichtet hatte.

Eine bedeutende Rolle spielen auch Talkshows im Radio. Rush Limbaughs Publikum von 20 Millionen, das über 600 Stationen im ganzen Land erreicht wird, ist ein Instrument der politischen Einflussnahme, das im Amerika der 1990er Jahre nicht seinesgleichen kennt. Er unterstützt zwar nicht die Milizen, aber seine Themen (*„femi-nazis"*, *„eco-wacos"*) haben in der Bewegung Resonanz. Andere populäre Radiosendungen stimmen unmittelbarer mit den Patrioten überein: Gordon Liddys call-in-Show, oder der vom weißen Suprematisten Mark Koernke moderierte *Intelligence Report.* Zu den alternativen Kabelkanälen, die ähnliche Themen an ein ähnliches Publikum senden, gehören National Empowerment Television, Jones Intercable und das zu Time-Warner gehörende Paragon Cable in Florida. Es bringt an zentraler Stelle *Race & Reason*, eine antisemitische, rassistische Sendung. Unzählige Zeitungen und Nachrichtenblättchen wie *Spotlight* in Washington, D.C., oder das weiß-suprematistische Traktat *The Turner Diaries* vervollständigen ein hochgradig dezentralisiertes, ausgedehntes Netzwerk alternativer Medien. Dieses Netzwerk verbreitet zielgenaue Information, bedient die Ressentiments der Leute, veröffentlicht rechte,

37 Stern (1996: 228).

extremistische Ideen, verbreitet Verschwörungsgerüchte und liefert die eschatologische Mythologie, die zum kulturellen Hintergrund des rechten Populismus am Jahrtausendende geworden ist. Während daher das FBI umsonst nach Beweisen für eine organisierte Verschwörung zum gewaltsamen Sturz der Regierung sucht, fließt die wirkliche Verschwörung ohne Namen (oder mit vielerlei Namen) und ohne Organisation (oder Hunderten davon) durch die Informationsnetzwerke, nährt die Paranoia, verbindet Ärgernisse miteinander und vergießt vielleicht auch Blut.

Die Banner der Patrioten

Ungeachtet ihrer Vielgestaltigkeit hat die Patrioten-Bewegung mit der Miliz an der Spitze einige gemeinsame Zielsetzungen, Überzeugungen und Feinde. Es ist diese Reihe von Werten und Zielen, aus der sich eine Weltanschauung aufbaut und die am Ende die Bewegung selbst definiert.

Es gibt eine grundlegende, schlichte aber wirkungsmächtige Sicht auf die Welt und die Gesellschaft, die innerhalb der Patrioten-Bewegung in unterschiedlichen Formen zum Ausdruck gebracht wird. Nach dieser Sichtweise gibt es in Amerika zwei Arten von Menschen: Produzenten und Parasiten. Die Produzenten, die arbeitenden Menschen befinden sich in der Klemme zwischen zwei Arten von Parasiten: korrupten Regierungsbeamten, reichen Konzerneliten und Bankiers von oben; und von unten dumme und faule Menschen, die das, was sie von der Wohlfahrtsgesellschaft bekommen, nicht verdienen. Die Lage wird verschlimmert durch den gegenwärtigen Prozess der Globalisierung, der von den Vereinten Nationen und den internationalen Finanzinstitutionen zum Nutzen der Konzerneliten und der Regierungsbürokratien gelenkt wird und der droht, normale Menschen in bloße Sklaven einer weltweiten Plantagenwirtschaft zu verwandeln. Gott wird am Ende siegen, aber dafür müssen Bürger ihre Gewehre ergreifen, um für „die Zukunft von Amerika“ selbst zu kämpfen.[38] Aus dieser Weltanschauung ergibt sich für die Bewegung eine spezifische Reihe von Zielsetzungen, die ihre Praxis organisieren.

Vor allem ist die Miliz und sind die Patrioten allgemein eine extrem libertäre Bewegung. Damit unterscheiden sie sich deutlich von traditionellen Nazis oder Faschisten, die einen starken Staat fordern. Ihr Feind ist die Bundesregierung. Ihrer Ansicht nach sind die Grundeinheiten der Gesellschaft das Individuum, die Familie und die lokale Gemeinschaft. Jenseits dieser unmittelbaren persönlichen Kenntnisnahme wird der Staat nur als direkter Ausdruck des Bürgerwillens toleriert; etwa *county*-Verwaltungen mit gewählten Amtsträgern, die man persönlich kennen und kontrollieren kann. Höhere Ebenen von Staat und Verwaltung erscheinen als verdächtig, und die Bundesregierung wird regelrecht

38 M. Cooper (1995).

für illegitim erklärt, weil sie die Rechte der Bürger usurpiert und die Verfassung manipuliert habe. Damit habe sie gegen das ursprüngliche Mandat der Gründerväter Amerikas verstoßen. Für die Milizmänner sind Thomas Jefferson und Patrick Henry die Helden, und Alexander Hamilton ist ganz klar der Schurke. Diese Ablehnung der Legitimität des föderalen Regierungssystems drückt sich in sehr konkreten, folgenreichen Einstellungen und Handlungsweisen aus: Ablehnung der Bundessteuern, Verweigerung von Umweltbestimmungen und Flächennutzungsplanung, Souveränität der *Common Law*-Gerichte, Nichtigkeitserklärung durch Geschworene (d.h. Entscheidung als Geschworene in Gerichtssachen nicht nach Gesetzes-, sondern nach Gewissenslage), Vorrang der *county*-Behörden gegenüber den oberen Behörden und Hass auf die Bundesbehörden, die dem Gesetz Geltung verschaffen. Im Extremfall ruft die Bewegung zum zivilen Ungehorsam gegen die Regierung auf und verleiht dem wo nötig Nachdruck mit den Gewehren „*natur*gesetzestreuer" Bürger.

Während die Bundesregierung und ihre Erzwingungsorgane die unmittelbaren Feinde und der direkte Anlass für die Mobilisierung der Patrioten sind, steht eine gefährlichere Bedrohung am Horizont: die neue Weltordnung. Die neue Weltordnung ist ein Begriff, den der Tele-Evangelist Pat Robertson popularisiert hat, wobei er die Ideologie von George Bush vom Ende der Geschichte nach dem Kalten Krieg extrapolierte. Damit ist gemeint, dass die Bundesregierung aktiv auf das Ziel einer einzigen Weltregierung hinarbeitet und dabei mit Russland kollaboriert, vor allem mit Gorbatschow, der bei dem Verschwörungsplan als Schlüsselstratege betrachtet wird. Dieses Projekt wird vorgeblich mittels internationaler Organisationen durchgeführt: die Vereinten Nationen, die neue Welthandelsorganisation und der Internationale Währungsfonds. Die Unterstellung amerikanischer Truppen unter das Kommando der Vereinten Nationen und die Unterzeichnung von NAFTA werden nur als die ersten Schritte auf dem Weg zu einer solchen neuen Ordnung betrachtet, die oft ausdrücklich mit dem Anbruch des Informationszeitalters in Verbindung gebracht wird. Die tatsächliche Folge für das amerikanische Volk wird in seiner wirtschaftlichen Verarmung zum Nutzen der multinationalen Konzerne und Banken gesehen und weiter in seiner politischen Entrechtung zugunsten globaler politischer Bürokratien.

Zusammen mit diesen lokalistischen und libertären Positionen durchzieht ein weiteres Thema die Bewegung: eine scharfe Gegenreaktion gegen Feminismus (nicht gegen Frauen, solange sie sich an ihre traditionelle Rolle halten), Schwule und Minderheiten (als Nutznießer staatlicher Protektion). Es gibt in der Patrioten-Bewegung ein deutlich dominantes Charakteristikum: In ihrer großen Mehrheit sind sie weiße, heterosexuelle Männer. Der „zornige weiße Mann" – sogar der Name einer Patrioten-Organisation (*Angry White Male*) – scheint in dieser Mischung aus Reaktion auf wirtschaftliche Verluste, Neubetonung der traditionellen Werte und Privilegien und eines kulturellen Gegenschlages zu konvergieren. Traditionelle nationale und familienbezogene Werte – also Patriarchalismus – werden gegen das hochgehalten, was als übertriebene

Privilegien gesehen wird, die die Gesellschaft Minderheiten aufgrund von geschlechtlicher Orientierung, Kultur und Ethnizität zugesteht, wofür *affirmative action* und Antidiskriminierungs-Gesetze beispielhaft sind. Dieses Thema schließt zwar an die viel ältere Ablehnung von Rassengleichheit durch weiß-suprematistische Gruppen und Koalitionen gegen Einwanderung an, es ist aber neu, weil es so umfassend ist und vor allem in der ausdrücklichen Ablehnung von Frauenrechten und in seiner feindseligen Zielrichtung auf liberale Werte, die durch die Medien des *mainstream* verbreitet werden.

Ein viertes, im größten Teil der Bewegung präsentes Thema, ist die intolerante Betonung der Überlegenheit christlicher Werte, weshalb eine enge Verbindung zu der in Kapitel 1 analysierten Bewegung des christlichen Fundamentalismus besteht. Die meisten Patrioten scheinen den Anspruch zu erheben, dass christlichen Werten und Ritualen in der Form, wie sie von ihren Anwälten interpretiert werden, durch die gesellschaftlichen Institutionen Geltung verschafft werden muss; etwa Pflicht zum Gebet in öffentlichen Schulen und Überprüfung von Bibliotheken und Medien, um das zu zensieren, was sich vorgeblich gegen Christentum und Familienwerte richtet. Die verbreitete Anti-Abtreibungsbewegung mit fanatischen Attentätern an ihren Rändern ist ihr am meisten berüchtigtes organisatorisches Mittel. Der christliche Fundamentalismus scheint die gesamte Bewegung durchsetzt zu haben. Sie erscheint paradox, diese Verbindung zwischen einer extrem libertären Bewegung wie der Miliz und dem christlichen Fundamentalismus, einer Bewegung, die auf eine Theokratie aus ist und daher dafür eintreten sollte, dass die Regierung ihren Bürgern moralische und religiöse Werte aufzwingt. Doch dies ist nur ein Widerspruch Hinblick auf den historischen Horizont, denn im Amerika der 1990er Jahre treffen sich Fundamentalisten und Libertäre in der Zielsetzung, eine Bundesregierung zu zerstören, die als weit entfernt sowohl von Gott als auch vom Volk wahrgenommen wird.

Knarren und Bibeln könnte durchaus das Motto der Bewegung lauten.[39] Schusswaffen waren das Signal, um das sich die Miliz 1994 in Reaktion auf die Brady Bill sammelte. Eine riesige Koalition bildete sich gegen diesen ebenso wie gegen folgende Versuche, Schusswaffen zu kontrollieren. Um die mächtige Lobby der National Rifle Association, die viele Stimmen im Kongress kontrolliert, gruppierten sich Leute vom Land aus den ganzen USA, Inhaber von Waffengeschäften, extreme Libertäre und Miliz-Gruppen. Sie machten die Verteidigung des Verfassungsrechtes zum Waffentragen zur letzten Verteidigungslinie für Amerika, wie es sein soll. Knarren gleich Freiheit. Der Wilde Westen sitzt wieder zu Pferde, auf den Straßen von Los Angeles und den Farmen in Michigan. Zwei der am tiefsten verankerten Merkmale der amerikanischen Kultur, ihr robuster Individualismus und ihr Misstrauen gegen despotische Regierungen, denen viele Emigranten auf dem Weg nach Amerika entflohen sind, liefern dem Widerstand gegen die Bedrohungen, die von der Informationalisierung der Ge-

39 Maxwell und Tapia (1995).

sellschaft, der Globalisierung der Wirtschaft und der Professionalisierung der Politik ausgehen, das Gütesiegel der Authentizität.

Wer sind die Patrioten?

Ein Teil der Bewegung besteht sicherlich aus unzufriedenen Farmern im Mittleren Westen und Westen und wird durch ein gemischtes Ensemble von Kleinstadtgesellschaften unterstützt, das von Kaffeebudenbesitzern bis zu traditionalistischen Pastoren reicht. Aber es wäre ein Trugschluss anzunehmen, die Anziehungskraft der Bewegung sei auf eine ländliche Welt beschränkt, die durch die technologische Modernisierung zum Aussterben verurteilt ist. Es gibt keine demografischen Daten, aber schon ein Blick auf die geografische Verteilung der Miliz (Abb. 2.1) zeigt ihre territoriale und damit soziale Vielfältigkeit. Die Gruppen von Staaten mit den höchsten Zahlen für die Aktivität der Milizen umfassen so unterschiedliche Regionen wie Pennsylvania, Michigan, Florida, Texas, Colorado und Kalifornien, was mehr oder weniger den bevölkerungsstärksten Staaten entspricht (minus New York, plus Colorado). Aber genau darum geht es: Die Milizen scheinen überall dort zu sein, wo die Leute sind, im ganzen Land, nicht nur in Montana. Wenn wir die Christian Coalition als Teil der Bewegung betrachten, dann sind die Patrioten in den Vorstädten der meisten großen Ballungsgebiete präsent (es gibt etwa 1,5 Mio. Mitglieder der Christian Coalition). Manche Milizen-Gruppen, etwa in New Hampshire und in Kalifornien, scheinen Computer-Experten zu rekrutieren. Es scheint also nicht, als hätte die Patrioten-Bewegung eine Klassenbasis oder sei speziell in einer bestimmten Gegend verankert. Sie ist vielmehr im Grunde eine kulturelle und politische Bewegung, Verteidiger der Tradition des Landes gegen die kosmopolitischen Werte sowie der Selbst-Regierung der lokalen Einwohner gegen die Zumutungen einer globalen Ordnung. Wenn jedoch Klasse für die Zusammensetzung der Bewegung keine Rolle spielt, so ist sie doch wichtig für die Identifizierung ihrer Gegner. Konzerneliten; Bankiers; die reichen, mächtigen und arroganten Großfirmen und ihre Anwälte; und Wissenschaftler und Forscher sind ihre Feinde. Nicht als Klasse, sondern als Vertreter einer unamerikanischen Weltordnung. Die Ideologie ist auch nicht eigentlich kapitalistisch, sondern es handelt sich um eine Ideologie zur Verteidigung des freien Kapitalismus im Gegensatz zur Ausdrucksform des Staatskapitalismus in den Konzernen, die dem Sozialismus nahezukommen scheint. Daher scheint eine Klassenanalyse der Patrioten den Kern der Bewegung nicht zu treffen. Es ist eine politische Aufstandsbewegung, die quer durch Klassenunterschiede und regionale Differenzierung geht. Und sie steht im Zusammenhang mit der sozialen und politischen Entwicklung der gesamten amerikanischen Gesellschaft.

Die Miliz, die Patrioten und die amerikanische Gesellschaft in den 1990er Jahren

Rechter Populismus ist in den Vereinigten Staaten gewiss nichts Neues; dies ist vielmehr ein Phänomen, das in der amerikanischen Politik die gesamte Geschichte des Landes hindurch eine wichtige Rolle gespielt hat.[40] Außerdem hat es sowohl in Amerika wie auch in Europa verschiedene Formen wütender Massenreaktionen auf wirtschaftliche Not gegeben. Sie reichen vom klassischen Faschismus und Nazismus bis zur Fremdenfeindlichkeit und den ultra-nationalistischen Bewegungen der letzten Jahre. Einer der Umstände, die dazu beitragen können, die schnelle Ausbreitung der Miliz zu erklären, ist neben dem Internet die zunehmende wirtschaftliche Not und gesellschaftliche Ungleichheit in Amerika. Das Durchschnittseinkommen von Männern ist während der letzten beiden Jahrzehnte deutlich zurückgegangen, vor allem während der 1980er Jahre. Die Familien schaffen es kaum, den Lebensstandard von vor einem Vierteljahrhundert zu halten, wenn sie den Beitrag von zwei Löhnen nehmen anstatt nur eines einzigen. Andererseits hat das oberste Prozent der Haushalte zwischen 1976 und 1993 sein Einkommen von US$ 327.000 auf etwa US$ 567.000 gesteigert, während das durchschnittliche Familieneinkommen nach wie vor etwa US$ 31.000 beträgt. Das Gehalt eines Konzernvorstandes ist 190mal so hoch wie das des durchschnittlichen Arbeiters.[41] Für die amerikanischen Arbeiter und Kleinunternehmer war das Zeitalter der Globalisierung das Zeitalter eines relativen und oft auch eines absoluten Rückgangs ihres Lebensstandards. Damit wurde die historische Tendenz gebrochen, dass der materielle Wohlstand sich von einer Generation zur nächsten erhöht. So ist etwa Montana, die Wiege der neuen Miliz, zugleich eines der Lieblingsziele der neuen Milliardäre, die es genießen, Tausende von Hektar unberührten Landes zu erwerben, um Viehfarmen aufzubauen, von denen aus sie ihre globalen Netzwerke betreiben können. Lokal ansässige Rancher in der Gegend hatten etwas gegen diese Veränderungen.[42]

Ferner ist die traditionelle Familie gerade zu dem Zeitpunkt, wo sie als Instrument sowohl der finanziellen wie der psychologischen Sicherheit unverzichtbar wird, dabei auseinander zu fallen. Das ist eine Folge des Geschlechterkrieges, der sich am Widerstand des Patriarchalismus gegen Rechte für Frauen entzündet hat (s. Kap. 4). Kulturelle Herausforderungen des Sexismus und der heterosexuellen Orthodoxie verwirren die Männlichkeit. Zudem stehen die neue Einwanderungswelle, diesmal aus Lateinamerika und Asien, sowie die zunehmende Multi-Ethnizität Amerikas zwar in der Kontinuität der Geschichte des Landes, tragen aber doch zum Gefühl des Kontrollverlustes bei. Die Verlagerungen von Landwirtschaft und Industrie zu den Dienstleistungen und von der

40 Lipset und Raab (1978).

41 *The New York Times* (1995b).

42 Stevens (1995).

Handhabung von Gütern zur Informationsverarbeitung untergraben die erworbenen Fertigkeiten und die Subkulturen der Arbeit. Und nach dem Ende des Kalten Krieges entfällt mit dem Zusammenbruch des Kommunismus die einfache Identifizierung eines äußeren Feindes. Das mindert die Möglichkeiten, Amerika für eine gemeinsame Sache zu einen. Das Zeitalter der Information wird zum Zeitalter der Konfusion und damit zum Zeitalter der Betonung traditioneller Werte und kompromisslos in Anspruch genommener Rechte. Bürokratische und manchmal gewaltsame Reaktionen seitens der Gesetzeshüter auf verschiedene Formen des Protests vertiefen den Zorn, verschärfen die Emotionen und scheinen den Ruf zu den Waffen zu rechtfertigen. So gerät die amerikanische Miliz in eine unmittelbare Frontstellung zu der entstehenden Weltordnung.

Die Lamas der Apokalypse: Japans *Aum Shinrikyo*[43]

Das letzte Ziel der Körpertechniken, die die Aum-Sekte mittels Yoga und Entbehrung zu entwickeln sucht, besteht in einer Kommunikationsweise ohne jegliches Medium. Kommunikation kann durch Resonanz in den Körpern anderer erreicht werden, ohne Rückgriff auf das Bewusstsein der Identität als Ich, ohne Einsatz des Mediums Sprache.

Masachi Osawa, Gendai, Oktober 1995[44]

Am 20. März 1995 tötete ein Giftgas-Angriff auf drei unterschiedliche Züge der Tokyoter U-Bahn zwölf Menschen, verletzte über 5.000 und erschütterte die Grundfesten der anscheinend so stabilen japanischen Gesellschaft. Mit Hilfe von Informationen über einen ähnlichen Zwischenfall, der sich im Juni 1994 in Matsumoto ereignet hatte, konnte die Polizei ermitteln, dass der Anschlag von Mitgliedern von *Aum Shinrikyo* verübt worden war. Es handelt sich um einen religiösen Kult, der sich im Zentrum eines Netzwerkes von Wirtschaftsaktivitäten, politischen Organisationen und paramilitärischen Einheiten befindet. Nach seinem eigenen Diskurs besteht das Endziel von *Aum Shinrikyo* darin, die kommende Apokalypse zu überleben, Japan und letztlich die Welt vor dem Vernichtungskrieg zu bewahren, der sich unvermeidlich aus den konkurrierenden Aktivitäten der japanischen Konzerne und des amerikanischen Imperialismus zur Etablierung einer neuen Weltordnung und einer vereinigten Weltregierung entwickeln werde. Um Armageddon zu überwinden, wollte die *Aum*-Sekte eine neue Art von

43 Die folgende Analyse von *Aum Shinrikyo* greift im Wesentlichen auf den Beitrag von Shujiro Yazawa zu unserer gemeinsamen Studie und zu unserem Artikel zurück. Shujiro Yazawa hat den größten Teil der Forschung zu *Aum* durchgeführt, obwohl ich die Bewegung ebenfalls gemeinsam mit ihm 1995 in Tokyo untersucht habe. Neben Berichten in Zeitungen und Zeitschriften wurden folgende Quellen unmittelbar für die Analyse herangezogen: Aoyama (1991); Asahara (1994, 1995); *Vajrayana Sacca* (1994); Drew (1995); Fujita (1995); *Mainichi Shinbun* (1995); Miyadai (1995); Ohama (995); Osawa (1995); Nakazawa u.a. (1995); Shimazono (1995); Yazawa (i.E.).

44 Nach der Übersetzung von Yazawa; d.Ü.

menschlichem Wesen herstellen, das in Spiritualität und Selbstverbesserung durch Meditation und Übung verwurzelt sei. Um jedoch der Aggression der etablierten Weltmächte entgegentreten zu können, müsse die *Aum*-Sekte sich verteidigen und der Herausforderung neuer Vernichtungswaffen gerecht werden. Die Herausforderung ließ nicht lange auf sich warten. Der Gründer und Guru des Kultes, Shoko Asahara, wurde zusammen mit den prominentesten Mitgliedern des Kultes verhaftet und vor Gericht gestellt (wahrscheinlich droht ihm die Todesstrafe). Der Kult selbst existiert weiter, allerdings mit geringerer Anhängerzahl.

Die Debatte über die Ursprünge, die Entwicklung und die Ziele der *Aum*-Sekte wurde monatelang in den japanischen Medien geführt und ist auch anderthalb Jahre später zur Zeit der Niederschrift dieses Buches nicht beendet. Sie hat grundlegende Fragen über den tatsächlichen Zustand der japanischen Gesellschaft aufgeworfen. Wie konnten solche Handlungen in einer der reichsten, sichersten, ethnisch homogensten und kulturell am stärksten integrierten Gesellschaften der Welt möglich sein? Besonders erschreckend für die Öffentlichkeit war die Tatsache, dass der Kult besonders erfolgreich unter Wissenschaftlern und Ingenieuren einiger der besten japanischen Universitäten rekrutiert hatte. In einer Periode politischer Ungewissheit nach der Krise der LDP, der japanischen Regierungspartei über nahezu fünf Jahrzehnte hinweg, wurde die anscheinend sinnlose Tat als Symptom betrachtet. Aber ein Symptom wofür? Um eine sehr komplexe Entwicklung mit ihren grundlegenden, aber sich nicht aufdrängenden Implikationen zu verstehen, müssen wir die Entwicklung des Kultes rekonstruieren und dabei mit der Biografie seines Begründers beginnen, der eine entscheidende Rolle bei dieser Entwicklung gespielt hat.

Asahara und die Entwicklung von *Aum Shinrikyo*

Asahara kam blind in einer armen Familie in der Präfektur Kumamoto auf die Welt. Er besuchte eine spezielle Blindenschule und bereitete sich nach deren Abschluss auf die Aufnahmeprüfung an der Tokyo-Universität vor. Sein ausdrücklicher Plan war, Premierminister zu werden. Nachdem er im Examen durchgefallen war, eröffnete er eine Apotheke und spezialisierte sich auf traditionelle chinesische Medizin. Einige der Mittel waren von fragwürdigem Nutzen, und da er keine Lizenz besaß, wurde er schließlich verhaftet. Nachdem er geheiratet hatte und Vater geworden war, verlagerte er seine Interessen 1977 auf die Religion. Er bildete sich selbst in Sento aus und versuchte, eine spirituelle Heilmethode auf der Grundlage des Daoismus zu entwickeln. Der Wendepunkt in seinem Leben kam, als er sich dem Agon-Kult anschloss, einer religiösen Gruppe, die Vervollkommnung durch die Praxis der Enthaltsamkeit[45] propa-

45 Enthaltsamkeit bedeutet anstrengende Leibesübungen und weitgehenden Verzicht auf Nahrung und körperliche Vergnügungen als regelmäßige Existenzweise.

gierte. Meditation, Bewegungsübungen, Yoga und esoterischer Buddhismus umfassten die wesentlichen Praktiken der Gruppe. Asahara verband die Lehren von Agon mit seinen eigenen Vorstellungen von der Schaffung einer neuen religiösen Welt. 1984 eröffnete er in Shibuya, Tokyo, eine Yoga-Schule. Zur gleichen Zeit gründete er die *Aum*-Sekte als Körperschaft (*Aum* ist Sanskrit und bedeutet „tiefe Weisheit"). Er förderte den Ruf seiner Yoga-Schule, indem er in den Medien behauptete, er verfüge über übernatürliche Kräfte, was durch seine Fähigkeit belegt werden sollte, in der Luft zu schweben (diese Behauptung stützte er mit Fotos, die ihn in Aktion zeigten – ein erster Versuch mit visuellen Spezialeffekten, der bereits das Gewicht andeutete, das die *Aum*-Sekte später auf die Medientechnologie legen sollte). Er erklärte, Gott habe ihm befohlen, mit einigen wenigen Auserwählten ein Utopia zu gründen. So wurde der Yoga-Meister 1985 zum religiösen Führer und unterwies seine Schüler im Streben nach Vollkommenheit durch die harte Übung der Enthaltsamkeit. 1986 gründete Asahara den formellen Kult *Aum Shinsen* mit etwa 350 Mitgliedern. Die meisten von ihnen wurden als Priester und Priesterinnen eingeführt, im Unterschied zu anderen Kulten, bei denen nur eine kleine Minderheit der Mitglieder in der Lage ist, sich vollständig der Praktizierung von Enthaltsamkeit und Meditation hinzugeben. Dieser hohe Anteil der Priesterschaft war für die weitere Entwicklung der *Aum*-Sekte sehr wichtig, denn sie musste für eine so große Zahl von Priestern und Priesterinnen erhebliche Mittel an finanzieller Unterstützung besorgen. Deshalb forderte die *Aum*-Sekte von ihren Rekruten deren gesamtes Hab und Gut (was manchmal auch gewaltsam durchgesetzt wurde), verlangte Gebühren für Unterweisung, Unterrichts- und Übungsseminare, und investierte in diverse Unternehmen. Dazu gehörte die Gründung einer sehr profitablen kommerziellen Ladenkette (*Mahaposha*), der Verkauf von Personalcomputern zu Discountpreisen und die Spezialisierung auf den Vertrieb von piratisierter Software. Mit den Profiten dieser Computergeschäfte finanzierte die *Aum*-Sekte eine Reihe von Restaurants und Bars sowie diverse andere Unternehmen. 1987 wurde der Name in *Aum Shinrikyo* (das japanische Wort für „Wahrheit") umgeändert. Ein Jahr später richtete die *Aum*-Sekte als Schritt in Richtung Utopia ihr Hauptquartier in einem Dorf in den Hügeln am Fuße des Fujiyama ein. Trotz einiger Widerstände der Behörden wurde sie schließlich als gemeinnützige, steuerbefreite, religiöse Körperschaft anerkannt. Nachdem er die Position der *Aum*-Sekte gefestigt hatte und auf die Unterstützung von etwa 10.000 Mitgliedern zählen konnte, beschloss Asahara, in die Politik zu gehen, um die Gesellschaft zu verändern. 1990 kandidierten er und 25 weitere *Aum*-Mitglieder für das Parlament, bekamen aber nahezu keine Stimmen. Sie behaupteten, ihre Stimmen seien unterschlagen worden. Diese politische Enttäuschung war ein Wendepunkt für die Ideologie der *Aum*-Sekte, und sie gab die Bemühungen auf, sich am politischen Prozess zu beteiligen. Künftig wollte man die Kräfte auf die Konfrontation mit Staat und Regierung konzentrieren. Kurze Zeit später traf der Versuch, in Naminomura für den Kult eine neue Halle zu bauen, auf den wütenden Widerstand der Anwohner, und nach ein paar Zwischenfällen wurden *Aum*-Mitglieder verhaftet. Die Medien verbreiteten Gerüchte über die Entführung und Erpressung ehemaliger Mitglieder des Kultes. Als eine Gruppe von *Aum*-Opfern eine Vereinigung gründete, verschwand ihr Rechtsanwalt. Der Kult verfiel einem paranoiden Wahn und fühlte sich von Polizei, Regierung und Medien verfolgt.

In dieser Situation begann Asahara die eschatologischen Denkmuster zu betonen, die von Anfang an in der Thematik des Kultes vorhanden gewesen waren. Unter Berufung auf die Prophezeiungen des Nostradamus sagte Asahara voraus, um das Jahr 2000 werde ein Nuklearkrieg zwischen den USA und der UdSSR ausbrechen, in dessen Folge 90% der Stadtbewohner sterben würden. Deshalb sollten die Allerbesten sich darauf vorbereiten, die Katastrophe zu überleben. Das erforderte hartes körperliches Training, Enthaltsamkeit und Meditation nach den Lehren von Asahara, um eine übermenschliche Rasse zu schaffen. Die Meditationshallen der *Aum*-Sekte würden nach Armageddon zu Geburtsstätten einer neuen Zivilisation werden. Aber spirituelle Vollkommenheit würde nicht ausreichen. Der Feind würde alle Arten neuer Waffen einsetzen: nukleare, chemische, bakteriologische. Deshalb müsse die *Aum*-Sekte als die letzte Chance für das Überleben der Menschheit auf diese schreckliche Kriegführung am Ende der Zeiten vorbereitet sein. Also gründete die *Aum*-Sekte mehrere Unternehmen, um Rohstoffe für die Entwicklung chemischer und biologischer Waffen zu kaufen und zu verarbeiten. Sie importierte einen Hubschrauber und mehrere Panzerfahrzeuge, die auf dem russischen Schwarzmarkt gekauft worden waren und begann zu lernen, hochtechnologische Waffen einschließlich laser-gelenkter Gewehre zu entwerfen und herzustellen.[46]

Es war nur logisch, dass die *Aum*-Sekte 1994 beschloss, sich in einen Gegen-Staat zu verwandeln. Sie bildete spiegelbildlich zum japanischen Staat Ministerien und Ämter und ernannte Mitglieder für jedes Ministerium und jede sonstige Institution. So entstand eine Schattenregierung als heiliger Gegen-Staat mit Asahara an der Spitze. Die Rolle dieser Organisation sollte es sein, den Kult und die wenigen auserwählten Überlebenden in der letzten Schlacht gegen die Mächte des Bösen anzuführen. Das waren die vereinigte Weltregierung (beherrscht von den multinationalen Konzernen) und ihre unmittelbaren Beauftragten: amerikanische Imperialisten und die japanische Polizei. Im Juni 1994 wurde in Matsumoto ein erstes Experiment mit Nervengas durchgeführt, wobei sieben Menschen getötet wurden. Polizeiliche Untersuchungen über den Kult und Berichte in den Medien lösten unter den Mitgliedern des Kultes das Gefühl aus, dass die Konfrontation unausweichlich sei, und dass die ersten Episoden zur Erfüllung der Prophezeiung bereits abliefen. Der Angriff auf die Tokyoter U-Bahn einige Monate später trieb den Kult, Japan und vielleicht die Welt in eine neue Ära der messianischen Kritik, die potenziell mit Massenvernichtungswaffen bekräftigt wird.

46 Drew (1995).

Überzeugungen und Methodologie der *Aum*-Sekte

Die Überzeugungen und Lehren von *Aum Shinrikyo* sind komplex und haben sich während der Entwicklung des Kultes in einem gewissem Grad verändert. Es ist jedoch möglich, den Kern seiner Vorstellungen und seiner Praxis auf der Grundlage verfügbarer Dokumente und Berichte zu rekonstruieren. Als Wurzel ihrer Zielsetzung und Methode betont die *Aum*-Sekte die Vorstellung von Erlösung (*gedatsu*), das bedeutet nach Osawa, einem der besten Beobachtern der *Aum*-Sekte:

> Auflösung der Integrität des Körpers als Individuum, um die Ortsgebundenheit des Körpers zu überwinden. Gläubige müssen die Grenze zwischen dem Körper und seiner äußeren Welt überschreiten, indem sie den Körper endlos differenzieren. Durch beständige Übung ist es möglich, einen Punkt zu erreichen, an dem der Körper als Flüssigkeit, Gas oder Energiewelle gespürt werden kann. Der Körper versucht, sich als Individuum zu integrieren, weil wir auf der inneren Seite des integrierten Körpers Selbstbewusstsein haben. Es ist die innere Seite des Körpers, die das Ich organisiert. Deshalb bedeutet die Desintegration unserer Körper in einem Ausmaß, dass wir unsere Körper als Flüssigkeit oder Gas spüren, die Desorganisation unserer selbst. Das ist Erlösung.[47]

Erlösung bedeutet wahre Freiheit und Glückseligkeit. Tatsächlich haben die Menschen ihr Ich verloren und sind unrein geworden. Die wirkliche Welt ist in Wahrheit eine Illusion, und das Leben, das die Menschen gewöhnlich führen, ist voller Last und Schmerz. Diese bittere Wirklichkeit zu erkennen und zu akzeptieren, setzt einen instand, dem Tod in Wahrheit gegenüberzutreten. Um diese Wahrheit durch Erlösung zu erreichen hat die *Aum*-Sekte eine Technologie der Meditation und Enthaltsamkeit (*Mahayana*) mit präzisen Indikatoren des Stadiums der Vervollkommnung entwickelt, die jeder Gläubige zu verschiedenen Zeiten erreicht.

Für die meisten Anhänger ist Erlösung jedoch bestenfalls ungewiss. Daher verleihen zwei zusätzliche Elemente der Methode und Vorstellungswelt der *Aum*-Sekte Zusammenhalt: einerseits der Glaube in die übermächtigen Fähigkeiten des Guru, die Rettung garantieren, wenn nur ein bestimmtes Stadium der Vervollkommnung erreicht ist; andererseits ein Gefühl der Dringlichkeit, das sich aus der kommenden katastrophenhaften Zivilisationskrise ergibt. Aus Sicht der *Aum*-Sekte besteht eine unmittelbare Verbindung zwischen dem Ende der Welt und der Rettung der Gläubigen, die sich durch den Erwerb übernatürlicher Kräfte auf die Apokalypse vorbereiten. In diesem Sinne ist die *Aum*-Sekte gleichzeitig ein mystischer Kult und ein praktisches Unternehmen, das Überlebenstraining für das jüngste Gericht 2000 liefert – zu einem gewissen Preis.

---

47 Osawa (1995).

Die *Aum*-Sekte und die japanische Gesellschaft

Die meisten Priester und Priesterinnen der *Aum*-Sekte waren junge Universitätsabsolventen. 1995 befanden sich 47,5% davon in den Zwanzigern und 28% in den Dreißigern, 40% waren Frauen. Eine ausdrückliche Zielsetzung der *Aum*-Sekte bestand sogar darin, „die Geschlechterunterschiede zu lösen", indem man „die innere Welt des Geschlechterverhältnisses" veränderte. Weil es (bisher) in Japan keine starke feministische Bewegung gibt, gewann die *Aum*-Sekte einigen Einfluss bei Frauen mit College-Ausbildung, die durch eine extrem patriarchalische Gesellschaft frustriert waren. Ein großer Teil der Männer waren Absolventen hervorragender Universitäten in naturwissenschaftlichen Fächern.[48] Die Anziehungskraft der *Aum*-Sekte auf hochgebildete junge Leute traf die japanische Öffentlichkeit als Schock. Nach Yazawa[49] lässt sich diese Anziehungskraft besser verstehen, wenn man die Entfremdung der japanischen Jugend nach der Niederlage der mächtigen japanischen sozialen Bewegungen aus den 1960er Jahren bedenkt. Anstelle verändernder gesellschaftlicher Werte wurde die „Informationsgesellschaft" versprochen. Aber dieses Versprechen blieb hinter den Erwartungen auf kulturelle Erneuerung und spirituelle Erfüllung zurück. In einer Gesellschaft, in der es keine aktive Bewegung gab, die die herrschenden Verhältnisse in Frage gestellt hätte, und auch keine Werte kultureller Transformation, ist seit den 1970er Jahren eine Generation in materiellem Überfluss, aber ohne spirituelles Sinngefühl herangewachsen. Sie wurde von der Technologie und von der Esoterik gleichzeitig verführt. Viele Anhänger der *Aum*-Sekte waren Leute, die für ihren Wunsch nach Veränderung und Sinnhaftigkeit in der bürokratisierten Struktur der Schulen, Verwaltungen und Konzerne keinen Platz finden konnten und die gegen die traditionellen autoritären Familienstrukturen aufbegehrten. Sie sahen keinen Zweck in ihrem Leben und nicht einmal genug physischen Raum, um sich in dem Gedränge der japanischen Riesenstädte auszudrücken. Das Einzige, was ihnen blieb, waren ihre eigenen Körper. Viele dieser Jugendlichen sahen ihren Wunschtraum darin, in einer anderen Welt zu leben, indem sie Wissenschaft und Technologie einsetzten, um ihren Körpern zu helfen, natürliche und gesellschaftliche Grenzen zu überwinden. In Yazawas Interpretation richtete sich ihr Wunsch auf die „Informationalisierung des Körpers", also auf die Transformation der physischen menschlichen Möglichkeiten durch die Macht von Ideen, Glaubensinhalten und Meditation. Hierzu passte die *Aum*-Methodologie der Erlösung besonders gut. Das Versprechen der Erlösung besagte, dass die Menschen sich selbst und andere gleichzeitig spüren könnten. Gemeinschaft und Zugehörigkeit wurden wiederhergestellt, aber als Ausdruck des Ich, durch die Vervollkommnung und Kontrolle der eigenen Grenzen des Körpers, nicht als Ergebnis äußerer Zumutungen. So wurde Kommunikation ohne ein Medium

---

48 *Mainichi Shinbun* (1995).

49 Castells u.a. (1996); Yazawa (i.E.).

möglich, durch die direkte Verbindung mit anderen Körpern. Von dieser neuen Form der Kommunikation wurde angenommen, sie sei nur möglich zwischen Körpern, die bereits ihre Ortsgebundenheit überwunden hatten. Asaharas Körper würde, weil er bereits aus der Ortsgebundenheit seines Körpers entkommen war, der Katalysator sein, der die Erlösung der anderen einleiten würde. Im Ergebnis bildete sich allmählich eine virtuelle Gemeinschaft kommunizierender Körper, wobei Asahara das einzige Zentrum dieser Gemeinschaft war.[50]

Manche dieser Ideen und Praktiken waren im Yoga und im tibetischen Buddhismus nicht unüblich. Was für die *Aum*-Version der entkörperlichten Kommunikation durch Yoga und Meditation spezifisch war, war einerseits ihre technologische Durchführung, etwa durch extensiven Einsatz von Trainings-Videos und elektronisch stimulierenden Hilfsmitteln, sowie andererseits ihre politische Instrumentierung. In manchen Fällen wurden Experimente mittels elektronischer Helme durchgeführt, die den Anhängern auf den Kopf gesetzt wurden, damit sie Kommunikationswellen direkt vom Gehirn des Guru empfangen konnten, also eine kleine elektronische Nachhilfe für die Theorie der entkörperlichten Kommunikation. Die Ideen von Asahara entwickelten sich schließlich zur Identität seines Ich oder „wahren Ich", in das sich das Ich all seiner Schülerinnen und Schüler am Ende auflösen sollte. Die Kommunikationskanäle mit der äußeren Welt wurden abgeschnitten, weil sie zum Feind erklärt wurde, der auf Armageddon zusteuere. Das interne Netzwerk war als hierarchische Organisation strukturiert, in der die Kommunikation von der Spitze kam, ohne horizontale Kommunikationskanäle zwischen den Gläubigen. In dieser Perspektive war die äußere Welt unwirklich, und die virtuelle Realität, die durch eine Kombination von Technologie und Yogatechniken entstanden war, war die wirkliche Welt. Die äußere, unwirkliche Welt entwickelte sich auf ihre Apokalypse hin. Die innere, virtuelle Wirklichkeit, die intern kommunizierte Welt, war die fundamentale Wirklichkeit, die das Ich für die Erlösung bereit machte.

Im letzten Stadium des Diskurses der *Aum*-Sekte formte sich eine präzisere soziale Vorhersage: Künftiger gesellschaftlicher Wandel werde durch einen Zyklus aus wirtschaftlicher Rezession, dann Depression hervorgehen, auf die Krieg und Tod folgten. Während der letzten Jahre des Jahrtausends würde Japan von Naturkatastrophen und wirtschaftlicher Depression heimgesucht werden. Der Grund: verschärfte Konkurrenz anderer asiatischer Länder, die sich den Wettbewerbsvorteil der niedrigeren Arbeitskosten zunutze machten. Um dieser Herausforderung zu begegnen, würde Japan seine Rüstungsindustrie entwickeln und versuchen, im Interesse der japanischen Konzerne, die nach der Schaffung einer Weltregierung unter der Kontrolle der multinationalen Konzerne strebten, Asien seinen Willen aufzuzwingen. Die Vereinigten Staaten würden darauf reagieren, indem sie gegen Japan in den Krieg einträten, um ihre asiatischen Vasallen zu schützen und ihr eigenes Projekt einer Weltregierung voranzutreiben.

50 Osawa (1995).

Der Krieg würde sich hinziehen, unter Einsatz aller möglichen Arten hochtechnologischer Waffen. Das wäre ein Vernichtungskrieg, der zum Ende der Menschheit führen würde. In dieser Darstellung brachten die Vorstellungen der *Aum*-Sekte in verzerrter und schematischer Weise die Befürchtungen der japanischen Gesellschaft über den möglichen Verlust ihres Wettbewerbsvorteils in der Weltwirtschaft zum Ausdruck sowie ferner über einen potenziellen Konflikt mit den Vereinigten Staaten und über die katastrophenhaften Folgen unkontrollierter neuer Technologien.

Was die *Aum*-Sekte von anderen unterschied, war die Art, wie sie auf diese Bedrohungen reagierte: Um für einen solchen Krieg gerüstet zu sein und ihn zu überleben, sei – wie in manchen populären Science Fiction-Filmen der 1990er Jahre – sowohl die Wiedergeburt der Spiritualität wie die Beherrschung der fortgeschrittenen Rüstungstechnologie gefordert. Letzteres betraf vor allem biologische, chemische und laser-gelenkte Waffen. Wie oben erwähnt, versuchte die *Aum*-Sekte tatsächlich, sich solche Waffen zu beschaffen und in den Vereinigten Staaten, in Israel und Russland Wissenschaftler anzuwerben, die in der Lage wären, sie zu entwickeln. Während sie der spirituellen Vervollkommnung nachstrebte und ihre Mitglieder zu einem kollektiven spirituellen Körper vereinigte, verschaffte sich die *Aum*-Sekte zugleich Ausrüstungen, um den Überlebenskrieg zu führen und erklärte im Voraus denjenigen einen solchen Krieg, die die am Horizont drohende Weltregierung unterstützten.

Die Befürchtungen und Vorstellungen der *Aum*-Sekte ähnelten auf verzerrte Weise denjenigen, die sich in vielen jugendlichen Subkulturen in Japan finden. Nach Shinji Miyadai ließen sich bei ihnen zwei Wahrnehmungen der Welt ausmachen.[51] Die Erste war die eines „endlosen Alltagslebens" ohne Zweck, Ziel und Glück. Die Zweite war jene von einer möglichen Gemeinsamkeit, allein im Fall eines Atomkrieges, der die Überlebenden dazu zwingen würde, sich zusammenzuschließen. Indem die *Aum*-Sekte sich auf beide Ideen stützte – das Finden von Glück im inneren Ich und die Vorbereitung auf die Kommune nach dem Atomkrieg – fand sie direkten Anschluss an die Ausdrucksweisen kultureller Verzweiflung bei einer Jugend, die in einer überorganisierten Gesellschaft entfremdet war. So gesehen war die *Aum*-Sekte nicht ein Akt kollektiven Wahnsinns, sondern die hyperbolische, verstärkte Manifestation gebildeter Rebellen, die von einem messianischen Guru am Kreuzweg zwischen Meditation und Elektronik, Geschäft und Spiritualität, informationeller Politik und hochtechnologischer Kriegführung manipuliert wurden. Die *Aum*-Sekte scheint eine Schreckenskarikatur der japanischen Informationsgesellschaft gewesen zu sein, die deren Regierungsstruktur, das Verhalten ihrer Konzerne und ihre Verehrung für fortgeschrittene Technologie vermischt mit traditionellem Spiritualismus widerspiegelte. Wenn Japan von der *Aum*-Sekte besessen wurde, so bestand der Grund vielleicht in der Erkenntnis, wie wahrhaft japanisch diese Nahvision der Apokalypse war.

51 Miyadai (1995).

Die Bedeutung der Aufstandsbewegungen gegen die neue globale Ordnung

Nachdem ich nun drei Bewegungen gegen Globalisierung in ihrer Praxis, ihren Diskursen und Kontexten analysiert habe, will ich mich an einen Vergleich wagen und versuchen, Schlussfolgerungen für die umfassendere Analyse des sozialen Wandels in der Netzwerkgesellschaft zu ziehen. Ich werde meine Fassung der Typologie von Alain Touraine als Methode benutzen, um die Bewegungen im Hinblick auf einheitliche analytische Kriterien zu untersuchen. Aus dieser Perspektive fällt bei den drei Bewegungen die Identifizierung ihres Gegners zusammen: Es ist die neue globale Ordnung, die von den Zapatisten als die Verbindung zwischen dem amerikanischen Imperialismus und der korrupten, illegitimen PRI-Regierung in der NAFTA bezeichnet wird; die aus Sicht der amerikanischen Miliz durch die internationalen Institutionen, vor allen Dingen die Vereinten Nationen und die US-Bundesregierung verkörpert wird; wogegen die globale Bedrohung für die *Aum*-Sekte von einer vereinigten Weltregierung ausgeht, die die Interessen der multinationalen Konzerne, des US-Imperialismus und der japanischen Polizei vertritt. Demnach beruhen die drei Bewegungen in erster Linie auf ihrer Gegnerschaft zu einem Feind, der im Großen und Ganzen derselbe ist: die Vertreter der neuen globalen Ordnung, die eine Weltregierung schaffen wollen, die alle Länder und alle Menschen unterwerfen und ihre Souveränität vernichten wird.

Diesem Feind setzt jede Bewegung ein spezifisches Identitätsprinzip entgegen. Hier kommen die deutlichen Unterschiede zwischen den drei Gesellschaften zum Ausdruck, aus denen die Bewegungen stammen: Die Zapatisten sehen sich als Indianer und unterdrückte Mexikaner, die für ihre Würde, ihre Rechte, ihr Land und die mexikanische Nation kämpfen; im Fall der Miliz sind es amerikanische Bürger, die für ihre Souveränität und für ihre Freiheiten kämpfen, wie sie in der ursprünglichen, gottesfürchtigen amerikanischen Verfassung zum Ausdruck kommen. Das Identitätsprinzip der *Aum*-Sekte ist komplexer: Es ist tatsächlich die individuelle Identität der Anhänger, die Ausdruck findet in ihren Körpern, obwohl diese Körper im Geist des Guru vereint sind – es ist die Kombination physischer Individualität und rekonstruierter spiritueller Gemeinschaft. In jedem der drei Fälle beruft sich das jeweilige Identitätsprinzip auf Authentizität, aber mit unterschiedlichen Ausdrucksformen: eine historisch verwurzelte, weit ausgreifende Gemeinschaft, die Indianer Mexikos als Teil der Mexikaner; lokale oder auf das *county* bezogene Gemeinschaften freier Bürger; und eine spirituelle Gemeinschaft von Individuen, die aus der Abhängigkeit von ihren Körpern befreit sind. Diese Identitäten beruhen auf kultureller Spezifizität und auf dem Wunsch, das eigene Schicksal zu kontrollieren. Und sie wenden sich gegen den globalen Gegner im Namen eines höheren gesellschaftlichen Zieles, das in allen drei Fällen zur Integration zwischen ihrer spezifischen Identität und dem Wohlergehen der Gesellschaft insgesamt führt: Mexiko, Amerika, die überlebende Menschheit. Doch diese Integration wird angestrebt, indem Wertvorstellungen eingelöst werden sollen, die sich von Bewegung zu Bewegung voneinander unterscheiden: soziale Gerechtigkeit und Demokratie für alle Mexikaner; individuelle Freiheit von der Herrschaft der Regierung für alle amerikanischen Bürger; und Überwindung der Materialität durch spirituelle Befreiung im Fall der *Aum*-Sekte. Diese gesellschaftlichen Ziele sind jedoch das schwächste Element in allen drei Bewegungen: Es handelt sich in erster Linie um identitätsbezogene Mobilisierungen als Reaktion auf einen klar identifizierten Gegner. Sie sind reaktiv und defensiv und vertreten kein gesellschaftliches Projekt, selbst wenn sie Vorstellungen von einer alternativen Gesellschaft artikulieren. Schaubild 2.1 listet die Elemente auf, die jede einzelne Bewegung definieren.

Schaubild 2.1 Werte- und Überzeugungsstruktur von aufständischen Bewegungen gegen Globalisierung

Bewegung	Identität	Gegner	Zielsetzung
Zapatisten	Unterdrückte, ausgeschlossene Indianer/Mexikaner	Globaler Kapitalismus (NAFTA), illegale PRI-Regierung	Würde, Demokratie, Land
Amerikanische Miliz	Echte amerikanische Bürger	Neue Weltordnung, US-Bundesregierung	Freiheit und Souveränität lokaler Bürger und lokaler Gemeinschaften
Aum Sinrikyo	Spirituelle Gemeinschaft erlöster Körper der Gläubigen	Vereinte Weltregierung, japanische Polizei	Überleben der Apokalypse

Die große Wirkung jeder dieser Bewegungen entstand in hohem Maße aus ihrer Medienpräsenz und ihrem effektiven Einsatz der Informationstechnologie. Das Interesse der Medien wird angestrebt oder angeregt durch Inszenierungen in der im Mai 1968 kurz wiederbelebten Tradition des französischen Anarchismus mit der *action exemplaire*. Dies ist eine spektakuläre Aktion, die durch ihre starke, selbst mit Opfern erkaufte Resonanz die Aufmerksamkeit der Menschen auf die Anliegen der Bewegung lenkt und letztlich das Ziel verfolgt, die Massen aufzurütteln, die durch Propaganda manipuliert und durch Repression eingeschüchtert sind. Indem sie eine Debatte über ihre Forderungen erzwingen und die Leute dazu bringen, sich daran zu beteiligen, hoffen die Bewegungen, Druck auf Regierungen und Institutionen auszuüben, damit sie ihren Kurs zur Unterwerfung unter die neue Weltordnung ändern.

Das ist der Grund, warum für die drei Bewegungen Waffen entscheidend sind, nicht als Ziel, sondern als Zeichen der Freiheit und sogar als Mittel zur Herstellung von aufsehenerregenden Ereignissen, die Medieninteresse hervorrufen. Diese medienorientierte Strategie wurde im Fall der Zapatisten besonders explizit und geschickt durchgeführt. Sie versuchten sorgfältig, die Gewalt auf ein Minimum zu beschränken und bemühten sich mittels der Medien und des Internet, Interesse auf der ganzen Welt hervorzurufen. Aber paramilitärische Theatralik und der bewusste Einsatz oder die Androhung gewaltsamer Taktiken, um das Interesse der Medien auf sich zu ziehen, sind auch ein Schlüsselelement bei den amerikanischen Patrioten. Selbst die *Aum*-Sekte hat bei allem Misstrauen gegenüber den Medien doch Fernsehdebatten und Presseberichten erhebliche Aufmerksamkeit geschenkt und einige der besten Mitglieder haben sich diesen Aufgaben gewidmet. Und ihre Gasangriffe scheinen dem doppelten Ziel gedient zu haben, die Prophezeiung vom Weltuntergang zu verifizieren und ihre Warnung über die Medien in der Welt zu verbreiten. Es scheint, als kleideten die neuen Protestbewegungen ihre Botschaften und verbreiteten ihre Forderungen im Gewand der symbolischen Politik, die für die informationelle Gesellschaft charakteristisch ist (s. Kap. 6). Ihre professionelle Medienarbeit ist ein grundlegendes Kampfinstrument, während ihre Manifeste und ihre Waffen Mittel sind, um Ereignisse zu schaffen, die berichtenswert sind.

Die neuen Kommunikationstechnologien sind eine fundamentale Existenzbedingung dieser Bewegungen. Ohne Internet, Fax und alternative Medien wären die Patrioten kein einflussreiches Netzwerk, sondern eine voneinander abgeschnittene, kraftlose Abfolge von Reaktionen. Ohne die Kommunikationskapazität, die es den Zapatisten erlaubt, das städtische Mexiko und die Welt in Echtzeit zu erreichen, dürften sie eine isolierte, lokalisierte Guerillatruppe geblieben sein, wie viele andere, die heute noch in Lateinamerika kämpfen. Die *Aum*-Sekte hat das Internet aus dem einfachen Grund wenig genutzt, weil das Internet Anfang der 1990er Jahre in Japan kaum präsent war. Aber sie hat extensiv Fax, Video und Computer eingesetzt. Das waren entscheidende Werkzeuge, um ein hochgradig kontrolliertes und doch dezentralisiertes Informationsnetzwerk aufzubauen. Außerdem versuchten sie einen – sicherlich esoterischen – technologischen Durchbruch mittels der Entwicklung elektronisch stimulierter direkter Kommunikation von Gehirn zu Gehirn. Die revolutionären Zellen des Informationszeitalters sind aus Elektronenströmen gebaut.

Neben ihren Ähnlichkeiten weisen die drei Bewegungen auch grundlegende Unterschiede auf, die mit ihren historisch-kulturellen Ursprüngen und dem technologischen Entwicklungsniveau ihrer Gesellschaften zu tun haben. Man muss klar unterscheiden zwischen dem ausdrücklichen politischen Projekt der Zapatisten, der Verwirrung und Paranoia der meisten Miliz-Gruppen und der apokalyptischen Logik der *Aum*-Sekte. Das bezieht sich auch auf den Unterschied zwischen der eschatologischen Komponente sowohl bei der Miliz als auch bei der *Aum*-Sekte und dem Fehlen solcher Sichtweisen vom Ende der Zeit bei den Zapatisten. Demnach bezeichnen spezifische gesellschaftliche Zusammenhänge, Kulturen, historische Prozesse und politische Bewusstseinsniveaus durchaus substanzielle Unterschiede in den Aufstandsprozessen, auch wenn diese durch eine ähnliche Ursache ausgelöst sind.

Die drei Bewegungen stehen in einer engen Wechselwirkung mit den politischen Prozessen in den Gesellschaften, in denen sie stattfinden. Die Zapatisten haben ihren Angriff bewusst in dem Jahr der mexikanischen Präsidentschaftswahlen begonnen, und sie haben eine grundlegende Rolle dabei gespielt, die Widersprüche innerhalb des PRI zu vertiefen und eine Öffnung des mexikanischen politischen Systems zu erzwingen (s. Kap. 5). Die *Aum*-Sekte erlebte ihren Aufschwung, als 1993 das zuvor stabile japanische politische System zerfiel. Durch die laute und spektakuläre Artikulation der Entfremdung einer neuen Generation von Experten und Wissenschaftlern verstärkte und beschleunigte die *Aum*-Sekte die Debatte über das soziale Modell der Periode nach dem beschleunigten Wachstum in Japan, in der materieller Überfluss erreicht und die Bedrohungen der ausländischen Herrschaft verdrängt worden waren. Nach Jahrzehnten forcierter Modernisierung durch Wellen von Staatsintervention und nationaler Mobilisierung war Japan gezwungen, sich selbst als einer Gesellschaft gegenüberzutreten, nachdem öffentlich klar geworden war, dass Entfremdung, Gewalt und Terrorismus auch von Japanern gegenüber Japanern ausgeübt und erlitten werden konnten.

Die amerikanische Miliz wuchs ebenfalls in einem Kontext verbreiteter politischer Unzufriedenheit und regierungsfeindlicher Stimmung in den Vereinigten Staaten heran. Diese Stimmung kam durch die Ausnutzung der „neokonservativen Revolution" seitens der Republikanischen Partei auch bei Wahlen zum Ausdruck (s. Kap. 5). Ein bedeutender Teil dieses neuen konservativen Wählerpotenzials hat seinen Ursprung im christlichen Fundamentalismus und anderen Bereichen des Meinungsspektrums, die in Verbindung mit der Patrioten-Bewegung stehen. Dies wurde in dem republikanischen Erdrutschsieg bei den Kongresswahlen 1994 und am relativen Erfolg der Buchanan-Kampagne bei den republikanischen Präsidentschaftsvorwahlen 1996 deutlich. Es gibt tatsächlich einen lockeren Zusammenhang zwischen den sich verschlechternden Lebensbedingungen in Amerika, der Erosion der traditionellen Parteipolitik, dem Aufstieg der rechtslibertären und populistischen Strömungen innerhalb der politischen Mitte, dem Gegenschlag der traditionellen Werte gegen die sozialen Veränderungsprozesse und der Desintegration der Familie und dem Auftreten der Patrioten-Bewegung. Diese Zusammenhänge sind entscheidend, wenn man die neue Beziehung zwischen der amerikanischen Gesellschaft und ihrem politischen System verstehen will.[52]

Die neuen sozialen Bewegungen sind daher bei all ihren Unterschieden Reaktionen gegen die Globalisierung und gegen ihre politischen Vertreter und wirken auf den fortgesetzten Prozess der Informationalisierung dadurch ein, dass sie die kulturellen Codes an den Wurzeln der neuen sozialen Institutionen verändern. In diesem Sinne erheben sie sich aus den Tiefen historisch erschöpfter sozialer Formen und beeinflussen dennoch auf komplexe Weise die Gesellschaft, die im Werden ist.

52 Baltz und Brownstein (1996).

Schluss: die Herausforderung der Globalisierung

Die sozialen Bewegungen, die ich in diesem Kapitel analytisiert habe, sind sehr unterschiedlich. Und doch fordern sie in ihren verschiedenartigen Formen, in denen sich ihre verschiedenartigen sozialen und kulturellen Wurzeln widerspiegeln, sämtlich die gegenwärtigen Prozesse der Globalisierung heraus. Sie tun dies im Namen ihrer konstruierten Identitäten, wobei sie in manchen Fällen den Anspruch erheben, zugleich auch die Interessen ihres Landes oder der Menschheit zu vertreten.

Die Bewegungen, die ich in diesem und in anderen Kapiteln dieses Bandes untersucht habe, sind nicht die einzigen, die sich den sozialen, wirtschaftlichen, kulturellen und umweltbezogenen Konsequenzen der Globalisierung entgegenstellen. In anderen Gegenden der Welt, etwa in Europa, treten ähnliche Widerstände gegen die kapitalistische Neustrukturierung und gegen die Zumutung neuer Regeln im Namen der Globalisierung auf der Grundlage der Arbeiterbewegung auf. So war der französische Streik vom Dezember 1995 eine machtvolle Manifestation dieser Opposition, in dem überaus französischen Ritual, das Gewerkschaften, Arbeiter und Studenten im Namen der Nation auf die Straße führte. Die Meinungsumfragen belegten eine starke Unterstützung für den Streik in der Gesamtbevölkerung, obwohl der Ausfall der öffentlichen Verkehrsmittel täglich Unannehmlichkeiten mit sich brachte. Weil es jedoch eine ausgezeichnete soziologische Analyse dieser Bewegung gibt, deren Interpretation ich in den wesentlichen Zügen teile,[53] verweise ich den Leser und die Leserin auf diese Analyse, um das kulturübergreifende Bild der Verweigerung des Prozesses der Globalisierung noch weiter zu diversifizieren. Diese und andere Bewegungen, die sich auf der ganzen Welt ausbreiten, setzen der neoliberalen Phantasievorstellung ein Ende, man könne durch den Einsatz von Computer-Architektur eine neue globale, von der Gesellschaft unabhängige Wirtschaft schaffen. Der große – explizite oder implizite – Plan zur Exklusion, nach dem Information, Produktion und Märkte in einem wertvollen Bevölkerungssegment konzentriert würden, während der Rest auf unterschiedliche, je nach gesellschaftlicher Stimmung mehr oder minder humane Weise entsorgt würde, ruft in der Formulierung von Touraine eine große Weigerung hervor, einen „*grand refus*". Aber die Transformation dieser Weigerung in die Rekonstruktion neuer Formen sozialer Kontrolle über neue Formen eines Kapitalismus, der globalisiert und informationalisiert ist, erfordert die Verarbeitung der Forderungen der sozialen Bewegungen durch das politische System und die staatlichen Institutionen. Die Fähigkeit oder das Unvermögen des Staates, mit den einander widerstreitenden Logiken des globalen Kapitalismus, auf Identität basierender Sozialbewegungen und defensiver Bewegungen von Arbeitern und Konsumenten zurechtzukommen, wird weitgehend die Zukunft der Gesellschaft im 21. Jahrhundert be-

---

53 Touraine u.a. (1996).

stimmen. Bevor wir jedoch die Dynamik des Staates im Informationszeitalter betrachten, müssen wir die neueren Entwicklungen einer anderen Art von machtvollen sozialen Bewegungen analysieren, die initiativ anstatt reaktiv sind: Umweltbewegung und Feminismus.

3 Das Ergrünen des Ich: die Umweltbewegung

Der grüne Politikansatz ist eine Art Feier. Wir erkennen, dass wir alle ein Teil der Probleme der Welt sind und dass wir auch Teil der Lösung sind. Die Gefahren und Möglichkeiten der Heilung liegen nicht nur außerhalb von uns selbst. Wir fangen genau da zu arbeiten an, wo wir sind. Wir können unser Leben einfacher gestalten und so leben, dass es ökologischen und menschlichen Werten entspricht. Es wird besser werden, weil wir angefangen haben ... Es lässt sich deshalb sagen, dass das vorrangige Ziel der grünen Politik eine innere Revolution ist, „das Ergrünen des Ich".

Petra Kelly, Thinking Green[1]

Wenn wir soziale Bewegungen nach ihrer historischen Produktivität bewerten sollen, nämlich nach ihren Folgen für kulturelle Wertvorstellungen und die Institutionen der Gesellschaft, so hat sich die Umweltbewegung des letzen Viertels des 20. Jahrhunderts einen besonderen Platz in der Landschaft des Abenteuers der Menschheit erworben. In den 1990er Jahren betrachten sich 80% der Amerikaner und über zwei Drittel der Europäer als umweltbewusst; Parteien und Kandidaten sind kaum wählbar, ohne dass ihr Programm „angegrünt" ist; Regierungen ebenso wie internationale Institutionen vervielfachen Programme, spezielle Behörden und Gesetzesinitiativen, um die Natur zu schützen, die Lebensqualität zu verbessern und letztlich die Erde auf lange Sicht und uns selbst auf kurze Sicht zu retten. Konzerne einschließlich einiger notorischer Umweltverschmutzer haben das Umweltproblem in ihre Öffentlichkeitsarbeit ebenso aufgenommen wie sie es zu einem ihrer vielversprechendsten Märkte gemacht haben. Und auf der ganzen Welt wurde die alte simplifizierende Gegenüberstellung von Entwicklung für die Armen und Naturschutz für die Reichen in eine vielschichtige Debatte darüber transformiert, was eigentlich der Inhalt nachhaltiger Entwicklung für jedes Land, jede Stadt und jede Region sei. Gewiss werden die meisten unserer grundlegenden Probleme im Umweltbereich bestehen bleiben, weil ihre Behandlung eine Transformation von Produktions- und Konsumtionsweisen ebenso erfordert wie die unserer Sozialorganisation und unseres persönlichen Lebens. Der Treibhauseffekt droht als tödliche Gefahr, der

1 In: *Essays by Petra Kelly (1947-1992)* (Kelly 1994: 39f). In diesem Zitat bezieht sie sich auf Joanna Macys Formulierung vom „Ergrünen des Ich" (Macy, 1991).

Regenwald brennt noch immer, toxische Chemikalien sind tief in die Nahrungskette eingedrungen, ein Ozean von Armut bedeutet die Verweigerung von Lebensrechten, und Regierungen spielen mit der Gesundheit der Menschen, wie dies in Majors Wahnsinn mit den britischen Rindern beispielhaft zum Ausdruck kommt. Und dennoch bleibt die Tatsache, dass all diese Fragen und viele weitere Gegenstand öffentlicher Debatte sind und dass zunehmend ein Bewusstsein davon enstanden ist, dass diese Probleme miteinander verkoppelt sind und dass sie global sind. Dies schafft die Grundlage für die Behandlung dieser Probleme und vielleicht auch für eine Neuorientierung von Institutionen und politischen Strategien hin zu einem ökologisch verantwortlichen sozioökonomischen System. Die vielgestaltige Umweltbewegung, die seit Ende der 1960er Jahre in den meisten Teilen der Welt mit Schwerpunkten in den Vereinigten Staaten und im nördlichen Teil Europas aufgetreten ist, liegt in hohem Maß der drastischen Richtungsänderung unserer Vorstellungen von der Beziehung zwischen Wirtschaft, Gesellschaft und Natur zugrunde und hat so zur Entstehung einer neuen Kultur geführt.[2]

Es ist jedoch etwas willkürlich, von der Umweltbewegung zu sprechen; denn sie ist in ihrer Zusammensetzung so unterschiedlich, und ihre Ausdrucksformen variieren so sehr von Land zu Land und zwischen den Kulturen. Bevor wir daher ihr Potenzial für Veränderung bewerten, werde ich eine typologische Differenzierung unterschiedlicher Komponenten der Umweltbewegung versuchen und für jeden Typus Beispiele anführen, um der Analyse Halt zu geben. Dann werde ich zu einer umfassenderen Analyse der Beziehung zwischen den Themen der Umweltbewegung und grundlegenden Dimensionen übergehen, in denen in unserer Gesellschaft strukturelle Transformationen erfolgen: Auseinandersetzungen über die Rolle von Wissenschaft und Technologie, um die Kontrolle von Raum und Zeit und um die Konstruktion neuer Identitäten. Nachdem ich die Umweltbewegungen in ihrer gesellschaftlichen Vielgestaltigkeit und ihren kulturellen Gemeinsamkeiten vorgestellt habe, analysiere ich, auf welchen Wegen und mit welchen Mitteln sie auf die Gesamtgesellschaft einwirken, und gehe so der Frage ihrer Institutionalisierung und ihrer Beziehung zum Staat nach. Abschließend wird die zunehmende Verknüpfung von Umweltbewegungen mit sozialen Kämpfen sowohl auf lokaler wie auf globaler Ebene entlang der zunehmend populären Perspektive der Umweltgerechtigkeit betrachtet.

---

2 Für einen Überblick über die Umweltbewegung s. u.a. Holliman (1990); Gottlieb (1993); Kaminiecki (1993); Shabecoff (1993); Dalton (1994); Alley u.a. (1995); Diani (1995); Brulle (1996); Wapner (1996).

Die kreative Kakophonie der Umweltbewegung: Eine Typologie

Kollektive Aktionen, Politik und Diskurse, die sich unter der Rubrik Umwelt gruppieren, sind so unterschiedlich, dass sie die Vorstellung von einer Bewegung in Frage stellen. Und doch behaupte ich, dass es gerade diese Kakophonie von Theorie und Praxis ist, die die Umweltbewegung als neue Form einer dezentralisierten, vielgestaltigen, netzwerkorientierten, allgegenwärtigen sozialen Bewegung kennzeichnet. Daneben werde ich zu zeigen versuchen, dass es einige grundlegende Themen gibt, die den größten Teil, wenn nicht das ganze umweltbezogene kollektive Handeln durchziehen. Um der Klarheit willen scheint es dennoch nützlich, der Analyse dieser Bewegung eine Unterscheidung und eine Typologie zugrunde zu legen.

Die Unterscheidung liegt zwischen Umweltbewegung (environmentalism) und Ökologie. Unter *Umweltbewegung* verstehe ich alle Formen kollektiven Verhaltens, die in ihrem Diskurs und in ihrer Praxis darauf abzielen, entgegen der herrschenden strukturellen und institutionellen Logik die destruktiven Formen der Beziehung zwischen menschlichem Handeln und seiner natürlichen Umwelt zu korrigieren. Unter *Ökologie* verstehe ich in meinem soziologischen Ansatz ein System von Überzeugungen, Theorien und Projekten, die die Menschheit als Bestandteil eines weiter gefassten Ökosystems verstehen und die Balance dieses Systems in einer dynamischen, evolutionären Perspektive bewahren möchten. Aus meiner Sicht ist Umweltbewegung Ökologie in der Praxis und Ökologie ist Umweltbewegung in der Theorie, aber auf den folgenden Seiten benutze ich den Terminus „Ökologie" nur für ausdrückliche, bewusste Manifestationen dieser holistischen, evolutionären Perspektive.

Für die Typologie greife ich wieder auf die nützliche Charakterisierung sozialer Bewegungen von Alain Touraine zurück, die im zweiten Kapitel vorgestellt wurde. Ich unterscheide dabei fünf Spielarten der Umweltbewegung, die sich während der letzten beiden Jahrzehnte auf internationaler Ebene *in beobachteter Praxis manifestiert* haben. Ich glaube, dass diese Typologie allgemeinen Wert besitzt, obwohl die meisten Beispiele aus der amerikanischen und der deutschen Erfahrung stammen, weil dies die am Weitesten entwickelten Umweltbewegungen der Welt sind und weil ich besseren Zugang zu Informationen hatte. Ich bitte um Verständnis für die übliche Ausschlussklausel über den unausweichlichen Reduktionismus dieser wie aller Typologien. Ich hoffe, dass dies durch Beispiele ausgeglichen wird, die dieser etwas abstrakte Charakterisierung das Fleisch und Blut wirklicher Bewegungen verleihen werden.

Schaubild 3.1 Typologie von Umweltbewegungen

Typus (Beispiel)	Identität	Gegner	Zielsetzung
Naturschutz (Group of Ten, USA)	Naturliebhaber	Unkontrollierte Entwicklung	Wildnis
Schutz des eigenen Bereichs (Not in my Back Yard)	Lokale Gemeinschaft	Umweltverschmutzer	Lebensqualität/ Gesundheit
Gegenkultur, Tiefenökologie (Earth First!, Ökofeminismus)	Das grüne Ich	Industrialismus, Technokratie und Patriarchalismus	Ökotopia
Rettung des Planeten (Greenpeace)	Internationalistische Öko-Kämpfer	Ungehemmte globale Entwicklung	Nachhaltigkeit
Grüne Politik (Die Grünen)	Engagierte Bürger	Politisches Establishment	Gegenmacht

Für unsere kurze Reise quer durch das Kaleidoskop der Umweltbewegung brauchen Sie eine Landkarte. Schaubild 3.1 liefert sie und erfordert ein paar Erläuterungen. Jeder Typus wird analytisch durch eine spezifische Kombination der drei Charakteristika definiert, die eine soziale Bewegung definieren: *Identität, Gegner* und *Ziel*. Für jeden Typus definiere ich den genauen Inhalt der drei Charakteristika, der sich aus Beobachtung ergibt, und benutze dabei verschiedene Quellen, auf die ich verweise. Dementsprechend gebe ich jedem Typus einen Namen und liefere Beispiele für Bewegungen, die am besten zu diesem Typus passen. Natürlich kann es in jeder einzelnen Bewegung oder Organisation eine Mischung zwischen diesen Charakteristika geben, aber ich wähle für analytische Zwecke diejenigen Bewegungen, die in ihrer wirklichen Praxis und in ihrem Diskurs dem Idealtypus am nächsten zu kommen scheinen. Nach einem Blick auf Schaubild 3.1 gebe ich eine kurze Beschreibung jedes der Beispiele, die die fünf Typen illustrieren, so dass die unterscheidbaren Stimmen der Bewegung durch die Kakophonie hindurch vernehmbar werden.

Der *Naturschutz* in seinen verschiedenen Formen stand am Anfang der Umweltbewegung in Amerika in Form von Organisationen wie des Sierra Club (1891 in San Francisco von John Muir gegründet), der Audubon Society oder der Wilderness Society.[3] Anfang der 1980er Jahre schlossen sich alte und neue Organisationen des *mainstream* der Umweltbewegung zu einem Bündnis zusammen, das als *Group of Ten* bekannt wurde. Sie umfasste neben den bereits genannten Organisationen die National Parks and Conservation Association, die National Wildlife Federation, den Natural Resources Defense Council, die Izaak Walton League, die Defenders of Wildlife, den Environmental Defense Fund und das Environmental Policy Institute. Ungeachtet der Unterschiede in den Ansätzen und der spezifischen Felder, auf denen sie intervenieren, ist das, was diese und viele andere nach ähnlichem Muster entstandene Organisationen

3 Allen (1987); Scarce (1990); Gottlieb (1993); Shabecoff (1993).

zusammenführt, ihre pragmatische Verteidigung von Anliegen des Naturschutzes im Rahmen des institutionellen Systems. In den Worten von Michael McCloskey, des Vorsitzenden des Sierra Club, lässt sich ihr Ansatz damit charakterisieren, „sich durchzuwursteln“: „Wir stammen aus der Bergsteigertradition, wo man zuerst einmal beschließt, den Berg zu besteigen. Man kann eine Vorstellung von der Route im Allgemeinen haben, aber man findet Hand- und Fußhalte, während man vorankommt und muss sich anpassen und sein Verhalten ständig wechseln.“[4] Der Gipfel, den sie besteigen wollen, ist die Bewahrung der Wildnis in ihren unterschiedlichen Formen und innerhalb der vernünftigen Grenzen, die im Rahmen des gegenwärtigen wirtschaftlichen und institutionellen Systems erreichbar sind. Ihre Gegner sind unkontrollierte Entwicklung und dickfellige Bürokratien wie das U.S. Bureau of Reclamation, die kein Interesse daran haben, unsere Naturschätze zu schützen. Sie definieren sich als Naturliebhaber und appellieren an dieses Gefühl in uns allen, unabhängig von sozialen Unterschieden. Sie arbeiten mit den Institutionen zusammen und nutzen sie und betreiben häufig eine sehr geschickte Lobbyarbeit mit großer politischer Hebelkraft. Sie stützen sich auf eine weit verzweigte Anhängerschaft, aber auch auf Spenden von wohlgesonnenen reichen Eliten und von Konzernen. Manche Organisationen wie der Sierra Club sind sehr groß (etwa 600.000 Mitglieder) und sind in Ortsgruppen organisiert, deren Aktionen und Ideologien sich untereinander erheblich unterscheiden und nicht immer in das Bild der Hauptströmung innerhalb der Umweltbewegung passen. Die meisten anderen wie etwa der Environmental Defense Fund, konzentrieren sich auf Lobbyarbeit sowie auf die Analyse und Verbreitung von Informationen. Sie praktizieren häufig eine Bündnispolitik, aber sie achten darauf, nicht von ihrem Schwerpunkt im Umweltbereich abgezogen zu werden, misstrauen radikalen Ideologien und spektakulären Aktionen, die sich nicht im Gleichklang mit der Mehrheit der öffentlichen Meinung befinden. Es wäre jedoch ein Fehler, die Naturschützer des *mainstream* der wahren, radikalen Umweltbewegung entgegenzustellen. So wurde etwa einer der historischen Führer des Sierra Club, David Brower, zur Inspirationsquelle für Anhänger der radikalen Umweltbewegung. Umgekehrt war David Foreman von Earth First! 1996 im Direktorium des Sierra Club. Es gibt ein großes Maß an Osmose in den Beziehungen zwischen den Naturschützern und den radikalen Ökologen, weil Ideologie gegenüber der gemeinsamen Sorge über eine unablässige Zerstörung der Natur in vielerlei Gestalt eher zweitrangig ist. Und das trotz heftiger Debatten und Konflikte innerhalb einer großen und vielfältigen Bewegung.

Die *Mobilisierung lokaler Gemeinschaften zur Verteidigung ihres Raumes* gegen das Eindringen unerwünschter Nutzungsformen bildet die am schnellsten zunehmende Form umweltbezogenen Handelns und auch diejenige, die vielleicht am direktesten die Sorgen der Menschen mit den weiterreichenden Pro-

4 zit. bei Scarce (1990: 15).

blemen der Umweltzerstörung verknüpft.[5] Diese Form der Bewegung wird häufig böswillig mit dem St. Florians-Prinzip nach der Devise *„Not in my Back Yard“* in Verbindung gebracht. Sie entwickelte sich in den Vereinigten Staaten in allererster Linie in der Form der Bewegung gegen Umweltgifte. Der Ausgangspunkt der Bewegung war 1978 der unrühmliche Love Canal-Zwischenfall, bei dem in Niagara Falls, New York illegal toxische Industrieabfälle abgeladen wurden. Lois Gibbs, die Hauseigentümerin, die bekannt wurde, weil sie darum kämpfte, die Gesundheit ihres Sohnes und auch den Wert ihres Hauses zu bewahren, gründete 1981 das Citizen's Clearinghouse for Hazardous Wastes. Nach Erhebungen des Clearinghouse gab es 1984 600 lokale Gruppen, die in den Vereinigten Staaten gegen die Ablagerung von Giftmüll kämpften. Bis 1988 stieg diese Zahl auf 4.687. Mit der Zeit mobilisierten sich Gemeinden auch gegen Autobahnbau, exzessive Entwicklung und die Ansiedlung gefährlicher Einrichtungen in ihrer Nähe. Die Bewegung ist zwar lokal, doch nicht unbedingt lokalistisch, denn sie macht oft das Recht der Einwohner auf Lebensqualität gegen wirtschaftliche und bürokratische Interessen geltend. Sicherlich besteht das Leben in einer Gesellschaft in Aushandlungsprozessen der Menschen untereinander als Einwohner, Arbeitende, Konsumenten, Pendler oder Reisende. Was durch diese Bewegungen in Frage gestellt wird, ist einerseits die Schlagseite bei der Platzierung unerwünschter Materialien und Tätigkeiten in Gegenden mit niedrigem Einkommen, oder solchen, die von Minderheiten bewohnt werden; andererseits der Mangel an Transparenz und Partizipation bei der Entscheidungsfindung über die Flächennutzung. Die Bürgerinnen und Bürger fordern deshalb eine Ausweitung lokaler Demokratie, verantwortliche Stadtplanung und Fairness bei der Verteilung der Lasten städtischer und industrieller Entwicklung, und sie wollen zugleich vermeiden, gefährlichen Abfallstoffen oder Einrichtungen ausgesetzt zu sein. Epstein schlussfolgert denn auch in ihrer Analyse der Bewegung:

> Wenn die Bewegung für Gerechtigkeit gegenüber Umweltgiften und in Umweltfragen fordert, dem Staat mehr Macht zu geben, um regulierend in die Tätigkeit von Konzernen einzugreifen, also einen Staat fordert, der gegenüber der Öffentlichkeit und nicht gegenüber den Konzernen verantwortlich ist, so ist dies völlig angemessen und könnte die Grundlage für die weitergehende Forderung sein, staatliche Macht gegenüber Konzernen stärker geltend zu machen und auszuweiten sowie staatliche Macht zum öffentlichen Wohl auszuüben und vor allem zum Wohl derer, die am verwundbarsten sind.[6]

In anderen Fällen, in Vorstädten der Mittelklasse, orientierte sich die Mobilisierung unter den Einwohnern stärker auf die Bewahrung ihres status quo gegen unerwünschte Veränderungen. Doch ungeachtet ihres Klasseninhaltes verfolgten alle Formen des Protestes das Ziel, namens der lokalen Gemeinschaft Kontrolle über die Umwelt herzustellen, in der sie lebte. Und in diesem Sinne sind defen-

---

5 Gottlieb (1993); Szasz (1994); Epstein (1995).
6 Epstein (1995: 20).

sive lokale Mobilisierungsprozesse sicherlich ein wesentlicher Bestandteil der breiteren Umweltbewegung.

Die Umweltbewegung hat auch einigen der Gegen-Kulturen Nahrung gegeben, die aus den Bewegungen der 1960er und 1970er Jahren hervorgegangen sind. Unter Gegen-Kultur verstehe ich den bewussten Versuch, nach Normen zu leben, die sich von denjenigen unterscheiden, die von den gesellschaftlichen Institutionen erzwungen werden und ihnen teilweise auch widersprechen, ferner auch die Gegnerschaft gegenüber diesen Institutionen auf der Grundlage alternativer Prinzipien und Überzeugungen. Einige der machtvollsten unter den gegen-kulturellen Strömungen unserer Zeit finden darin Ausdruck, dass man sich allein an die Gesetze der Natur gebunden sieht und so den Vorrang des Respekts vor der Natur gegenüber jeglicher menschlichen Institution bekräftigt. Aus diesem Grund halte ich es für sinnvoll, unter dem Begriff der *gegenkulturellen Umweltbewegung* Ausdrucksformen zusammenzufassen, die scheinbar so unterschiedlich sind wie die radikale Umweltbewegung (etwa Earth First! oder Sea Shepherds), die Tierbefreiungsbewegung und den Ökofeminismus.[7] Denn ungeachtet ihrer Unterschiede und des Mangels an Koordination zwischen ihnen sind den meisten dieser Bewegungen doch die Vorstellungen der Denker und Denkerinnen der „Tiefenökologie" gemeinsam, für die etwa der norwegische Autor Arne Naess steht. Nach Arne Naess und George Sessions sind die Grundprinzipien der „Tiefenökologie" Folgende:

> (1) Wohlbefinden und Gedeihen menschlichen und nichtmenschlichen Lebens auf der Erde sind Werte an sich. Diese Werte sind unabhängig vom Nutzen der nichtmenschlichen Welt für menschliche Zwecke. (2) Der Reichtum und die Vielfalt der Lebensformen tragen zur Verwirklichung dieser Werte bei und stellen auch Werte an sich dar. (3) Die Menschen haben kein Recht, diesen Reichtum und diese Vielfalt zu vermindern, es sei denn zur Befriedigung lebensnotwendiger Bedürfnisse. (4) Die Blüte des menschlichen Lebens und der menschlichen Kulturen ist vereinbar mit einer bedeutenden Verminderung der menschlichen Bevölkerung. Die Blüte des nichtmenschlichen Lebens erfordert eine solche Verminderung. (5) Die gegenwärtigen menschlichen Eingriffe in die nichtmenschliche Welt sind exzessiv, und die Situation verschlechtert sich schnell. (6) Deshalb muss die Politik geändert werden. Diese Politik betrifft grundlegende wirtschaftliche, technologische und ideologische Strukturen. Die sich daraus ergebende Lage der Dinge wird sich von der Gegenwart tiefgreifend unterscheiden. (7) Der ideologische Wandel betrifft in der Hauptsache die Wertschätzung der Lebensqualität – Zuhausesein in Situationen mit intrinsischem Wert – gegenüber dem Festhalten an einem zunehmend hohen Lebensstandard. Das führt zu einem tiefen Verständnis für den Unterschied zwischen zahlenmäßig-physischer und innerer Größe. (8) Diejenigen, die den vorgenannten Punkten zustimmen, sind zu dem Versuch verpflichtet, direkt oder indirekt die notwendigen Veränderungen zu verwirklichen.[8]

Um sich dieser Verpflichtung zu stellen, gründete Ende der 1970er Jahre eine Reihe radikaler Ökologen unter Führung von David Foreman, einem ehemali-

7 Zu Quellen s. Adler (1979); Spretnak (1982); Manes (1990); Scarce (1990); Davis (1991); Dobson (1991); Epstein (1991); Moog (1995).

8 Naess und Sessions (1984); wiedergegeben in Davis (1991: 157f).

gen Angehörigen des Marine Corps, der zum Öko-Krieger geworden war, in New Mexico und Arizona Earth First!, eine kompromisslose Bewegung, die sich im zivilen Ungehorsam und in „Ökotage“[9] engagierte. Sie gingen gegen Dammbauten, Holzeinschlag und andere Übergriffe gegen die Natur vor und nahmen dabei das Risiko von Strafverfolgung und Gefängnis auf sich. Die Bewegung und einige andere Organisationen, die ihr folgten, war völlig dezentralisiert und bestand aus autonomen „Stämmen“, die sich periodisch unter Beachtung der Riten und Festtage der Indianer trafen und selbstständig über ihre Aktionen befanden. Tiefenökologie war die ideologische Grundlage der Bewegung und nimmt einen herausragenden Platz in *The Earth First! Reader* ein, der mit einem Vorwort von David Foreman erschien.[10] Aber ebenso einflussreich oder sogar noch wichtiger war der Roman *Monkey Wrench Gang* von Abbey, der von einer gegen-kulturellen Gruppe von Öko-Guerrillas handelt, die zu Rollenmodellen für viele radikale Ökologen wurden. „Monkeywrenching“, die Befreiung von Affen, wurde sogar zu einem Synonym für die Öko-Sabotage. In den 1990er Jahren scheint die Tierbefreiungsbewegung, die sich auf den entschiedenen Widerstand gegen Tierversuche konzentriert, der militanteste Flügel des ökologischen Fundamentalismus zu sein.

Der Ökofeminismus wahrt eine deutliche Distanz zu den „Macho-Taktiken“ einiger dieser Bewegungen. Trotzdem teilen die Ökofeministinnen mit ihnen den absoluten Respekt vor der Natur als Grundlage der Befreiung von Patriarchalismus und Industrialismus. Sie sehen die Frauen als Opfer derselben patriarchalischen Gewalt, die der Natur angetan wird. Und deshalb ist die Wiederherstellung naturgegebener Rechte untrennbar verbunden mit der Frauenbefreiung. In den Worten von Judith Plant:

> Historisch haben Frauen in der Welt außerhalb des Heims keine wirkliche Macht gehabt, keinen Platz in der Entscheidungsfindung. Das intellektuelle Leben, die Kopfarbeit waren traditionell Frauen nicht zugänglich. Frauen waren im Allgemeinen passiv, wie dies auch auf die Natur zutraf. Heute jedoch spricht die Ökologie für die Erde, für das „Andere“ in den Beziehungen zwischen Menschen und Umwelt. Und der Ökofeminismus, der für die ursprünglichen Anderen spricht, sucht die miteinander verbundenen Wurzeln aller Herrschaft zu verstehen und ebenso Wege des Widerstandes mit dem Ziel der Veränderung.[11]

Manche Strömungen des Ökofeminismus wurden auch von Carolyn Merchants kontroverser historischer Rekonstruktion inspiriert, die auf vorgeschichtliche, natürliche Gesellschaften zurückgriff, die frei waren von männlicher Herrschaft, ein matriarchalisches Goldenes Zeitalter, in dem Harmonie zwischen Natur und Kultur herrschte und als Männer wie Frauen die Natur in der Form der Göttin anbeteten.[12] Vor allem in den 1970er Jahren gab es auch eine interessante Ver-

---

9 In Analogie zu „Sabotage“, d.Ü.
10 Davis (1991).
11 Plant (1991: 101).
12 Merchant (1987); s. auch Spretnak (1982); Moog (1995).

bindung zwischen Umweltbewegung, spirituellem Feminismus und Neo-Paganismus, der manchmal darin zum Ausdruck kam, dass militante Hexen, die der Zunft angehörten, ökofeministische und gewaltlose direkte Aktionen unternahmen.[13]

So umfasst die radikale Ökologie eine Vielfalt von Formen. Sie reicht von der Taktik der Öko-Guerilla bis zum Spiritualismus und begreift Tiefenökologie sowie Ökofeminismus mit ein. Sie alle verknüpfen Umweltaktionen mit kultureller Revolution und verbreitern mit ihrer Konstruktion eines *Ökotopia* das Blickfeld einer allumfassenden Umweltbewegung.

Greenpeace ist die größte Umweltorganisation der Welt und wahrscheinlich auch diejenige, die mit ihren medienorientierten, gewaltlosen direkten Aktionen globale Umweltprobleme am meisten popularisiert hat.[14] Greenpeace wurde anlässlich einer Protestaktion gegen Atomkraft vor der Küste Alaskas 1971 in Vancouver gegründet und hatte später sein Hauptquartier in Amsterdam. Es hat sich zu einer transnationalen, vernetzten Organisation entwickelt, die 1994 weltweit sechs Millionen Mitglieder und ein Jahreseinkommen von über US$ 100 Mio. hatte. Sein deutliches Profil als Umweltbewegung ergibt sich aus drei Hauptkomponenten. Erstens einem Gefühl der Dringlichkeit, was die unmittelbar drohende Vernichtung des Lebens auf dem Planeten angeht. Dieses Gefühl ist durch die indianische Legende aus Nordamerika inspiriert: „Wenn die Erde krank ist und die Tiere verschwunden sind, wird ein Stamm von Menschen aller Glaubensrichtungen, aller Farben und aller Kulturen kommen, die an Taten und nicht an Worte glauben, und die der Erde ihre vorherige Schönheit zurückgeben werden. Dieser Stamm wird ‚Regenbogenkrieger' heißen."[15] Zweitens einer von den Quäkern inspirierten Einstellung, Zeugnis abzulegen, sowohl als Handlungsprinzip wie als Kommunikationsstrategie. Drittens einer geschäftsmäßigen, pragmatischen Einstellung, die großenteils vom historischen Führer und Vorstandsvorsitzenden von Greenpeace, David McTaggart inspiriert ist, „die Dinge zu erledigen". Keine Zeit für philosophische Debatten: Schlüsselfragen müssen unter Einsatz von Wissen und Forschungstechniken auf dem gesamten Planeten erkannt werden; spezifische Kampagnen müssen auf deutlich sichtbare Ziele hin organisiert werden; dem folgen spektakuläre, auf Medieninteresse ausgerichtete Aktionen. Dadurch werden die Augen der Öffentlichkeit auf ein bestimmtes Problem gelenkt, und Unternehmen, Regierungen und internationale Institutionen werden vor die Alternative gestellt, zu handeln oder weiter auf unerwünschte Weise der Öffentlichkeit ausgesetzt zu werden. Greenpeace ist gleichzeitig eine hochgradig zentralisierte Organisation und ein global dezentralisiertes Netzwerk. Es wird durch einen Rat von Länderrepräsentanten

---

13 Adler (1979); Epstein (1991).

14 Hunter (1979); Eyerman und Jamison (1989); DeMont (1991); Horton (1991); Ostertag (1991); Melchett (1995); Wapner (1995, 1996).

15 Greenpeace Environmental Fund, zit. nach Eyerman und Jamison (1989: 10).

sowie durch einen kleinen geschäftsführenden Vorstand und regionale Treuhänder für Nordamerika, Lateinamerika, Europa und den Pazifik kontrolliert. Seine Ressourcen sind nach Kampagnen aufgeteilt, von denen jede nach Problemfeldern untergliedert ist. Mitte der 1990er Jahre waren die wichtigsten Kampagnen: Gifte, Energie und Atmosphäre, nukleare Probleme und ozeanisch-terrestrische Ökologie. Büros in 30 Ländern der Welt dienen dazu, die Kampagnen zu koordinieren sowie Geld und Unterstützung auf nationaler und lokaler Ebene zu sammeln; dabei zielen die meisten Aktionen auf globale Wirkung ab, weil die wichtigsten Umweltprobleme global sind. Greenpeace sieht seinen Gegner in einem Entwicklungsmodell, das durch einen Mangel an Interesse für die Folgen gekennzeichnet ist, die es selbst für das Leben auf dem Planeten hat. Dementsprechend mobilisiert Greenpeace, um das Prinzip der ökologischen Nachhaltigkeit als übergreifendes Prinzip durchzusetzen, dem sich alle anderen politischen Strategien und Aktivitäten unterordnen müssen. Angesichts der Bedeutung ihrer Mission haben die „Regenbogenkrieger" wenig Interesse daran, sich auf Diskussionen mit anderen Umweltgruppen einzulassen. Sie kümmern sich unbeschadet individueller Unterschiede in der Einstellung ihrer riesigen Mitgliederschaft nicht um Fragen der Gegen-Kultur. Sie sind auf resolute Weise internationalistisch und verstehen den Staat als das Haupthindernis, wenn es darum geht, die gegenwärtige ungehemmte und destruktive Entwicklung unter Kontrolle zu bringen. Sie befinden sich im Krieg gegen ein Entwicklungsmodell des ökologischen Selbstmordes und versuchen, an jeder Aktionsfront unmittelbare Ergebnisse zu erzielen. Das geht von der Bekehrung der deutschen Kühlschrankindustrie zur FCKW-freien Technologie, was zum Schutz der Ozonschicht beiträgt, bis zur Einflussnahme auf die Einschränkung des Walfangs und zur Schaffung eines Schutzgebietes für Wale in der Antarktis. Die „Regenbogenkrieger" stehen am Kreuzungspunkt zwischen einer für das Leben eintretenden Wissenschaft, globaler Vernetzung, Kommunikationstechnologie und der Solidarität zwischen den Generationen.

Die *grüne Politik* erscheint auf den ersten Blick nicht selbst als Typus von Bewegung, sondern vielmehr als spezifische Strategie, die darin besteht, im Namen der Umweltbewegung in den Bereich institutionalisierter Politik einschließlich Wahlen einzugreifen. Ein genauer Blick auf das wichtigste Beispiel grüner Politik, *Die Grünen,* zeigt jedoch deutlich, dass es ursprünglich nicht um die übliche, routinemäßige Politik ging.[16] Die deutsche grüne Partei wurde am 13. Januar 1980 auf der Grundlage einer Koalition zwischen Basisbewegungen gegründet. Sie ist im strengen Sinn keine Umweltbewegung, selbst wenn sie wahrscheinlich bei der Vertretung von Umweltanliegen in Deutschland wirkungsvoller gewesen ist als ir-

16 S. aus einem Meer von Quellen über die deutsche grüne Partei Langguth (1984); Hulsberg (1988); Wiesenthal (1993); Scharf (1994) und vor allem Poguntke (1993) und Frankland (1995). „Die Grünen" hier sowie „Waldsterben" weiter unten im Absatz im Original deutsch, d.Ü.

gend eine andere europäische Bewegung in ihrem jeweiligen Land. Die Hauptkraft, die ihrer Gründung zugrunde lag, waren die Bürgerinitiativen der späten 1970er Jahre, die sich vor allem zur Mobilisierung für den Frieden und gegen Atomkraftwerke organisierten. In einzigartiger Weise führte die Partei Veteranen der Bewegungen der 1960er Jahre mit Feministinnen zusammen, die diese Identität für sich durch die Auseinandersetzung mit dem Sexismus der Revolutionäre der 1960er Jahre entdeckt hatten; weiter gehörten zu dieser ungewöhnlichen Mischung Jugendliche und Leute aus den gebildeten Mittelschichten, deren Anliegen vor allem Frieden, der Kampf gegen Atomkraft, Umwelt (Waldsterben), die Lage der Welt, persönliche Freiheiten und Basisdemokratie waren.

Die Gründung und der schnelle Erfolg der Grünen – sie kamen 1983 in den Bundestag – leiteten sich aus sehr ungewöhnlichen Umständen her. Vor allem gab es in Deutschland jenseits von CDU/CSU, SPD und FDP, die sich in den 1960er und 1970er Jahren an der Regierung abgelöst und alle sogar miteinander einmal koaliert hatten, wirklich keine politischen Ausdrucksmöglichkeiten für sozialen Protest: 1976 gingen 99% der Wählerstimmen an diese drei Parteien. Es gab daher vor allem unter Jugendlichen ein Potenzial unzufriedener Wählerinnen und Wähler, das auf eine Ausdrucksmöglichkeit wartete. Finanzskandale mit großer politischer Wirkung (die Flick-Affäre) hatten den Ruf aller politischer Parteien erschüttert und auf ihre Abhängigkeit von Industriespenden hingewiesen. Außerdem unterstützte das, was in der Politikwissenschaft als „politische Opportunitätsstruktur“ bezeichnet wird, die Gründung einer Partei und den Zusammenhalt zwischen ihren unterschiedlichen Bestandteilen: Unter anderem erhielt die Bewegung bedeutende staatliche Gelder, und die Fünfprozentklausel im deutschen Wahlrecht disziplinierte die ansonsten in Fraktionen zerklüfteten Grünen. Die meisten Wählerinnen und Wähler der Grünen waren jung, Studierende, Lehrerinnen und Lehrer oder Mitglieder anderer Kategorien mit Distanz zur industriellen Produktion, entweder arbeitslos – aber staatlich unterstützt – oder im Staatsdienst. Ihr Programm umfasste Ökologie, Frieden, Verteidigung staatsbürgerlicher Freiheiten, Schutz von Minderheiten und Einwanderern, Feminismus und partizipative Demokratie. Zwei Drittel der grünen Parteiführung beteiligten sich in den 1980er Jahren aktiv an unterschiedlichen sozialen Bewegungen. So stellten sich Die Grünen in den Worten von Petra Kelly als „Anti-Parteien-Partei“ dar, die „eine Politik auf der Grundlage eines neuen Machtverständnisses“ anstrebte, „einer ‚Gegen-Macht‘ die allen natürlich ist und allen gemeinsam sein und von allen für alle eingesetzt werden soll“.[17] Dementsprechend ließen sie gewählte Vertreterinnen und Vertreter rotieren und fällten die meisten Entscheidungen auf Versammlungen. Dabei folgten sie der anarchistischen Tradition, die die Grünen in stärkerem Maße inspirierte, als die Grünen dies einräumen wollten. Der Härtetest der wirklichen Politik hat diese Experimente nach ein paar Jahren im Großen und Ganzen beendet, vor

17 Kelly (1994: 37).

allem nach dem Wahldebakel von 1990, das in der Hauptsache durch das völlige Unverständnis der Grünen für die Bedeutung der deutschen Einigung zustande kam – eine Einstellung, die ihrer Frontstellung gegen den Nationalismus entsprach. Der latente Konflikt zwischen Realos (pragmatischen Führern, die versuchten, das grüne Programm über die Institutionen voran zu bringen) und Fundis (die den Grundprinzipien von Basisdemokratie und Ökologie treu blieben) brach 1991 offen aus. Ein Bündnis zwischen Zentristen und Pragmatikern kontrollierte nun die Partei. Nach Reorientierung und Reorganisierung fand die deutsche grüne Partei in den 1990er Jahren zu ihrer Stärke zurück, kam wieder in den Bundestag und errang starke Positionen in Landesregierungen und Stadtverwaltungen, vor allem in Berlin, Frankfurt, Bremen und Hamburg, wo sie manchmal im Bündnis mit den Sozialdemokraten regierte. Es war jedoch nicht mehr dieselbe Partei. Vielmehr war sie wirklich zu einer politischen Partei geworden. Außerdem besaß diese Partei nicht mehr das Monopol auf Umweltfragen, denn die Sozialdemokraten und selbst die Liberalen öffneten sich sehr viel stärker neuen Ideen, die von sozialen Bewegungen aufgeworfen wurden. Und dann war Deutschland in den 1990er Jahren ein ganz anderes Land. Es gab keine Kriegsgefahr, aber wirtschaftlichen Niedergang. Verbreitete Jugendarbeitslosigkeit und der Abbau des Wohlfahrtsstaates wurden für die „ergrauende" grüne Wählerschaft zu weit dringlicheren Problemen als die Kulturrevolution. Die Ermordung von Petra Kelly 1992, wahrscheinlich durch ihren Lebensgefährten, der danach Selbstmord beging, wies auf dramatische Weise auf die Grenzen hin, auf die eine Flucht aus der Gesellschaft im Alltagsleben stößt, wenn die grundlegenden wirtschaftlichen, politischen und psychologischen Strukturen unangetastet bleiben. Durch grüne Politik wurde die grüne Partei jedoch als die solide Linke des *fin-de-siècle*-Deutschland konsolidiert, und die rebellische Generation der 1970er Jahre hielt auch in höherem Alter an den meisten ihrer Werte fest und gab sie durch ihre Lebensweise an ihre Kinder weiter. So entstand aus dem grünen Experiment mit Politik ein in kultureller wie in politischer Hinsicht sehr viel anderes Deutschland. Aber das eherne Gesetz des sozialen Wandels, dass es unmöglich ist, Partei und Bewegung miteinander zu integrieren, ohne entweder beim Totalitarismus (Leninismus) oder beim Reformismus auf Kosten der Bewegung (Sozialdemokratie) zu landen, erhielt hier eine neuerliche Bestätigung.

Der Sinn des Ergrünens: Gesellschaftliche Probleme und ökologische Herausforderungen

Naturschutz, das Streben nach Umweltqualität und ein ökologisches Lebenskonzept sind Ideen des 19. Jahrhunderts, die in ihrer spezifischen Ausdrucksform lange Zeit auf aufgeklärte Eliten in den herrschenden Ländern beschränkt geblieben sind.[18] Sie waren häufig das Reservat der feinen ländlichen Gesellschaft, die von der Industrialisierung überrollt worden war, wie bei den Anfängen der Audubon Society in den Vereinigten Staaten. In anderen Fällen war eine kommunal-utopische Komponente der Nährboden für frühe Ökologen wie im Falle Kropotkins. Diese Strömung hat den Anarchismus auf immer mit der Ökologie in einer Tradition verbunden, die in unserer Zeit am besten von Murray Bookchin vertreten wird. Aber für nahezu ein Jahrhundert ist dies immer eine begrenzte intellektuelle Tendenz geblieben, die sich vor allem zum Ziel setzte, das Bewusstsein mächtiger Einzelpersonen zu beeinflussen, die dann Naturschutzgesetze voranbringen oder ihren Reichtum für die gute Sache der Natur spenden würden. Selbst da, wo soziale Bündnisse geschmiedet wurden (etwa zwischen Robert Marshall und Catherine Bauer in den Vereinigten Staaten der 1930er Jahre), ergaben sie eine Politik, in der wirtschaftliche Fragen und Probleme der sozialen Wohlfahrt strukturell den höchsten Stellenwert erhielten.[19] Zwar gab es einflussreiche und mutige Pionierinnen wie Alice Hamilton und Rachel Carson in den Vereinigten Staaten, aber erst in den späten 1960er Jahren entstand sowohl an der Basis wie in der öffentlichen Meinung zuerst in den Vereinigten Staaten, in Deutschland und Westeuropa eine Massenbewegung, die sich dann schnell auf die gesamte Welt ausbreitete, in den Norden und Süden, Westen und Osten. Wie kam das? Warum fingen die ökologischen Ideen plötzlich Feuer auf des Planeten ausgedörrten Prärien der Sinnlosigkeit? Ich stelle die Hypothese auf, dass es einen unmittelbaren Zusammenhang zwischen den Themen gibt, die von der Umweltbewegung vorgebracht werden, und den fundamentalen Dimensionen der neuen Gesellschaftsstruktur, der Netzwerkgesellschaft, die sich seit den 1970er Jahren herausbildete: Wissenschaft und Technologie als die grundlegenden Zielsetzungen und Werkzeuge von Wirtschaft und Gesellschaft; Transformation des Raumes; Transformation der Zeit; und Herrschaft abstrakter, globaler Ströme von Reichtum, Macht und Information, die virtuelle Realitäten über Mediennetzwerke aufbauen, über die kulturelle Identität. Sicher können wir in dem chaotischen Universum der Umweltbewegung alle diese Themen ebenso wie in manchen Fällen keines davon finden. Ich behaupte jedoch, dass es einen impliziten, zusammenhängenden ökologischen Diskurs gibt, der quer zu unterschiedlichen politischen Orientierungen und sozialen Ursprüngen innerhalb der Bewegung verläuft und den Bezugsrahmen bildet, aus dem heraus unterschiedlichen Themen zu unterschiedlichen Zeitpunkten und für unterschiedliche Zwecke besondere Beachtung geschenkt wird.[20] Natürlich gibt es innerhalb der verschiedenen Komponenten der

18 Bramwell (1989, 1994).

19 Gottlieb (1993).

20 Zu Belegen für die Präsenz und Bedeutung dieser Themen in den Umweltbewegungen mehrerer Länder s. Dickens (1990); Dobson (1990); Scarce (1990); Epstein (1991); Zisk (1992); Coleman und Coleman (1993); Gottlieb (1993); Shabecoff (1993); Bramwell (1994); Porrit (1994); Riechmann und Fernandez Buey (1994); Moog (1995).

Umweltbewegung sowie zwischen ihnen scharfe Konflikte und deutliche Meinungsunterschiede. Jedoch geht es bei diesen Meinungsverschiedenheiten häufiger um Taktik, Prioritäten und Sprache, als um die grundlegende Stoßrichtung, die darin besteht, dass die Verteidigung spezifischer Umweltbereiche mit neuen menschlichen Werten verbunden wird. Auf die Gefahr übermäßiger Vereinfachung hin werde ich die wesentlichen Linien des Diskurses, die in der Umweltbewegung vorhanden sind, in vier übergreifenden Themen zusammenfassen.

Erstens *eine zweideutige, tiefe Verbindung zu Wissenschaft und Technologie.* Wie Bramwell schreibt, „war die Entwicklung der grünen Ideen die Revolte der Wissenschaft gegen die Wissenschaft, zu der es gegen Ende des 19. Jahrhunderts in Europa und Nordamerika gekommen ist".[21] Diese Revolte intensivierte sich während der 1970er Jahre und breitete sich aus. Das geschah gleichzeitig mit der informationstechnologischen Revolution und mit der außergewöhnlichen Entwicklung des biologischen Wissens durch Computermodelle, die darauf folgte. Wissenschaft und Technologie spielen in der Umweltbewegung eine wirklich grundlegende, wenn auch widersprüchliche Rolle. Einerseits besteht ein tiefes Misstrauen gegenüber den guten Eigenschaften fortgeschrittener Technologie, das in einigen extremen Ausdrucksformen zu neo-ludditischen Ideologien führt, für die Kirckpatrick Sale steht. Andererseits beruht die Bewegung zu großen Teilen auf der Sammlung, Analyse, Interpretation und Verbreitung wissenschaftlicher Information über die Interaktion zwischen von Menschen hergestellten Artefakten und der Umwelt. Das geschieht manchmal mit erheblicher Sachkenntnis. Die großen Umweltorganisationen haben gewöhnlich wissenschaftliches Fachpersonal angestellt, und in den meisten Ländern besteht eine enge Verbindung zwischen Wissenschaftlern, Hochschulen und Umweltaktivisten.

Die Umweltbewegung beruht auf Wissenschaft. Manchmal handelt es sich um minderwertige Wissenschaft, aber das ändert nichts an dem Anspruch zu wissen, was mit der Natur und den Menschen geschieht und die Wahrheit zu enthüllen, die durch handfeste Interessen von Industrialismus, Kapitalismus, Technokratie und Bürokratie verborgen gehalten wird. Zwar stehen die Ökologen der Beherrschung des Lebens durch die Wissenschaft kritisch gegenüber, aber sie setzen die Wissenschaft doch zugleich ein, um der Wissenschaft im Namen des Lebens entgegenzutreten. Das dabei vertretene Prinzip ist nicht die Negation von Wissen, sondern überlegenes Wissen: die Weisheit einer holistischen Sichtweise, die in der Lage ist, über die bruchstückhaften Ansätze und kurzatmigen Strategien hinauszukommen, die mit der Befriedigung primitiver Instinkte verbunden sind. In diesem Sinne zielt die Umweltbewegung darauf ab, die soziale Kontrolle über die Produkte des menschlichen Geistes wiederzuerlangen, bevor Wissenschaft und Technologie ein selbstständiges Leben beginnen und Maschinen uns und der Natur ihren Willen aufzwingen – eine uralte Menschheitsangst.

---

21 Bramwell (1994: vii).

Kämpfe um strukturelle Veränderungen laufen auf den Kampf um die historische Neubestimmung der beiden fundamentalen, materiellen Ausdrucksformen der Gesellschaft hinaus: Raum und Zeit. Und wirklich ist die *Kontrolle über den Raum und die Betonung der Ortsgebundenheit* ein weiteres wesentliches und wiederkehrendes Thema verschiedener Komponenten der Umweltbewegung. Ich habe in Band I, Kapitel 6 die Idee eines grundlegenden Gegensatzes entwickelt, der in der Netzwerkgesellschaft zwischen zwei Raumlogiken auftritt: dem Raum der Ströme und dem Raum der Orte. Der Raum der Ströme organisiert mittels Telekommunikation und Informationssystemen die Gleichzeitigkeit sozialer Praxis über Entfernungen hinweg. Der Raum der Orte privilegiert die soziale Interaktion und die institutionelle Organisation aufgrund von physischer Nähe. Was die neue Gesellschaftsstruktur, die Netzwerkgesellschaft, auszeichnet, ist dies: Die meisten der herrschenden Prozesse, in denen sich Macht, Reichtum und Information konzentrieren, sind im Raum der Ströme organisiert. Der größte Teil von menschlicher Erfahrung und Sinn bleibt weiter lokal verankert. Die Trennung zwischen diesen beiden räumlichen Logiken ist ein grundlegender Herrschaftsmechanismus in unseren Gesellschaften. Sie verlagert nämlich die zentralen wirtschaftlichen, symbolischen und politischen Prozesse weg aus dem Bereich, in dem sozialer Sinn aufgebaut und politische Kontrolle ausgeübt werden können. Damit stellt die Betonung des Ortes und der Kontrolle der Menschen über ihren Lebensraum durch die Ökologen eine Herausforderung für einen der wichtigsten Hebel des neuen Machtsystems dar. Das gilt selbst für die überaus defensiven Ausdrucksformen wie die Kämpfe nach dem „St. Florians"-Prinzip, in denen der Vorrang lokalen Lebens gegenüber den Nutzungsformen verteidigt wird, die dem Raum von „äußeren Interessen" zugewiesen werden, etwa durch Unternehmen, die Giftmüll abladen, oder Flughäfen, die ihre Startbahnen erweitern. Auch sie haben die tiefe Bedeutung, dass sie abstrakte Prioritäten technischer und wirtschaftlicher Interessen zugunsten der wirklichen Erfahrungen der wirklichen Nutzung durch wirkliche Menschen bestreiten. Was durch den umweltbezogenen Lokalismus in Frage gestellt wird, ist der Verlust des Zusammenhangs zwischen diesen unterschiedlichen Funktionen oder Interessen, der durch das Prinzip der vermittelten Repräsentation hergestellt wurde und nun durch eine abstrakte, technologische Rationalität ersetzt werden soll, die von unkontrollierten Wirtschaftsinteressen und nicht rechenschaftspflichtigen Technokratien ausgeübt wird. So entwickelt sich die Logik dieser Argumentation zu einer Sehnsucht nach Regierung im kleinen Maßstab, die die lokale Gemeinschaft und die Bürgerbeteiligung privilegieren soll: *Basisdemokratie ist das implizite Modell der meisten ökologischen Bewegungen.* In den am weitesten ausgearbeiteten Alternativen ist das Geltendmachen des Ortes als Quelle von Sinn und die Betonung lokaler Regierung mit den Selbstverwaltungsidealen der anarchistischen Tradition verbunden; dazu gehören Kleinproduktion und Betonung der Selbstversorgung, was zum Bekenntnis zur Enthaltsamkeit, zur Kritik am demonstrativen Konsum und am Ersatz des Gebrauchswertes des Lebens durch den Tauschwert des Geldes führt. Gewiss sind Leute, die gegen eine Giftmülldeponie in ihrer Nachbarschaft protestieren, keine Anarchisten, und nur wenige von ihnen wären wirklich bereit, ihr ganzes Leben, so wie es ist, zu ändern. Doch die innere Logik der ganzen Überlegung, der Zusammenhang zwischen der Verteidigung des Ortes, der einer Person zugehört, gegen die Imperative des Raumes der Ströme und der Stärkung der wirtschaftlichen und politischen Grundlagen des Standortes, ermöglicht der öffentlichen Wahrnehmung etwa dann schlagartige Einsichten in einige dieser Verbindungen, wenn es zu einem symbolischen Ereignis wie dem Bau eines Atomkraftwerkes kommt. So werden die Bedingungen dafür geschaffen, dass Alltagsprobleme und Projekte einer alternativen Gesellschaft zusammenfließen: Und so kommen soziale Bewegungen zustande.

Neben dem Raum *geht es in der Netzwerkgesellschaft um die Kontrolle der Zeit, und die Umweltbewegung ist wahrscheinlich der wichtigste Akteur bei der Herausarbeitung einer neuen, revolutionären Zeitlichkeit.* Das ist ebenso wichtig wie komplex und erfordert eine schrittweise, langwierige Darstellung. In Band I, Kapitel 7 habe ich auf der Grundlage der gegenwärtigen Debatten in Soziologie und Geschichtswissenschaft und unter Einbeziehung der philosophischen Ansätze zu Zeit und Raum von Leibniz und Innis eine Unterscheidung zwischen drei Formen von Zeitlichkeit entwickelt: Uhrenzeit, zeitlose Zeit und glaziale Zeit. Die Uhrenzeit, die für den Industrialismus – sowohl für den Kapitalismus wie für den Etatismus – charakteristisch ist, war und ist durch die chronologische Abfolge der Ereignisse und durch die Unterwerfung des menschlichen Verhaltens unter einen vorherbestimmten Plan charakterisiert; es entsteht Kargheit der Erfahrung aus institutionalisierter Messung. Die zeitlose Zeit, wodurch die vorherrschenden Prozesse in unseren Gesellschaften charakterisiert werden, tritt ein, wenn die Charakteristika eines gegebenen Kontextes, nämlich das informationelle Paradigma und die Netzwerkgesellschaft, eine systemische Störung in der sequenziellen Ordnung der in diesem Kontext eintretenden Phänomene bewirken. Diese Störung kann die Form annehmen, dass das Eintreten der Phänomene mit dem Ziel der Augenblicklichkeit komprimiert wird („Instant-Kriege“, Finanztransaktionen in Sekundenbruchteilen u.a.) oder aber zu willkürlicher Diskontinuität in der Sequenz führen (wie im Hypertext integrierter elektronischer Medienkommunikation). Die Eliminierung der Sequenzen schafft eine undifferenzierte Zeitlichkeit und vernichtet auf diese Weise die Zeit. In unseren Gesellschaften sind die meisten der vorherrschenden Kernprozesse in zeitloser Zeit strukturiert, die meisten Menschen werden jedoch durch die Uhrenzeit kontrolliert.

Es gibt noch eine weitere Form der Zeit, die durch die soziale Praxis entstanden ist und ins Spiel gebracht wurde: *glaziale Zeit.* In der ursprünglichen Formulierung von Lash und Urry bedeutet der Begriff der glazialen Zeit, dass „die Beziehung zwischen Mensch und Natur sehr langfristig und evolutionär ist. Sie bewegt sich nach hinten aus der unmittelbaren menschlichen Geschichte hinaus und führt nach vorne in eine vollkommen unspezifizierbare Zukunft".[22] Ich möchte ihre Überlegungen weiterentwickeln und annehmen, dass die Umweltbewegung gerade durch das Vorhaben der Einführung einer Perspektive „glazialer Zeit" in unsere Zeitlichkeit gekennzeichnet ist, sowohl im Hinblick auf Bewusstsein wie auf politische Strategie. Das ökologische Denken betrachtet die Interaktion zwischen allen Formen der Materie in evolutionärer Perspektive. Die Idee, die Ressourcennutzung auf erneuerbare Ressourcen zu begrenzen, beruht genau auf der Annahme, dass die Veränderung der grundlegenden Gleichgewichte auf dem Planeten und im Universum *im Zeitverlauf* mit katastrophalen Konsequenzen ein empfindliches ökologisches Gleichgewicht zerstören kann. Die holistische Vorstellung einer Integration von Mensch und Natur, wie dies in „tiefenökologischen" Schriften dargestellt wird, bezieht sich nicht auf eine naive Verehrung naturwüchsiger Landschaften, sondern auf die Grundüberlegung, dass die relevante Erfahrungseinheit weder das einzelne Individuum noch die historisch bestehenden menschlichen Gemeinschaften ist. Um uns mit unserem kosmologischen Ich zu vereinen, müssen wir erst unsere Vorstellung von der Zeit ändern, um zu spüren, wie die „glaziale Zeit" durch unser Leben fließt, um die Energie der Sterne in unserem Blut zu spüren und uns darauf einzulassen, dass unsere Gedankenströme endlos in die grenzenlosen Ozeane der vielgestaltigen lebendigen Materie einfließen. In ganz direkter, persönlicher Weise bedeutet glaziale Zeit, unser Leben an dem unserer Kinder zu messen, und an dem der Kinder der Kinder unserer Kinder. Wenn wir unser Leben und unsere Institutionen nach ihnen ebenso wie nach uns einrichten, so ist dies daher kein *New Age*-Kultus, sondern die altmodische Sorge um unsere Nachkommen, die unser Fleisch und Blut sind. Die Forderung nachhaltiger Entwicklung als Solidarität zwischen den Generationen führt gesunden Eigennutz mit systemischem Denken in einer evolutionären Perspektive zusammen. Die Anti-Atomkraft-Bewegung, eine der kräftigsten Quellen der Umweltbewegungen, begründete ihr radikale Kritik an der Atomkraft neben den unmittelbaren Sicherheitsproblemen mit den langfristigen Folgen radioaktiven Abfalls. Sie schlug so die Brücke zu Generationen, die Tausende von Jahren nach uns leben werden. In gewissem Maße verlängern das Interesse an der Erhaltung indigener Kulturen und der Respekt ihnen gegenüber die Sorge für alle Formen menschlicher Existenz, die aus unterschiedlichen Zeiten herstammen, nach rückwärts. Sie bestätigt, dass wir sie und sie wir sind. Es ist diese *Einheit der Gattung, und weiter der Materie als ganzer und ihrer raumzeitlichen Evolution*, auf die sich die Umweltbewegung implizit und die tiefenökologischen und ökofeministischen Denkerinnen und Denker explizit berufen.[23] Die materielle Ausdrucksform, die unterschiedliche Ansprüche und Themenstellungen der Umweltbewegung vereint, ist ihre alternative Zeitlichkeit. Sie fordert von den Institutionen unserer

22 Lash und Urry (1994: 243).
23 Diamond und Orenstein (1990); McLaughlin (1993).

Gesellschaft, dass sie die langsame Evolution unserer Gattung in ihre Umwelt aufnehmen, die kein Ende unseres kosmologischen Seins kennt, solange das Universum noch immer von dem Moment/Ort seines gemeinsamen Anfangs aus expandiert. Jenseits der durch die Zeit begrenzten Gestade der zurückgedrängten Uhrenzeit, die noch immer von den meisten Menschen auf der Welt erfahren wird, wird der historische Kampf um eine neue Zeitlichkeit ausgefochten zwischen der Vernichtung der Zeit in den wiederkehrenden Strömen der Computernetzwerke und der Verwirklichung glazialer Zeit in der bewussten Annahme unseres kosmologischen Ich.

Diese grundsätzlichen Kämpfe um die Aneignung von Wissenschaft, Raum und Zeit führt die Ökologen zur *Schaffung einer neuen Identität,* einer biologischen Identität, *einer Kultur der menschlichen Gattung als Bestandteil der Natur.* Mit dieser sozio-biologischen Identität ist keine Leugnung historischer Kulturen gemeint. Ökologen achten Volkskulturen und genießen kulturelle Authentizität aus unterschiedlichen Traditionen. Ihr objektiver Feind ist jedoch der staatliche Nationalismus. Der Grund liegt darin, dass der Nationalstaat definitionsgemäß dazu bestimmt ist, die Macht über ein bestimmtes Territorium zu beanspruchen. Er bricht daher die Einheit der Menschheit und ebenso die Wechselbeziehung zwischen Territorien auseinander und untergräbt die gemeinsame Teilhabe am globalen Ökosystem. In den Worten von David McTaggart, des historischen Führers von Greenpeace International: „Die größte Bedrohung, mit der wir uns auseinandersetzen müssen, ist der Nationalismus. Im nächsten Jahrhundert haben wir es mit Problemen zu tun, die man auf der Grundlage einzelner Nationalstaaten einfach nicht behandeln kann. Wir versuchen deshalb, trotz jahrhundertelanger nationalistischer Vorurteile international zusammenzuarbeiten.“[24] Es ist nur ein scheinbarer Widerspruch, dass Ökologen zu ein und derselben Zeit Lokalisten und Globalisten sind: Globalisten im Umgang mit der Zeit, Lokalisten in der Verteidigung des Raumes. Evolutionäres Denken und entsprechende Politik erfordern eine globale Perspektive. Die Harmonie der Menschen mit ihrer Umwelt beginnt in ihrer lokalen Gemeinschaft.

Die *neue Gattungsidentität,* also eine sozio-biologische Identität, lässt sich leicht vielgestaltigen historischen Traditionen, Sprachen und kulturellen Symbolen aufpflanzen, aber sie wird sich kaum mit staatlich-nationalistischer Identität vermischen. In dieser Weise überlagert die Umweltbewegung in gewissem Grad den Gegensatz zwischen der Kultur der realen Virtualität, die den globalen Strömen von Reichtum und Macht zugrunde liegt, sowie den Ausdrucksformen fundamentalistischer kultureller und religiöser Identitäten. Es ist die einzige globale Identität, die im Namen aller menschlichen Wesen formuliert wird, unabhängig von ihren spezifischen sozialen, historischen oder geschlechtsbezogenen Bindungen oder ihrem religiösen Glauben. Nun führen jedoch die meisten Menschen ihr Leben nicht kosmologisch, und die Annahme unserer gemeinsa-

---

24 Interview in Ostertag (1991: 33).

men Natur mit Moskitos stellt uns noch vor taktische Schwierigkeiten. Die Frage, die über den Einfluss der neuen ökologischen Kultur entscheidet, betrifft daher ihre Fähigkeit, Fäden einzigartiger Kulturen zu einem menschlichen Hypertext zu verweben, der aus historischer Unterschiedlichkeit und biologischer Gemeinsamkeit besteht. Ich nenne diese Kultur *grüne Kultur* – warum eine andere Bezeichnung erfinden, wenn sie schon Millionen von Menschen so nennen? Ich definiere sie mit den Worten von Petra Kelly: „Wir müssen lernen, aus unseren Herzen heraus zu denken und zu handeln, die gegenseitige Verbundenheit aller lebendigen Geschöpfe zu erfassen und den Wert jedes Fadens in dem riesigen Gewebe des Lebens zu respektieren. Dies ist die spirituelle Perspektive, und es ist die Grundlage aller grünen Politik. ... Grüne Politik fordert von uns, sowohl zärtlich als auch subversiv zu sein."[25] Die Zärtlichkeit der Subversion, die Subversion der Zärtlichkeit, wir sind weit entfernt von der instrumentalistischen Perspektive, die die industrielle Ära in ihrer kapitalistischen ebenso wie in ihrer etatistischen Version beherrscht hat. Zudem befinden wir uns in direktem Widerspruch zur Auflösung von Sinn in den Strömen gesichtsloser Macht, die die Netzwerkgesellschaft ausmachen. Grüne Kultur, wie sie von einer vielgestaltigen Umweltbewegung und durch sie propagiert wird, ist ein Gegengift zur Kultur der realen Virtualität, die die herrschenden Prozesse in unseren Gesellschaften charakterisiert.

Also, die Wissenschaft des Lebens gegen das Leben unter dem Diktat der Wissenschaft; lokale Kontrolle über Orte gegen den unkontrollierbaren Raum der Ströme; Einlösung der Perspektive der glazialen Zeit gegen die Vernichtung der Zeit und fortgesetzte Versklavung an die Uhrenzeit gleichermaßen; grüne Kultur gegen reale Virtualität. Dies sind die grundlegenden Herausforderungen, die die Umweltbewegung den herrschenden Strukturen der Netzwerkgesellschaft entgegen stellt. Und aus diesem Grund greift sie auch die Probleme auf, von denen die Menschen undeutlich wahrnehmen, dass sie der Stoff sind, aus dem ihr Leben besteht. Bleibt nur, dass zwischen diesem „wilden grünen Feuer" und den Herdstellen der Menschen hoch die Wohnhäuser der Gesellschaft aufragen und die Umweltbewegung zu einem langen Marsch durch die Institutionen zwingen, den sie wie alle sozialen Bewegungen nicht unbeschadet überstehen wird.

Die Umweltbewegung in Aktion: Erreichen der Köpfe, Zähmen des Kapitals, Hofieren des Staates, Steppen mit den Medien

Die Umweltbewegung war vor allem so erfolgreich, weil sie mehr als irgend eine andere soziale Kraft in der Lage war, sich optimal an die Kommunikations- und Mobilisierungsbedingungen anzupassen, wie sie in dem neuen technologischen

25 Kelly (1994: 37).

Paradigma bestehen.[26] Wenn auch Vieles an der Bewegung von Basisorganisationen abhängig ist, so funktionieren Umweltaktionen doch auf der Grundlage von Medienereignissen. Indem sie Ereignisse schafft, welche die Aufmerksamkeit der Medien auf sich ziehen, vermag die Umweltbewegung ein Publikum zu erreichen, das viel größer ist als ihre unmittelbare Anhängerschaft. Außerdem hat die beständige Präsenz von Umweltthemen in den Medien ihr eine Legitimität verschafft, die diejenige jeden anderen Anliegens übersteigt. Die Medienorientierung liegt in Fällen des globalen Umweltaktivismus wie etwa von Greenpeace auf der Hand, dessen gesamte Logik darauf eingestellt ist, Ereignisse zu schaffen, die die öffentliche Meinung zu bestimmten Fragen mobilisieren und so die etablierten Mächte unter Druck zu setzen. Aber es ist auch die Alltagskost der Umweltkämpfe auf lokaler Ebene. Lokale Fernsehnachrichten, Radio und Zeitungen sind die Stimme der Umweltbewegung. Das geht so weit, dass Konzerne und Politiker oft klagen, die Medien und nicht die Ökologen seien verantwortlich für die umweltbezogene Mobilisierung. Die symbiotische Beziehung zwischen den Medien und der Umweltbewegung ergibt sich aus mehreren Quellen. Vor allem lieferte die Taktik der gewaltlosen direkten Aktion, von der die Bewegung während der frühen 1970er Jahre durchdrungen war, gutes Material für Reportagen, besonders, wenn für Nachrichten neue Bilder benötigt wurden. Viele Umweltaktivistaktivisten haben einfallsreich die traditionelle Taktik der französischen Anarchisten, *l'action exemplaire*, praktiziert, eine spektakuläre Handlung, die Einsichten vermittelt, Diskussionen auslöst und zur Mobilisierung führt. Aufopferungsvolles Erdulden von Festnahme und Gefängnis, der Einsatz des Lebens auf den Ozeanen, sich Anketten an Bäume, der Einsatz des eigenen Körpers als Blockierungsmittel gegen unerwünschte Baumaßnahmen oder Transporte, die Störung amtlicher Zeremonien und so viele andere direkte Aktionen führen zusammen mit Selbstbeherrschung und manifester Gewaltlosigkeit zu einer Einstellung des Zeugnisgebens, die in einem Zeitalter des weit verbreiteten Zynismus Vertrauen wiederherstellt und ethische Werte festigt. Zweitens stellte die Legitimität der von der Umweltbewegung aufgegriffenen Probleme eine unmittelbare Verbindung zu den humanistischen Grundwerten her, die die meisten Menschen hoch halten; sie bot daher mit ihrer verbreiteten Distanz von der Parteipolitik den Medien ein günstiges Feld, um die Rolle von Volkes Stimme zu besetzen und so die eigene Legitimität zu steigern sowie den Journalisten ein gutes Gefühl zu vermitteln. Außerdem machen Berichte über Gesundheitsrisiken oder über die Zerrüttung des Lebens von Menschen durch Umweltschäden in den Lokalnachrichten die systemischen Probleme nachdrücklicher klar als jegliche traditionellen ideologischen Diskurse. Häufig füttert die Umweltbewegung selbst die Medien mit Bildern, die mehr sagen, als ein dickleibiges Gutachten. So haben amerikanische Umweltgruppen

26 S. Epstein (1991); Horton (1991); Ostertag (1991); Costain und Costain (1992); Gottlieb (1993); Kanagy u.a. (1994).

auf der ganzen Welt, von Connecticut bis ins Amazonastiefland Videokameras an Basisgruppen verteilt, damit sie eindeutige Verletzungen von Umweltgesetzen filmen konnten. Dann wurde die technologische Infrastruktur der Gruppe eingesetzt, um die anklagenden Bilder zu bearbeiten und zu verbreiten.

Die Umweltbewegung stand auch an vorderster Front beim Einsatz der neuen Informationstechnologien als Werkzeuge zur Organisation und Mobilisierung und vor allem bei der Nutzung des Internet.[27] So bildete sich etwa um Friends of the Earth, den Sierra Club, Greenpeace, Defenders of Wildlife, die Canadian Environmental Law Association und andere in den Vereinigten Staaten, Kanada und Chile ein Bündnis von Umweltgruppen, das gegen die Verabschiedung des nordamerikanischen Freihandelsabkommens (NAFTA) mit der Begründung mobilisierte, es enthalte keine ausreichenden Umweltschutzbestimmungen. Sie nutzten das Internet, um Aktionen und Informationsarbeit zu koordinieren, und sie bauten ein dauerhaftes Netzwerk auf, das die Fronten für die transnationalen Umweltaktionen in beiden Teilen Amerikas während der 1990er Jahre absteckte. Seiten im *World Wide Web* werden zu Sammelpunkten für die Umweltbewegung auf der ganzen Welt – etwa die Seiten, die 1996 von Organisationen wie *Conservation International* und *Rainforest Action Network* eingerichtet wurden, um die Anliegen der indigenen Menschen in den tropischen Regenwäldern zu verteidigen. *Food First*, eine in Kalifornien beheimatete Organisation, hat sich an ein Netzwerk von Umweltgruppen in Entwicklungsländern angeschlossen, die Umwelt- und Armutsprobleme miteinander verbinden. So war *Food First* über das Netz in der Lage, seine Aktionen mit *Global South* zu verknüpfen, einer in Thailand beheimateten Organisation, die eine umweltbezogene Perspektive aus dem sich neu industrialisierenden Asien repräsentiert. Durch diese Netzwerke waren Basisorganisationen auf der ganzen Welt plötzlich in der Lage, global zu handeln, also auf der Ebene, auf der die wesentlichen Probleme geschaffen werden. Es scheint, als bilde sich als globaler, koordinierender Kern von umweltbezogenen Aktionsgruppen an der Basis auf der ganzen Welt eine mit Computern vertraute Elite heraus. Dieses Phänomen wäre nicht ganz unähnlich der Rolle, welche handwerkliche Drucker und Journalisten zu Beginn der Arbeiterbewegung gespielt haben, als sie mittels der ihnen zugänglichen Informationen die analphabetischen Massen orientierten, aus denen die Arbeiterklasse während der Frühindustrialisierung bestand.

Die Umweltbewegung ist nicht nur eine Bewegung der Bewusstseinsbildung. Seit ihren Anfängen hat sie sich darauf konzentriert, im Bereich von Gesetzgebung und Regierungshandeln etwas zu bewirken. Gerade der Kern der Umweltorganisationen – wie die sogenannte *Group of Ten* in den Vereinigten Staaten – richtet seine Anstrengungen darauf aus, Lobbyarbeit im Bereich der Gesetzgebung zu leisten und politische Kandidaten entsprechend ihrer Position zu bestimmten Fragen zu unterstützen oder zu bekämpfen. Sogar nicht-traditionelle, aktionsori-

27 Bartz (1996).

entierte Organisationen wie Greenpeace haben ihren Schwerpunkt zunehmend darauf verlagert, Druck auf Regierungen und internationale Institutionen auszuüben, um Gesetze, Entscheidungen und die Durchführung von Entscheidungen zu bestimmten Fragen zu erreichen. In ähnlicher Weise haben Angehörige der Umweltbewegung auf lokaler und regionaler Ebene Kampagnen für neue Formen der Stadt- und Regionalplanung, für Maßnahmen im öffentlichen Gesundheitswesen, für die Eindämmung exzessiver Entwicklung durchgeführt. Es ist dieser Pragmatismus, diese Problemorientierung, die dazu führt, dass die Umweltbewegung traditioneller Politik überlegen ist: Die Menschen haben das Gefühl, sie können hier und jetzt etwas bewirken, ohne Vermittlung und ohne Verzögerung. Es gibt keinen Unterschied zwischen Mitteln und Zielen.

In einigen Ländern, vor allem in Europa, ist die Umweltbewegung in den politischen Wettbewerb eingestiegen und hat mit unterschiedlichem Erfolg bei Wahlen kandidiert.[28] Es lässt sich belegen, dass die grünen Parteien wesentlich bessere Ergebnisse bei lokalen Wahlen erzielen, wo noch eine direkte Verbindung zwischen der Bewegung und ihren politischen Repräsentanten besteht. Sie schlagen sich auch relativ gut bei internationalen Wahlen, etwa den Wahlen zum Europa-Parlament, weil die Bürgerinnen und Bürger hier, bei einer Institution mit nur symbolischer Macht, wollen, dass ihre Prinzipien vertreten werden, wenn damit ihr Einfluss auf wirkliche Entscheidungen nicht allzu sehr aufs Spiel gesetzt wird. Auf der Ebene nationalstaatlicher Politik hat die politikwissenschaftliche Forschung gezeigt, dass die Chancen der grünen Parteien weniger von den Überzeugungen der Menschen in Umweltfragen beeinflusst werden, als durch die spezifischen institutionellen Strukturen, die den Rahmen für den politischen Wettbewerb setzen.[29] Sehr kurz gesagt, je stärker die etablierten Parteien Zugang zu Wählerschichten finden, für die Umweltthemen wichtig sind oder die zu Protest neigen, desto geringer sind die Chancen der Grünen; je größer die Chancen für eine symbolische Stimmabgabe ohne Konsequenzen für die Regierungsbildung sind, desto besser halten sich die grünen Kandidatinnen und Kandidaten. Wie ich oben gezeigt habe, war Deutschland für die Entwicklung grüner Politik tatsächlich die Ausnahme und nicht die Regel. Insgesamt scheint es, dass es eine weltweite Tendenz zum Ergrünen der politischen Mitte gibt, wenn auch häufig sehr blassgrün, und daneben die dauerhafte Autonomie der Umweltbewegung. Endlich vermischt auch der Politikansatz der Bewegung selbst zunehmend Lobbyarbeit, gezielte Unterstützung oder Bekämpfung von Kandidaturen und die Beeinflussung der Wähler durch die Mobilisierung zu konkreten Problemen. Durch diese unterschiedlichen Taktiken ist die Umweltbewegung zu einer wichtigen Macht in der öffentlichen Meinung geworden, mit der Parteien und Kandidaten in vielen Ländern zu rechnen haben. Andererseits haben sich die meisten Umweltorganisationen hochgradig institutionalisiert,

28 Poguntke (1993); Dalton (1994); Diani (1995); Richardson und Rootes (1995).
29 Richardson und Rootes (1995).

d.h. sie haben die Notwendigkeit akzeptiert, im Rahmen der bestehenden Institutionen und innerhalb der Regeln des Produktivismus und einer globalen Marktwirtschaft zu handeln. So ist die Zusammenarbeit mit großen Konzernen eher zur Regel als zur Ausnahme geworden. Konzerne finanzieren häufig verschiedenartige Umweltaktivitäten und haben begonnen, einer grünen Selbstdarstellung äußerste Aufmerksamkeit zu schenken. Das geht so weit, dass grüne Themen jetzt Standardinhalte für Anzeigenkampagnen von Konzernen sind. Doch ist nicht alles Manipulation. Konzerne auf der ganzen Welt sind auch durch die Umweltbewegung beeinflusst worden und haben versucht, ihre Fertigungsprozesse und ihre Produkte neuen gesetzlichen Bestimmungen, neuen Geschmacksrichtungen und neuen Werten anzupassen, wobei sie natürlich zugleich versuchen, daraus Profit zu schlagen. Weil jedoch die eigentlichen produktiven Einheiten in unserer Wirtschaft nicht mehr einzelne Konzerne, sondern transnationale, aus verschiedenen Komponenten bestehende Netzwerke sind (s. Bd. I, Kap. 3), sind Umweltverstöße auf Kleinbetriebe und neu sich industrialisierende Länder dezentralisiert worden. So wird die Geografie und Topologie der Umweltaktionen für die kommenden Jahre modifiziert.

Insgesamt hat sich die Bewegung mit der außerordentlichen Zunahme von Umweltbewusstsein, Einfluss und Organisationskapazität in steigendem Maße sozial und thematisch diversifiziert. Sie reicht jetzt von den Vorstandsetagen der Konzerne bis zu den Hintergassen der Gegen-Kulturen und passiert auf diesem Weg Rathäuser und Parlamente. Dabei sind Themen verzerrt und in einigen Fällen manipuliert worden. Das zeichnet aber jede wichtige soziale Bewegung aus. Die Umweltbewegung ist eine der wirklich großen sozialen Bewegungen unserer Zeit, weil sie unter dem umfassenden Banner der Umweltgerechtigkeit eine Vielzahl gesellschaftlicher Anliegen erfasst.

Umweltgerechtigkeit: das neue Pionierfeld der Ökologie

Seit den 1960er Jahren ging es der Umweltbewegung nicht allein darum, Vögel zu beobachten, Wälder zu retten und die Luft sauberer zu machen. Kampagnen gegen Giftmülldeponien, für Konsumentenrechte, Anti-AKW-Proteste, Pazifismus, Feminismus und eine Reihe weiterer Themen und Probleme sind mit der Verteidigung der Natur zusammengeflossen. So hat sich die Bewegung in einer weiten Landschaft von Rechten und Forderungen eingewurzelt. Selbst gegen-kulturelle Tendenzen wie New Age-Meditation und Neo-Paganismus haben sich in den 1970er und 1980er Jahren mit anderen Bestandteilen der Umweltbewegung vermischt.

In den 1990er Jahren sind zwar einige der wichtigen Themen wie Frieden und Anti-AKW-Protest in den Hintergrund getreten – teils aufgrund des Erfolgs der Proteste, teils wegen des Endes des Kalten Krieges; doch verschiedene soziale Fragen sind zu Teilen einer zusehends diversifizierten Bewegung geworden.[30] Arme Gemeinschaften und ethnische Minoritäten sind dagegen aktiv geworden, Ziele der Umweltdiskriminierung zu sein, weil sie häufiger als die Gesamtbevölkerung giftigen Substanzen, Umweltverschmutzung, Gesundheitsrisiken und dem Verfall ihrer Wohnquartiere ausgesetzt sind. Beschäftigte haben gegen die alten und neuen Quellen berufsbedingter Schädigungen revoltiert, angefangen von chemischer Vergiftung bis hin zum Computer-Stress. Frauengruppen haben aufgezeigt, dass ihre überwiegende Zuständigkeit für den alltäglichen Ablauf des Familienlebens auch dazu führt, dass sie am unmittelbarsten unter den Folgen der Umweltverschmutzung sowie unter dem Verfall der öffentlichen Einrichtungen und unkontrollierten Entwicklungsaktivitäten zu leiden haben. Obdachlosigkeit ist eine wichtige Ursache für den Niedergang der Lebensqualität in den Städten. Und auf der ganzen Welt ist wieder und wieder nachgewiesen worden, dass Armut eine Ursache für Umweltzerstörung ist, angefangen vom Niederbrennen von Wäldern über die Verschmutzung von Flüssen, Seen und Meeren bis hin zu verheerenden Epidemien. So sind denn auch in vielen der sich industrialisierenden Länder, vor allem in Lateinamerika, Umweltgruppen aufgeblüht und haben Verbindung zu Menschenrechtsgruppen, Frauengruppen und Nicht-Regierungsorganisationen aufgenommen. So haben sie starke Bündnisse geschaffen, die über den Rahmen institutioneller Politik hinausgehen, diese aber nicht ignorieren.[31]

Der Begriff der Umweltgerechtigkeit als eine allumfassende Vorstellung, die den Gebrauchswert des Lebens, und zwar aller Formen von Leben, gegenüber den Interessen von Reichtum, Macht und Technologie betont, beginnt also allmählich, die Köpfe und die politischen Strategien zu erfassen. Damit tritt die Umweltbewegung in eine neue Entwicklungsphase ein.

Auf den ersten Blick könnte es scheinen, als sei dies eine opportunistische Taktik. Wegen des Erfolges und der Legitimität des Umwelt-Etiketts kleiden sich weniger populäre Anliegen in die neuen Ideologie, um Unterstützung zu bekommen und Aufmerksamkeit auf sich zu ziehen. Ein paar konservative Naturschutzgruppen innerhalb der Umweltbewegung haben auch begonnen, Bedenken gegenüber einem allzu ausgreifenden Ansatz zu äußern, der die Bewegung von ihrem Schwerpunkt abziehen könnte. Schließlich haben die Gewerkschaften seit dem Einsetzen der Industrialisierung für gesetzliche Regelungen beim beruflichen Gesundheitsschutz gekämpft, und Armut war und ist für sich selbst genommen ein wichtiges Problem, ohne dass man ihre böse Finsternis grün anstreichen müsste. Was jedoch in der Umweltbewegung geschieht, geht über Taktik hinaus. Der ökologische Ansatz betont im Hinblick auf Leben, Wirtschaft und Institutionen der Gesellschaft den ganzheitlichen Charakter aller Formen von Materie und jeglicher Informationsverarbeitung. Je mehr wir also wissen, desto mehr spüren wir die Möglichkeiten unserer Technologie und des-

30 Gottlieb (1993: 207-320); Szasz (1994); Epstein (1995); Brulle (1996).
31 Athanasiou (1996); Borja und Castells (1996).

to mehr erkennen wir die gigantische, gefährliche Kluft, die zwischen unseren gesteigerten produktiven Fähigkeiten und unserer primitiven, unbewussten und letztlich destruktiven Sozialorganisation klafft. Das ist der objektive Faden, der die zunehmende Verknüpfung zwischen lokalen und globalen, defensiven und offensiven, problem- und wertorientierten sozialen Revolten herstellt, die innerhalb der Umweltbewegung und in ihrem Umkreis auftreten. Das soll nicht heißen, es sei eine neue Internationale wohlmeinender, großzügiger Bürgerinnen und Bürger entstanden. Jedenfalls noch nicht. Wie in diesem Band gezeigt wird, sind alte und neue Trennlinien von Klasse, Geschlecht, Ethnizität, Religion und Territorialität am Werk, die Probleme, Konflikte und Projekte aufspalten und immer weiter unterteilen. Aber das bedeutet, dass embryonale Verbindungen zwischen Basisbewegungen und symbolorientierten Mobilisierungen im Namen der Umweltgerechtigkeit die Kennzeichen alternativer Projekte tragen. Diese Projekte überlagern die erschöpften sozialen Bewegungen der industriellen Gesellschaft, um in historisch angemessener Form die alte Dialektik zwischen Herrschaft und Widerstand neu aufzunehmen, zwischen Realpolitik und Utopie, zwischen Zynismus und Hoffnung.

4 Das Ende des Patriarchalismus

Soziale Bewegungen, Familie und Sexualität im Informationszeitalter

Hätten alle, die um seelischen Beistand
Bei mir gebeten in dieser Welt
Alle heilgen Narren und Verstummten
Gebrochne Fraun und Krüppel
Verbannte auch und Selbstmörder
Mir geschickt nur eine einzige Kopeke,
Ich wär' „reicher als alle in Ägypten" ...
Doch sandten sie mir nicht Kopeken
Sie teilten vielmehr mit mir ihre Stärke
Und ich wurd' stärker als alle auf der Welt
Und so ist mir selbst dies nicht schwer.

Anna Achmatova[1]

Der Patriarchalismus gehört zu den Grundstrukturen aller gegenwärtigen Gesellschaften. Er ist durch die institutionell erzwungene Autorität von Männern gegenüber Frauen und ihren Kindern in der Familieneinheit charakterisiert. Damit diese Autorität ausgeübt werden kann, muss der Patriarchalismus die gesamte Organisation der Gesellschaft durchdringen, von der Produktion und Konsumtion bis zu Politik, Recht und Kultur. Auch interpersonale Beziehungen und damit Persönlichkeit sind durch die Herrschaft und die Gewalt geprägt, die aus der Kultur und den Institutionen des Patriarchalismus hervorgehen. Es ist jedoch analytisch und politisch entscheidend, die Verwurzelung des Patriarchalismus in der Familienstruktur nicht zu vergessen, in der soziobiologischen Reproduktion der Gattung, so, wie sie jeweils historisch (kulturell) bestimmt ist. Ohne die patriarchalische Familie wäre der Patriarchalismus als pure Herrschaft entlarvt und würde deshalb am Ende durch den Aufstand der „anderen Hälfte des Himmels" überrannt werden, die historisch in Unterwürfigkeit gehalten worden ist.

Die patriarchalische Familie als der Eckstein des Patriarchalismus wird zu diesem Jahrtausendende durch die unauflöslich miteinander verbundenen Prozesse der Transformation der Arbeit und des Bewusstseins von Frauen in Frage gestellt. Die treibenden Kräfte hinter diesem Prozess sind die Entstehung einer

1 Achmatova (1990: 243f).

informationellen, globalen Wirtschaft, technologische Veränderungen bei der Reproduktion der menschlichen Gattung und der mächtige Aufschwung von Frauenkämpfen sowie einer vielgestaltigen Frauenbewegung. Diese drei Tendenzen haben sich seit Ende der 1960er Jahre entwickelt. Die massenhafte Einbeziehung von Frauen in die *bezahlte* Arbeit hat die Verhandlungsmacht von Frauen gegenüber Männern erhöht und die Legitimität der Herrschaft der Männer aufgrund ihrer Position als Ernährer der Familie untergraben. Außerdem bedeutet dies für die Frauen eine unerträgliche Bürde durch ihre alltägliche Vierfachbelastung – bezahlte Arbeit, Hausarbeit, Aufziehen von Kindern und Nachtschicht für den Ehemann. Empfängnisverhütung und später in vitro-Fertilisation sowie die am Horizont stehenden Möglichkeiten der Gentechnik geben den Frauen und der Gesellschaft zunehmende Kontrolle über Zeitpunkt und Anzahl von Geburten. Nun haben die Kämpfe der Frauen nicht bis zu diesem Jahrtausendende gebraucht, um sich bemerkbar zu machen. Sie haben die gesamte Zeitspanne der menschlichen Erfahrung geprägt, wenn auch in einer Vielzahl unterschiedlicher Formen, die zumeist nicht in den Geschichtsbüchern verzeichnet sind und überhaupt in schriftlichen Quellen nicht vorkommen.[2] Ich habe gezeigt, dass viele der historischen und gegenwärtigen städtischen Kämpfe in Wirklichkeit Frauenbewegungen waren, in denen es um Anforderungen des täglichen Lebens und um Überleben ging.[3] Und auch der Feminismus als solcher hat eine lange Geschichte, für die beispielhaft die Suffragetten in den Vereinigten Staaten stehen. Dennoch halte ich es für richtig zu sagen, dass wir erst während des letzten Vierteljahrhunderts das erlebt haben, was auf einen massenhaften Aufstand von Frauen auf der ganzen Welt gegen ihre Unterdrückung hinausläuft, wenn auch je nach Kultur und Land unterschiedlich intensiv. Die Wirkung dieser Bewegungen hat sich in den gesellschaftlichen Institutionen tiefgreifend bemerkbar gemacht und grundlegender noch im Bewusstsein der Frauen. In den industrialisierten Ländern betrachten sich Frauen in ihrer großen Mehrheit als den Männern ebenbürtig bezüglich ihrer Ansprüche auf Rechte und auf Kontrolle über Leib und Leben. Dieses Bewusstsein ist dabei, sich auf dem ganzen Planeten rasant auszubreiten. Dies ist die wichtigste Revolution, weil sie an die Wurzeln der Gesellschaft geht und an das Herz dessen, was wir sind.[4] Und sie ist unumkehrbar. Das bedeutet nicht, dass die Probleme von Diskriminierung, von Unterdrückung und Misshandlung von Frauen und Kindern verschwunden wären oder auch nur in ihrer Intensität ernstlich abgenommen hätten. Zwar ist die rechtliche Diskriminierung etwas eingeschränkt worden und der Arbeitsmarkt weist egalisierende Tendenzen auf, denn das Ausbildungsniveau von Frauen steigt rapide an, aber physische Gewalt und psychologische Misshandlung von Frauen sind weit verbreitet, gerade wegen des

2 Rowbotham (1974).
3 Castells (1983).
4 Mitchell (1966).

individuellen und kollektiven Zorns von Männern angesichts ihres Machtverlustes. Dies ist keine samtene Revolution und wird auch keine werden. Die menschliche Landschaft der Frauenbefreiung und des männlichen Verteidigungskampfes um männliche Privilegien ist übersät mit den Überresten kaputter Lebensläufe – wie in allen wahren Revolutionen. Und dennoch ist ungeachtet der Schärfe des Konfliktes die Transformation im Bewusstsein von Frauen und die Transformation gesellschaftlicher Wertvorstellungen in den meisten Gesellschaften in weniger als drei Jahrzehnten atemberaubend. Dies hat grundlegende Konsequenzen für alle Bereiche menschlicher Erfahrung, angefangen von politischer Macht bis hin zur Persönlichkeitsstruktur.

Ich behaupte, dass der Prozess, in dem diese Transformation konzentriert zum Ausdruck kommt, die Aufhebung der patriarchalischen Familie ist. Wenn die patriarchalische Familie fällt, wird langsam aber sicher das ganze System des Patriarchalismus und damit die Gesamtheit unseres Lebens transformiert. Dies ist eine furchterregende Perspektive, nicht nur für Männer. Aus diesem Grund ist die Herausforderung des Patriarchalismus einer der machtvollsten Faktoren, die gegenwärtig fundamentalistische Bewegungen hervorrufen, wie diejenigen, die in den vorangegangenen Kapiteln dieses Bandes untersucht wurden, und die sich zum Ziel setzen, die patriarchalische Ordnung wiederherzustellen. Ihr Gegenschlag könnte tatsächlich dazu führen, dass sich die momentanen Prozesse kulturellen Wandels verändern, weil Geschichte niemals vorherbestimmt ist. Die aktuellen Indikatoren verweisen jedoch auf einen substanziellen Niedergang traditioneller Formen der patriarchalischen Familie. Ich werde meine Analyse mit einem Blick auf einige dieser Indikatoren beginnen. Nicht, dass Statistiken als solche die Geschichte der Krise des Patriarchalismus zu erzählen vermöchten. Aber wenn Veränderungen so weit verbreitet eintreten, dass sie sich in nationalen und vergleichenden Statistiken niederschlagen, dann können wir sicher davon ausgehen, dass es sich um tiefgreifende Veränderungen handelt, die mit großer Geschwindigkeit vor sich gehen.

Dann müssen wir noch immer den Zeitpunkt dieser Transformation erklären. Warum gerade jetzt? Feministische Ideen hat es wenigstens ein Jahrhundert lang, wenn nicht länger gegeben, wenn auch in ihrer je spezifischen historischen Übersetzung. Warum haben sie zu unseren Zeiten Feuer gefangen? Ich stelle die Hypothese auf, dass der Grund in einer Kombination von vier Elementen zu suchen ist: erstens der Transformation der Wirtschaft und des Arbeitsmarktes in enger Verbindung mit der Eröffnung von Bildungschancen für Frauen.[5] Ich versuche also, einige Daten darzustellen, die diese Transformation deutlich machen, und sie mit den Charakteristika der informationellen, globalen Wirtschaft und des Netzwerkunternehmens verbinden, die in Band I dargestellt worden sind. Zweitens gibt es eine technologische Transformation in der Biologie, Pharmakologie und Medizin, die eine zunehmende Kontrolle über Schwanger-

5 Saltzmann-Chafetz (1995).

schaft und die Reproduktion der menschlichen Gattung ermöglicht hat, wie in Kapitel 7 von Band I gezeigt wurde. Drittens wurde der Patriarchalismus vor dem Hintergrund dieser wirtschaftlichen und technologischen Transformation durch die nach den sozialen Bewegungen der 1960er Jahre einsetzende feministische Bewegung getroffen. Nicht, dass der Feminismus ein besonderes Merkmal dieser Bewegungen gewesen wäre. Er setzte vielmehr später ein, Ende der 1960er und/oder Anfang der 1970er Jahre, unter Frauen, die an der Bewegung teilgenommen hatten, als Reaktion auf den Sexismus oder sogar auf Misshandlungen (s.u.), die sie in der Bewegung erlitten hatten. Aber der Kontext, in dem sich diese soziale Bewegung herausbildete, mit ihrer Betonung auf der Parole „das Persönliche ist politisch“ und mit ihren vieldimensionalen Themen befreite das Denken und gab ihm die Möglichkeit, über die instrumentellen Bahnen der von Männern beherrschten Bewegungen – wie der Arbeiterbewegung oder der revolutionären Politik – hinaus zu kommen. Die Bewegung trieb so auf eine eher experimentelle Herangehensweise an die wirklichen Quellen der Unterdrückung, so wie sie empfunden wurden, zu und zwar noch bevor sie durch den Diskurs der Rationalität domestiziert werden konnten. Das vierte Element, das zur Herausforderung des Patriarchalismus führte, ist die rasche Verbreitung von Ideen in einer globalisierten Kultur und in einer verflochtenen Welt, in der Menschen und Erfahrungen reisen und miteinander in Kontakt treten, so dass schnell ein Hyper-Flickenteppich aus Frauenstimmen gewebt wurde, der den größten Teil des Planeten bedeckte. Daher analysiere ich nach einem Überblick über die Transformation der Arbeit von Frauen, wie es zur Herausbildung einer hochgradig diversifizierten feministischen Bewegung gekommen ist, und gehe dann auf die Debatten ein, die sich aus der kollektiven Erfahrung der Konstruktion/Rekonstruktion weiblicher Identität ergeben.

Der Aufprall der sozialen Bewegungen und zumal des Feminismus auf die Geschlechterverhältnisse löste eine mächtige Schockwelle aus: Heterosexualität als Norm wurde in Frage gestellt. Für Lesben war die Trennung von Männern als den Subjekten ihrer Unterdrückung die logische, wenn nicht gar die unausweichliche Folge ihrer Sicht auf Männerherrschaft als Ursache für das Elend von Frauen. Für schwule Männer taten sich, als die traditionelle Familie und die konfliktreichen Beziehungen zwischen Männern und Frauen hinterfragt wurden, Türen auf, um andere Formen interpersoneller Beziehungen zu erkunden, zu denen auch neue Familienformen, schwule Familien gehörten. Für alle wurde sexuelle Befreiung ohne institutionelle Grenzen zum neuen Pionierfeld der Selbstverwirklichung. Nicht im homophoben Bild endloser Promiskuität, sondern im Geltendmachen und der Bestätigung des Ich und im Experimentieren mit Sexualität und Liebe. Die Konsequenzen der Schwulen- und der Lesbenbewegung sind für den Patriarchalismus natürlich verheerend. Nicht, dass die Formen interpersonaler Herrschaft zu existieren aufhörten. Herrschaft ebenso wie Ausbeutung entsteht in der Geschichte immer wieder aufs Neue. Doch der Patriarchalismus, wie er vermutlich – Carolyn Merchant zum Trotz – vom

Morgenschimmer der menschlichen Zeiten an bestanden hat, ist durch die Unterminierung der heterosexuellen Norm definitiv erschüttert. Ich erkunde daher die Ursprünge und Horizonte der Schwulen- und der Lesbenbewegung, wobei ich die Brücke schlage von San Francisco nach Taipei und so die wachsende kulturelle und geografische Vielfalt dieser Bewegungen unterstreiche.

Schließlich wende ich mich der Transformation der Persönlichkeit in unserer Gesellschaft zu, die sich aus den Transformationen von Familienstrukturen und Sexualnormen ergibt. Denn ich behaupte, dass Familien den grundlegenden Sozialisationsmechanismus ausmachen und dass Sexualität etwas mit Persönlichkeit zu tun hat. Das ist die Art und Weise, wie die Wechselwirkung zwischen strukturellem Wandel und sozialen Bewegungen – also zwischen der Netzwerkgesellschaft und der Macht der Identität – uns verändert.

Die Krise der patriarchalischen Familie

Wenn ich von der Krise der patriarchalischen Familie spreche, beziehe ich mich auf die Schwächung des Familienmodells, das auf der stabilen Ausübung von Autorität/Herrschaft durch das erwachsene, männliche Familienoberhaupt über die gesamte Familie beruhte. In den 1990er Jahren lassen sich in den meisten Gesellschaften Indikatoren für eine solche Krise finden, vor allem in den am weitesten entwickelten Ländern. Es liegt nicht auf der Hand, sehr grobe statistische Indikatoren als Beleg für eine Erscheinung wie den Patriarchalismus zu benutzen, die politische, kulturelle und psychologische Dimensionen hat. Weil jedoch Verhalten und Struktur einer Bevölkerung sich gewöhnlich in sehr langsamem Tempo entwickeln, ist die Beobachtung größerer, im Vergleich zwischen nationalen Statistiken erkennbarer Tendenzen, die sich auf die Struktur und Dynamik der patriarchalischen Familie auswirken, aus meiner Sicht ein deutliches Anzeichen für Veränderung und, wie ich behaupte, für die Krise der zuvor stabilen patriarchalischen Verhältnisse. Ich fasse meine Überlegungen zusammen, bevor ich einen kurzen statistischen Überblick gebe.

Die Auflösung von Haushalten verheirateter Paare durch Scheidung oder Trennung ist ein erster Indikator für die Unzufriedenheit mit dem Familienmodell, das auf der langfristigen Festlegung der Familienmitglieder beruhte. Gewiss kann es sukzessiven Patriarchalismus geben, und das ist sogar die Regel: die Reproduktion desselben Systems mit unterschiedlichen Partnern. Doch werden die Strukturen der Herrschaft – und die Mechanismen des Vertrauens – durch diese Erfahrung sowohl für Frauen untergraben, wie für Kinder, die sich oft im Widerstreit von Loyalitäten gefangen sehen. Außerdem führt die Auflösung ehelicher Haushalte immer häufiger zur Bildung von Single-Haushalten und/oder Haushalten mit alleinerziehenden Elternteilen. In diesem Fall endet die patriarchalische Autorität in der Familie, auch wenn im neuen Haushalt die Herrschaftsstrukturen mental reproduziert werden.

Zweitens scheinen die zunehmende Häufigkeit von Ehekrisen und die wachsende Schwierigkeit, Ehe, Arbeit und Leben miteinander zu vereinbaren, mit zwei mächtigen Entwicklungen verbunden zu sein: späte Bildung von Paarbeziehungen und Bildung von nichtehelichen Partnerschaften. Auch hier schwächt der Mangel an rechtlichen Sanktionen institutionell wie psychologisch die patriarchalische Autorität.

Drittens entsteht wegen dieser unterschiedlichen Tendenzen zusammen mit demografischen Faktoren wie dem steigenden Durchschnittsalter der Bevölkerung und den unterschiedlichen Sterblichkeitsraten der Geschlechter eine zunehmende Vielfalt von Haushaltsstrukturen. Damit geht das Übergewicht des klassischen Modells der Kernfamilie – erstmals verheiratete Paare mit ihren Kindern – zurück und seine soziale Reproduktion wird untergraben. Einpersonen-Haushalte, Haushalte alleinerziehender Elternteile nehmen zu.

Viertens weitet sich bei gleichzeitiger Instabilität der Familie und zunehmender Autonomie von Frauen bezüglich ihres reproduktiven Verhaltens die Krise der patriarchalischen Familie zu einer Krise in den gesellschaftlichen Mustern der Bestandserhaltung der Bevölkerung aus.[6] Einerseits werden immer mehr Kinder nicht ehelich geboren und gewöhnlich von ihren Müttern versorgt (obwohl unverheiratete Eltern, die ein Kind gemeinsam erziehen, ebenfalls in diese Statistik eingehen). So ist die biologische Reproduktion zwar gesichert, jedoch außerhalb der traditionellen Familienstruktur. Andererseits begrenzen Frauen mit gestärktem Bewusstsein und angesichts von Schwierigkeiten die Zahl der Geburten, und zögern die Geburt des ersten Kindes hinaus. Letztlich bekommen in manchen kleinen Zirkeln, die sich offenbar ausweiten, Frauen Kinder nur für sich und adoptieren Kinder alleine.

Zusammengenommen verstärken sich diese Tendenzen gegenseitig und stellen die Struktur und Werte der patriarchalischen Familie in Frage. Das bedeutet nicht unbedingt das Ende der Familie, weil mit anderen Familienarrangements experimentiert wird, so dass am Ende die Art und Weise neu konstruiert werden könnte, wie wir miteinander leben und wie wir auf andere und vielleicht bessere Art zeugen und erziehen.[7] Aber die Tendenzen, die ich erwähne, verweisen auf das Ende der Familie, wie wir sie bis jetzt gekannt haben. Nicht nur der Kernfamilie – eines modernen Kunstproduktes – sondern der Familie auf der Grundlage patriarchalischer Herrschaft, die jahrtausendelang die Regel war.

Schauen wir uns einige einfache Statistiken an. Ich lege hier das Hauptgewicht auf einen komparativen Ansatz und spare eine systematischere Behand-

6 In der Europäischen Union war die Geburtenrate 1995 die Niedrigste in Friedenszeiten im 20. Jahrhundert; es gab nur 290.000 Geburten mehr als Todesfälle. In Deutschland und Italien gab es mehr Todesfälle als Geburten. Die Bevölkerung Osteuropas ging noch stärker zurück, vor allem in Russland (*The Economist*, 19. November 1996).

7 Stacey (1990).

lung der Krise der patriarchalischen Familie in den Vereinigten Staaten, wo der Prozess weiter fortgeschritten zu sein scheint, für einen späteren Abschnitt dieses Kapitels auf.[8] Zwar sind die hier nachgewiesenen Tendenzen in den entwickelten Ländern am deutlichsten ausgeprägt, doch geht in einem großen Teil der Welt eine allgemeine Veränderung in dieselbe Richtung vor sich. Ich stütze mich daher weitgehend auf den Bericht, der 1995 vom Population Council über die Transformation von Familien weltweit erarbeitet wurde.[9] Zur Ergänzung ziehe ich verschiedene andere, an entsprechender Stelle nachgewiesene Quellen heran. Ich konzentriere mich aus den zu Beginn dieses Kapitels angegebenen Gründen auf die Periode von 1970-95.

Tabelle 4.1 zeigt mit einer wichtigen Ausnahme einen bedeutenden Anstieg der unbereinigten Scheidungsraten für ausgewählte Länder: mehr als eine Verdoppelung im Vereinigten Königreich, in Frankreich, Kanada und Mexiko von 1971 bis 1990. Die weniger ausgeprägten Zunahmen in den USA (immer noch plus 26%) und in der UdSSR (plus 29%) während dieser Periode sind auf die Tatsache zurückzuführen, dass diese Länder 1971 die höchsten Raten aufweisen. Es ist sehr interessant, dass das einzige muslimische Land, das ich zu Vergleichszwecken ausgewählt habe, einen Rückgang der Scheidungsrate aufweist, was vermutlich Ausdruck von Tendenzen zur Islamisierung ist; allerdings lag diese Rate hier 1990 noch immer höher als in Italien, Mexiko oder Japan.

Tabelle 4.1 Veränderungsraten der unbereinigten Scheidungsquote in ausgewählten Ländern, 1971-1990

Land	1971	1990	Veränderung 1970-71	
			Rate	%
Frankreich	0,93	1,86	0,93	100
Italien	0,32	0,48	0,16	50
Japan	0,99	1,27	0,28	28
Kanada	1,38	2,94	1,56	113
Sowjetunion	2,63	3,39	0,76	29
Ver. Kgr.	1,41	2,88	1,47	104
Ver. Staaten	3,72	4,70	0,98	26
Mexiko	0,21	0,54	0,33	157
Ägypten	2,09	1,42	–0,67	–32

Quelle: UN, Demographic Yearbook (1970-1995)

Tabelle 4.2 zeigt die Scheidungen pro 100 Ehen für ausgewählte hochindustrialisierte Länder. Es besteht eine Abweichung im Niveau der Scheidungshäufigkeit der einzelnen Länder, aber es gibt zugleich zwischen 1970 und 1980 sowie zwischen 1980 und 1990 eine allgemein steigende Tendenz, wobei wiederum

8 S. United Nations (1970-95, 1995); Saboulin und Thave (1993); Valdes und Gomariz (1993); Cho und Yada (1994); OECD (1994b); Alberdi (1995); Bruce u.a. (1995); De Vos (1995); Mason und Jensen (1995).

9 Bruce u.a. (1995).

die Vereinigten Staaten 1990 eine Ausnahme darstellen, zum Teil, weil in diesem Land 1990 fast 55% der Ehen mit einer Scheidung endeten. De facto-Trennungen von Ehen sind in den Statistiken nicht enthalten, ebenso wenig wie die Raten der Trennungen bei Partnerschaften ohne Trauschein. Doch wissen wir aus Befragungen, dass Haushalte ohne Trauschein sich eher trennen als verheiratete Paare[10] und dass diese Trennungsraten mit den Scheidungsraten korrelieren, so dass letztlich Gesamtzahl und Prozentsatz der Auflösung von Paar-Haushalten höher liegen.[11] Eine weltweite Untersuchung über Scheidungen ergab, dass ein zunehmender Anteil an Scheidungen Paare mit kleinen Kindern betrifft, womit die Wahrscheinlichkeit zunimmt, dass die Auflösung der Ehe zum Alleinerziehen führt.[12] Abbildung 4.1 zeigt die abnehmende Überlebensrate von Ehen für Kohorten älterer und jüngerer Frauen in Italien, Westdeutschland und Schweden.[13]

Tabelle 4.2 Trends der Scheidungsraten pro 100 Eheschließungen in entwickelten Ländern

Land	1970	1980	1990
Dänemark	25,1	39,3	44,0
England und Wales	16,2	39,3	41,7[a]
Frankreich	12,0	22,2	31,5[a]
Griechenland	5,0	10,0	12,0
Italien	5,0	3,2	8,0
Kanada	18,6	32,8	38,3
Niederlande	11,0	25,7	28,1
Schweden	23,4	42,2	44,1
Tschechoslowakei	21,8	26,6	32,0[a]
Ungarn	25,0	29,4	31,0
Vereinigte Staaten	42,3	58,9	54,8[b]
(früheres) Westdeutschland	12,2	22,7	29,2

Anm.: Die Raten sind ein synthetischer Index, der berechnet wurde, indem die Scheidungsraten je nach Ehedauer für jedes Jahr zusammengezählt wurden (die Originalquelle bezieht die Raten unzutreffend auf „1000 Eheschließungen")

a 1989

b 1985

Quelle: Alain Monnier und Cathérine de Guibert-Lantoine (1993) „La conjoncture démographique: l'Europe et les pays développés d'outre-mer", *Population* 48(4): 1043-67.

Zusammengestellt und bearbeitet von Bruce u.a. (1995).

10 Bruce u.a. (1995).

11 Alberdi (1995).

12 Goode (1993).

13 Blossfeld (1995).

Abbildung 4.1 Stabilität von Ehen: Kurven für Italien, Westdeutschland und Schweden: Mütter, die 1934-1938 und 1949-1953 geboren sind.

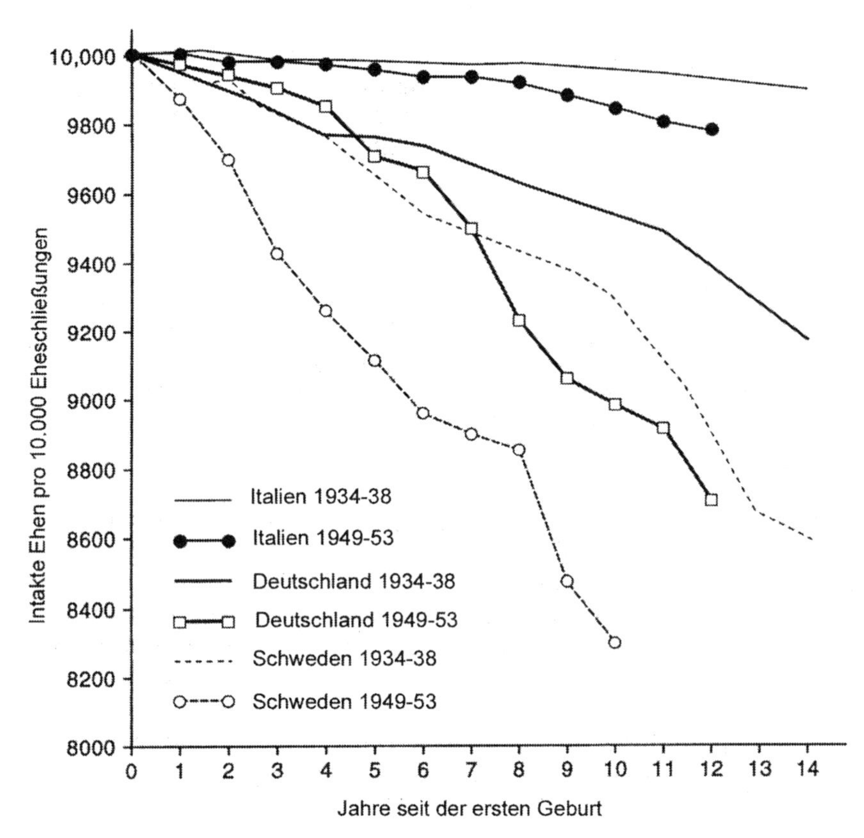

Quelle: Blossfeld u.a. (1995)

Tabelle 4.3 Prozentzahlen der Erst-Ehen, die durch Trennung, Scheidung oder Tod aufgelöst wurden, für Frauen zwischen 40-49 in weniger entwickelten Ländern

Region/Land	Jahr	%
Asien		
Indonesien	1987	37,3
Sri Lanka	1987	25,6
Thailand	1987	24,8
Lateinamerika/Karibik		
Dominikanische Republik	1986	49,5
Ekuador	1987	28,9
Kolumbien	1986	32,5
Mexiko	1987	25,5
Peru	1986	26,1
Nahost/Nordafrika		
Ägypten	1989	22,8
Marokko	1987	31,2
Tunesien	1988	11,1
Subsaharanisches Afrika		
Ghana	1988	60,8
Kenya	1989	24,2
Senegal	1986	42,3
Sudan	1989/90	28,2

Quellen: United Nations (1987), Tab. 47 in *Fertility Behaviour in the Context of Development: Evidence from the World Fertility Survey* (New York: United Nations) und tabellarische Aufstellungen aus demografischen und Gesundheitsstudien. Zusammengestellt und bearbeitet von Bruce u.a. (1995).

Diese Tendenz beschränkt sich keineswegs auf industrialisierte Länder. Tabelle 4.3 zeigt die Raten der unterschiedlich motivierten Auflösung von Erst-Ehen für Frauen im Alter von 40 bis 49 Jahren in ausgewählten Entwicklungsländern; mit Ausnahme von Tunesien schwankt sie zwischen 22,8% und 49,5%, wobei Ghana mit 60,8% an der Spitze liegt.

Während der 1990er Jahre hat sich in Europa die Anzahl der Scheidungen gegenüber den Eheschließungen stabilisiert, aber das liegt hauptsächlich am Rückgang der Anzahl von Eheschließungen seit 1960. Daher sind Gesamtzahl und Prozentsatz der Haushalte mit zwei miteinander verheirateten Elternteilen erheblich zurückgegangen.[14] Abbildung 4.2 zeigt den allgemeinen Trend zum Rückgang der erstmaligen Eheschließung in Ländern der Europäischen Union, und Abbildung 4.3 stellt die Entwicklung der unbereinigten Eheschließungsraten für ausgewählte Länder in unterschiedlichen Regionen der Welt dar. Mit Ausnahme von Mexiko und Deutschland gibt es über den Zeitraum von 20 Jahren einen Rückgang, wobei es in Japan zu einem bedeutenden Abfall gekommen ist.

14 Alberdi (1995).

Abbildung 4.2 Entwicklung der erstmaligen Eheschließungen in Ländern der Europäischen Union seit 1960

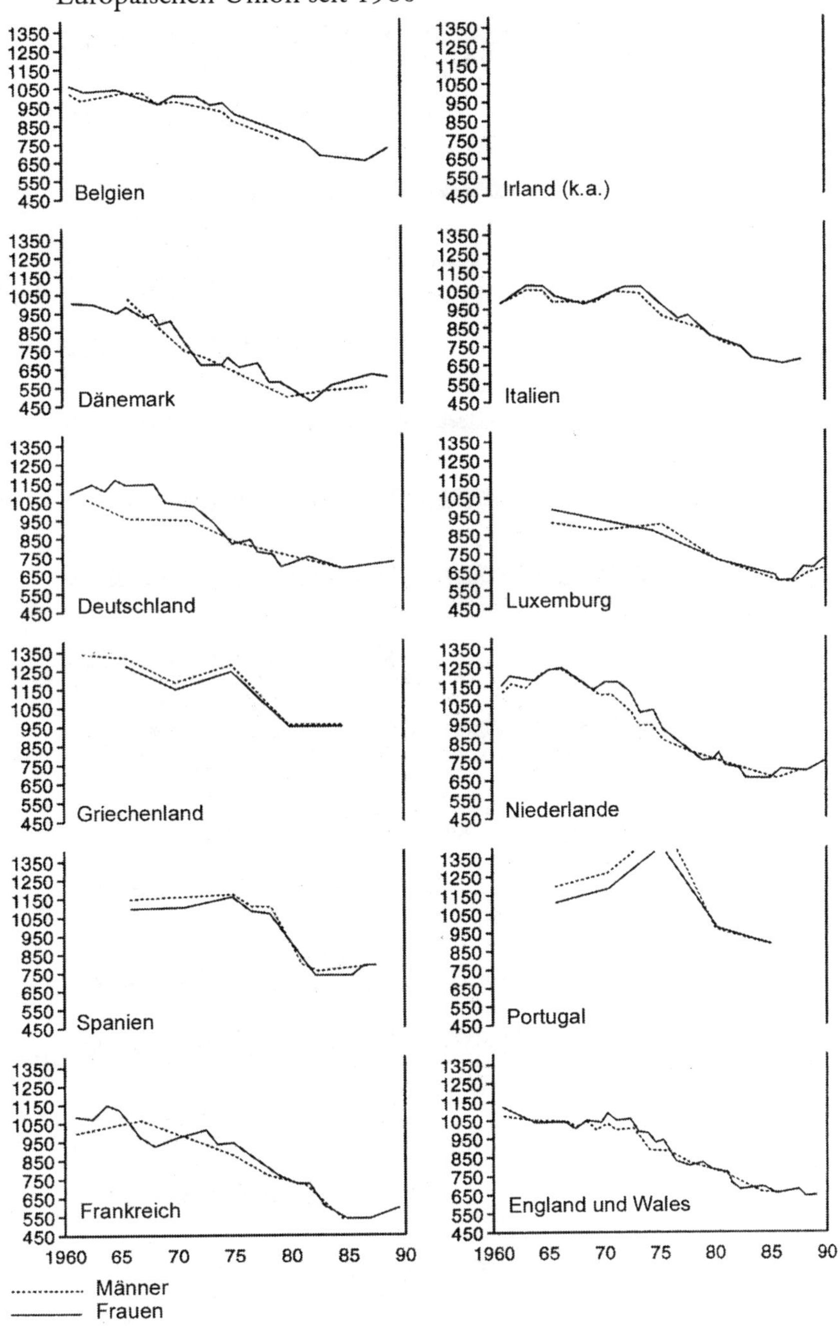

Quelle: Alberdi (1995)

Abbildung 4.3 Brutto-Eheschließungsraten in ausgewählten Ländern

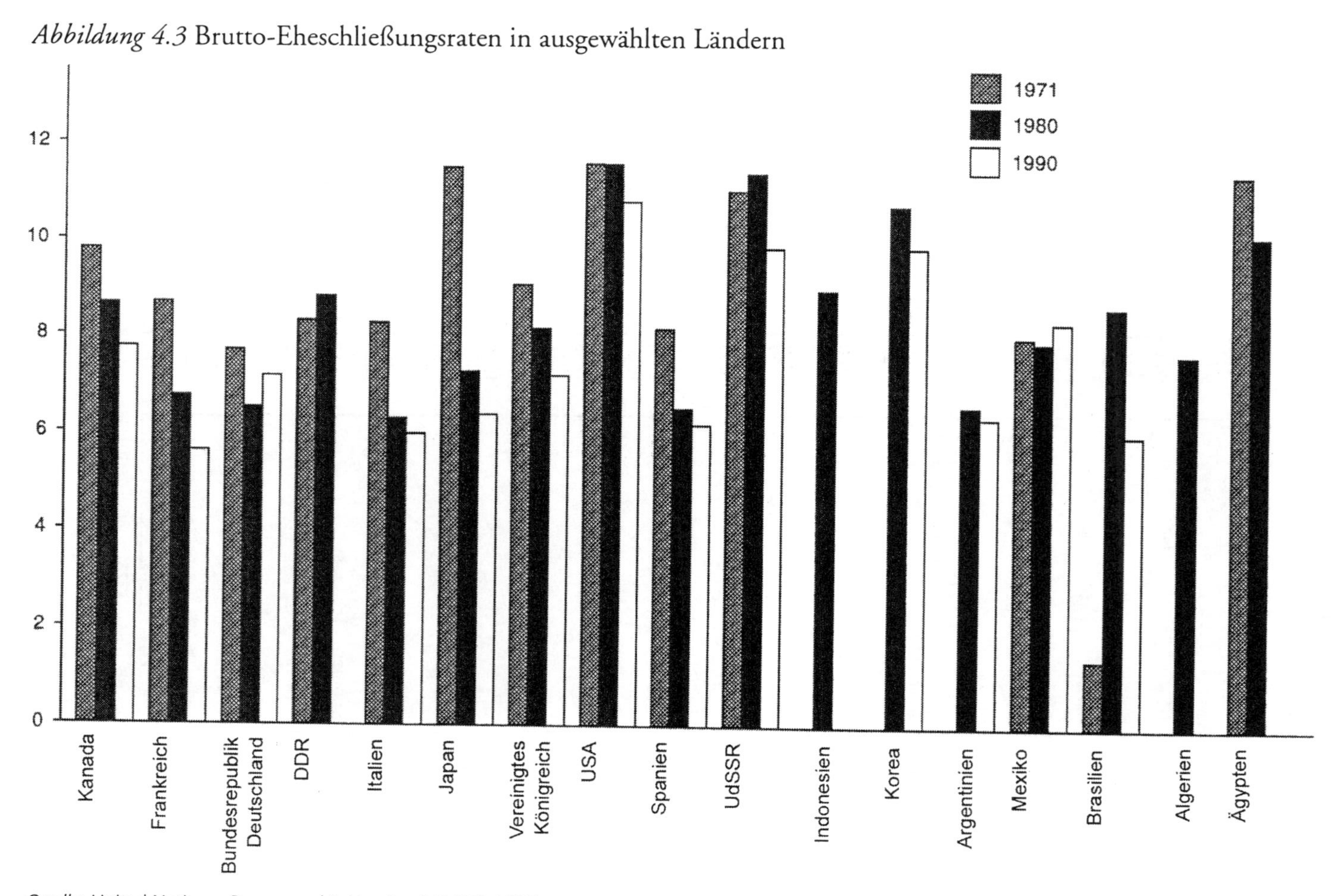

Quelle: United Nations, *Demographic Yearbook* (1970-1995)

Tabelle 4.4 Trends im Prozentsatz von Frauen von 20-24 Jahren, die nie verheiratet waren

Region/Land	Jahr der füheren Erhebung	%	Jahr der späteren Erhebung	%
Weniger entwickelte Länder				
Asien				
Indonesien	1976	20	1987	36
Pakistan	1975	22	1990/91	39
Sri Lanka	1975	61	1987	58
Thailand	1975	42	1987	48
Lateinamerika/Karibik				
Dominikanische Republik	1975	27	1986	39
Ekuador	1979	43	1987	41
Kolumbien	1976	44	1986	39
Mexiko	1976	34	1987	42
Peru	1978	49	1986	56
Nahost/Nordafrika				
Ägypten	1980	36	1989	40
Marokko	1980	36	1987	56
Tunesien	1978	57	1988	64
Subsaharanisches Afrika				
Ghana	1980	15	1988	23
Kenya	1978	21	1989	32
Senegal	1978	14	1986	23
Entwickelte Länder				
Frankreich	1970	46	1980	52
Österreich	1971	45	1980	57
Spanien	1970	68	1981	59
Tschechoslowakei	1970	35	1980	33
Vereinigte Staaten	1970	36	1980	51

Quellen: Weniger entwickelte Länder: United Nations (1987), Tabelle 43 in *Fertility Behaviour in the Context of Development: Evidence from the World Fertility Survey* (New York: United Nations) und Charles F. Westoff, Ann K. Blanc und Laura Nyblade (1994) *Marriage and Entry into Parenthood* (Demographic and Health Surveys Comparative Studies No 10. Calverton, Maryland: Macro International Inc.); *entwickelte Länder*: zusammengestellt vom Statistischen Dienst der Vereinten Nationen für United Nations (1995) *The World's Women 1870-1995: Trends and Statistics* (New York: United Nations)

Zusammengestellt und bearbeitet von Bruce u.a. (1995).

Die Verzögerung beim Heiratsalter ist ebenfalls eine praktisch allgegenwärtige Tendenz, und sie ist im Fall junger Frauen besonders wichtig. Tabelle 4.4 zeigt den Prozentsatz von Frauen zwischen 20 und 24 Jahren, die noch nie verheiratet waren. Die Daten aus späteren Zeiträumen sind sehr unterschiedlich, so dass der Vergleich schwierig ist, aber mit Ausnahme von Ghana und dem Senegal sind zwischen einem und zwei Dritteln der jungen Frauen unverheiratet; mit Ausnahme von Spanien und Sri Lanka hat der Anteil der unverheirateten Frauen zwischen 20 und 24 Jahren seit 1970 zugenommen. Weltweit hat der Anteil von verheirateten Frauen im Alter von 15 Jahren und darüber von 61% 1970 auf 56% 1985 abgenommen.[15]

15 United Nations (1991).

Tabelle 4.5 Außereheliche Geburten in Prozent aller Geburten nach Region (Länderdurchschnitte)

Region/Land (Anzahl der Länder)	1970	1980	1990
Entwickelte Länder			
Nordeuropa (6)	8,8	19,5	33,3
Osteuropa (6)	7,1	9,0	12,9
Südeuropa (5)	4,1	5,4	8,7
Westeuropa (6)	5,6	8,3	16,3
Japan	1,0[b]	1,0[c]	1,0[d]
Kanada	k.a.	13,2	21,1[a]
Ozeanien	9,0[b]	13,4[c]	20,2[e]
(frühere) UdSSR	8,2	8,8	11,2
Vereinigte Staaten	5,4[b]	14,2[c]	28,0
Weniger entwickelte Länder			
Afrika (12)	k.a.	4,8[f]	k.a.
Asien (13)	k.a.	0,9[f]	k.a.
Lateinamerika/Karibik (13)	k.a.	6,5[f]	k.a.

k.a. = keine Angaben

a 1989 b 1965 c 1975 d 1988 e 1985 f 1975-1980 (durschn.)

Quellen: Ost-, Nord-, Süd- und Westeuropa, (frühere) UdSSR und Kanada: Council of Europe (1993) *Recent Demographic Developments in Europe and North America, 1992* (Strasbourg: Council of Europe Press); *USA, Ozeanien und Japan*: United Nations (1992) *Patterns of Fertility in Low Fertility Settings* (New York: United Nations) und US Department of Health and Human Services (1993) *Monthly Vital Statistics Report* 42(3) Ergänzungsband; *weniger entwickelte Länder:* United Nations (1987) *Fertility Behaviour in the Context of Development* (New York: United Nations)

Zusammengestellt und bearbeitet von Bruce u.a. (1995).

Tabelle 4.6 Entwicklung von Haushalten alleinerziehender Eltern in Prozent aller Haushalte mit abhängigen Kindern und mindestens einem Elternteil im Haushalt in entwickelten Ländern

Land	Anfang 1970er Jahre	Mitte 1980er Jahre
Australien	9,2	14,9
Frankreich	9,5	10,2
Japan	3,6	4,1
Schweden	15,0	17,0
(frühere) UdSSR	10,0	20,0
Vereinigtes Königreich	8,0	14,3
Vereinigte Staaten	13,0	23,9
(früheres) Westdeutschland	8,0	11,4

Anm.: Haushalte von Alleinerziehenden sind Haushalte mit abhängigen Kindern und einem im Haushalt wohnenden Elternteil.

Quelle: Ailsa Burns (1992) „Mother-headed families: an international perspective and the case of Australia", *Social Policy Report* 6(1)

Zusammengestellt und bearbeitet von Bruce u.a. (1995).

Abbildung 4.4 Prozentsatz der Frauen (15-34 Jahre), die ihr erstes Kind vor der ersten Eheschließung bekamen, nach Rasse und ethnischer Herkunft (USA, 1960-1989)

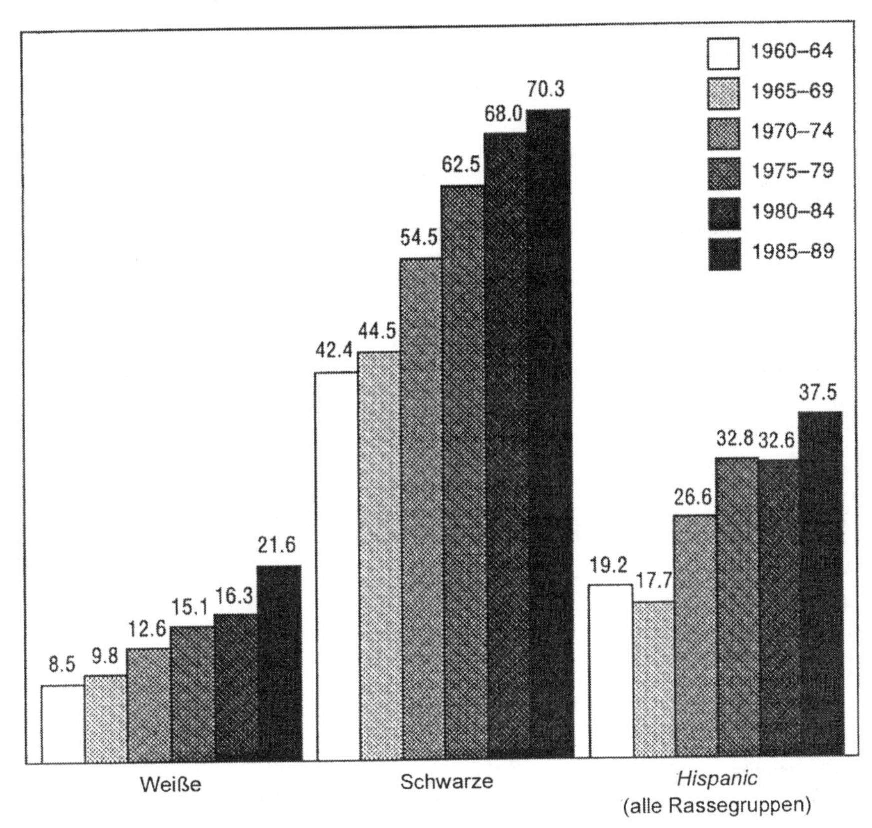

Quelle: US Bureau of the Census (1992a)

In den entwickelten Ländern wird ein steigender Prozentsatz der Kinder außerhalb der Ehe geboren (Tab. 4.5), und die wichtigste Beobachtung betrifft die erkennbare Tendenz: In den Vereinigten Staaten schnellte dieser Anteil von 5,4% aller Geburten 1970 auf 28% 1990 hinauf. Das Phänomen ist ethnisch differenziert: Es erreicht bei den afro-amerikanischen Frauen in der Altersgruppe von 15 bis 34 Jahren 70,3% (Abb. 4.4). In den skandinavischen Ländern machten in den 1990er Jahren nichteheliche Schwangerschaften etwa 50% aller Schwangerschaften aus.[16]

16 Alberdi (1995); Bruce u.a. (1995).

Tabelle 4.7 Entwicklungen beim Prozentsatz von Haushalten mit weiblichem Vorstand (*de iure*)

Land/Region	Jahr der füheren Erhebung	%	Jahr der späteren Erhebung	%
Daten aus demografischen Studien				
Asien				
Indonesien	1976	15,5	1987	13,6
Sri Lanka	1975	15,7	1987	17,8
Thailand	1975	12,5	1987	20,8
Lateinamerika/Karibik				
Dominikanische Republik	1975	20,7	1986	25,7
Ekuador	1979	15,0	1987	14,6
Kolumbien	1976	17,5	1986	18,4
Mexiko	1976	13,5	1987	13,3
Peru[a]	1977/78	14,7	1986	19,5
Trinidad und Tobago	1977	22,6	1987	28,6
Nahost/Nordafrika				
Marokko	1979/80	11,5	1987	17,3
Subsaharanisches Afrika				
Ghana	1960	22,0	1987	29,0
Sudan	1978/79	16,7	1989/90	12,6
Volkszählungsdaten				
Asien				
Hong Kong	1971	23,5	1991	25,7
Indonesien	1971	16,3	1980	14,2
Japan	1980	15,2	1990	17,0
Korea	1980	14,7	1990	15,7
Philippinen	1970	10,8	1990	11,3
Lateinamerika/Karibik				
Brasilien	1980	14,4	1989	20,1
Costa Rica	1984	17,5	1992	20,0
Panama	1980	21,5	1990	22,3
Peru	1981	22,1	1991	17,3
Uruguay	1975	21,0	1985	23,0
Venezuela	1981	21,8	1990	21,3
Subsaharanisches Afrika				
Burkina Faso	1975	5,1	1985	9,7
Kamerun	1976	13,8	1987	18,5
Mali	1976	15,1	1987	14,0

Anm.: *de iure* = „gewöhnlicher" Haushaltsvorstand

[a]*de facto* = Vorstand zum Erhebungsdatum

Quellen: Demografische Studien: Ghana: Cynthia B. Lloyd und Anastasia J. Gage-Brandon (1993) „Women's role in maintaining households: family welfare and sexual inequality in Ghana", *Population Studies* 47(1): 115-31. Ekuador: Keiko Ono-Osaku und A.R. Themme (1993) „Cooperative analysis of recent changes in households in Latin America", in IUSSP *Proceedings of Conference on the Americas, Vera Cruz*; alle übrigen Länder: Mohamed Ayad u.a. (1994) *Demographic Characteristics of Households* (Demographic and Health Surveys Comparative Studies no 14. Calverton, Maryland: Macro International Inc.); *Volkszählungen:* United Nations (1995) *The World's Women 1970-1995: Trends and Statistics* (New York: United Nations)

Zusammengestellt und bearbeitet von Bruce u.a. (1995).

Tabelle 4.8 Indikatoren für neuere Veränderungen bei der Familien- und Haushaltsbildung: Ausgewählte westliche Länder 1975-1990

Region und Land	Frauen im Alter von 20-24 in nichtehelicher Lebensgemeinschaft etwa 1985-90 (%)	Außereheliche Geburten um 1988 (%)	Zunahme der außerehelichen Geburten 1975-1988 (%)	Haushalte Alleinerziehender mit Kindern um 1985 (%)
Skandinavien				
Island	–	52	19	–
Schweden	44	52	19	32
Dänemark	43	45	23	26
Norwegen	28	34	23	23
Finnland	26	19	9	15
Nordeuropa				
Niederlande	23	11	8	19
Vereinigtes Königreich	24	25	16	14
Frankreich	24	26	18	10
Westdeutschland	18	10	4	13
Österreich	–	23	8	15
Schweiz	–	6	2	9
Luxemburg	–	12	8	18
Belgien	18	10	7	15
Irland	4	13	8	7
Südeuropa				
Portugal	7	14	7	–
Spanien	3	8	6	11
Italien	3	6	3	16
Griechenland	1	2	1	–
Malta	–	2	1	–
Zypern	–	1	0	–
Nordamerika				
Vereinigte Staaten	8	26	12	28
Kanada	15	21	14	26
Ozeanien				
Australien	6	19	7	15
Neuseeland	12	25	9	–

Quellen: Council of Europe (versch. Ausg.); European Values Studies, 1990 Round; Moors und van Nimwegen (1990); United Nations (versch. Jgg., 1990); persönliche Mitteilungen von Larry Bumpass (Vereinigte Staaten), Peter McDonald, Lincoln Day (Australien), Thomas Burch (Kanada), Ian Pool (Neuseeland)

Zusammengestellt von Lesthaeghe (1995).

Das Ergebnis sowohl von Trennungen als auch von unehelicher Mutterschaft ist zwischen den frühen 1970er Jahren und Mitte der 1980er Jahre in den entwickelten Ländern ein Ansteigen der Haushalte von Alleinerziehenden mit abhängigen Kindern, die meist von Frauen geführt werden (Tab. 4.6). Dieser Aufwärtstrend hat sich in den USA während der 1990er Jahre fortgesetzt (s.u.). Für die Entwicklungsländer lässt sich eine ähnliche Tendenz auf der Grundlage von Statistiken über Haushalte erkennen, die *de iure* von Frauen geführt werden. Tabelle 4.7 zeigt einen allgemeinen Aufwärtstrend im Anteil der von Frauen geführten

Haushalte zwischen Mitte der 1970er und Mitte bzw. Ende der 1980er Jahre (mit einigen Ausnahmen wie Indonesien), wobei Brasilien 1989 20% seiner Haushalte in dieser Kategorie auswies – gegenüber 14% für 1980.

Lesthaeghe hat in Tabelle 4.8 verschiedene Indikatoren der Haushaltsbildung für die OECD-Länder zusammengefasst. Diese Daten stellen Nordeuropa und Nordamerika Südeuropa gegenüber, wo die traditionellen Familienstrukturen widerstandsfähiger sind. Dennoch lag mit Ausnahme Irlands und der Schweiz der Anteil der Haushalte mit nur einem Elternteil und Kindern Mitte der 1980er Jahre zwischen 11% und 32% aller Haushalte.

Tabelle 4.9 Prozentsatz der Einpersonen-Haushalte gegenüber der Gesamtzahl der Haushalte für ausgewählte Länder 1990-1993

Land	Jahr	Gesamtzahl der Haushalte (Tsd.)	Einpersonen-Haushalte (Tsd.)	%
Deutschland[a]	1993	36.230	12.379	34,2
Belgien	1992	3.969	1.050	26,5
Dänemark[b]	1993	2.324	820	35,3
Frankreich	1992	22.230	6.230	28,0
Griechenland	1992	3.567	692	19,4
Großbritannien	1992	23.097	6.219	26,9
Irland	1991	1.029	208	20,2
Italien	1992	19.862	4.305	21,7
Luxemburg	1992	144	34	23,6
Niederlande	1992	6.206	1.867	30,1
Portugal	1992	3.186	399	12,5
Spanien	1992	11.708	1.396	11,9
Schätzungen				
Finnland	1993	2.120	716	33,8
Österreich	1993	3.058	852	27,9
Schweden	1990	3.830	1.515	39,6
USA	1993	96.391	23.642	24,5
Japan	1993	41.826	9.320	22,3

a Mikrozensus vom April 1993.

b Ohne Faröer und Grönland.

Quelle: Statistisches Bundesamt (1995) *Statistisches Jahrbuch 1995 für das Ausland* (Stuttgart: Metzer-Peschel)

Abbildung 4.5 Synthetischer Fertilitätsindex für europäische Länder seit 1960

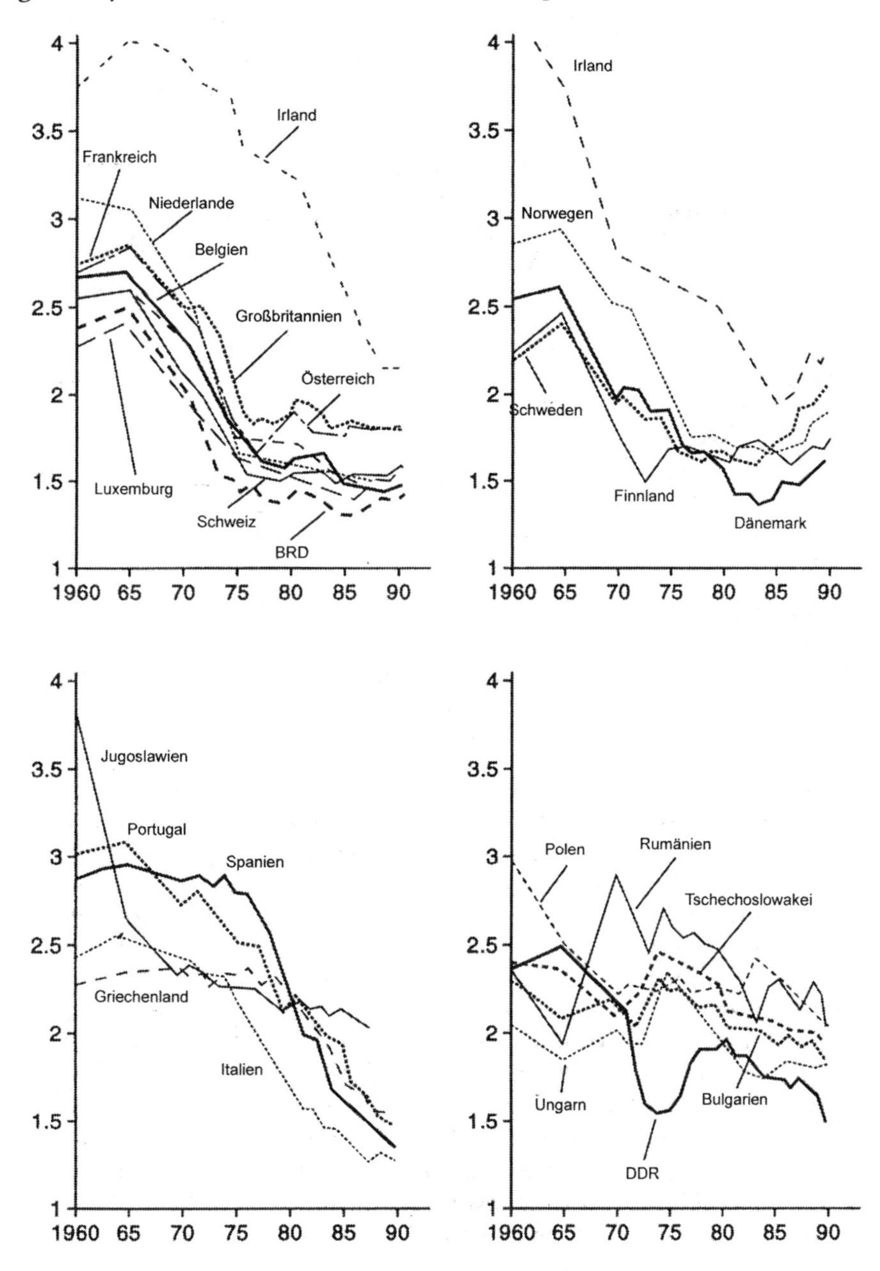

Quelle: Alberdi (1995)

Abbildung 4.6 Gesamt-Fertilitätsrate und Anzahl der Geburten in den USA, 1920-1990 (Gesamt-Fertilitätsrate = Anzahl der Kinder, die Frauen am Ende des gebärfähigen Alters auf der Grundlage altersspezifischer Geburtenraten für jedes einzelne Jahr haben würden)

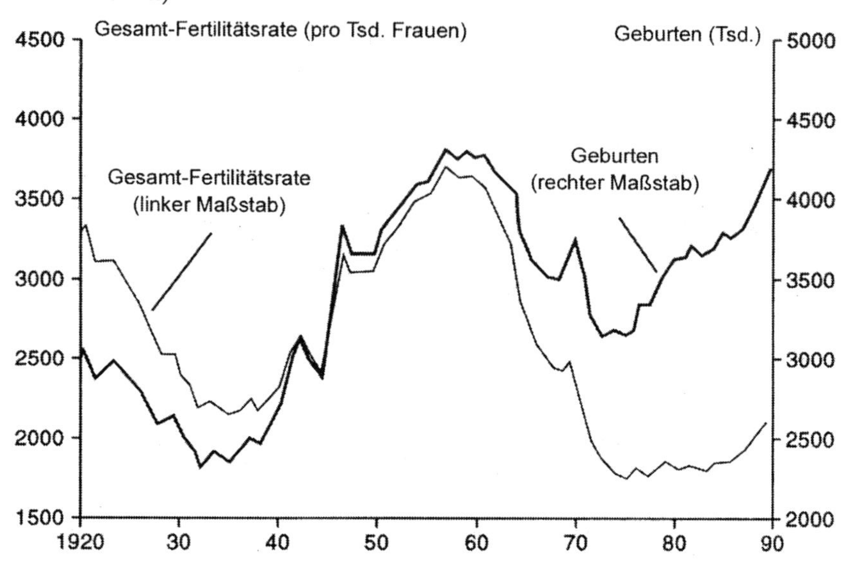

Quelle: US Bureau of the Census (1992a)

Tabelle 4.9 zeigt den Prozentsatz von Einpersonen-Haushalten für ausgewählte Länder in den frühen 1990er Jahren. Sie verdient eine genaue Betrachtung: Mit Ausnahme Südeuropas schwankt diese Zahl zwischen 20% und 39,6% aller Haushalte. Sie liegt für das Vereinigte Königreich bei 26,9%, für die USA bei 24,5%, für Japan bei 22,3%, für Frankreich bei 28,0% und für Deutschland bei 34,2%. Offensichtlich sind dies meist Haushalte von alleinstehenden Alten, und so erklärt sich dieses Phänomen zu großen Teilen aus der Alterung der Bevölkerung. Dennoch stellt die Tatsache, dass zwischen einem Fünftel und über einem Drittel aller Haushalte aus Einzelpersonen bestehen, doch die Allgemeingültigkeit der patriarchalischen Lebensweise in Frage. Übrigens hat die Widerstandsfähigkeit der traditionellen patriarchalischen Familien in Italien und Spanien ihren Preis: Die Frauen reagieren, indem sie keine Kinder bekommen, und so haben diese beiden Länder die niedrigsten Fertilitätsraten der Welt, weit unter der Ersatzquote für die Bevölkerung (1,2 in Italien, 1,3 in Spanien).[17] Zudem liegt in Spanien auch das Alter für das Verlassen des Elternhauses innerhalb Europas am höchsten: 27 Jahre für Frauen, 29 für Männer. Die weit verbreitete Jugendarbeitslosigkeit und akute Wohnungsnot tragen dazu bei, die patriarchali-

17 Alberdi (1995).

sche Familie zusammenzuhalten – auf Kosten der Familiengründung und eines Einbruchs bei der Reproduktion der spanischen Bevölkerung.[18]

Tabelle 4.10 Gesamtfertilitätsrate nach Hauptregionen der Welt

	1970-1975	1980-1985	1990-1995[a]
Welt	4,4	3,5	3,3
Stärker entwickelte Regionen	2,2	2,0	1,9
Weniger entwickelte Regionen	5,4	4,1	3,6
Afrika	6,5	6,3	6,0
Asien	5,1	3,5	3,2
Europa	2,2	1,9	1,7
Amerika	3,6	3,1	–
Lateinamerika	–	–	3,1
Nordamerika	–	–	2,0
Ozeanien	3,2	2,7	2,5
UdSSR	2,4	2,4	2,3

[a] 1990-1995: Schätzung.

Quellen: United Nations, *World Population Prospects*, Schätzungen auf der Grundlage von 1984; United Nations, *World Population at the Turn of the Century* (1989), S. 9; United Nations Population Fund, *The State of World Population: Choices and Responsibilities* (1994)

Und dies ist die offensichtlichste Folge der Krise der patriarchalischen Familie: der steile Abfall der Fertilitätsraten in den entwickelten Ländern, unterhalb der Bestandserhaltungsquote für ihre Bevölkerung (s. Abb. 4.5 für europäische Länder). In Japan hat die Gesamt-Fertilitätsrate seit 1975 unter dem Bestandserhaltungsniveau gelegen und 1990 1,54 erreicht.[19] In den USA ist die Gesamt-Fertilitätsrate in den letzten drei Jahrzehnten gegenüber ihrem historischen Höhepunkt während der 1950er Jahre scharf abgefallen und hat während der 1970er und 1980er Jahre einen Stand unterhalb des Bestandserhaltungsniveaus erreicht. Anfang der 1990er Jahre hat sie sich wieder etwa auf dem Bestandserhaltungsniveau von 2,1 stabilisiert. Die Zunahme der Geburtenzahlen war aber darauf zurückzuführen, dass die Kohorten der geburtenstarken Jahrgänge ins fortpflanzungsfähige Alter gekommen waren (Abb. 4.6). Tabelle 4.10 zeigt die Gesamt-Fertilitätsrate der wichtigsten Regionen der Welt mit Projektionen bis zur Mitte der 1990er Jahre. Sie ist während der letzten beiden Jahrzehnte insgesamt zurückgegangen und in den entwickelten Ländern unter das Bestandserhaltungsniveau gerutscht, wo sie auch geblieben ist. Es sollte jedoch festgehalten werden, dass dies kein ehernes Bevölkerungsgesetz ist. Anna Cabre hat die Beziehung zwischen der neuerlichen Steigerung der Fertilitätsrate in Skandinavien in den 1980er Jahren und der großzügigen Sozialpolitik sowie der gesellschaftlichen Toleranz in dieser privilegierten Weltgegend aufgezeigt.[20] Das ist genau der

18 Leal u.a. (1996).

19 Tsuya und Mason (1995).

20 Cabre (1990); Cabre und Domingo (1992).

Grund, warum mehr als 50% der Kinder in einer außerehelichen Beziehung empfangen werden. Unter Bedingungen psychologischer und materieller Unterstützung, wobei sie am Arbeitsplatz keine Nachteile zu befürchten haben, begannen die skandinavischen Frauen wieder, Kinder zu bekommen, und ihre Länder wiesen in den 1980er Jahren die höchsten Fertilitätsraten in Europa auf. Das Bild aus neuerer Zeit ist jedoch nicht so rosig. Einschnitte im skandinavischen Wohlfahrtsstaat haben die Unterstützung vermindert und dementsprechend stabilisierten sich Anfang der 1990er Jahre die skandinavischen Fertilitätsraten auf dem Bestandserhaltungsniveau.[21] In einer Anzahl von Ländern einschließlich der Vereinigten Staaten wird die Fertilitätsrate auch durch die Immigrantenbevölkerung nach oben verschoben, was zu Multi-Ethnizität und Multikulturalismus führt. Einer der wichtigsten soziokulturellen Unterschiede könnte in der Erhaltung des Patriarchalismus in Gemeinschaften immigrierter ethnischer Minderheiten bestehen, im Gegensatz zur Desintegration der traditionellen Familien unter den alteingesessenen – schwarzen wie weißen – ethnischen Gruppen in den industrialisierten Gesellschaften. Diese Tendenz hat natürlich die Eigenschaft, sich selbst zu reproduzieren, selbst wenn man den Rückgang der Geburtenraten von immigrierten Minderheiten in Rechnung stellt, sobald sich ihre wirtschaftliche Lage verbessert und ihr Bildungsniveau steigt.

Insgesamt scheint es, dass in den meisten entwickelten Ländern mit den wesentlichen Ausnahmen Japan und Spanien die patriarchalische Familie dabei ist, zu einer Lebensform zu werden, in der nur noch eine Minderheit lebt. In den Vereinigten Staaten entspricht während der 1990er Jahre nur noch etwa ein Viertel aller Haushalte dem Idealtypus des verheirateten Paares mit Kindern (s.u.). Wenn wir zusätzlich die Bedingung einführen „mit den Kindern des Paares", so sinkt dieser Anteil weiter. Sicherlich liegt all dies nicht allein an der Frauenbefreiung. Auch die demografische Struktur hat etwas damit zu tun: Ein weiteres Viertel der Haushalte in den Vereinigten Staaten sind Einpersonen-Haushalte, und das sind mehrheitlich alte Menschen, hauptsächlich Frauen, die ihre Ehemänner überlebt haben. Eine statistische Studie von Antonella Pinelli über die Variablen, die das neue demografische Verhalten in Europa beeinflussen, kommt jedoch zu dem Schluss, dass

> wir sehen, dass es dort zu instabilen Ehen, nichtehelichem Zusammenleben und außerehelichen Geburten kommt, wo großer Wert auf die nicht-materiellen Aspekte des Lebens gelegt wird, und wo die Frauen sich wirtschaftlicher Unabhängigkeit und relativ großer politischer Macht erfreuen. Die Bedingungen, die für die Frauen bestehen, sollten hervorgehoben werden. Scheidung, nichteheliches Zusammenleben und außereheliche Geburten sind dort am weitesten verbreitet, wo sich Frauen wirtschaftlicher Unabhängigkeit erfreuen und in der Lage sind, die Möglichkeit in Erwägung zu ziehen, ledige Mutter zu sein, ohne dass sie deshalb allzu große soziale Risiken eingehen müssten.[22]

21 Alberdi (1995).
22 Pinelli (1995: 88).

Ihre Schlussfolgerungen müssen jedoch durch die Feststellung korrigiert werden, dass dies nur ein Teil der Geschichte ist. Außerehelich geborene Kinder sind in den Vereinigten Staaten ebenso oft eine Folge von Armut und mangelnder Bildung wie der Selbstbestimmung von Frauen. Dennoch geht, wie dies ein paar statistische Illustrationen gezeigt haben, die allgemeine Tendenz hin zu einer Schwächung und möglichen Auflösung der traditionellen, auf unangefochtener patriarchalischer Herrschaft beruhenden Familienformen, wo Frau und Kinder sich um den Ehemann und Vater scharten.

In den Entwicklungsländern sind in den städtischen Gebieten ähnliche Tendenzen am Werk, aber die nationalen Statistiken, die vor allem in Afrika und Asien ganz überwiegend durch die traditionellen ländlichen Gesellschaften geprägt sind, spielen diese Erscheinung herunter. Dennoch waren wir in der Lage, ein paar Spuren davon zu entdecken. Der spanische Ausnahmefall hängt grundlegend mit der Jugendarbeitslosigkeit und der schweren Wohnungsnot zusammen, die in den größten Ballungsgebieten die Gründung neuer Haushalte verhindern.[23] In Japan tragen kulturelle Tendenzen wie die Schande außerehelicher Geburt dazu bei, den Patriarchalismus zu konsolidieren, auch wenn offenbar neuere Entwicklungen die patriarchalische Ideologie und die Beschränkung der Frauen auf den zweiten Arbeitsmarkt aufweichen.[24] Aber meine Hypothese um den Ausnahmefall Japan bei der Erhaltung der patriarchalischen Struktur zu erklären, bezieht sich hauptsächlich auf das Fehlen einer bedeutenden feministischen Bewegung. Da eine solche Bewegung in den 1990er Jahren gerade heranwächst, wage ich die Vorhersage, dass in diesem wie in vielen anderen Fällen die japanische Einzigartigkeit weitgehend eine Funktion der Zeit ist. Ohne die japanische Besonderheit auf kulturellem Gebiet zu leugnen, sind doch die Kräfte, die in der gesellschaftlichen Struktur und in den Köpfen der Frauen am Werk sind, so beschaffen, dass auch Japan damit rechnen muss, dass der Patriarchalismus von japanischen erwerbstätigen Frauen herausgefordert wird.[25]

Wenn sich die gegenwärtig erkennbaren Tendenzen weiterhin auf der ganzen Welt ausbreiten, und ich behaupte, dass sie das tun, so steht in den 1990er Jahren in einer Reihe von Gesellschaften der Zeitpunkt nicht allzu fern hinter dem historischen Horizont, an dem Familien, wie wir sie bisher gekannt haben, zu einem historischen Relikt geworden sein werden. Das heißt, es wird sich die Grundstruktur unseres Lebens transformiert haben, und wir bekommen bereits, manchmal schmerzvoll, die Erschütterungen dieser Transformation zu spüren. Wenden wir uns nun der Analyse der grundlegenden Tendenzen zu, die dieser Krise zugrunde liegen und – so ist zu hoffen – auch Quellen neuer Formen des Zusammenlebens von Frauen, Kindern, Schoßhündchen und sogar Männern sein werden.

---

23 Leal u.a. (1996).

24 Tsuya und Mason (1995).

25 Gelb und Lief-Palley (1994).

Frauen bei der Arbeit

Arbeit, Familien und Arbeitsmärkte sind während des letzten Vierteljahrhunderts durch die massenhafte Einbeziehung von Frauen in bezahlte Arbeit, die in den meisten Fällen außerhalb des Heims verreichtet wird, zutiefst transformiert worden.[26] Weltweit waren 1990 854 Mio. Frauen ökonomisch aktiv, was 32,1% der weltweit Erwerbstätigen ausmachte. Unter den Frauen im Alter von 15 Jahren und darüber waren 41% ökonomisch aktiv.[27] In den OECD-Ländern stieg die Beteiligung der Frauen an der Erwerbstätigkeit von durchschnittlich 48,3% 1973 auf 61,6% 1993, während sie für Männer von 88,2% auf 81,3% zurückging (s. Tab. 4.11). In den Vereinigten Staaten stieg die Beteiligung von Frauen an der Erwerbsarbeit von 51,1% 1973 auf 70,5% 1994. Die Wachstumsraten bei der Beschäftigung für 1973-1993 zeigen ebenfalls eine allgemeine Aufwärtstendenz für Frauen (die sich in einigen europäischen Ländern während der 1990er Jahre umgekehrt hat) und Zugewinne gegenüber den Männern (Tab. 4.12). Ähnliche Tendenzen sind weltweit zu beobachten. Wenn wir zu der statistischen Kategorie „wirtschaftliche Aktivitätsrate" der Vereinten Nationen übergehen, deren Prozentzahlen niedriger sind als die Beteiligung an der Erwerbsbevölkerung, so zeigen die Tabellen 4.13 und 4.14 eine ähnliche Aufwärtstendenz bei der Aktivitätsrate von Frauen, mit der partiellen Ausnahme Russlands, das 1970 bereits ein hohes Niveau hielt.

Das massenhafte Einströmen von Frauen in die bezahlte Arbeit ist einerseits auf die Informationalisierung, Vernetzung und Globalisierung der Wirtschaft zurückzuführen; andererseits auf die geschlechtsspezifische Segmentierung des Arbeitsmarktes, die sich die spezifische soziale Lage von Frauen zunutze macht, um Produktivität, Managementkontrolle und letztlich Profite zu steigern.[28] Schauen wir uns einige statistische Indikatoren an.[29]

26 Kahne und Giele (1992); Mason und Jensen (1995).

27 United Nations (1995).

28 Kahne und Giele (1992); Rubin und Riney (1994).

29 S. Blumstein und Schwartz (1983); Cobble (1993); OECD (1993-1995, 1994a, b, 1995); Mason und Jensen (1995); United Nations (1995).

Tabelle 4.11 Erwerbsquote nach Geschlecht (%)

	Männer						Frauen					
	1973	1979	1983	1992	1993	1994[a]	1973	1979	1983	1992	1993	1994[a]
Australien	91,1	87,6	85,9	85,3	85,0	84,9	47,7	50,3	52,1	62,3	62,3	63,2
Belgien	83,2	79,3	76,8	72,6	–	–	41,3	46,3	48,7	54,1	–	–
Dänemark	89,6	89,6	87,6	88,0	86,0	–	61,9	69,9	74,2	79,0	78,3	–
Deutschland	89,6	84,9	82,6	79,0	78,6	–	50,3	52,2	52,5	61,3	61,4	–
Finnland	80,0	82,2	82,0	78,5	77,6	77,1	63,6	68,9	72,7	70,7	70,0	69,8
Frankreich	85,2	82,6	78,4	74,7	74,5	–	50,1	54,2	54,3	58,8	59,0	–
Griechenland	83,2	79,0	80,0	73,0	73,7	–	32,1	32,8	40,4	42,7	43,6	–
Irland[b]	92,3	88,7	87,1	81,9	–	–	34,1	35,2	37,8	39,9	–	–
Italien	85,1	82,6	80,7	79,1	74,8	–	33,7	38,7	40,3	46,5	43,3	–
Japan	90,1	89,2	89,1	89,7	90,2	90,1	54,0	54,7	57,2	62,0	61,8	61,8
Kanada	86,1	86,3	84,7	78,9	78,3	–	47,2	55,5	60,0	65,1	65,3	–
Luxemburg[b]	93,1	88,9	85,1	77,7	–	–	35,9	39,8	41,7	44,8	–	–
Neuseeland	89,2	87,3	84,7	83,0	83,3	–	39,2	45,0	45,7	63,2	63,2	–
Niederlande	85,6	79,0	77,3	80,8	–	–	29,2	33,4	40,3	55,5	–	–
Norwegen	86,5	89,2	87,2	82,6	82,0	82,3	50,6	61,7	65,5	70,9	70,8	71,3
Österreich	83,0	81,6	82,2	80,7	80,8	–	48,5	49,1	49,7	58,0	58,9	–
Portugal[c]	–	90,9	86,9	82,3	82,5	82,8	–	57,3	56,7	60,6	61,3	62,2
Schweden	88,1	87,9	85,9	81,8	79,3	78,1	62,6	72,8	76,6	77,7	75,7	74,6
Schweiz	100,0	94,6	93,5	93,7	92,5	91,0	54,1	53,0	55,2	58,5	57,9	56,9
Spanien	92,9	83,1	80,2	75,1	74,5	73,9	33,4	32,6	33,2	42,0	42,8	43,9
Ver. Kgr.	93,0	90,5	87,5	84,5	83,3	81,8	53,2	58,0	57,2	64,8	64,7	64,5
USA	86,2	85,7	84,6	85,3	84,9	85,4	51,1	58,9	61,8	69,0	69,0	70,5
Nordamerika	86,2	85,8	84,6	84,6	84,2	–	50,7	58,6	61,6	68,6	68,7	–
OECD (Eur.)[d]	88,7	84,8	82,3	79,2	80,1	–	44,7	48,6	49,8	56,9	60,6	–
OECD ges.[d]	88,2	85,9	84,3	82,9	81,3	–	48,3	53,1	55,1	61,9	61,6	–

a Schätzungen des OECD-Sekretariats b für Irland und Luxemburg 1991 statt 1992

c Die Erwerbstätigen enthalten eine signifikante Anzahl von Personen unter 15 Jahren

d Nur die obigen Länder

Quelle: OECD *Employment Outlook* (1995)

Tabelle 4.12 Gesamtbeschäftigung nach Geschlecht (jährliche durchschnittliche Wachstumsraten in Prozent)

	Männer						Frauen					
	1973-1975	1975-1979	1979-1983	1983-1991	1992	1993	1973-1975	1975-1979	1979-1983	1983-1991	1992	1993
Australien	-0,3	0,6	-0,1	1,5[d]	-0,3	0,0	2,0	1,7	2,0	3,9[d]	0,6	0,8
Belgien	-0,4	-0,4	-1,8	0,0	-1,1	–	0,8	0,9	0,2	2,0	0,5	–
Dänemark	-1,8	0,7[b]	-1,7	0,9	–	–	-0,5	3,6[b]	0,9	1,4	–	–
Deutschland	-2,5	0,3	-0,5	0,8[e]	-0,3	–	-1,0	0,9	-0,0	2,0[e]	1,7	–
Finnland	0,7	-0,6[b]	0,9	-0,5	-7,6	-5,9	2,0	-0,0[b]	1,9	-0,1	-6,5	-6,3
Frankreich	-0,4	-0,2	-0,7	-0,1	-1,2	–	0,8	1,6	0,7	1,4	0,5	–
Griechenland	-0,5	0,8	0,6	0,1	–	–	1,6	1,1	4,1	0,7	–	–
Irland	-0,2	1,5	-1,4	-0,5	–	–	1,6	2,0	1,9	1,1	–	–
Italien	0,6	-0,1	0,0	0,1	-1,1	–[h]	2,4	2,7	1,3	1,6	0,3	–[h]
Japan	0,5	0,7	0,8	1,1	1,1	0,6	-1,7	2,0	1,7	1,7	1,0	-0,3
Kanada	1,9	1,8	-0,6	1,1	-1,2	1,2	4,7	4,5	2,6	2,8	-0,4	1,1
Luxemburg	1,0	-0,7	-0,7	2,3[f]	–	–	4,6	1,5	1,8	3,3[f]	–	–
Neuseeland	2,1	0,2	-0,3	-1,0[d]	0,4	–	5,2	2,7	0,8	1,3[d]	0,6	–
Niederlande	-1,5	0,3	-0,8	2,1	1,3	–	2,9	2,7	4,0	5,3	3,2	–
Norwegen	0,9	1,1	-0,2	-0,4	-0,5	-0,5	2,9	4,4	1,8	1,40	-0,1	0,5
Österreich	-1,1	0,8	0,9	0,7	0,8	–	-1,2	1,0	0,8	2,1	3,3	–
Portugal	-1,3[a]	0,3	0,4[c]	1,0	–[g]	-2,8	-1,5[a]	0,9	1,1[c]	3,0	–[g]	-1,2
Schweden	1,0	-0,3	-0,6	0,1[c]	-5,1	-7,9	4,2	2,0	1,3	0,9[c]	-3,5	-6,2
Schweiz	-2,8	-0,5	0,8	0,8	-2,1	-2,5	-1,9	0,6	2,0	1,6	-2,4	-2,5
Spanien	-0,2	-1,7[b]	-1,8	0,8	-3,2	-5,4	-1,5	-1,3[b]	-1,7	3,0	0,3	-2,4
Ver. Kgr.	-1,0	-0,2	-2,3	0,4	-3,3	-2,8	1,5	1,2	-1,0	2,3	-1,0	-1,3
USA	-0,6	2,5	-0,3	1,3	0,3	1,3	2,0	5,0	1,7	2,4	0,9	1,5
Nordamerika	-0,4	2,4	-0,4	1,2	0,2	1,3	2,2	4,9	1,8	2,4	0,8	1,5
OECD (Eur.)[i]	-0,8	-0,2	-0,8	0,4	-0,2	–	1,2	1,4	0,5	2,0	-0,3	–
OECD Ges.[i]	-0,4	0,9	-0,3	0,9	-1,4	–	1,0	2,8	1,2	2,2	-0,1	–

a Bruch in der Zahlenreihe zwischen 1973 und 1974
b Bruch in der Zahlenreihe zwischen 1975 und 1976
c Bruch in der Zahlenreihe zwischen 1982 und 1983
d Bruch in der Zahlenreihe zwischen 1985 und 1986
e Bruch in der Zahlenreihe zwischen 1986 und 1987
f Die Daten beziehen sich auf 1983-1990
g Bruch in der Zahlenreihe zwischen 1991 und 1992
h Bruch in der Zahlenreihe zwischen 1992 und 1993
i Nur die obigen Länder

Quelle: OECD *Employment Outlook* (1995)

Abbildung 4.7 Zunahme der Beschäftigung im Dienstleistungssektor und in der weiblichen Erwerbsquote, 1980-1990 (Aus.: Australien; Bel.: Belgien; CH: Schweiz; Lux.: Luxemburg; NL: Niederlande; NZ: Neuseeland; VK: Vereinigtes Königreich)

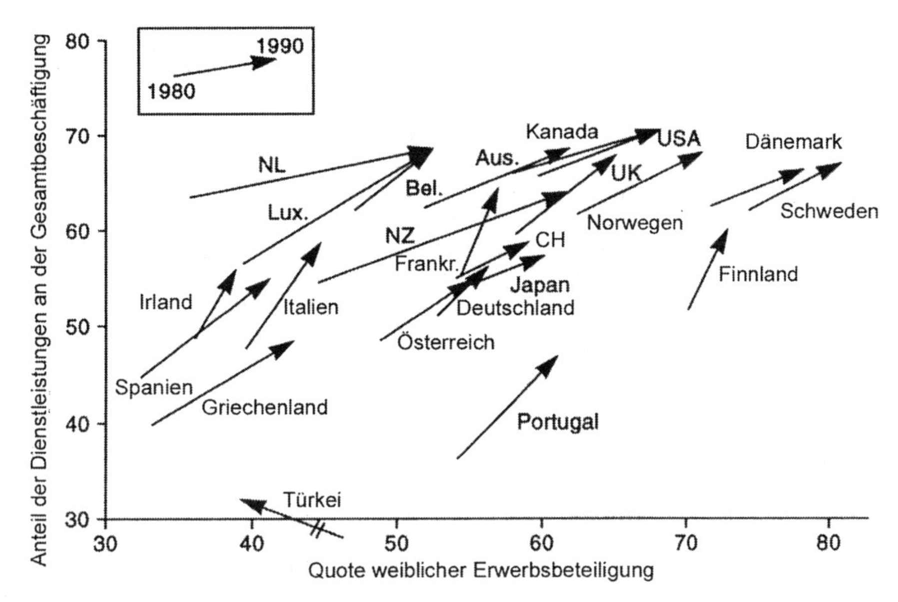

Quelle: OECD (1994b) Statistischer Anhang, Tabellen A und D.

Tabelle 4.13 Wirtschaftliche Aktivität, Quoten 1970-1990

			1970	1975	1980	1985	1990
OECD							
Deutschland	(über 14)	Gesamt	43,9	43,4	44,9	–	49,6
		Männer	59,2	57,1	58,4	–	60,8
		Frauen	30,0	30,9	32,6	–	39,2
Frankreich	(über 15)	Gesamt	42,0(71)	42,6	43,3	43,4(86)	44,8
		Männer	55,2	55,1	54,4	52,6	51,6
		Frauen	29,4	30,5	32,7	34,6	38,2
Italien	(über 14)	Gesamt	36,6	35,4	40,2	41,1	42,0
		Männer	54,7	52,2	55,2	54,6	54,3
		Frauen	19,3	19,4	26,0	28,2	30,3
Japan	(über 15)	Gesamt	51,0	48,6	48,4	51,5	51,7
		Männer	63,4	62,3	60,2	63,6	62,4
		Frauen	39,1	35,2	36,8	39,8	41,3
Kanada	(über 15)	Gesamt	40,9(71)	44,6(76)	–	–	–
		Männer	53,3	55,6	–	–	–
		Frauen	28,4	33,8	–	–	–
Ver.Kgr.	(über 16)	Gesamt	42,5	–	47,3(81)	–	50,3
		Männer	51,7	–	59,4	–	58,4
		Frauen	33,0	–	35,8	–	42,6
USA	(über 16)	Gesamt	41,8	44,5	49,1	–	–
		Männer	53,9	55,6	56,8	–	–
		Frauen	30,2	33,9	41,8	–	44,4(92)

Forts. Tab. 4.13			1970	1975	1980	1985	1990
Russische Föderation	(über 16)	Gesamt	48,4	–	51,7(79)	–	50,2
		Männer	52,1	–	55,7	–	55,0
		Frauen	45,3		48,1		45,8
Asien							
China	(über 15)	Gesamt	–	–	52,3(82)	–	–
		Männer	–	–	57,3	–	–
		Frauen	44,25	–	47,0	–	–
Indien	(über 15)	Gesamt	32,9(71)	–	–	–	37,5(91)
		Männer	52,5	–	–	–	51,6
		Frauen	11,9	–	–	–	22,3
Indonesien	(über 15)	Gesamt	34,9(71)	–	35,5	–	–
		Männer	47,3	–	48,1	–	–
		Frauen	22,8	–	23,5	–	–
Korea	(über 15)	Gesamt	33,0	38,5	37,9	–	–
		Männer	42,8	46,9	46,3	–	–
		Frauen	23,2	30,3	29,3	–	–
Lateinamerika							
Argentinien	(über 14)	Gesamt	38,5	–	38,5	37,5	38,1
		Männer	57,9	–	55,1	55,3	55,4
		Frauen	19,4	–	22,0	19,9	21,0
Mexiko	(über 12)	Gesamt	26,9	27,6	33,0	–	29,6
		Männer	43,6	42,9	48,2	–	46,2
		Frauen	10,2	12,0	18,2	–	13,6
Brasilien	(über 10)	Gesamt	31,7	–	36,3	–	41,9
		Männer	10,5	–	53,1	–	56,3
		Frauen	13,1	–	19,8	–	27,9
Afrika							
Algerien	(über 6)	Gesamt	21,7(66)	–	–	–	23,6
		Männer	42,2	–	–	–	42,4
		Frauen	1,8	–	–	–	4,4
Nigeria	(über 14)	Gesamt	–	–	–	–	30,3
		Männer	–	–	–	–	40,7
		Frauen	–	–	–	–	19,7
Naher Osten							
Ägypten	(über 6)	Gesamt	27,9(71)	30,2(76)	–	–	31,6
		Männer	51,2	54,1	–	–	49,3
		Frauen	4,2	5,5	–	–	13,5

Tabelle 4.14 Zunahme der wirtschaftlichen Aktivität von Frauen, Quoten 1970-1990

	1970	1990	Wachstumsrate (%)
Deutschland	30,0	39,2	30,7
Frankreich	29,4	38,2	29,9
Italien	19,3	30,3	57,0
Japan	39,1	41,3	5,6
Vereinigtes Kgr.	33,0	42,6	29,1
USA	30,2	44,4	47,0
Russland	45,3	45,8	1,1
Indien	11,9	22,3	87,4
Argentinien	19,4	21,0	8,2
Mexiko	10,2	13,6	33,3
Brasilien	13,1	27,9	113,0
Algerien	1,8	4,4	144,4
Ägypten	4,2	13,5	221,4

Anm.: Quote der wirtschaftlichen Aktivität = wirtschaftlich aktive Bevölkerung/Gesamtbevölkerung

Quelle: ILO, *Yearbook of Labour Statistics* (1970-1994)

Abbildung 4.8a Prozentsatz der Frauen an der Erwerbsbevölkerung nach Beschäftigungstypus

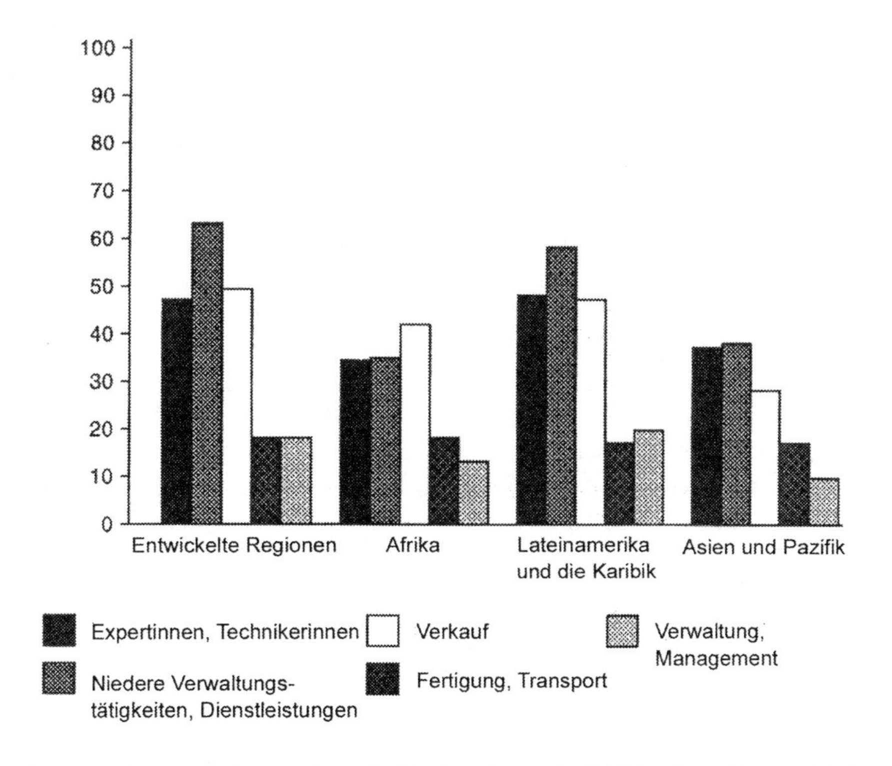

Quelle: Erarbeitet für das Statistische Amt des United Nations Secretariat (1991) aufgrund International Labour Office, *Yearbook of Labour Statistics* (versch. Jgg.)

Abbildung 4.8b Familien verheirateter Paare, bei denen die Ehefrau erwerbstätig ist (USA), 1960-1990 (Daten für 1983 nicht verfügbar)

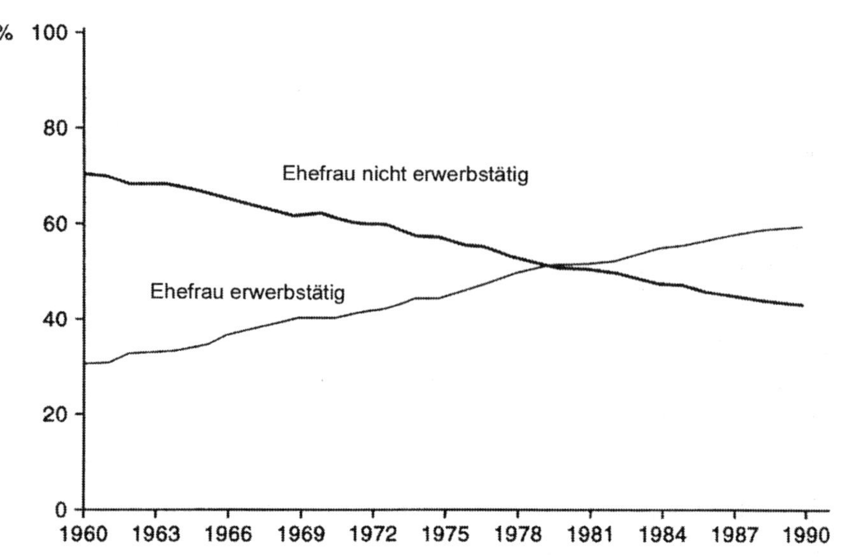

Quelle: US Bureau of the Census (1992a)

Bei der Analyse der Transformation der Beschäftigungsstruktur in der informationellen Wirtschaft (Band I, Kap. 4) habe ich die Beschäftigungszunahme im Dienstsleistungsbereich aufgezeigt und innerhalb der Dienstleistungen auf die strategische Rolle hingewiesen, die zwei spezifische Kategorien von Dienstleistungen spielen: unternehmensorientierte Dienstleistungen und soziale Dienste, die für die informationelle Wirtschaft charakteristisch sind, wie dies die frühen Theoretiker des Postindustrialismus vorhergesagt hatten. Abbildung 4.7 zeigt die Konvergenz zwischen dem Wachstum des Dienstleistungssektors und der Frauenbeschäftigung 1980-1990. Abbildung 4.8a zeigt die Konzentration von Frauen im Dienstleistungsbereich in unterschiedlichen Gegenden der Welt. Es sollte jedoch angemerkt werden, dass im größten Teil der Welt die meiste Arbeit noch immer landwirtschaftlich ist – wenn auch nicht mehr lange – und dass deshalb die meisten Frauen noch immer in der Landwirtschaft arbeiten: 80% der wirtschaftlich aktiven Frauen im subsaharanischen Afrika und 60% in Südasien. Weltweit gesehen befinden sich etwa die Hälfte der wirtschaftlich aktiven Frauen im Dienstleistungsbereich.[30] Dieser Anteil ist in den meisten entwickelten Ländern viel höher und im Zeitverlauf angestiegen, so dass er in den USA und im Vereinigten Königreich den Stand von etwa 85% der weiblichen Erwerbstätigen erreicht hat. Am wichtigsten ist aber, in welcher Art von Dienstleistungen die Frauen arbeiten. Wie Tabelle 4.15 zeigt, befindet sich in den meisten entwickelten Ländern der Großteil der weiblichen Beschäftigten in

30 United Nations (1991).

den sozialen und personenbezogenen Dienstleistungen. Wenn wir jedoch die Wachstumsrate der Beschäftigung von Frauen bezogen auf die gesamte weibliche Beschäftigung für die Periode von 1973-1993 berechnen (Tab. 4.16), so beobachten wir eine spektakuläre Zunahme bei den unternehmensbezogenen Dienstleistungen, mit einigem Abstand gefolgt von den sozialen und personenbezogenen Dienstleistungen. Handel und Beschäftigung in Restaurants bilden das am wenigsten dynamische Segment bei der Entwicklung der Frauenbeschäftigung in den fortgeschrittenen Ländern. Es besteht in den fortgeschrittenen Ländern also eine direkte Beziehung zwischen dem Typus von Dienstleistungen, der mit der Informationalisierung der Wirtschaft zusammenhängt, einerseits, und der Ausweitung der weiblichen Beschäftigung andererseits. Eine ähnliche Schlussfolgerung ergibt sich, wenn wir die Veränderungen bei der Entwicklung der weiblichen Beschäftigung nach Berufen zwischen 1980 und 1989 in ausgewählten OECD-Ländern betrachten (Tab. 4.17). Insgesamt sind die Kategorien Experten/Techniker und Verwaltung/Management schneller gewachsen als andere, obwohl die untergeordneten Verwaltungsfunktionen (Sekretärinnen) allgemein noch immer die größte Kategorie der Frauenarbeit ausmacht. Frauen werden nicht auf die am wenigsten qualifizierten Dienstleistungstätigkeiten abgeschoben: Sie werden auf der ganzen Skala der Qualifikationsstruktur beschäftigt, und die Zunahme Frauenarbeitsplätze ist am oberen Ende der Beschäftigungsstruktur höher. Gerade aus diesem Grund kommt es zu Diskriminierungen: weil sie ähnlich qualifizierte Arbeit für niedrigere Bezahlung leisten, mit geringerer Arbeitsplatzsicherheit und geringeren Aufstiegschancen an die Spitze.

Auch die Globalisierung hat eine wichtige Rolle dabei gespielt, Frauen auf der ganzen Welt in die Erwerbstätigkeit einzubeziehen. Die Elektronikindustrie, die seit den späten 1960er Jahren internationalisiert ist, rekrutierte vorwiegend junge, unqualifizierte Frauen in Asien.[31] Die US-amerikanischen *maquiladoras*[32] im nördlichen Mexiko greifen massiv auf weibliche Arbeitskräfte zurück. Und die sich neu industrialisierenden Volkswirtschaften haben unterbezahlte Frauen auf fast allen Ebenen der Berufsstruktur in die bezahlte Arbeit einbezogen.[33] Gleichzeitig verbleibt ein erheblicher Anteil der städtischen Beschäftigung von Frauen in Entwicklungsländern im informellen Sektor, vor allem bei der Versorgung der Bewohner der großen Städte mit Nahrungsmitteln und Dienstleistungen.[34]

---

31 Salaff (1981, 1988).

32 [So genannte Freie Produktionszonen oder Weltmarktfabriken vorwiegend im unmittelbaren Grenzbereich zu den USA, die die mexikanische Regierung mit einem „maquila"-Programm unterstützt, um die Industrialisierung zu fördern; d.Red.]

33 Standing (1990).

34 Portes u.a. (1989).

Tabelle 4.15 Weibliche Beschäftigung im Dienstleistungsbereich nach Tätigkeiten und Rangfolge in der Informationsintensität der Gesamtbeschäftigung (%), 1973-1993

		1	2 (Rangfolge der Informationsintensität)	2	3		
		Finanz, Versicherungen, Immobilien und Unternehmensdienstl.	Gemeinschafts-, soziale und persönliche Dienstl.	Transport, Lagerhaltung und Kommunikation	Groß- und Einzelhandel, Restaurants und Hotels	Nicht ausreichend abgegrenzte Tätigkeiten	Gesamt
Kanada	1975	11,2	40,2	4,0	25,8	–	81,2
	1983	12,1	40,9	4,2	25,4	–	82,6
	1993	13,6	43,9	3,7	24,8	–	86,0
USA	1973	9,1	41,5	3,5	23,9	–	78,0
	1983	11,9	41,9	3,3	24,5	–	81,6
	1993	12,6	46,6	3,5	22,7	–	85,3
Japan	1973	3,4	22,0	2,0	24,7	0,2	52,3
	1983	6,9	24,1	1,9	27,1	0,2	60,3
	1993	9,4	26,9	2,5	27,5	0,4	66,7
Deutschland	1973	–	–	–	–	–	–
	1983	8,2	34,2	3,3	22,5	–	68,2
	1993	10,3	38,4	3,6	22,4	–	74,6
Italien	1977	1,7	31,0	1,8	18,8	–	53,3
	1983	3,1	34,6	2,0	21,0	–	60,6
	1993	8,1	36,4	2,7	22,6	–	69,8
Ver.Kgr.	1973	7,4	36,0	2,8	24,7	–	70,7
	1983	9,8	42,2	2,8	25,0	0,1	79,9
	1993	–	–	–	–	–	84,9
Spanien	1977	2,1	28,2	1,5	24,4	–	56,3
	1983	3,0	35,8	1,7	24,4	–	64,9
	1993	6,3	41,8	2,2	26,9	–	77,2

Quelle: ILO, *Labour Force Statistics* (1995)

Tabelle 4.16 Zuwachsraten für jede Kategorie der weiblichen Beschäftigung im Dienstleistungsbereich in Prozent der weiblichen Gesamtbeschäftigung, 1973-1993[a]

Land	Unternehmensdienstleistungen (%)	Soziale und persönliche Dienstleistungen (%)	Transport, Lagerhaltung und Kommunikation (%)	Handel, Hotels und Restaurants (%)
USA	38,5	12,2	0	–5,0
Japan	176,5	22,2	25	1,3
Deutschland (1983-1993)	25,6	12,3	9	–0,4
Italien (1977-1993)	376,5	17,4	50	–3,9
Ver.Kgr.	32,4	17,2	0	1,2
Spanien (1977-1993)	200,0	48,2	47	10,2

a Wo nicht anders angegeben.

Quelle: Ermittelt aus den Daten der Tabelle 4.15

Warum Frauen? Erstens, weil es während der letzten drei Jahrzehnte entgegen irreführender Meldungen in den Medien weltweit zur nachhaltigen Schaffung von Arbeitsplätzen gekommen ist – außer in Europa (s. Band I, Kap. 4). Aber selbst in Europa hat die weibliche Erwerbstätigkeit zugenommen, während die der Männer zurückgegangen ist. Demnach ist der Eintritt von Frauen ins Erwerbsleben nicht einfach eine Reaktion auf die Nachfrage nach Arbeitskraft. Auch ist die Arbeitslosigkeit von Frauen nicht immer höher als die von Männern: 1994 lag sie in den Vereinigten Staaten (6% gegenüber 6,2%) und in Kanada (9,8% gegenüber 10,7%) unter der von Männern; und sie war im Vereinigten Königreich 1993 viel niedriger als die von Männern (7,5% gegenüber 12,4%). Andererseits war sie in Japan und Spanien etwas und in Frankreich und Italien bedeutend höher. Demnach verläuft die Zunahme der Beteiligung von Frauen an der bezahlten Arbeit unabhängig von den Unterschieden in der Arbeitslosigkeit gegenüber Männern und vom Wachstum der Nachfrage nach Arbeitskräften.

Tabelle 4.17 Verteilung der weiblichen Beschäftigung nach Beruf,[a] 1980 und 1989 (%)

Land[b,c]	Expertinnen, Technikerinnen u.ä.	Verwaltung und Management	Niedere Verwaltungstätigkeiten u.ä.	Verkauf	Bedienung	Landwirtschaft u.ä.	Produktion u.ä.
Belgien							
1983	25,9	1,4	24,4	13,7	18,6	2,8	13,2
1988	28,2	1,4	27,3	14,6	14,4	2,1	11,6
Index (1983 = 100)	118,0	113,0	122,0	116,0	84,0	86,0	95,0
Kanada							
1980	19,1	5,4	34,5	10,0	18,3	2,8	9,9
1989	20,9	10,7	30,5	9,9	17,0	2,2	8,9
Index (1980 = 100)	143,0	185,0	114,0	123,0	122,0	98,0	113,0
Finnland							
1980	19,8	1,4	21,8	8,6	22,3	10,5	15,5
1989	31,2	1,9	22,7	11,5	16,2	6,5	10,0
Index (1980 = 100)	172,0	147,0	113,0	145,0	79,0	66,0	70,0
Deutschland							
1980	14,1	1,3	30,7	12,9	16,3	6,9	15,9
1986	16,2	1,5	29,8	12,8	16,1	5,5	13,3
Index (1980 = 100)	118,0	115,0	99,0	102,0	102,0	83,0	86,0
Griechenland							
1981	10,7	0,7	12,9	9,0	9,7	41,6	15,5
1989	14,4	0,8	14,6	10,8	11,5	34,0	13,9
Index (1981 = 100)	156,0	130,0	131,0	138,0	137,0	95,0	104,0
Japan							
1980	9,6	0,5	23,1	14,3	12,7	13,1	26,5
1989	11,4	0,8	26,4	14,4	11,4	8,8	26,5
Index (1980 = 100)	173,0	132,0	116,0	104,0	77,0	116,0	250,0
Norwegen							
1980	23,6	2,2	19,2	12,8	24,9	5,9	11,2
1989	28,3	3,5	19,8	12,4	22,3	3,9	9,4
Index (1980 = 100)	141,0	188,0	121,0	114,0	106,0	78,0	99,0
Spanien							
1980	8,7	0,2	13,2	15,4	25,6	18,2	18,7
1989	15,2	0,4	18,2	15,4	25,2	11,1	14,4
Index (1980 = 100)	202,0	280,0	160,0	116,0	114,0	70,0	89,0
Schweden							
1980	30,6	0,8	21,6	8,7	22,8	3,0	12,4
1989	42,0	k.a.	21,9	9,3	13,2	1,8	11,7
Index (1980 = 100)	154,0	k.a.	114,0	120,0	65,0	66,0	106,0
Vereinigte Staaten							
1980	16,8	6,9	35,1	6,8	19,5	1,2	13,8
1989	18,1	11,1	27,8	13,1	17,7	1,1	11,1
Index (1980 = 100)	136,0	202,0	99,0	243,0	115,0	115,0	101,0

a Großgruppen der International Standard Classification of Occupations (ISCO)

b Nicht alle Länder veröffentlichen ihre Daten entsprechend der ISCO. Länder, in denen das System der Berufsklassifikation im interessierenden Zeitraum geändert wurde, wurden nicht berücksichtigt.

c Der Index zeigt die Zunahme in der Gesamtzahl der Beschäftigten der Berufsgruppe über das Jahrzehnt hinweg an.

Quelle: ILO, *Yearbook of Labour Statistics* (versch. Jgg.)

Wenn die Nachfrage nach Arbeitskräften rein quantitativ den Rückgriff auf Frauen noch nicht erklärt, muss ihre Bevorzugung seitens der Arbeitgeber durch andere Charakteristika erklärt werden. Ich meine, es ist in der Literatur unbestritten, dass die soziale geschlechtsspezifische Bestimmung der Frauenarbeit sie insgesamt zu einem attraktiven Arbeitskräftereservoir macht.[35] Das hat sicherlich nichts mit biologischen Charakteristika zu tun: Frauen haben auf der ganzen Welt bewiesen, dass sie bei der Feuerwehr und auf den Docks arbeiten können, und harte Fabrikarbeit von Frauen hat die Industrialisierung von jeher gekennzeichnet. Auch hat die Beschäftigung junger Frauen im Elektronikbereich nichts mit dem Mythos zu tun, dass ihre Finger weitaus geschickter wären, sondern damit, dass es sozial akzeptabel ist, wenn sie sich innerhalb von zehn Jahren durch die Montage am Mikroskop die Augen verderben. Anthropologische Studien haben nachgewiesen, wie am Anfang der Beschäftigung von Frauen in den Elektronikfabriken Südostasiens das Muster der patriarchalischen Autorität stand, das sich auf der Grundlage des Übereinkommens zwischen dem Familienvater und den Fabrikmanagern vom Familienhaushalt in die Fabrik ausdehnte.[36]

Noch scheint der Grund der Anstellung von Frauen mit ihrem Mangel an gewerkschaftlicher Organisation zu tun zu haben. Der Kausalitätszusammenhang scheint anders herum zu funktionieren: Frauen sind nicht gewerkschaftlich organisiert, weil sie oft in Sektoren arbeiten, wo es nur eine geringe oder gar keine Gewerkschaftsstruktur gibt, wie private unternehmensorientierte Dienstleistungen oder elektronische Fertigung. Trotzdem machen Frauen in den Vereinigten Staaten immerhin 37% der Gewerkschaftsmitglieder aus, 39% in Kanada, 51% in Schweden und durchschnittlich 30% in Afrika.[37] Arbeiterinnen in der Bekleidungsindustrie in den Vereinigten Staaten und in Spanien, Frauen in den mexikanischen *maquiladoras* und Lehrerinnen und Krankenschwestern auf der ganzen Welt sind in jüngerer Zeit mit größerer Vehemenz zum Kampf für ihre Forderungen angetreten als die von Männern beherrschten Stahl- oder Chemiegewerkschaften. Die angebliche Unterwürfigkeit weiblicher Arbeitskräfte ist ein hartnäckiger Mythos. Wie irreführend er ist, mussten manche Manager zu ihrem eigenen Schaden erfahren.[38] Was also sind die wichtigsten Faktoren, die zur Explosion der Beschäftigung von Frauen geführt haben?

---

35 Spitz (1988); Kahne und Giele (1992); OECD (1994b).

36 Salaff (1981).

37 United Nations (1991).

38 Cobble (1993).

Tabelle 4.18 Umfang und Zusammensetzung der Teilzeitarbeit, 1973-1994 (%)

	Anteil der Teilzeitbeschäftigung an der Gesamtbeschäftigung											
	Männer						Frauen					
	1973	1979	1983	1992	1993	1994	1973	1979	1983	1992	1993	1994
Australien	3,7	5,2	6,2	10,6	10,3	10,9	28,2	35,2	36,4	43,3	42,3	42,6
Belgien	1,0	1,0	2,0	2,1	2,3	2,5	10,2	16,5	19,7	28,1	28,5	28,3
Dänemark	–	5,2	6,6	10,1	11,0	–	–	46,3	44,7	36,7	37,3	–
Deutschland[a]	1,8	1,5	1,7	2,6	2,9	–	24,4	27,6	30,0	30,7	32,0	–
Finnland	–	3,2	4,5	5,5	6,2	6,0	–	10,6	12,5	10,4	11,1	11,2
Frankreich	1,7	2,4	2,5	3,6	4,1	4,6	12,9	17,0	20,1	24,5	26,3	27,8
Griechenland	–	–	3,7	2,8	2,6	3,1	–	–	12,1	8,4	7,6	8,0
Irland	–	2,1	2,7	3,9	4,8	–	–	13,1	15,5	18,6	21,3	–
Island	–	–	–	9,2	9,9	–	–	–	–	49,8	47,5	–
Italien	3,7	3,0	2,4	2,8	2,5	2,8	14,0	10,6	9,4	11,5	11,0	12,4
Japan	6,8	7,5	7,3	10,6	11,4	11,7	25,1	27,8	29,8	34,8	35,2	35,7
Kanada	4,7	5,7	7,6	9,3	9,8	9,5	19,4	23,2	26,1	25,8	26,2	26,1
Luxemburg	1,0	1,0	1,0	1,2	1,0	–	18,4	17,1	17,0	16,5	18,3	–
Mexiko[b]	–	–	–	18,7	19,6	–	–	–	–	36,1	36,6	–
Neuseeland	4,6	4,9	5,0	10,3	9,7	9,7	24,6	29,1	31,4	35,9	35,7	36,6
Niederlande[c]	–	5,5	7,2	13,3	13,6	14,7	–	44,0	50,1	62,1	63,0	64,8
Norwegen[d]	8,6	10,6	11,5	9,8	9,8	9,5	47,8	51,7	54,9	47,1	47,6	46,5
Österreich	1,4	1,5	1,5	1,6	1,7	–	15,6	18,0	20,0	20,5	22,8	–
Portugal	–	2,5	–	4,1	4,5	4,7	–	16,5	–	11,3	11,1	12,1
Schweden[e]	–	5,4	6,3	8,4	9,1	9,7	–	46,0	45,9	41,3	41,4	41,0
Schweiz	–	–	–	8,3	8,6	8,8	–	–	–	53,7	54,1	55,4
Spanien	–	–	–	2,0	2,4	2,6	–	–	–	13,7	14,8	15,2
Türkei	–	–	–	11,3	17,9	–	–	–	–	37,0	40,4	–
Ver. Kgr.	2,3	1,9	3,3	6,2	6,6	7,1	39,1	39,0	42,4	43,5	43,8	44,3
USA[f]	8,6	9,0	10,8	10,8	10,9	11,5	26,8	26,7	28,1	25,4	25,3	27,7

	Teilzeit als Anteil an der Gesamtbeschäftigung						Weiblicher Anteil an der Teilzeitbeschäftigung					
	1973	1979	1983	1992	1993	1994	1973	1979	1983	1992	1993	1994
Australien	11,9	15,9	17,5	24,5	23,9	24,4	79,4	78,7	78,0	75,0	75,3	74,2
Belgien	3,8	6,0	8,1	12,4	12,8	12,8	82,4	88,9	84,0	89,7	89,3	88,1
Dänemark	–	22,7	23,8	22,5	23,3	–	–	86,9	84,7	75,8	74,9	–
Deutschland[a]	10,1	11,4	12,6	14,4	15,1	–	89,0	91,6	91,9	89,3	88,6	–
Finnland	–	6,7	8,3	7,9	8,6	8,5	–	74,7	71,7	64,3	63,1	63,6
Frankreich	5,9	8,1	9,6	12,5	13,7	14,9	82,3	82,1	84,3	83,7	83,3	82,7
Griechenland	–	–	6,5	4,8	4,3	4,8	–	–	61,2	61,3	61,6	58,9
Irland	–	5,1	6,6	9,1	10,8	–	–	71,2	71,6	72,5	71,7	–
Island	–	–	–	27,8	27,3	–	–	–	–	82,1	80,4	–
Italien	6,4	5,3	4,6	5,8	5,4	6,2	58,3	61,4	64,8	68,8	70,5	71,1
Japan	13,9	15,4	16,2	20,5	21,1	21,4	70,0	70,1	72,9	69,3	67,7	67,5
Kanada	9,7	12,5	15,4	16,7	17,2	17,0	68,4	72,1	71,3	69,7	68,9	69,4
Luxemburg	5,8	5,8	6,3	6,9	7,3	–	87,5	87,5	88,9	88,9	91,2	–
Mexiko[b]	–	–	–	24,0	24,9	–	–	–	–	46,3	46,1	–
Neuseeland	11,2	13,9	15,3	21,6	21,2	21,6	72,3	77,7	79,8	73,3	74,2	74,9
Niederlande[c]	–	16,6	21,4	32,5	33,4	35,0	–	76,4	77,3	75,2	75,7	75,1
Norwegen[d]	23,0	27,3	29,6	26,9	27,1	26,5	76,4	77,0	77,3	80,1	80,5	80,6
Österreich	6,4	7,6	8,4	9,0	10,1	–	85,8	87,8	88,4	89,6	89,7	–
Portugal	–	7,8	–	7,3	7,4	8,0	–	80,4	–	68,2	66,3	67,1
Schweden[e]	–	23,6	24,8	24,3	24,9	24,9	–	87,5	86,6	82,3	81,3	80,1
Schweiz	–	–	–	27,8	28,1	28,9	–	–	–	83,1	82,5	82,7
Spanien	–	–	–	5,8	6,6	6,9	–	–	–	77,0	75,6	74,9
Türkei	–	–	–	19,3	24,8	–	–	–	–	59,3	50,2	–
Ver. Kgr.	16,0	16,4	19,4	22,8	23,3	23,8	90,9	92,8	89,8	84,9	84,5	83,6
USA[f]	15,6	16,4	18,4	17,5	17,5	18,9	66,0	68,0	66,8	66,4	66,2	67,3

a Bis 1990 beziehen sich die Daten auf Westdeutschland, danach auf Gesamtdeutschland.
b 1991 statt 1992.
c Bruch in der Zahlenreihe nach 1985.
d Bruch in der Zahlenreihe nach 1987.
e Bruch in der Zahlenreihe nach 1986 und nach 1992.
f Bruch in der Zahlenreihe nach 1993.
Quelle: OECD, *Employment Outlook* (1995)

Tabelle 4.19 Anteil der Selbstständigen an der gesamten Erwerbsbevölkerung nach Geschlecht und Tätigkeit (%)

	Alle nichtlandwirtschaftlichen Tätigkeiten				Dienstleistungstätigkeiten (1990), beide Geschlechter			
	Anteil der weiblichen Beschäftigung		Anteil der männlichen Beschäftigung					
	1979	1990	1979	1990	Groß- und Einzelhandel, Restaurants und Hotels (ISIC 6)	Transport, Lagerhaltung und Kommunikation (ISIC 7)	Finanz, Versicherungen, Immobilien und Unternehmensdienstl. (ISIC 8)	Gemeinschafts-, soziale und persönliche Dienstl. (ISIC 9)
Australien	10,0	9,6	13,9	14,4	15,5	14,5	14,0	6,6
Belgien	8,8	10,3	12,6	16,7	36,0	5,5	21,7	8,2
Dänemark	–	2,8	–	10,4	13,3	6,9	9,6	3,2
Deutschland	4,8	5,4	9,4	9,7	15,7	6,6	17,1	5,5
Finnland	4,2	5,6	7,9	11,5	16,0	11,2	10,5	4,0
Frankreich	–	5,5	–	11,9	19,2	4,8	9,2	5,3
Griechenland	25,7	15,4	34,0	32,7	48,0	25,5	35,9	9,4
Irland	–	6,1	–	16,8	24,4	13,7	13,6	6,8
Italien	12,8	15,1	21,7	25,8	45,8	14,1	8,9	15,5
Japan	12,9	9,3	14,6	12,1	15,0	4,8	8,1	12,0
Kanada	6,0	6,4	7,2	8,3	7,2	6,4	10,4	8,5
Luxemburg	–	5,8	–	7,9	17,5	3,8	7,0	3,7
Neuseeland	–	11,8	–	24,0	18,2	11,1	19,2	9,6
Niederlande	–	7,3	–	9,6	13,4	3,3	11,9	7,8
Norwegen	3,4	3,6	8,9	8,8	7,5	9,3	6,7	4,4
Österreich	–	–	–	–	13,7	3,6	10,0	5,0
Portugal	–	12,3	–	18,3	38,3	8,6	13,7	4,6
Schweden	6,2	3,9	2,5	10,1	13,6	8,8	11,6	3,7
Spanien	12,5	13,9	17,1	19,2	34,0	26,8	13,7	6,0
Ver. Kgr.	3,2	7,0	9,0	16,6	15,9	10,5	14,2	7,8
USA	4,9	5,9	8,7	8,7	8,5	4,6	11,4	7,3

Quelle: OECD, *Employment Outlook* (1991), Tab. 2.12; (1992), Tab. 4.A.2 und 4.A.8

Der erste und offenkundigste Faktor betrifft die Möglichkeit, für ähnliche Arbeit weniger zu bezahlen. Mit der Ausweitung allgemeiner Erziehung einschließlich *College*-Bildung zumal in den am weitesten entwickelten Ländern begannen Frauen ein Reservoir von Qualifikationen darzustellen, das von den Arbeitgebern sogleich angezapft wurde. Der Lohnunterschied von Frauen gegenüber Männern hält sich auf der ganzen Welt, während in den am weitesten fortgeschrittenen Ländern, wie wir gesehen haben, die Unterschiede im Berufsprofil geringfügig sind. In den USA verdienten Frauen in den 1960er Jahren 60-65% der Einkommen von Männern; dieser Prozentsatz hatte sich 1991 mit 72% etwas verbessert, aber hauptsächlich deshalb, weil die Reallöhne der Männer sanken.[39] Im Vereinigten Königreich betrug Mitte der 1980er Jahre das Einkommen von Frauen 69,5% des Einkommens von Männern. In Deutschland waren es 1991 73,6%, also eine Steigerung seit 1980, als Frauen 72% verdienten. Für Frankreich sind die entsprechenden Zahlen 80,8%, angestiegen von 79%. Das Durchschnittseinkommen von Frauen beträgt in Japan 43% von dem von Männern, in Korea 51%, in Singapur 56%, in Hongkong 70% und variiert in Lateinamerika erheblich von 44 bis 77%.[40]

Ich möchte betonen, dass Frauen in den meisten Fällen nicht dequalifiziert oder auf einfache Arbeitsplätze abgedrängt werden, ganz im Gegenteil. Sie werden häufig auf Arbeitsplätze mit vielseitigen Qualifikationsanforderungen befördert, die Initiative und Bildung verlangen, weil die neuen Technologien eine autonome Belegschaft erfordern, die in der Lage ist, sich anzupassen und ihre eigenen Aufgaben zu programmieren, wie sich dies in den Fallstudien über Versicherungen und Banken gezeigt hat, die ich in Band I, Kapitel 4 zusammengefasst habe. Und dies ist der zweite wichtige Grund, warum Frauen zu Schleuderpreisen angestellt werden: ihre Fertigkeiten im Bereich zwischenmenschlicher Beziehungen, die in einer informationellen Wirtschaft immer notwendiger werden, wo die Verwaltung von Dingen gegenüber dem Management von Menschen an zweite Stelle rückt. In diesem Sinne kommt es zu einer Verlängerung der geschlechtsspezifischen Arbeitsteilung, die unter dem Patriarchalismus zwischen der traditionellen Produktion der Männer und der Hausarbeit sowie der Schaffung sozialer Zusammenhänge durch Frauen verlief. Es trifft sich eben, dass die neue Wirtschaftsform zunehmend gerade jene Fertigkeiten erfordert, die zuvor auf den privaten Bereich der Beziehungsarbeit beschränkt waren, und die nun in den Vordergrund des Managements von Personen und der Verarbeitung von Information rücken.

39 Kim (1993).

40 United Nations (1995).

Abbildung 4.9 Teilzeitbeschäftigte Frauen nach Familienstand in Mitgliedstaaten der Europäischen Gemeinschaft, 1991 (GR: Griechenland; I: Italien; P: Portugal; IRL: Irland; L: Luxemburg; F: Frankreich; B: Belgien; E12: Durchschnitt der Mitgliedstaaten; UK: Vereinigtes Königreich; D: Deutschland; DK: Dänemark; NL: Niederlande)

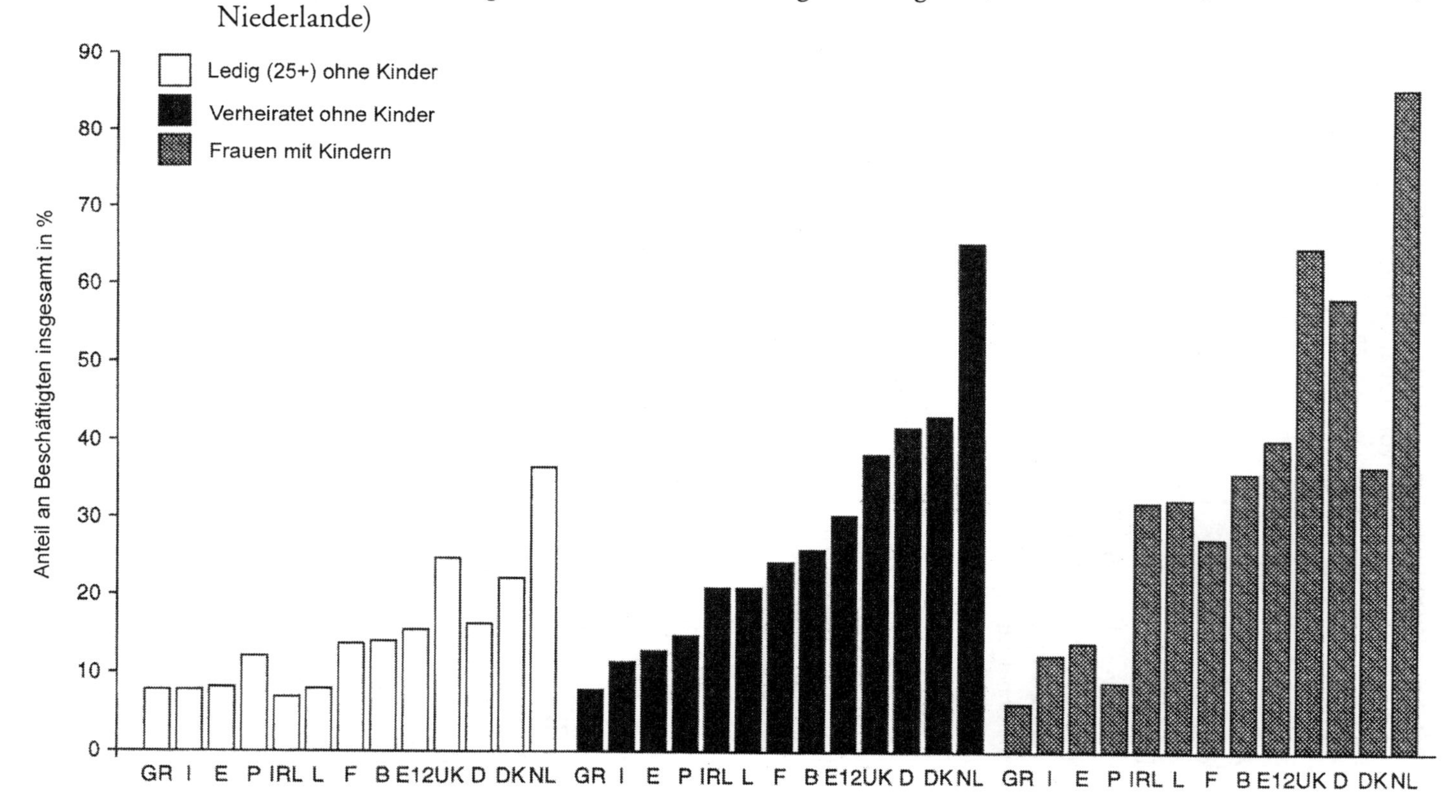

Quelle: European Commission, *Employment in Europe* (1993)

Aber es gibt noch etwas, was ich für den wohl wichtigsten Faktor halte, der zur Ausweitung der Beschäftigung von Frauen in den 1990er Jahren geführt hat: ihre Flexibilität als Arbeitskräfte.[41] So machen Frauen den Hauptteil der Teilzeitbeschäftigung und der vorübergehenden Beschäftigung aus sowie einen noch immer kleinen, aber zunehmenden Anteil der Selbstständigen (Tab. 4.18 und 4.19). Setzt man diese Beobachtung in Beziehung zu den Analysen, in Band I, Kapitel 3 und 4 zur Vernetzung von Wirtschaftsaktivitäten und zur Flexibilisierung von Arbeit als wesentlichen Merkmalen der informationellen Wirtschaft, so scheint es einleuchtend, dass eine Übereinstimmung zwischen der Flexibilität von Frauen in der Arbeitswelt, in Planungen, Zeitstrukturen sowie im Eintritt in den Arbeitsmarkt und im Herausfallen aus diesem Bereich und den Bedürfnissen der neuen Wirtschaftsform besteht.[42] Diese Übereinstimmung ist ebenfalls geschlechtsspezifisch. Weil die Arbeit von Frauen in der Familie traditionell als Ergänzung zum Verdienst der Männer betrachtet wurde und weil Frauen noch immer für den Haushalt und vor allem für das Aufziehen Kinder verantwortlich sind, fügt sich Flexibilität im Arbeitsbereich auch in die Überlebensstrategien ein, mit beiden Welten am Rande des Nervenzusammenbruchs fertig zu werden.[43] Tatsächlich sind in der Europäischen Union – wie überall sonst – Ehe und Kinder die wichtigsten Faktoren, die zur Teilzeitbeschäftigung von Frauen führen (Abb. 4.9). So fügt sich der Typus von Arbeitskraft, der von der informationellen Netzwerkwirtschaft benötigt wird, in die Überlebensinteressen von Frauen ein, die sich unter den Bedingungen des Patriarchalismus bemühen, Arbeit und Familie miteinander zu vereinbaren, wobei sie von ihren Ehemännern nur wenig unterstützt werden.

Dieser Prozess der vollständigen Einbeziehung der Frauen in den Arbeitsmarkt und in die bezahlte Arbeit hat für die Familie wichtige Konsequenzen. Die erste besteht darin, dass in den meisten Fällen der finanzielle Beitrag der Frau für das Haushaltsbudget entscheidend wird. So steigt die weibliche Verhandlungsmacht im Haushalt deutlich an. Unter dem strikten Patriarchalismus war die Beherrschung der Frauen durch die Männer zunächst einmal eine Frage des Überlebens: die Hausarbeit war ihr Job. Deshalb konnte eine Rebellion gegen den Patriarchalismus nur extrem ausfallen und führte oft in die Marginalität. Wenn Frauen Gehälter mit nach Hause bringen und die Männer in vielen Ländern – etwa in den Vereinigten Staaten – einen Reallohnverfall erleben, so können Streitpunkte ausgetragen werden, ohne dass dies unbedingt zu ungehemmter patriarchalischer Repression eskaliert. Außerdem wurde die Ideologie des Patriarchalismus, der die Herrschaft aufgrund des Privilegs legitimierte, das aus der Position des Familienernährers abgeleitet wurde, entscheidend untergraben. Warum sollten Ehemänner nicht in der Lage sein, zu Hause zu helfen, wenn beide Teile des Paares gleicher-

41 Susser (i.E.).
42 Thurman und Trah (1990); Duffy und Pupo (1992).
43 Michelson (1985).

maßen über lange Zeit hinweg abwesend waren und wenn beide gleichermaßen zum Familienbudget beitrugen? Die Fragen wurden dringlicher, als es für die Frauen immer schwieriger wurde, bezahlte Arbeit, Hausarbeit, Aufziehen der Kinder und die Organisation des Privatlebens für den Ehemann zu leisten, während die Gesellschaft noch immer eine Vollzeit-Hausfrau unterstellte, die öffentlich nicht in Erscheinung trat. Ohne vernünftige Kinderbetreuung, ohne Planung der räumlichen Verbindung von Wohnung, Arbeit und Dienstleistungen sowie angesichts der Einschnitte im sozialen Bereich[44] sahen sich Frauen ihrer eigenen Wirklichkeit gegenüber: Ihre geliebten Ehemänner oder Väter nutzten sie aus. Und weil die Arbeit außerhalb des Heims ihre Welt öffnete und ihre sozialen Netzwerke sowie ihren Erfahrungshorizont erweiterte, der zudem oft durch Schwesterlichkeit gegenüber der Härte des Alltags gekennzeichnet war, begannen sie, eigene Fragen zu stellen und ihren Töchtern Antworten zu geben. Der Boden war bereit für die Aussaat feministischer Ideen, die *zu gleicher Zeit* auf den Feldern der kulturellen Sozialbewegungen zu keimen begannen.

Stärke aus Schwesterlichkeit: die feministische Bewegung

Die feministische Bewegung, wie sie sich in ihrer Praxis und ihren Diskursen manifestiert, ist außerordentlich vielgestaltig. Ihr Reichtum und ihre Tiefe nehmen zu, wenn wir ihre Konturen aus globaler, vergleichender Perspektive analysieren und in dem Maße, wie feministische Historikerinnen und Theoretikerinnen die verschütteten Belege für den Widerstand von Frauen und für feministisches Denken zutage fördern.[45] Ich will die folgende Analyse auf die gegenwärtige feministische Bewegung begrenzen, die Ende der 1960er Jahre zunächst in den Vereinigten Staaten aufgetreten ist, dann in Europa Anfang der 1970er Jahre und sich in den folgenden beiden Jahrzehnten auf der ganzen Welt ausgebreitet hat. Ich konzentriere mich außerdem auf die Merkmale, die in dieser Bewegung überall auftauchen, und die sie zu einer transformativen sozialen Bewegung machen, die den Patriarchalismus in Frage stellt. Zugleich werde ich die Vielgestaltigkeit der Kämpfe von Frauen und den Multikulturalismus ihrer Ausdrucksformen berücksichtigen. Als vorläufige Arbeitsdefinition von Feminismus, wie er hier verstanden wird, folge ich Jane Mansbridge, die Feminismus breit als „das Engagement zur Beendigung der Männerherrschaft" definiert.[46] Ich schließe mich auch ihrer Ansicht von Feminismus als „diskursiv geschaffener Bewegung" an. Das bedeutet nicht, der Feminismus sei nichts als ein Diskurs oder die feministische Debatte, wie sie in den Schriften verschiedener Frauen, Theoretikerinnen und Hochschullehrerinnen, zum Ausdruck kommt, sei die ur-

44 Servon und Castells (1996).

45 Rowbotham (1974, 1992); Kolodny (1984); Spivak (1990); Massolo (1992).

46 Mansbridge (1995: 29).

sprüngliche Manifestation des Feminismus. Was ich gemeinsam mit Mansbridge und anderen[47] behaupte, ist, dass das Wesen des Feminismus, wie er praktiziert und erzählt wird, in der (Neu-)Definition der Identität der Frau besteht: teils durch die Betonung der Gleichheit zwischen Männern und Frauen, wodurch die biologisch-kulturellen Unterschiede ihrer geschlechtsbezogenen Bedeutung entkleidet werden; in anderen Fällen im Gegenteil durch die Betonung der wesensmäßigen Eigenart von Frauen, was oft mit der Behauptung der Überlegenheit weiblicher Lebensformen als Quellen menschlicher Erfüllung einhergeht; oder wiederum anders durch die Behauptung, es sei notwendig, sich von der Männerwelt zu verabschieden und Leben und Sexualität als Schwesterlichkeit neu zu erschaffen. *In allen Fällen ist das, was durch Gleichheit, Differenz oder Separation negiert wird, die Identität der Frau, wie sie durch Männer definiert und in der patriarchalischen Familie verankert wurde.* Wie Mansbridge schreibt:

> Diese im Diskurs geschaffene Bewegung ist die Einheit, die Aktivistinnen der Bewegung inspiriert, und ist die Einheit, der sie sich verantwortlich fühlen. ... Diese Art der Verantwortung ist eine Verantwortung durch Identität. ... Sie erfordert es, das Kollektiv als eine wertvolle Identität zu betrachten und sich selbst als Teil dieser Identität. Feministische Identitäten werden gewöhnlich erlangt, nicht gegeben. ... Heute werden feministische Identitäten geschaffen und gestärkt, wenn Feministinnen zusammenkommen, zusammen handeln und lesen, was andere Feministinnen geschrieben haben. Reden und Handeln schaffen eine Straßentheorie und vermitteln Sinn. Lesen erhält Zusammenhänge aufrecht und regt zu fortgesetztem Nachdenken an. Beide Erfahrungen, die der persönlichen Veränderung und der fortgesetzten Interaktion, machen Feministinnen gegenüber der feministischen Bewegung „innerlich verantwortlich".[48]

Der Vielgestaltigkeit des Feminismus liegt demnach eine fundamentale Gemeinsamkeit zugrunde: die historische, individuelle wie kollektive, formelle wie informelle Anstrengung, Frausein in unmittelbarem Gegensatz zum Patriarchalismus neu zu bestimmen.

Um diese Anstrengung einzuschätzen und eine empirisch begründete Typologie der feministischen Bewegungen vorzuschlagen, rufe ich knapp die Entwicklungslinie der feministischen Bewegungen während der letzten drei Jahrzehnte in Erinnerung. Um die Argumentation zu vereinfachen, konzentriere ich mich hauptsächlich auf den Ort ihrer Wiedergeburt, die Vereinigten Staaten. Ich versuche, den möglichen Ethnozentrismus dieses Vorgehens durch kurze Beobachtungen anderer Weltgegenden zu korrigieren, und schließe einen Kommentar über den Feminismus aus komparativer Perspektive an.

47 Butler (1990); Chodorow (1994); Whittier (1995).
48 Mansbridge (1995: 29).

Der amerikanische Feminismus: eine diskontinuierliche Kontinuität[49]

Der amerikanische Feminismus hat für ein Land mit einer kurzen Geschichte eine lange Geschichte. Seit der offiziellen Geburt des organisierten Feminismus 1848 in einer Dorfkirche in Seneca Falls, New York, führten die amerikanischen Feministinnen einen langwierigen Kampf zur Verteidigung der Rechte der Frauen auf Bildung, Arbeit und politische Macht, der seinen Höhepunkt in der Eroberung des Wahlrechtes 1920 fand. Danach wurde der Feminismus fast ein halbes Jahrhundert lang in Amerika aus dem Rampenlicht herausgehalten. Nicht, dass Frauen aufgehört hätten zu kämpfen.[50] Eine der am meisten beachteten Manifestationen von Frauenkämpfen war 1955 der Busboykott in Montgomery, Alabama. Man kann sagen, dass dies der eigentliche Anfang der Bürgerrechtsbewegung im Süden war und für immer die amerikanische Geschichte verändert hat. Der Boykott wurde vorwiegend von afro-amerikanischen Frauen durchgeführt, die ihre Gemeinden organisiert hatten.[51] Eine ausdrücklich feministische Bewegung ist jedoch erst während der sozialen Bewegungen der 1960er Jahre und in der Zeit danach entstanden, sowohl aus der Menschenrechtskomponente dieser Bewegungen wie aus den gegen-kulturellen, revolutionären Strömungen.[52] Einerseits gründete im Gefolge der Arbeit der Presidential Commission on the Status of Women von Präsident Kennedy 1963 und der Verabschiedung von Abschnitt VII des Bürgerrechtsgesetzes von 1964, der sich auf die Rechte von Frauen bezieht, eine Gruppe einflussreicher Frauen, angeführt von der Schriftstellerin Betty Friedan, am 29. Oktober 1966 die National Organization of Women (NOW). NOW sollte zur umfassendsten nationalen Organisation zur Verteidigung der Rechte der Frauen werden und erwies sich über die folgenden drei Jahrzehnte hinweg als politisch außerordentlich geschickt und dauerhaft, trotz wiederkehrender ideologischer und organisatorischer Krisen. Sie versinnbildlichte den so genannten liberalen Feminismus und konzentrierte sich auf gleiche Rechte für Frauen in allen Bereichen des sozialen, wirtschaftlichen und institutionellen Lebens.

Etwa zur selben Zeit begannen Frauen, die an verschiedenen radikalen sozialen Bewegungen und vor allem den SDS (Students for a Democratic Society) beteiligt waren, sich separat zu organisieren. Dies war eine Reaktion auf den durchgängigen Sexismus und die Männerherrschaft in den revolutionären Or-

---

49 Eine ausgezeichnete Analyse der Entwicklung und Transformation der amerikanischen feministischen *Bewegung* während der letzten Jahrzehnte gibt Whittier (1995); für einen Überblick über feministische *Organisationen* in Amerika s. Ferree und Martin (1995); für eine übersichtliche und nützlich kommentierte Sammlung amerikanischer feministischer *Diskurse* seit den 1960er Jahren s. Schneir (1994). Andere für meine Analyse benutzte Quellen werden eigens im Text zitiert.

50 Rupp und Taylor (1987).

51 Barnett (1995). Der Boykott der nach Rassengruppen separierten Busse stand am Anfang der mit Mitteln zivilen Ungehorsams durchgeführten schwarzen Bürgerrechtsbewegung der 1950er und 1960er Jahre (d.Ü.).

52 Evans (1979).

ganisationen, die dazu führten, dass Frauen nicht nur als Personen misshandelt, sondern auch feministische Positionen als bürgerlich und konterrevolutionär lächerlich gemacht wurden. Was im Dezember 1965 als Arbeitskreis über „Frauen in der Bewegung“ auf dem SDS-Kongress begann, artikulierte sich 1967 auf einem Kongress in Ann Arbor, Michigan, und brachte einen Schwall autonomer Frauengruppen hervor, von denen sich die meisten von der männlich beherrschten revolutionären Politik abspalteten und so die Geburt des radikalen Feminismus vollzogen. Für diese Gründungsmomente lässt sich mit Recht sagen, dass die feministische Bewegung ideologisch zwischen ihrem liberalen und ihrem radikalen Bestandteil gespalten war. Begann die erste programmatische Erklärung von NOW mit den Worten „Wir, MÄNNER UND FRAUEN [Großbuchstaben im Original], die uns hiermit als National Organization for Women konstituieren, glauben, dass die Zeit für eine neue Bewegung zur vollständig gleichberechtigten Partnerschaft der Geschlechter [sexes] gekommen ist, als Teil einer weltweiten Revolution für Menschenrechte, die jetzt innerhalb und außerhalb unserer nationalen Grenzen vor sich geht“,[53] so betonte das *Redstockings Manifesto* von 1969, das den radikalen Feminismus in New York vorantrieb: „Wir erkennen, dass unsere Unterdrücker Männer sind. Männliche Suprematie ist die älteste und grundlegendste Form von Herrschaft. Alle anderen Formen von Ausbeutung und Unterdrückung (Rassismus, Kapitalismus, Imperialismus usw.) sind Verlängerungen der männlichen Suprematie; Männer beherrschen Frauen, ein paar Männer beherrschen den Rest.“[54]

Der liberale Feminismus richtete seine Ziele auf das Erkämpfen gleicher Rechte für Frauen aus, einschließlich der Verabschiedung eines Zusatzartikels zur Verfassung, der nach der Zustimmung des Kongresses die Ratifizierung durch zwei Drittel der Staaten verfehlte und 1982 endgültig abgelehnt wurde. Die Bedeutung dieses Zusatzartikels war jedoch vor allem symbolisch, weil die wirklichen Schlachten für die Gleichheit auf dem Feld der Gesetzgebung des Bundes, der Einzelstaaten und vor Gericht gewonnen wurden, vom Recht auf gleiche Bezahlung für gleiche Arbeit bis zu den reproduktiven Rechten, einschließlich des Rechtes auf Zugang zu Berufen und Institutionen. Diese eindrucksvollen Errungenschaften wurden innerhalb von weniger als zwei Jahrzehnten durch geschickte politische Lobbyarbeit, durch Medienkampagnen und durch die Unterstützung weiblicher Kandidaturen oder frauenfreundlicher Kandidaten in Wahlkämpfen erreicht. Von besonderer Bedeutung war die Präsenz von Journalistinnen in den Medien, die entweder selbst Feministinnen waren oder feministische Anliegen unterstützten. Eine Anzahl von mehr oder weniger feministischen kommerziellen Presseorganen, von denen das 1972 gegründete *Ms Magazine* die Bekannteste ist, spielten ebenfalls eine wichtige Rolle, um amerikanische Frauen jenseits der organisierten feministischen Kreise zu erreichen.

53 Abgedruckt in Schneir (1994: 96).
54 Abgedruckt in Schneir (1994: 127).

Die radikalen Feministinnen beteiligten sich zwar aktiv an den Kampagnen für gleiche Rechte und vor allem an den Mobilisierungen zur Erringung und Verteidigung reproduktiver Rechte, sie konzentrierten sich aber auf die Stärkung des Bewusstseins oder *consciousness raising* (CR). Dazu organisierten sie ausschließlich aus Frauen bestehende CR-Gruppen und bauten Institutionen einer autonomen Frauenkultur auf. Die Verteidigung von Frauen gegen männliche Gewalt (Anti-Vergewaltigungskampagnen, Selbstverteidigungstraining, Frauenhäuser, psychologische Beratung misshandelter Frauen) stellten eine direkte Verbindung zwischen den unmittelbaren Anliegen der Frauen und der ideologischen Kritik am Patriarchalismus in Aktion her. Innerhalb der radikalen Strömung wurden lesbische Feministinnen – zu deren ersten öffentlichen politischen Demonstrationen die „Lavender Menace" gehörte, die auf dem Second Congress to Unite Women im Mai 1970 in New York auftrat, – schnell zu einer Quelle des hingebungsvollen Aktivismus, kultureller Kreativität und theoretischer Erneuerung. Das unablässige Wachstum und der breite Einfluss des lesbischen Feminismus innerhalb der feministischen Bewegung sollte für die Frauenbewegung sowohl eine wichtige Kraft als auch eine wichtige Herausforderung werden, weil sie sich mit ihren eigenen internen Vorurteilen über Formen der Sexualität auseinandersetzen und sich dem Dilemma stellen musste, wo – oder ob – eine Grenzlinie für die Frauenbefreiung zu ziehen sei.

Eine Zeit lang versuchten sozialistische Feministinnen, die radikalfeministische Herausforderung mit den breiteren Fragen antikapitalistischer Bewegungen zu verbinden, wenn nötig Kontakt mit der politischen Linken zu suchen und eine bereichernde Debatte über marxistische Theorie zu führen. Einige unter ihnen arbeiteten in Gewerkschaften. So wurde beispielsweise 1972 die Coalition of Labor Union Women gebildet. Während der 1990er Jahre verminderten jedoch das Absterben der sozialistischen Organisationen und des Sozialismus als eines historischen Bezugspunktes sowie der zurückgehende Einfluss der marxistischen Theorie die Wirkungskraft des sozialistischen Feminismus, der im Wesentlichen auf den Hochschulbereich beschränkt blieb.[55]

Die Unterscheidung zwischen liberalem und radikalem Feminismus verwischte sich jedoch ab Mitte der 1970er Jahre in der Praxis der Bewegung und in der Ideologie der einzelnen Feministinnen. Mehrere Faktoren haben dazu beigetragen, dass die ideologischen Trennlinien in der feministischen Bewegung überwunden wurden und diese doch zugleich ihre Vielfalt bewahrte; sie war gekennzeichnet von lebhaften Debatten und internen Kämpfen, schuf aber Brücken und Bündnisse zwischen ihren Bestandteilen.[56] Einerseits implizierten, wie Zil-

55 Eine Analyse von Aufstieg und Fall einer der dynamischsten und einflussreichsten sozialistisch-feministischen Organisationen, der Chicago Women's Liberation Union (CWLU), gibt Strobel (1995).

56 Ferree und Hess (1994); Ferree und Martin (1995); Mansbridge (1995); Spalter-Roth und Schreiber (1995); Whittier (1995).

lah Eisenstadt gezeigt hat,[57] die Ziele, für die sich der liberale Feminismus stark machte, nämlich gleiche Rechte und die Entkleidung der sozialen Kategorien von ihren geschlechtsbezogenen Inhalten, ein solches Ausmaß an institutioneller Transformation, dass letztlich sogar im Rahmen der zurückhaltendsten, pragmatischsten Strategie für Geschlechtergleichheit der Patriarchalismus selbst in Frage gestellt werden musste. Zweitens rief der von der republikanischen Regierung unterstützte antifeministische Gegenschlag der 1980er Jahre ein Bündnis zwischen unterschiedlichen Strängen der Bewegung hervor. Sie fanden ungeachtet ihrer Lebensstile und politischen Überzeugungen in Bewegungen zur Verteidigung der reproduktiven Rechte von Frauen und zum Aufbau von Fraueninstitutionen zusammen, die für Dienstleistungen sorgen und kulturelle Autonomie geltend machen sollten. Drittens waren die meisten radikal-feministischen Organisationen bis Ende der 1970er Jahre verschwunden, als ihre Gründerinnen selbst erschöpft waren und sich ihre radikalen Utopien den alltäglichen Kämpfen mit dem „real existierenden Patriarchalismus" gegenübersahen. Weil aber die meisten radikalen Feministinnen ihre Grundwerte niemals aufgegeben hatten, fanden sie Zuflucht in den etablierten Organisationen des liberalen Feminismus und in den Enklaven, die der Feminismus innerhalb der *mainstream*-Institutionen hatte errichten können. Das galt vor allem für den Hochschulbereich (Frauenstudien), für gemeinnützige Stiftungen und für die Frauenabteilungen von Berufsorganisationen. Diese Organisationen und Institutionen benötigten für ihre zunehmend schwierigere Aufgabe militante Unterstützung, als sie begannen, über die offensichtlichsten Menschenrechtsverletzungen in umstrittenere Bereiche vorzudringen, wie reproduktive Wahlfreiheit, sexuelle Befreiung und Fortschritte für Frauen in den verschiedenen männlichen Bastionen. Man kann wirklich behaupten, das Vorhandensein liberaler Organisationen habe dem radikalen Feminismus geholfen, als Bewegung zu überleben. Dagegen sind die meisten der gegen-kulturellen Bewegungen, die auf männlich bestimmten Zusammenhängen aufbauten und die in den 1960er Jahren entstanden waren, mit der wichtigen Ausnahme der Ökologen während der 1980er Jahre so gut wie verschwunden oder ideologisch beiseite gedrängt worden. Das Ergebnis dieses vielschichtigen Prozesses war, dass Liberalismus und Radikalismus in ihren verschiedenen Spielarten in der Praxis und in den Köpfen der meisten Frauen, die feministische Anliegen und Werte vertraten, miteinander verwoben wurden. Selbst der Lesbianismus wurde zu einem akzeptierten Bestandteil der Bewegung, obwohl ihm im *mainstream*-Feminismus noch immer eine Art taktischer Zurückweisung anhing (Betty Friedan wandte sich dagegen), wie dies in den Spannungen innerhalb der NOW Ende der 1980er Jahre zum Ausdruck kam, als sich die Präsidentin der Organisation Patricia Ireland zu ihrer Bisexualität „bekannt" hatte.

57 Eisenstadt (1981/1993).

Andere Unterschiede gewannen für die feministische Bewegung in dem Maße an Bedeutung, wie sie sich zwischen Mitte der 1970er und Mitte der 1990er Jahre entwickelte, diversifizierte und zumindest der Absicht nach auf die Mehrheit der amerikanischen Frauen zuging. Einerseits gab es wichtige Unterschiede zwischen verschiedenen Arten von feministischen *Organisationen*. Andererseits bestanden wesentliche Differenzen zwischen den, wie Nancy Whittier sie nennt, „politischen Generationen" innerhalb der feministischen *Bewegung*.[58]

Für die Organisationen schlagen Spalter-Roth und Schreiber[59] eine nützliche, empirisch begründete Typologie vor, die folgende Unterscheidungen vornimmt:

1. Organisationen mit nationaler Mitgliedschaft, die gleiche Rechte fordern, wie NOW oder die 1972 gegründete Coalition of Labor Union Women. Sie versuchten gezielt, eine feministische Sprache zu vermeiden, aber die Anliegen der Frauen in allen gesellschaftlichen Bereichen vorzutragen. So opferten sie Prinzipien für Effektivität bei der Ausweitung der Beteiligung von Frauen in männlich dominierten Institutionen. Spalter-Roth und Schreiber schließen, dass „trotz der Hoffnungen der Führerinnen der Organisationen, die sowohl Liberale wie Radikale anzusprechen hofften, die Verwendung einer politisch annehmbaren Sprache die Herrschafts- und Unterordnungsverhältnisse verdeckte. Ihre Anstrengungen könnten dabei versagt haben, das Bewusstsein eben jener Frauen zu stärken, die diese Organisationen vertreten wollten und mit mehr Macht auszustatten hofften."[60]
2. Unmittelbare Dienstleistungsorganisationen wie das Displaced Homeworkers Network und die National Coalition against Domestic Violence. Dies sind vorwiegend Netzwerke lokaler Gruppen, deren Arbeit von der Regierung und von Konzernen unterstützt wird. Ihr Hauptproblem besteht in dem Widerspruch zwischen der Unterstützung von Frauen und dem Ausweiten ihrer Macht: Gewöhnlich erhält die Dringlichkeit des Problems Vorrang vor den langfristigen Zielen der Bewusstseinsentwicklung und der politischen Selbstorganisation.
3. Mit bezahlter Arbeit betriebene Organisationen für Anliegen von Frauen wie der Women's Legal Defense Fund, das Institute for Women Policy Research, das Center for Women Policy Studies, der Fund for Feminist Majority (unterstützt Frauen in politischen Institutionen), das National Institute for Women of Color oder das National Committee for Pay Equity. Diese Art von Organisationen steht vor der Aufgabe, das Spektrum ihrer Arbeitsbereiche in dem Maße auszuweiten, wie mehr Frauen in den Einflussbereich der Bewegung kommen und wie sich die feministischen Themen zunehmend ethnisch, sozial und kulturell diversifizieren.

---

58 Whittier (1995).

59 Spalter-Roth und Schreiber (1995: 106ff).

60 Spalter-Roth und Schreiber (1995: 119).

Jenseits der *mainstream*-Organisationen gibt es eine Vielzahl lokaler Organisationen in der Gemeinschaft von Frauen, von denen viele historisch mit dem radikalen Feminismus verknüpft sind und sich dann in sehr vielfältige Richtungen weiterentwickelt haben. Frauengesundheits-Zentren, Kreditvereinigungen, Trainingszentren, Buchläden, Restaurants, Kindertagesstätten, Frauenhäuser, Theatergruppen, Musikgruppen, Schriftstellerinnen-Clubs, Künstlerinnen-Ateliers und ein ganzes Spektrum kultureller Ausdrucksformen sind durch Höhen und Tiefen gegangen und haben ihr Überleben, wenn es denn gelang, gewöhnlich dadurch gesichert, dass sie ihren ideologischen Charakter heruntergespielt und sich stärker in die Gesamtgesellschaft integriert haben. Sie sind in einem weiteren Verständnis feministische Organisationen, die in ihrer Vielfalt und mit ihrer Flexibilität die Unterstützungsnetzwerke, die Erfahrung und die diskursiven Materialien bereitgestellt haben, durch die eine Frauenkultur entstehen konnte, und die damit den Patriarchalismus an der Stelle unterminiert haben, wo er am stärksten war: in den Köpfen der Frauen.

Die andere wesentliche Unterscheidung, die für das Verständnis der Entwicklung des amerikanischen Feminismus nötig ist, ist Whittiers Begriff der politischen Generationen oder Mikro-Kohorten. In ihrer aufschlussreichen soziologischen Studie über die Entwicklung des radikalen amerikanischen Feminismus über drei Jahrzehnte hinweg zeigt sie sowohl die Kontinuität des Feminismus zwischen den frühen 1970er, den 1980er und den 1990er Jahren auf, wie auch die Diskontinuität der feministischen Stile:

> Politische Generationen sind für die Kontinuität sozialer Bewegungen aus drei Gründen wichtig. Erstens bleibt die kollektive Identität einer politischen Generation im Zeitverlauf konsistent, wie dies auf Frauen zutrifft, die sich an der feministischen Bewegung der 1970er Jahre beteiligt haben. Zweitens behält eine soziale Bewegung selbst dann, wenn der Protest zurückgeht, eine Wirkung, wenn eine Generation von Veteraninnen der Bewegung ihre Schlüsselelemente in die gesellschaftlichen Institutionen und in andere soziale Bewegungen hineinträgt. Institutionen und Innovationen, die Aktivistinnen innerhalb dieser anderen Zusammenhänge geschaffen haben, bewirken nicht nur selbst Veränderungen, sondern sind auch Ressourcen für eine künftige Mobilisierungswelle. Drittens verändert sich eine soziale Bewegung, wenn sich neue Teilnehmerinnen anschließen und ihre kollektive Identität neu definieren. Das kontinuierliche Hinzukommen von Mikro-Kohorten in regelmäßigen Abständen bewirkt allmähliche Veränderungen. Jede Mikro-Kohorte schafft sich eine kollektive Identität, die durch ihren Kontext bestimmt ist, und deshalb unterscheiden sich Aktivistinnen voneinander, die sich der Bewegung während ihres Wiederaufschwungs, ihres Wachstums, auf ihrem Höhepunkt oder während ihres Niedergangs angeschlossen haben. Ungeachtet der allmählichen Verschiebungen, zu denen es innerhalb sozialer Bewegungen beständig kommt, gibt es an bestimmten Punkten unverwechselbar deutlichere Veränderungen. Zu diesen Zeiten konvergiert eine Reihe von Mikro-Kohorten zu einer politischen Generation, weil die Gemeinsamkeiten untereinander ihre Unterschiede gegenüber einer anderen Reihe von Mikro-Kohorten überwiegen, die zu einer zweiten politischen Generation gehören ... Der Übergang einer sozialen Bewegung von einer politischen Generation zur anderen wird daher zum Schlüssel für das Überleben der Bewegung auf lange Sicht.[61]

61 Whittier (1995: 254ff).

Whittier zeigt anhand ihrer Fallstudie über Columbus, Ohio, sowie einer Sichtung der Belege aus Sekundärquellen die Beharrlichkeit und die Erneuerung feministischer Bewegungen einschließlich des radikalen Feminismus über drei Jahrzehnte hinweg von den 1960er bis in die 1990er Jahre auf. Ihre Argumentation wird durch eine Reihe weiterer Quellen gestützt.[62] Es scheint, als sei das „postfeministische Zeitalter" eine interessengeleitete Manipulation auf der Grundlage einiger kurzfristiger Trends gewesen, die in den Medien übermäßig herausgestellt wurden.[63] Aber Whittier betont auch überzeugend die tiefgreifende Transformation des radikalen Feminismus, was manchmal zu erheblichen Schwierigkeiten bei der Verständigung zwischen den Generationen führt: „Neu zur Frauenbewegung Hinzugekommene mobilisieren sich für feministische Zielsetzungen auf andere Weise als die seit langer Zeit Aktiven, die manchmal die Bemühungen ihrer Nachfolgerinnen als apolitisch und fehlgeleitet betrachten. ... Die Neuen konstruierten ein anderes Modell von sich selbst als Feministinnen."[64] Wegen dieser scharfen Differenzen

> ist es für altgediente Feministinnen schmerzhaft zu beobachten, wie diejenigen, die sich der Bewegung später angeschlossen haben, ihre lieb gewonnenen Überzeugungen abtun oder die Organisationen verändern, für deren Gründung sie gekämpft haben. Neuere Diskussionen innerhalb der feministischen Gemeinschaft verschärfen das Gefühl vieler Frauen, dass sie und ihre Überzeugungen Angriffen ausgesetzt sind. Besonders in den „Sexkriegen" haben lesbische Praktikerinnen des Sadomasochismus gemeinsam mit heterosexuellen Frauen und anderen argumentiert, Frauen sollten das Recht haben, ohne Einschränkung jeglichen sexuellen Wünschen nachzugehen und diejenigen, die anderes gelehrt hatten, beschuldigt, sie seien sexfeindlich, nur auf Kuschelsex aus oder puritanisch.[65]

Die wesentlichen Unterschiede zwischen den feministischen politischen Generationen scheinen nichts mit der alten Trennlinie zwischen Liberalen und Radikalen zu tun zu haben, denn Whittiers Beobachtungen stimmen damit überein, dass sich derartige ideologische Definitionen durch die kollektive Aktion der Bewegung in ihrer Auseinandersetzung mit dem mächtigen patriarchalischen Gegenschlag verwischt haben. Es greifen wohl drei unterschiedliche, in gewissem Maße miteinander in Beziehung stehende Streitpunkte in die Kommunikation zwischen den Veteraninnen und den Neuen in der radikal-feministischen Bewegung ein. Der erste betrifft die zunehmende Bedeutung des Lesbianismus in der feministischen Bewegung. Nicht, dass er früher in der radikal-feministischen Bewegung nicht präsent gewesen wäre oder dass radikale Feministinnen dagegen wären. Die Lebensstile von Lesben und ihr Insistieren darauf, die heterosexuellen Familienformen aufzubrechen, hätten eine Bewegung, die sich um ein lesbisches Zentrum herum verschanzt hätte, bei dem Versuch vor taktische Probleme gestellt, die Mehrzahl der Frauen zu erreichen. Dies führte beim

62 Buechler (1990); Staggenborg (1991); Ferree und Hess (1994); Ferree und Martin (1995).
63 Faludi (1991); Schneir (1994).
64 Whittier (1995: 243).
65 Whittier (1995: 239).

nicht-lesbischen Teil des radikalen Feminismus zu wachsendem Unbehagen gegenüber einem allzu sichtbaren Auftreten der Lesben. Die zweite, viel entschiedenere Spaltungslinie betrifft die Bedeutung, die die neuen Generationen von Feministinnen allen möglichen sexuellen Ausdrucksformen geben. Dazu gehört beispielsweise das Durchbrechen der alten feministischen Bekleidungsregeln, in denen die Accessoires der Weiblichkeit verpönt waren, wogegen jetzt eher betont wurde, dass Frauen sexy aussehen und in ihrer Selbstdarstellung ihre Persönlichkeit zum Ausdruck bringen. Das geht so weit, dass alle Ausdrucksformen weiblicher Sexualität akzeptiert werden, auch Bisexualität und sexuelle Experimente. Die dritte Trennlinie ergibt sich eigentlich aus den beiden anderen. Da sie sich ihrer selbst sicherer und in ihren kulturellen und politischen Werten entschiedener separatistisch sind, stehen die jüngeren radikalen Feministinnen und besonders die Lesben einer Zusammenarbeit mit sozialen Bewegungen von Männern offener gegenüber und treten eher in Beziehung zu Organisationen von Männern – gerade weil sie sich durch solche Bündnisse weniger gefährdet fühlen und bereits ihre Autonomie hergestellt haben, häufig durch Separatismus. Der wichtigste Berührungspunkt, der auch ein Bündnis begründet, liegt zwischen Lesben und Schwulen (etwa die Queer Nation). Sie teilen eine Unterdrückung durch Homophobie und sie können sich in der Verteidigung der sexuellen Befreiung und in ihrer Kritik an der heterosexuellen/patriarchalischen Familie treffen. Whittier berichtet jedoch auch davon, dass alte und neue radikale Feministinnen dieselben Grundwerte teilen und in denselben Kämpfen aufeinander zukommen.

Andere interne Spannungen innerhalb der feministischen Bewegung ergeben sich gerade aus ihrer Ausweitung auf die ganze Bandbreite von Klassen und ethnischen Gruppen in Amerika.[66] Waren die Pionierinnen der 1960er Jahren, die den Feminismus wiederentdeckt hatten, in ihrer überwältigenden Mehrheit weiß, stammten aus der Mittelklasse und verfügten über eine sehr gute Ausbildung, so verbanden sich während der folgenden drei Jahrzehnte feministische Themen mit den Kämpfen, die afro-amerikanische Frauen, Latinas und andere ethnische Minderheiten traditionell in ihren Gemeinschaften ausgetragen haben. Arbeiterinnen mobilisierten sich sowohl durch Gewerkschaften wie durch autonome Arbeiterinnenorganisationen zum Kampf für ihre Forderungen und machten sich den neuen Kontext der Legitimität von Frauenkämpfen zunutze. Die Frauenbewegung fächerte sich zunehmend auf, und ihre feministische Selbstdefinition nahm etwas Unbestimmtes an. Meinungsumfragen zufolge hatten jedoch seit Mitte der 1980er Jahre die meisten Frauen eine positive Meinung zu feministischen Themen und Anliegen, gerade weil der Feminismus nicht mit einer spezifischen ideologischen Position in Verbindung gebracht wurde.[67] Feminismus wurde zum gemeinsamen Schlagwort und zur Parole für

66 Morgen (1988); Matthews (1989); Blum (1991); Barnett (1995); Pardo (1995).

67 Stacey (1990); Whittier (1995).

das gesamte Spektrum von Ursachen, aus denen Frauen als Frauen unterdrückt waren, und jede Frau oder jede Kategorie von Frauen konnte dem ihre persönliche Forderung und ihr Etikett zuordnen.

So konstruierten Frauen aus unterschiedlichen Zusammenhängen und mit unterschiedlichen Zielen durch eine Vielzahl von Praktiken und Selbst-Identifikationen, aber mit einer gemeinsamen Quelle der Unterdrückung, die Frauen von außerhalb ihrer selbst definierte, eine neue, kollektive Identität: Gerade dies ermöglichte den Übergang von den Kämpfen von Frauen zur feministischen Bewegung. Wie Whittier schreibt: „Ich schlage vor, die Frauenbewegung durch die kollektive Identität zu definieren, die mit ihr verbunden ist, und nicht durch ihre formellen Organisationen. ... Was diese Organisationen, Netzwerke und Einzelpersonen zu Teilen einer sozialen Bewegung macht, ist ihre gemeinsame Treue zu einer Reihe von Überzeugungen, Praktiken und Identifikationsweisen, die die feministische kollektive Identität ausmachen."[68]

Haben diese von der amerikanischen Erfahrung ausgehenden Fragen und Antworten nun eine Bedeutung für den Feminismus in anderen Kulturen und Ländern? Lassen sich die Probleme und Kämpfe von Frauen generell auf den Feminismus beziehen? Wie kollektiv ist diese kollektive Identität, wenn Frauen in globaler Perspektive gesehen werden?

Ist Feminismus global?

Um auch nur oberflächlich eine vorläufige Antwort auf eine so grundlegende Frage zu geben, müssen wir unterschiedliche Weltgegenden auseinander halten. Im Fall Westeuropas, Kanadas und Australiens scheint es offenkundig, dass eine weit verbreitete, diversifizierte, vielgestaltige feministische Bewegung aktiv und während der 1990er Jahre im Wachsen begriffen ist, wenn auch mit unterschiedlicher Intensität und unterschiedlichen Charakteristika. So durchdrangen etwa in Großbritannien nach dem Niedergang Anfang der 1980er Jahre, der weitgehend auf den neokonservativen Angriff zurückging, den der Thatcherismus ausgelöst hatte, feministische Ideen die gesamte Gesellschaft.[69] Wie in den Vereinigten Staaten kämpften Frauen einerseits für Gleichheit und engagierten sich, um durch eigene Anstrengung im Arbeitsleben, bei den sozialen Diensten, in Gesetzgebung und Politik einen Machtzuwachs zu erreichen. Andererseits betonten der kulturelle Feminismus und der Lesbianismus die Besonderheit von Frauen und bauten alternative Frauenorganisationen auf. Die Betonung singulärer Identitäten vermittelt den Eindruck, die Bewegung sei fragmentiert. Doch, wie Gabriele Griffin schreibt:

---

68 Whittier (1995: 23f).

69 Brown (1992); Campbell (1992); Griffin (1995); Hester u.a. (1995).

> Es trifft zu, dass Frauengruppen sich Namen geben, die bestimmte Identitäten herausstellen ... Diese Identifikation liefert den Ansporn für ihren Aktivismus. Auf einer Ebene führt der feministische Aktivismus auf der Grundlage der Identitätspolitik zur Fragmentierung, die viele Feministinnen als typisch für das augenblickliche politische Klima betrachten und die angeblich im unmittelbaren Gegensatz steht zu der Homogenität, Gemeinsamkeit der Ziele und Massenmobilisierung einer einheitlichen und übergreifenden Frauen(befreiungs)bewegung. Diese aber scheint mir ein Mythos zu sein, eine nostalgische Retrospektive auf ein goldenes Zeitalter des Feminismus, das es wahrscheinlich nie gegeben hat. Feministische Ein-Punkt- oder Eine-Identitäts-Organisationen, wie sie in den 1990er Jahren verbreitet sind, haben den Nachteil, dass sie einerseits politisch allzu stark lokal ausgerichtet sind, aber gerade ihre Eigenheit kann auch eine Garantie für genaue Kenntnis und Wirkung sein, für eine maximale, klar definierte Anstrengung in einer spezifischen Arena.[70]

So können Ein-Punkt-Organisationen zu einer Vielzahl von Frauenproblemen arbeiten, und Frauen können sich an unterschiedlichen Organisationen beteiligen. Es sind diese gegenseitige Durchdringung und die Vernetzung von Individuen, Organisationen und Kampagnen, die eine lebendige, flexible und diversifizierte feministische Bewegung kennzeichnen.

In ganz Europa, in jedem einzelnen Land, gibt es eine Allgegenwart des Feminismus, sowohl in den gesellschaftlichen Institutionen wie in einer Konstellation feministischer Gruppen, Organisationen und Initiativen, die einander erhalten, miteinander – manchmal erbittert – streiten und immer weiter einen unablässigen Strom von Forderungen, Anträgen und Ideen zur Lage der Frauen, zu den Problemen und der Kultur der Frauen anregen und hervorbringen. Im Großen und Ganzen hat sich der Feminismus wie in den Vereinigten Staaten und in Großbritannien fragmentiert, und keine einzelne Organisation oder Institution kann den Anspruch erheben, im Namen der Frauen zu sprechen. Vielmehr gibt es eine durchlaufende Linie, die die gesamte Gesellschaft durchschneidet und die die Interessen und Wertvorstellungen von Frauen betont. Das reicht von Frauengruppen in Berufsverbänden bis zu kulturellen Ausdrucksformen und politischen Parteien, von denen viele eine Mindestquote festgelegt haben, zu der ihre Führungspositionen mit Frauen besetzt sein sollen. Gewöhnlich beträgt die – selten erfüllte – Quote von 25% der Führungsposten und Mandate, so dass Frauen „nur" zu 50% unterrepräsentiert sind.

Die ehemals etatistischen Gesellschaften befinden sich in einer besonderen Situation.[71] Einerseits unterstützten oder erzwangen die etatistischen Länder die vollständige Einbeziehung von Frauen ins Arbeitsleben, eröffneten ihnen Bildungschancen und schufen ein ausgedehntes Netzwerk für soziale Dienste und Kinderversorgung, wenn auch Abtreibung lange Zeit verboten und Verhütungsmittel nicht erhältlich waren. Frauenorganisationen waren in allen gesellschaftlichen Bereichen präsent, wenn auch unter der totalen Kontrolle der Kommunistischen Partei. Andererseits war der Sexismus allgegenwärtig, und

---

70 Griffin (1995: 4).

71 Funk und Mueller (1993).

der Patriarchalismus beherrschte Gesellschaft, Institutionen und Politik. In der Konsequenz wuchs eine Generation sehr starker Frauen heran, die ihr Potenzial wohl ahnte, aber jeden Tag darum kämpfen musste, etwas davon auch einlösen zu können. Nach der Auflösung des sowjetischen Kommunismus ist der Feminismus als organisierte Bewegung schwach und bis jetzt auf wenige Zirkel verwestlichter Intellektueller begrenzt, während die paternalistischen Organisationen alten Stils im Absterben begriffen sind. Die Präsenz von Frauen im öffentlichen Bereich wächst jedoch während der 1990er Jahre unverkennbar. So erhielt etwa in Russland die Frauen-Partei, obwohl sie ihrer Position und ihrer Mitgliedschaft nach relativ konservativ ist, bei den Parlamentswahlen von 1995 etwa 8% der Stimmen. Daneben wurde eine Reihe von Frauen zu politischen Schlüsselfiguren. In der russischen Gesellschaft ist die Annahme weit verbreitet, dass Frauen bei der Verjüngung der politischen Führungsequipe eine entscheidende Rolle spielen könnten. 1996 wurde erstmals in der russischen Geschichte eine Frau zur Gouverneurin des nationalen Kreises Korjakien gewählt. Außerdem scheint die neue Generation von Frauen, die nach den Wertvorstellungen der Gleichheit und mit Raum zur persönlichen und politischen Selbstbetätigung erzogen wurde, bereit zu sein, ihre neue individuelle Autonomie in einer kollektiven Identität und in kollektiver Aktion zum Ausdruck zu bringen. Es ist leicht, der Frauenbewegung in Osteuropa eine bedeutsame Zukunft vorherzusagen, und zwar *in ihren eigenen kulturellen und politischen Ausdrucksformen.*

Im industrialisierten Asien herrscht der Patriarchalismus noch immer nahezu unangefochten. Das ist vor allem in Japan erstaunlich, einer Gesellschaft mit einer hohen Beteiligung von Frauen an der Erwerbsarbeit, einer sehr gut ausgebildeten weiblichen Bevölkerung und einer machtvollen Kette sozialer Bewegungen während der 1960er Jahre. Dennoch hat der Druck, der von Frauenbewegungen und von der Sozialistischen Partei ausging, dazu geführt, dass 1986 die Diskriminierung von Frauen am Arbeitsplatz gesetzlich eingeschränkt wurde.[72] Aber insgesamt beschränkt sich der Feminismus auf akademische Kreise, und Frauen in gehobenen Berufen leiden noch immer unter krasser Diskriminierung. Die strukturellen Gegebenheiten in Japan genügen vollauf, um eine machtvolle feministische Kritik zu entfesseln. Andererseits fehlt eine solche Kritik, die groß genug wäre, um gesellschaftlich wirksam zu sein. Dies zeigt die gesellschaftliche Besonderheit – also die Stärke der japanischen patriarchalischen Familie im Allgemeinen und die Pflichterfüllung der Männer als Patriarchen – unabhängig von strukturellen Ursachen jener Unzufriedenheit, die die Entwicklung einer Bewegung entscheidend beeinflusst. Die koreanischen Frauen sind noch stärker unterjocht als die Japanischen, wenngleich vor kurzem Embryos einer feministischen Bewegung gewachsen sind.[73] China befindet sich

72 Gelb und Lief-Palley (1994).
73 Po (1996).

noch immer am Rand des widersprüchlichen etatistischen Modells, nach dem die Rechte der „Hälfte des Himmels“ anerkannt und gefördert und dabei unter der Kontrolle der „Hälfte der Hölle“ gehalten werden. Doch widerlegt die Entwicklung einer starken feministischen Bewegung in Taiwan seit Ende der 1980er Jahre die Annahme, unter der besonderen Tradition des Konfuzianismus müssten Frauen zwangsläufig unterdrückt sein (s.u.).[74]

In der gesamten Welt der sogenannten Entwicklungsländer ist die Lage komplex und sogar widersprüchlich.[75] Der Feminismus als autonome ideologische oder politische Ausdrucksform ist eindeutig das Privileg einer kleinen Minderheit intellektueller und beruflich erfolgreicher Frauen. Freilich verstärkt deren Präsenz in den Medien ihre Wirkung klar über ihre zahlenmäßige Stärke hinaus. Zudem sind in einer Reihe von Ländern – besonders in Asien – politische Führerinnen zu überragenden Gestalten geworden: in Indien, Pakistan, Bangladesch, den Philippinen, Burma und vielleicht in nicht allzu ferner Zukunft in Indonesien. Dabei sind sie zu Symbolen geworden, um die sich Bestrebungen für Demokratie und Entwicklung scharen. Zwar garantiert das biologisch weibliche Geschlecht nicht Frausein, und die meisten Politikerinnen agieren innerhalb des Bezugsrahmens patriarchalischer Politik, doch darf die Wirkung, die sie als Rollenmodelle vor allem für junge Frauen entwickeln, nicht vernachlässigt werden.

Die wichtigste Entwicklung aber ist seit den 1980er Jahren die Entwicklung von Basisorganisationen in den Ballungsräumen der Entwicklungswelt, die in ihrer übergroßen Mehrheit von Frauen geschaffen wurden und angeführt werden. Sie wurden angetrieben durch die simultan verlaufenden Prozesse der explosionsartigen Entwicklung der Städte, wirtschaftlicher Krisen und der Austeritätspolitik. Damit standen die Menschen und vor allem Frauen vor der einfachen Alternative, entweder zu kämpfen oder aber unterzugehen. Dies hat gemeinsam mit der zunehmenden Frauenbeschäftigung wahrhaftig Lage, Organisation und Bewusstsein von Frauen verändert. Das zeigen etwa die Studien, die Ruth Cardoso de Leite oder Maria da Glora Gohn in Brasilien, Alejandra Massolo in Mexiko und Helena Useche in Kolumbien durchgeführt haben.[76] Aus diesen kollektiven Bestrebungen haben sich nicht nur Basisorganisationen entwickelt und auf Politik und Institutionen eingewirkt; es entstand mit dem Auftreten von Frauen, die über neu erworbene Macht verfügten, auch eine neue Identität. So schreibt Alejandra Massolo am Ende ihrer Analyse über städtische Bewegungen in Mexiko-Stadt, die im Wesentlichen von Frauen getragen werden:

> Die Subjektivität, mit der Frauen ihre Kämpfe erleben, ist eine aufschlussreiche Dimension des Prozesses der sozialen Konstruktion neuer Kollektividentitäten im Rahmen städtischer

---

74 Po (1996).

75 Kahne und Giele (1992); Massolo (1992); Caipora Women's Group (1993); Jacquette (1994); Kuppers (1994); Blumberg u.a. (1995).

76 Cardoso de Leite (1983); Gohn (1991); Espinosa und Useche (1992); Massolo (1992).

> Konflikte. Die städtischen Bewegungen der 1970er und 1980er Jahre machten die ungewöhnliche kollektive Identität von Segmenten der Unterklassen sichtbar und unterscheidbar. Frauen waren an der sozialen Produktion dieser neuen kollektiven Identität beteiligt, und zwar von ihrer alltäglichen territorialen Basis aus, die sich in die Basis ihrer kollektiven Aktion verwandelte. Sie verliehen dem Prozess der Konstruktion kollektiver Identität das Abzeichen ihrer vielfältigen Motivationen, Bedeutungen und Erwartungen aus der Sicht des weiblichen Geschlechts. Dieses komplexe Bedeutungssystem ist in den städtischen Bewegungen selbst dann anzutreffen, wenn Geschlechterfragen nicht ausdrücklich gestellt werden, selbst wenn ihre Zusammensetzung gemischt ist und Männer sich in Führungspositionen befinden.[77]

Es ist diese massive Präsenz von Frauen in der kollektiven Aktion von Basisbewegungen auf der ganzen Welt und ihre ausdrückliche Selbst-Identifikation als kollektiv Handelnde, die das Bewusstsein und die sozialen Rollen von Frauen selbst dort verändern, wo eine klar artikulierte feministische Ideologie fehlt.

Während jedoch der Feminismus in vielen Ländern anzutreffen ist und während die Kämpfe und Organisationen von Frauen auf der ganzen Welt explosionsartig aufschießen, *weist die feministische Bewegung je nach dem kulturellen, institutionellen und politischen Kontext, in dem sie auftritt, sehr unterschiedliche Formen und Orientierungen auf.* So war der Feminismus etwa in *Großbritannien* von seinen Anfängen Ende der 1960er Jahre an durch seine enge Beziehung zu den Gewerkschaften, zur Labour Party, zur sozialistischen Linken und darüber hinaus zum Wohlfahrtsstaat gekennzeichnet.[78] Er war mehr explizit politisch – also auf den Staat orientiert – als der amerikanische Feminismus und knüpfte direkter an die alltäglichen Probleme erwerbstätiger Frauen an. Aufgrund seiner Nähe zur linken Politik und zur Arbeiterbewegung jedoch litt er während der 1970er Jahre unter lähmenden inneren Kämpfen mit und zwischen unterschiedlichen Spielarten sozialistischer und radikaler Feministinnen. So wurde die populäre Kampagne „Lohn für Hausarbeit“ 1973 von manchen Feministinnen kritisiert, weil sie implizit die untergeordnete Rolle der Frauen im Heim akzeptiere und sie deshalb möglicherweise veranlassen könne, in ihrem häuslichen Eingeschlossensein zu verharren. Diese widersprüchliche Bindung an die Arbeiterbewegung und an sozialistische Politik wurde für die Bewegung selbst zum Problem. Wie Rowbotham schreibt:

> Es ist wahrscheinlich etwas Wahres an der Behauptung, dass die Betonung gewerkschaftlicher Unterstützung – in Großbritannien viel stärker als in vielen anderen Frauenbefreiungsbewegungen – die Sprache und die Begrifflichkeiten beeinflusste, in denen die Forderung nach Abtreibung vorgetragen wurde. Muffige Räume in Gewerkschaftshäusern waren nicht die angenehmsten Orte, um gelehrt über die Vielfalt weiblicher Begierde zu referieren. Doch ... glaube ich, der Grund lag teilweise eher in einem Ausweichen innerhalb der Frauenbefreiungsbewegung selbst. Die Bewegung bemühte sich, einen Gegensatz zwischen Heterosexualität und Lesbianismus zu vermeiden, aber dabei verengte sich das Spektrum der sexuel-

77 Massolo (1992: 338); nach der Übersetzung von M.C.
78 Rowbotham (1989).

len Selbstdefinition und jede Auseinandersetzung mit heterosexueller Lust geriet in eine defensive Rückzugsposition.[79]

Teilweise infolge dieses Zögerns, sich mit der eigenen Vielgestaltigkeit auseinander zu setzen und allmählich von der strategischen Rationalitität traditioneller Politik abzugehen, wurde der Feminismus während der 1980er Jahre durch den thatcheristischen Moloch geschwächt. Sobald sich jedoch eine neue Generation von Feministinnen frei fühlte von den alten Bindungen an Parteipolitik und der Treue zur Arbeiterbewegung, nahm der Feminismus in den 1990er Jahren einen neuen Aufschwung, nicht nur in Gestalt des kulturellen Feminismus und Lesbianismus, sondern in einer Vielzahl von Ausdrucksformen, zu denen, auch der sozialistische und der institutionalisierte Feminismus gehören aber nicht in hegemonialer Position.

Der *spanische Feminismus* war noch weit offenkundiger durch die politische Situation geprägt, in der er zur Welt kam: durch die demokratische Bewegung gegen die Franco-Diktatur Mitte der 1970er Jahre.[80] Die meisten Frauenorganisationen standen in Verbindung mit der anti-francistischen, halblegalen Opposition wie den von der Kommunistischen Partei beeinflussten *Asociacion de Mujeres Democratas* (einer politischen Vereinigung) oder den *Asociaciones de Amas de Casa* (territorial organisierte Hausfrauen-Vereinigungen). Jede politische Strömung, vor allem die linken, hatte „ihre" Frauen-„Massenorganisation". In *Catalunya* und im Baskenland hatten Frauenorganisationen und auch Feministinnen ebenfalls ihre eigenen Organisationen. Darin kamen die nationalen Trennlinien in der spanischen Politik zum Ausdruck. Gegen Ende des Francismus begannen 1974-1977 im Klima der kulturellen und politischen Befreiung, das für Spanien in den 1970er Jahren charakteristisch war, autonome feministische Kollektive aufzutreten. Eines der innovativsten und einflussreichsten war der von Madrid aus operierende *Frente de Liberación de la Mujer*. Seine Mitgliederzahl war begrenzt, wenig mehr als einhundert Frauen. Aber er konzentrierte sich darauf, auf die Medien einzuwirken und nutzte dabei sein Netzwerk von Frauen im journalistischen Bereich. So verschaffte er Frauenforderungen und -diskursen Popularitätsgewinne. Der Schwerpunkt lag auf dem Recht auf Abtreibung und Scheidung, beides damals in Spanien illegal. Hinzu kam der freie Ausdruck der Sexualität von Frauen einschließlich des Lesbianismus. Die Gruppe war hauptsächlich vom kulturellen Feminismus und von den französisch-italienischen Ideen eines *feminisme de la différence* beeinflusst, sie beteiligte sich aber auch gemeinsam mit kommunistischen und sozialistischen Frauenorgani-

---

79 Rowbotham (1989: 81).

80 Mein Verständnis des spanischen Feminismus stammt aus unmittelbarer persönlicher Erfahrung und Beobachtung sowie aus Gesprächen mit einer Reihe von Frauen, die eine wesentliche Rolle in der Bewegung gespielt haben. Ich möchte den Frauen, von denen ich am meisten gelernt habe, danken, vor allem Marina Subirats, Françoise Sabbah, Marina Goñi, Matilde Fernandez, Carlota Bustelo, Carmen Martinez-Ten, Cristina Alberdi und Carmen Romero. Natürlich liegt die Verantwortung für die hier vorgestellte Analyse und das Material allein bei mir.

sationen an den politischen Kämpfen für die Demokratie. Mit der Errichtung der Demokratie in Spanien 1977 und mit dem Machtantritt der Sozialistischen Partei 1982 sind die autonomen feministischen Bewegungen jedoch nahezu verschwunden, gerade wegen ihres Erfolges auf institutioneller und politischer Ebene. Scheidung wurde 1981 per Gesetz erlaubt und Abtreibung mit Einschränkungen 1984 legalisiert. Die Sozialistische Partei förderte ein innerhalb der Regierungsstrukturen angesiedeltes *Instituto de la Mujer*, das als Lobby für die Feministinnen gegenüber der Regierung selbst arbeitete. Viele feministische Aktivistinnen, vor allem aus dem *Frente de Liberación de Mujer*, schlossen sich der Sozialistischen Partei an und nahmen Führungspositionen im Parlament, in der Verwaltung und in geringerem Maße auch im Kabinett ein. Eine führende sozialistische Feministin aus der Gewerkschaftsbewegung Matilde Fernandez wurde zur Sozialministerin ernannt und setzte ihren Einfluss und ihren starken Willen ein, um während der zweiten Hälfte der Regierungszeit der Sozialisten die Sache der Frauen zu stärken. Sie wurde 1993 durch Cristina Alberdi abgelöst, eine weitere Veteranin der feministischen Bewegung und angesehene Juristin. Carmen Romero, die *First Lady* des Landes und neben ihrem Ehemann Felipe Gonzales seit langem sozialistische Militante, wurde ins Parlament gewählt und spielte eine wesentliche Rolle dabei, etwas an dem traditionellen Sexismus der Partei zu ändern. So wurde eine Richtlinie in die Parteistatuten eingefügt, nach der 25% der Führungspositionen für Frauen reserviert sind – ein Versprechen, das uneingelöst blieb, wenn auch die Anzahl der Frauen in der Führung von Partei und Regierung durchaus angestiegen ist. So übte der Feminismus einerseits eine bedeutende Wirkung aus bei der Verbesserung der rechtlichen, sozialen und wirtschaftlichen Lage der spanischen Frauen sowie als Türöffner für das Einrücken von Frauen in herausgehobene Positionen in Politik, Wirtschaft und allgemein in der Gesellschaft. Die Einstellungen des traditionellen *machismo* wurden in den heranwachsenden Generationen in dramatischer Weise abgebaut.[81] Andererseits ist die feministische Bewegung als autonome Bewegung praktisch verschwunden, seiner Kader beraubt und völlig auf institutionelle Reform fixiert. Es blieb wenig Raum für lesbischen Feminismus und für die Betonung von Differenz und Sexualität. Die neue, in der spanischen Gesellschaft erreichte Toleranz unterstützte jedoch in den 1990er Jahren das Heranwachsen eines neuen, stärker kulturell ausgerichteten Feminismus. Er steht den augenblicklichen feministischen Strömungen in Großbritannien und Frankreich näher und distanziert sich eher von der traditionellen Politik. Dabei bildet nur das Baskenland eine Ausnahme, wo die Bewegung zum eigenen Schaden Verbindungen zur radikalen, baskisch-separatistischen Bewegung aufrechterhalten hat. Der spanische Feminismus ist demnach ein Beispiel für die Möglichkeiten, Politik und Institutionen zur Verbesserung des Status der Frauen zu nutzen,

81 Alonso Zaldivar und Castells (1992).

und er zeigt zugleich die Schwierigkeiten, unter den Bedingungen erfolgreicher Institutionalisierung eine autonome Bewegung zu bleiben.

Unsere letzte Erkundungsreise über die Variationen des Feminismus und der breiteren sozialen Kontexte, in denen sich die Bewegung entwickelt, führt uns nach *Italien*, den Schauplatz dessen, was man sehr wohl als die mächtigste und innovativste feministische Massenbewegung im Europa der 1970er Jahre bezeichnen kann.[82] Wie Bianca Beccalli schreibt: „Aus einer historischen Untersuchung des italienischen Feminismus ergeben sich eindeutig zwei Dinge: die enge Verbindung zwischen dem Feminismus und der Linken und die besondere Bedeutung der gegenseitigen Verflechtung von Gleichheit und Differenz".[83] Nun ist der gegenwärtige italienische Feminismus wie die meisten anderen feministischen Bewegungen im Westen aus den mächtigen sozialen Bewegungen entstanden, die Italien Ende der 1960er und Anfang der 1970er Jahre erschüttert haben. Anders als ihre Gegenstücke enthielt die italienische feministische Bewegung jedoch eine einflussreiche Strömung innerhalb der italienischen Gewerkschaften, und sie war bei der italienischen Kommunistischen Partei, der größten Kommunistischen Partei außerhalb der kommunistischen Welt und nach Mitgliedern der größten Partei Italiens, willkommen und wurde von ihr gefördert. So gelang es den italienischen Feministinnen während der 1970er Jahre, ihre Themen als Feministinnen in den Kreisen vieler Frauen, auch bei Arbeiterinnen, populär zu machen. Wirtschaftliche Forderungen und Forderungen nach Gleichheit wurden verflochten mit Frauenbefreiung, Kritik am Patriarchalismus und dem Untergraben der herrschenden Autoritäten in Familie und Gesellschaft. Die Beziehungen zwischen Feministinnen und der Linken, und vor allem der revolutionären Linken, waren freilich nicht einfach. So bestand im Dezember 1975 der *servizio d'ordine* (selbsternannte Polizisten) von *Lotta Continua*, der größten und radikalsten Organisation der extremen Linken darauf, die Demonstration der Frauen von *Lotta Continua* in Rom zu schützen; als die Frauen diesen Schutz ablehnten, schlug der *servizio* sie zusammen, was die Abspaltung der Frauen von der Organisation und ein paar Monate später die Auflösung von *Lotta Continua* zur Folge hatte. Die zunehmende Autonomie der kommunistisch inspirierten Organisation *Unione delle Donne Italiane* (UDI) gegenüber der Partei führte schließlich 1978 zur Selbstauflösung der UDI. Insgesamt gab es jedoch viele Verbindungen zwischen Frauen, die organisierten, Gewerkschaften und linken politischen Parteien (außer den Sozialisten). Es bestand ferner eine große Empfänglichkeit für Frauenfragen und sogar für feminis-

82 Mein Verständnis der italienischen feministischen Bewegung stammt weitgehend aus meiner Freundschaft und meinen Gesprächen mit Laura Balbo sowie aus der persönlichen Beobachtung sozialer Bewegungen in Mailand, Turin, Venedig, Rom und Neapel während der gesamten 1970er Jahre. Eine neuere Analyse enthält der ausgezeichnete Überblick von Bianca Beccalli (1994). Zur formativen Phase der Bewegung und ihrer Entwicklung während der 1970er Jahre s. Ergas (1985) und Birnbaum (1986).

83 Beccalli (1994: 109).

tische Diskurse bei den Partei- und Gewerkschaftsführern. Diese enge Zusammenarbeit führte zu einigen der fortschrittlichsten Gesetze bezüglich der Probleme erwerbstätiger Frauen in ganz Europa und ferner zur Legalisierung von Scheidung (durch ein Referendum 1974) und Abtreibung. Während der 1970er Jahre ging diese politische Zusammenarbeit für lange Zeit Hand in Hand mit der Ausbreitung von Frauenkollektiven, die Fragen der Autonomie von Frauen, der kulturellen Differenz von Frauen, der Sexualität und des Lesbianismus aufwarfen. Dies waren getrennte Tendenzen, die jedoch mit der Welt der Politik und des Klassenkampfes interagierten. Und dennoch,

> am Ende des Jahrzehnts [1970er Jahre] befand sich der Feminismus im Niedergang, und der Beginn der 1980er Jahre sah ihn als Bewegung faktisch verschwinden. Er verlor seine Sichtbarkeit in politischen Kämpfen und wurde immer stärker fragmentiert und abgehoben; feministische Aktivistinnen verwendeten ihre Energien zunehmend auf private Projekte und Erfahrungen, ob diese nun individueller oder kommunaler Art waren. So kam es, dass die „neue" feministische Bewegung dem Beispiel anderer „neuer sozialer Bewegungen" der 1970er Jahre folgte und sich schlicht zu einer weiteren Form der Politik des Lebensstils entwickelte.[84]

Wie ist es dazu gekommen? Ich will hier nicht Beccallis Worte in meine eigene Interpretation bringen, obwohl ich nicht glaube, dass ich ihrer Darstellung widerspreche. Einerseits erkämpften sich die italienischen Frauen weitreichende rechtliche und wirtschaftliche Reformen, traten massenhaft ins Erwerbsleben und in die Bildungsinstitutionen ein und unterminierten den Sexismus und wichtiger noch, die traditionelle Macht der Katholischen Kirche über ihr Leben. So wurden die offenen und klar abgegrenzten Schlachten, in denen die Linke, die Gewerkschaften und die Frauen sich leicht zusammenschließen konnten, gewonnen. Allerdings wurden diese Siege nicht alle bis zum Letzten genutzt, wie etwa im Fall des Gleichheitsgesetzes, das, wie Beccalli meint, weit hinter das britische Vorbild zurückfällt. Zugleich bewirkte das enge Bündnis der Frauenbewegung mit der Linken, dass die Krise des politischen Feminismus zusammen mit der Krise der Linken selbst eintrat. Die revolutionäre Linke lebte in einer marxistisch-maoistischen Phantasiewelt, die mit bemerkenswerter Intelligenz und Einbildungskraft ausgearbeitet worden war, was die künstlichen Paradiese nur noch künstlicher machte. Sie fiel während der zweiten Hälfte der 1970er Jahre auseinander. Die Arbeiterbewegung musste sich zwar keinem neokonservativen Gegenschlag entgegenstellen wie in Großbritannien oder den Vereinigten Staaten, sah sich aber während der 1980er Jahren mit den neuen Realitäten der Globalisierung und des technologischen Wandels konfrontiert und war so gezwungen, die Beschränkungen zu akzeptieren, die sich aus der internationalen gegenseitigen Abhängigkeit des italienischen Kapitalismus ergeben. Die Vernetzungswirtschaft, die ja die Emilia Romagna zum Modell nahm, machte die italienischen Kleinunternehmen dynamisch und wettbewerbsfähig, jedoch um den

84 Beccalli (1994: 86).

Preis, dass die Verhandlungsmacht der Gewerkschaften, die in den großen Fabriken und im öffentlichen Sektor konzentriert war, entscheidend geschwächt wurde. Die Kommunistische Partei wurde bei ihrem Versuch, an die Macht zu kommen, durch eine von der Sozialistischen Partei angeführte antikommunistische Front zur Seite gefegt. Und die Sozialistische Partei nutzte die Hebel der Macht, um sich illegal mit dem Ziel zu finanzieren, den Traum vom *sorpasso* zu erkaufen, also die Kommunisten nach Wählerstimmen zu überholen: Das Justizsystem holte die Sozialisten ein, bevor sie die Stärke der Kommunisten erreichen konnten, die mittlerweile keine Kommunisten mehr waren und sich der Sozialistischen Internationale angeschlossen hatten. Es überrascht nicht, dass die italienischen Feministinnen, politisch wie sie waren, nach Hause gingen. Allerdings nicht in das Haus ihrer Ehemänner oder Väter, sondern in das Haus der Frauen, in eine diversifizierte und vitale Frauenkultur, die in den späten 1980er Jahren den Feminismus neu erfunden hatte und *differenzia* betonte, ohne *egalitá* zu vergessen. Luce Irigaray und Adrienne Rich ersetzten Marx, Mao und Alexandra Kollontaj als intellektuelle Bezugspunkte. Die neuen feministischen Kollektive verbanden jedoch während der 1990er Jahre vor allem in den von der Linken kontrollierten Kommunalverwaltungen den feministischen Diskurs weiter mit Frauenforderungen. Eine der innovativsten und aktivsten Kampagnen betraf die Reorganisation der Zeit; dies reichte von Arbeitszeit bis zu den Öffnungszeiten von Geschäften und öffentlichen Einrichtungen mit dem Ziel, flexible Zeitpläne zu schaffen, die dem vielfältigen Leben von Frauen angepasst sind. Während der 1990er Jahre eröffnete trotz der politischen Bedrohung durch Berlusconi und die Neofaschisten mit ihren Forderungen nach Wiederherstellung der traditionellen Familienwerte der Machtantritt einer Mitte-Links-Koalition unter Einschluss des nunmehr sozialistischen, ex-kommunistischen *Partito Democratico di Sinistra* 1996 den Weg für neuerliche institutionelle Innovation. Diesmal geschah dies auf der Grundlage einer dezentralisierten, autonomen feministischen Bewegung, die gelernt hatte, was es heißt, „mit den Wölfen zu tanzen".

So reichen der Feminismus und die Kämpfe von Frauen an dieser Jahrtausendwende hinauf und hinunter über die gesamte Landschaft menschlicher Erfahrung. Sie kehren immer wieder in neuen Formen zurück an die Oberfläche und verbinden sich zunehmend mit anderen Formen des Widerstands gegen Herrschaft. Dabei bleibt der Spannungszustand zwischen politischer Institutionalisierung und kultureller Autonomie erhalten. Die Kontexte, in denen sich der Feminismus entwickelt, prägen die Bewegung in einer ganzen Reihe von Formen und Diskursen. Und doch behaupte ich, dass ein wesentlicher – ja, ich habe gesagt, ein wesentlicher – Kern von Werten und Zielsetzungen sich durch die gesamte Vielstimmigkeit des Feminismus hindurchzieht und Identität(en) bildet.

Feminismus: eine induktive Polyphonie[85]

Die Stärke und Vitalität der feministischen Bewegung liegt in ihrer Diversifizierung, ihrer Anpassungsfähigkeit an Kulturen und Altersgruppen. Wenn wir daher versuchen, den Kern von Grundsatzopposition und wesentlicher Transformation aufzufinden, der allen Bewegungen durchweg gemeinsam ist, müssen wir zuerst diese Vielfalt anerkennen. Um mit dieser großen Unterschiedlichkeit sinnvoll umzugehen, schlage ich eine Typologie feministischer Bewegungen vor, die einerseits auf Beobachtung anhand der angeführten Quellen beruht; andererseits benutze ich Touraines Kategorisierung sozialer Bewegung, wie in Kapitel 2 dargestellt. Der Nutzen dieser Typologie ist analytisch, nicht deskriptiv. Sie kann nicht die facettenreiche Vielfalt im Profil des Feminismus in den unterschiedlichsten Ländern und Kulturen während der 1990er Jahre wiedergeben. Wie alle Typologien ist sie reduktionistisch, und das ist ein besonders unglücklicher Umstand im Hinblick auf die Praxisformen von Frauen, weil Frauen sich zurecht dagegen gewandt haben, dass sie während ihrer Geschichte beständig als Objekte katalogisiert und etikettiert wurden, anstatt als Subjekte behandelt zu werden. Außerdem durchschneiden spezifische feministische Bewegungen und einzelne Frauen innerhalb dieser Bewegungen häufig die Grenzen dieser und anderer Kategorien. Es kommt zur Vermischung von Identitäten, Gegnerschaften und Zielsetzungen bei der Selbst-Definition ihrer Erfahrungen und Kämpfe. Zudem könnten einige der Kategorien nur sehr kleine Ausschnitte der feministischen Bewegung repräsentieren, die ich freilich analytisch für bedeutsam halte. Insgesamt meine ich jedoch, dass es nützlich sein kann, die in Schaubild 4.1 dargestellten Unterscheidungen zu bedenken, um so zum notwendigen Ausgangspunkt zu kommen, ihre Gemeinsamkeiten zu erforschen.

Unter diesen Typen habe ich gleichzeitig kollektive Aktionen und individuelle Diskurse zusammengefasst, die innerhalb des Feminismus und in seinem Umkreis diskutiert werden. Der Grund liegt darin, dass der Feminismus, wie oben gezeigt, sich nicht in militanten Bewegungen erschöpft. Er ist auch und manchmal grundlegend ein Diskurs: Ein Diskurs, der die Vorstellungen vom Platz der Frauen in der Männergeschichte untergräbt und so die historisch herrschende Beziehung zwischen Raum und Zeit verändert, wie Irigaray meint:

---

85 Bei der Einschätzung der Themen der feministischen Bewegung mache ich mich nicht anheischig, dem Reichtum der feministischen Diskussion gerecht zu werden. Selbst wenn ich es kennen würde, wäre es mir auch nicht möglich, das gesamte Spektrum von Theorien und Positionen zu untersuchen, die heute für ein tiefgreifendes Verständnis der Ursachen für die Unterdrückung von Frauen und der Wege zur Befreiung zur Verfügung stehen. Meine hier geleistete analytische Synthese ist an dem theoretischen Vorhaben dieses Buches orientiert: die Wechselwirkung zu interpretieren zwischen einerseits sozialen Bewegungen, die Anspruch auf den Vorrang von Identität erheben, und der Netzwerkgesellschaft andererseits als der neuen Herrschaftsstruktur im Informationszeitalter. Wenn dies als Schutzbehauptung erscheint, so ist der Eindruck zutreffend.

> Die Götter, Gott erschafft – zuerst – den Raum ... Gott wäre die Zeit selbst, die sich in seinem Akt in Raum, in Orte verausgabt oder entäußert ... Verkehrt sich das in sexuelle Differenz? In ihr wird das Weibliche als Raum erlebt, allerdings häufig mit der Konnotation von Abgrund und Nacht ..., das Männliche als Zeit. Ein Epochenwechsel erfordert eine Veränderung der Perzeption und Konzeption des Raum-Zeit-Gefüges, des Bewohnens der Orte und des Umschließens der Identität.[86]

Dieser Übergang, dieser Wandel wird durch eine Reihe von Aufstandsbewegungen von Frauen ins Werk gesetzt, von denen einige in Schaubild 4.1 aufgeführt werden. Ihren Inhalt will ich versuchen, in meinem Kommentar deutlich zu machen.

Schaubild 4.1 Analytische Typologie feministischer Bewegungen

Typus	Identität	Gegner	Zielsetzung
Frauenrechte (liberal, sozialistisch)	Frauen als Menschen	Patriarchalischer Staat und/oder patriarchalischer Kapitalismus	Gleiche Rechte (einschließlich reproduktiver Rechte)
Kultureller Feminismus	Frauen-Kommune	Patriarchalische Institutionen und Werte	Kulturelle Autonomie
Essentialistischer Feminismus (Spiritualismus, Ökofeminismus)	Weibliche Existenzweise	Männliche Existenzweise	Matriarchalische Freiheit
Lesbischer Feminismus	Sexuelle/kulturelle Schwesterlichkeit	Patriarchalische Heterosexualität	Abschaffung von gender durch Separatismus
Spezifische Identitäten von Frauen (ethnisch, national, selbst definiert: z.B. schwarze lesbische Feministin)	Selbst-konstruierte Identität	Kulturelle Dominanz	Von Geschlechterunterschieden befreiter Multikulturalismus
Praktischer Feminismus (Arbeiterinnen, Selbstverteidigung in Gemeinschaften, Mutterschaft usw.)	Ausgebeutete/misshandelte Frauen/Hausfrauen	Patriarchalischer Kapitalismus	Überleben/Würde

Die *Verteidigung der Frauenrechte* ist das Minimalziel des Feminismus. In der Tat ist dieses grundlegende Bestehen darauf, dass Frauen menschliche Wesen sind – nicht Puppen, Objekte, Dinge oder Tiere. Diese Position aus der klassischen feministischen Kritik ist in allen anderen Formen enthalten. In diesem Sinne ist der Feminismus wirklich eine Fortsetzung und Erweiterung der Menschenrechtsbewegung. Diese Bewegung gibt es in zwei Ausgaben, liberal und sozialistisch, wobei freilich diese Zusammenfassung als ein Typus angesichts ihrer scharfen ideologischen Gegensätze überraschend sein mag. Sie unterscheiden sich tatsächlich voneinander, aber ihre Identität liegt in ihrem Bestehen darauf, dass Frauen die gleichen Rechte haben wie Männer. Sie unterscheiden sich in ihrer Analyse der Wurzeln des Patriarchalismus und in ihrem Glauben oder Unglauben an die Möglichkeit, den Kapitalismus zu reformieren und innerhalb

86 Irigaray (1984: 13f.).

der Regeln der liberalen Demokratie zu arbeiten und dabei gleichzeitig die Endziele der Gleichheit zu erreichen. In beiden Fällen sind wirtschaftliche Rechte und reproduktive Rechte in den Forderungen nach Rechten für Frauen enthalten. Und beide betrachten das Erkämpfen dieser Ziele als die Zielsetzung der Bewegung, auch wenn sie sich im Hinblick auf ihre taktische Schwerpunktsetzung und Sprache scharf unterscheiden mögen. Die sozialistischen Feministinnen betrachten den Kampf gegen den Patriarchalismus als notwendig verknüpft mit der Überwindung des Kapitalismus, während der liberale Feminismus an die Frage der sozioökonomischen Transformation skeptischer herangeht und sich auf die Förderung der Sache der Frauen unabhängig von anderen Zielen konzentriert.

Der *kulturelle Feminismus* beruht auf dem Versuch, alternative Fraueninstitutionen aufzubauen, Räume der Freiheit inmitten der patriarchalischen Gesellschaft, deren Institutionen und Wertvorstellungen als Gegner betrachtet werden. Er wird manchmal mit dem „Feminismus der Differenz" in Verbindung gebracht, obwohl er keinen Essentialismus impliziert. Er geht von der doppelten Annahme aus, dass Frauen anders sind und zwar hauptsächlich aufgrund ihrer anderen Geschichte und dass sie jedenfalls ihre Identität nur dann neu aufbauen können, wenn sie ihre eigene Kommune schaffen. In vielen Fällen bedeutet dies den Willen zur Separation von den Männern, mindestens aber von männlich beherrschten Institutionen. Aber der kulturelle Feminismus führt nicht unbedingt zum Lesbianismus oder zum Separatismus gegenüber Männern. Das Ziel besteht in der Herstellung kultureller Autonomie als Grundlage für den Widerstand, die damit die Forderungen der Frauen auf der Grundlage alternativer Wertvorstellungen inspiriert, etwa Verzicht auf Konkurrenz, Gewaltlosigkeit, Kooperation und Vieldimensionalität menschlicher Erfahrung. Dies führt dann zu einer neuen weiblichen Identität und weiblichen Kultur, die eine kulturelle Transformation in der gesamten Gesellschaft anregen könnten.

Die Bewegung zur „Stärkung des Bewusstseins", die am Anfang des radikalen Feminismus stand, war mit dem kulturellen Feminismus verbunden und hat zur Herausbildung eines ganzen Netzwerkes von Frauenorganisationen und -institutionen geführt. Sie sind zu Räumen der Freiheit, des Schutzes, der Unterstützung und der ungehinderten Kommunikation unter Frauen geworden: Frauenbuchläden, Gesundheitsstationen, Frauenkooperativen. Diese Organisationen boten Dienstleistungen für Frauen an und wurden zu Mitteln der Organisation einer Vielzahl von Bewegungen für Frauenrechte. Sie brachten aber auch eine alternative Kultur hervor und trugen zu deren Verbreitung bei. Diese Kultur befestigte die Spezifizität weiblicher Wertvorstellungen.

Der *existenzielle Feminismus* geht einen Schritt weiter und erklärt gleichzeitig die wesensmäßige Unterschiedlichkeit der Frauen von Männern, die in Biologie und/oder Geschichte verankert sei, und die moralisch-kulturelle Überlegenheit des Frauseins als Lebensform. In der Formulierung von Fuss „kann der Essentialismus an dem Bezug auf eine reine oder ursprüngliche Weiblichkeit festgemacht werden, an ein weibliches Wesen, das sich außerhalb der Grenzen der sozialen Ordnung befindet und damit auch durch eine patriarchalische Ordnung nicht angetastet (wenn auch vielleicht unterdrückt) ist".[87] So gilt etwa für Luce Irigaray, eine artikulierte und einflussreiche Stimme des essentialistischen Feminismus, dass „wir durch unsere Lippen Frauen sind".[88]

> Wie soll ich es sagen? Dass wir Frauen von allem Anfang an sind. Dass wir nicht von ihnen zu Frauen gemacht, nicht von ihnen gekennzeichnet, nicht von ihnen geheiligt oder profanisiert werden müssen. Dass dies schon immer und ohne ihren Beitrag geschehen ist. Und dass ihre Geschichte, ihre Erzählungen den Ort unserer Entwurzelung darstellen. ... Ihre Eigenschaften sind unser Exil. Ihre Einschließungen der Tod unserer Liebe. Ihre Worte der Knebel zwischen unseren Lippen. ... Eilen wir uns, unsere eigenen Worte zu finden. So dass wir überall und immer fortfahren können zu umarmen ... Unsere Stärke liegt gerade in der Schwäche unseres Widerstandes. Lange Zeit haben sie nun zur Kenntnis genommen, dass unsere Zartheit ihre eigenen Umarmungen und Eindrücke wert ist. Warum sollen wir uns nicht an uns selbst freuen? Anstatt ihre Brandmarkung über uns ergehen zu lassen. Anstatt festgelegt, stabilisiert, unbeweglich gemacht zu werden. Abgetrennt ... Wir kommen ohne Modelle, Standards und Beispiele aus. Lasst uns nie gegenseitig Befehle, Kommandos oder Verbote erteilen. Lasst unsere Imperative nur Appelle sein, uns gemeinsam zu bewegen, gemeinsam bewegt zu werden. Lasst uns niemals einander Gesetze geben oder moralisieren oder Krieg führen.[89]

Befreiung bedeutet, „jeder Frau die Tatsache ‚bewusst' zu machen, dass das, was sie in ihrer persönlichen Erfahrung gespürt hat, ein Zustand ist, den alle Frauen teilen, womit es möglich wird, diese Erfahrung zu politisieren".[90] Wenn sie die Spezifizität ihrer Körper akzeptieren, werden Frauen nicht in der Biologie gefangen, sondern im Gegenteil entrinnen sie so ihrer Definition durch die Männer, die ihre wahre Natur ignoriert. In einer männlichen Ordnung werden Frauen beständig vernichtet, weil sie außerhalb ihrer primordialen, körperlichen Erfahrung charakterisiert werden: Ihre Körper sind von Männern uminterpretiert und ihre Erfahrung ist gleichfalls von Männern umformuliert worden.[91] Nur wenn sie ihre Identität auf der Grundlage ihrer biologischen und kulturellen Spezifizität neu strukturieren, können Frauen sie selbst werden.

So war etwa die Wiederbelebung des italienischen Feminismus Anfang der 1990er Jahre in gewissem Maße durch die Betonung der Differenz von Frauen geprägt, und es wurde der Neukonstituierung der Identität von Frauen auf der Grundlage ihrer biologisch-kulturellen Spezifizität Vorrang gegeben. Das kam in der äußerst populären Broschüre *„Piu donne che uomini"* zum Ausdruck, die vom Frauenbuchladen in Mailand veröffentlicht wurde. In ihr wurde versucht, sich mit der Unfähigkeit von Frauen zum Handeln in der öffentlichen Sphäre auseinanderzusetzen, indem die Notwendigkeit betont wurde, dass Frauen an

87 Fuss (1989: 2).
88 Irigaray (1977/1985: 210).
89 Irigaray (1977/1985: 215ff.).
90 Irigaray (1977/1985: 164).
91 Fuss (1989).

ihrer eigenen Persönlichkeit arbeiteten, die weitgehend durch ihre biologische Spezifizität festgelegt sei. Diese Broschüre traf unter den italienischen Frauen auf breite Resonanz.[92]

Eine weitere Strömung des Essentialismus verbindet das Frausein mit Geschichte und Kultur und nimmt den Mythos eines matriarchalischen goldenen Zeitalters in Anspruch, in dem die Werte von Frauen und die Verehrung der Göttin soziale Harmonie garantierten.[93] Spiritualismus und Ökofeminismus gehören ebenfalls zu den mächtigsten Ausdrucksformen des Essentialismus. Auch sie führen Biologie und Geschichte, Natur und Kultur zusammen, um ein neues Zeitalter zu begründen, das um die Wertvorstellungen von Frauen und ihre Vereinigung mit der Natur strukturiert sein wird.[94]

Der Essentialismus ist innerhalb der feministischen Bewegung heftiger Kritik ausgesetzt gewesen. Dabei ging es sowohl um politische Differenzen wie um gegensätzliche intellektuelle Perspektiven. Politisch wird eingewandt,[95] dass die Essentialisierung von Unterschieden zwischen Männern und Frauen den traditionellen Wertvorstellungen des Patriarchalismus in die Hände spielt und es rechtfertigt, wenn Frauen auf ihren privaten Bereich eingeschränkt werden, wobei sie sich zwangsläufig in einer untergeordneten Position befinden. In intellektueller Hinsicht verstehen materialistische Feministinnen wie Christine Delphy und Monique Wittig das anatomische Geschlecht (*sex*) als sozial konstruiert.[96] Für sie schaffen Geschlechterunterschiede (*gender*) nicht Unterdrückung, sondern vielmehr schafft Unterdrückung Unterscheidungen nach Geschlecht (*gender*). Frausein ist eine Kategorie der Männer, und die einzige Befreiung besteht darin, die Gesellschaft der geschlechtsbezogenen Unterscheidungen zu entledigen und so die Dichotomie Mann/Frau auszustreichen.

Die Betonung der unaufhebbaren Spezifizität von Frauen und die Forderung, die Gesellschaft um weibliche Werte herum zu erneuern, besitzt jedoch eine nicht zu leugnende Anziehungskraft für Frauen und für Feministinnen und schafft zugleich eine Verbindung zu den mächtigen Tendenzen des Spiritualismus und der radikalen Ökologiebewegung, die für das Informationszeitalter charakteristisch sind.

Der *lesbische Feminismus* war während des letzten Jahrzehnts [1985-1995] der am schnellsten wachsende und militanteste Bestandteil der feministischen Bewegungen in den entwickelten Ländern (und nicht bloß in den Vereinigten Staaten). Er ist in einer Reihe von Kollektiven sowie in Untergruppen und Tendenzen innerhalb der breiteren feministischen Bewegung organisiert. Er lässt sich gewiss nicht mit einer bestimmten sexuellen Orientierung identifizie-

92 Beccalli (1994).

93 Merchant (1980).

94 Spretnak (1982); Epstein (1991).

95 Beccalli (1994).

96 Delphy (1984); Wittig (1992).

ren. Adrienne Rich schlägt vor, von einem „lesbischen Kontinuum" zu sprechen. Damit soll ein breites Spektrum von Erfahrungen von Frauen aufgenommen werden, die alle durch ihre Unterdrückung sowie ihren Widerstand gegen die untrennbaren Institutionen des Patriarchats und der Zwangsheterosexualität gekennzeichnet sind.[97] So begann das *Manifesto of American Radicalesbians* 1970 mit der folgenden Aussage: „Was ist eine Lesbe? Eine Lesbe ist die Wut aller Frauen, die bis zur Explosion konzentriert ist."[98] Aus dieser Perspektive ist der Lesbianismus als die radikale, selbstbewusste Separation von Frauen von Männern als Ursprung ihrer Unterdrückung der Diskurs und die Praxis der Befreiung. Dies erklärt den Erfolg des Wahl-Lesbianismus bei vielen Frauen. Er ist die Möglichkeit, in kompromissloser Form ihre Autonomie gegenüber der Welt der Männer auszudrücken. In den Worten von Monique Wittig:

> Die Weigerung, heterosexuell zu werden (oder zu bleiben) hat immer bedeutet, sich bewusst oder unbewusst zu weigern, ein Mann oder eine Frau zu werden. Für eine Lesbe bedeutet dies mehr als die Verweigerung der „Frauen"-Rolle. Es ist die Abweisung der wirtschaftlichen, ideologischen und politischen Macht des Mannes. ... Wir sind in derselben Weise aus unserer Klasse geflüchtet, wie die entlaufenen amerikanischen Sklaven aus der Sklaverei flüchteten, um frei zu werden. Für uns ist das eine absolute Notwendigkeit; unser Überleben erfordert es, dass wir mit all unserer Kraft zur Zerstörung der Klasse der Frauen beitragen, innerhalb derer Männer sich Frauen aneignen. *Dies kann nur durch die Zerstörung der Heterosexualität erreicht werden*, als des sozialen Systems, das auf der Unterdrückung von Frauen durch Männer beruht und das zur Rechtfertigung dieser Unterdrückung die Doktrin vom Unterschied der Geschlechter (*sexes*) hervorbringt.[99]

Da Heterosexualität der überragende Gegner ist, findet der lesbische Feminismus einen potenziellen, wenn auch ambivalenten Bundesgenossen in der Bewegung schwuler Männer (s.u.).

Zunehmend fragmentiert sich die feministische Bewegung in eine *Vielzahl feministischer Identitäten*, die für viele Feministinnen ihre Primärdefinition ausmachen. Wie ich oben betont habe, ist dies in einer Gesellschaft, die durch flexible Netzwerke und variable Bündnisse in den dynamischen sozialen Konflikten und Machtkämpfen charakterisiert ist, keine Schwäche sondern eine Stärke. Diese Identitäten sind selbst-konstruiert, selbst wenn sie häufig Ethnizität und manchmal Nationalität zur Grenzziehung einsetzen. Schwarzer Feminismus, mexikanischer Feminismus, japanischer Feminismus, schwarzer lesbischer Feminismus, aber auch sadomasochistischer lesbischer Feminismus oder territorial-ethnische Selbst-Definitionen wie die Southall Black Sisters in England[100] sind lediglich Beispiele der endlosen Möglichkeiten selbst-definierter Identitäten, durch die Frauen sich selbst in Bewegung sehen.[101] Auf diese Weise wenden sie

97 Rich (1980/1993).

98 Wiedergegeben in Schneir (1994: 162).

99 Wittig (1992: 13-20); Hv.: M.C.

100 Griffin (1995: 79).

101 Whittier (1995); Jarrett-Macauley (1996).

sich gegen die Standardisierung des Feminismus, in der sie eine neue Form kultureller Herrschaft erblicken, die der patriarchalischen Logik nicht fremd ist, der wirklichen Vielfalt der Erfahrungen von Frauen offizielle Vorgaben überzustülpen. Manchmal beginnt die Selbst-Identität mit einem Pseudonym, wie im Fall der schwarzen feministischen Schriftstellerin bell hooks: „Ich habe den Namen bell hooks gewählt, weil es ein Familienname war, weil er einen starken Klang hatte. Während meiner ganzen Kindheit wurde dieser Name benutzt, um über das Andenken einer starken Frau zu sprechen, einer Frau, die gesagt hat, was sie dachte ... Diesen Namen in Anspruch zu nehmen, war für mich eine Form, meine Stimme mit dem Erbe von Frauen zu verbinden, die ihre Stimme erhoben – von Frauenmacht.“[102] So ist die Selbst-Konstruktion von Identität nicht Ausdruck einer immer schon dagewesenen Wesenheit, sondern ein Machtmittel, durch das Frauen, wie sie sind, sich mobilisieren für Frauen, wie sie sein wollen. Der Anspruch auf Identität bedeutet die Schaffung von Macht.

Ich habe absichtlich eine umstrittene Bezeichnung, *praktische Feministinnen*, gewählt, um mich auf die breiteste und tiefste Strömung von Frauenkämpfen in der Welt von heute zu beziehen. Das gilt vor allem für die Entwicklungswelt, aber auch für Arbeiterinnen und Gemeindeorganisationen in industrialisierten Ländern. Natürlich sind alle Feministinnen praktisch in dem Sinne, dass sie tagtäglich auf viele unterschiedliche Weisen die Grundlagen des Patriarchalismus untergraben, sei es, dass sie für die Rechte von Frauen kämpfen oder dass sie patriarchalische Diskurse entmystifizieren. Aber es kann durchaus auch sein, dass viele Frauen in der Praxis Feministinnen sind, aber diese Bezeichnung nicht akzeptieren oder sogar überhaupt kein klares Bewusstsein davon haben, dass sie sich dem Patriarchalismus entgegenstellen. Die Frage stellt sich also: *Kann es Feminismus ohne feministisches Bewusstsein geben?* Sind nicht die Kämpfe und Organisationen von Frauen auf der ganzen Welt, in denen es um ihre Familien (was hauptsächlich heißt, ihre Kinder), ihr Leben, ihre Arbeit, ihre Unterkunft, ihre Gesundheit, *ihre Würde* geht, praktizierter Feminismus? Ich gebe zu, dass ich hier zögere, und meine eigene Arbeit über lateinamerikanische Basisorganisationen und meine Lektüre über andere Teile der Welt vertieft nur meine Ambivalenz, so dass das Beste, was ich tun kann, ist, dies mitzuteilen.[103]

Einerseits bleibe ich bei der klassischen Norm „keine Klasse ohne Klassenbewusstsein“ und bei dem grundlegenden methodologischen Prinzip, soziale Bewegungen durch die Werte und Ziele zu definieren, die sie selbst zum Ausdruck bringen. Aus dieser Perspektive bringt die überwältigende Mehrheit von Kämpfen und Organisationen von Frauen in der Entwicklungswelt und darüber

102 hooks (1989: 161).

103 Diese Frage ist von einigen feministischen Historikerinnen behandelt worden. Meine Kategorie des „praktischen Feminismus“ steht dem nahe, was sie „sozialen Feminismus“ nennen; s. Offen (1988); Cott (1989).

hinaus kein feministisches Bewusstsein zum Ausdruck und wichtiger noch, sie wendet sich nicht ausdrücklich gegen den Patriarchalismus und die Männerherrschaft, weder in ihrem Diskurs, noch in den Zielen ihrer Bewegungen. Fragestellungen des kulturellen Feminismus, des lesbischen Feminismus oder der sexuellen Befreiung sind in den Bewegungen gewöhnlicher Frauen selten anzutreffen, obwohl sie auch nicht abwesend sind, wie die aufschlussreiche Erfahrung der taiwanesischen Lesbenbewegung zeigt (s.u.). Insgesamt jedoch ist der explizite Feminismus in Entwicklungsländern im Großen und Ganzen noch immer elitär. Das würde bedeuten, dass wir es mit einer ziemlich grundlegenden Kluft zwischen Feminismus und Frauenkämpfen zu tun haben, die zudem eine Nord/Süd-Konnotation hätte. So hat das United Nations Women's Forum in Beijing 1995 einige Hinweise auf eine solche Kluft gegeben, die von interessierter Seite verstärkt und betont wurde. Wie es beispielsweise der „Kreuzzug des Halbmondes" praktizierte, der aus dem Vatikan und den Islamisten bestand, die Hand in Hand gegen Feminismus und reproduktive Rechte für Frauen kämpften.

Andererseits verbinden Frauen auf der ganzen Welt durch ihre kollektiven Aktionen ihren Kampf und ihre Unterdrückung mit ihrem Alltagsleben. Sie erkennen, dass die Veränderung ihrer Lage in der Familie mit ihrer Intervention in der Öffentlichkeit verknüpft ist. Hören wir die Worte einer Frau in einer Hütte in Bogotá, wie sie von Helena Useche aufgezeichnet wurde, die Geschichten von Frauen aus der vordersten Front der sozialen Aktionsforschung aufgezeichnet hat:

> In den letzten Jahren haben Frauen sich bemerkbar gemacht, und jetzt zollen uns die Männer Respekt. Einfach nur, weil der compañero die Frau nicht bloß zu Hause sieht, beim Kochen, Waschen, Bügeln, sondern sie auch als compañera sieht, die auch finanziell einen Beitrag leistet. Denn jetzt kommt es sehr selten vor, dass der Ehemann zu seiner Frau sagt: Ich gehe arbeiten, und du bleibst zu Hause. Dann sind da die Lösungen, die wir für unsere Probleme finden, wie das Anlegen von Gärten, die Unterstützung für andere Frauen, denen wir die Lage des Volkes bewusst machen. Früher hatten Frauen an all dem kein Interesse. Jetzt kümmern wir uns nicht nur darum, Mütter zu sein, sondern auch darum, wie man dies auf die richtige Weise ist.[104]

Ist das Feminismus? Vielleicht geht es bei dieser Frage um kulturelle Übersetzung. Nicht zwischen Sprachen und Kontinenten, sondern zwischen Erfahrungen. Vielleicht ist die parallele Entwicklung von Frauenkämpfen und -organisationen sowie feministischen Diskursen und Debatten einfach ein Stadium in der historischen Entwicklung einer Bewegung, deren voll entwickelte, globale Existenzform das Ergebnis der Interaktion und *reziproken Transformation* beider Komponenten sein könnte.

Wenn der Feminismus so vielgestaltig ist, dass er möglicherweise sogar Frauen umfasst, die zwar an Bewegungen teilnehmen, sich aber gar nicht Fe-

---

104 Espinosa und Useche (1992: 48); nach der Übers. von Castells; d.Ü.

ministinnen nennen oder sogar Einwände gegen die Bezeichnung erheben würden – ist es dann sinnvoll, diese Bezeichnung beizubehalten (immerhin erfunden von einem Mann, Charles Fourier) oder sogar zu behaupten, dass eine feministische Bewegung existiere? Ich glaube, dass dies trotz allem so ist. Dafür gibt es einen wichtigen theoretischen Grund: In allen Typen des Feminismus, die in Schaubild 4.1 berücksichtigt sind, *besteht die grundlegende Aufgabe der Bewegung darin, durch Kämpfe und durch Diskurse die Identität der Frau dadurch zu de- und rekonstruieren, dass die Institutionen der Gesellschaft von ihren geschlechtsspezifischen Bestimmungen befreit werden.* Frauenrechte werden im Namen von Frauen als Subjekten geltend gemacht, die gegenüber Männern und ebenso gegenüber den Rollen, die ihnen unter dem Patriarchalismus zugewiesen wurden, autonom sind. Der kulturelle Feminismus schafft die Gemeinschaft der Frauen, um ihr Bewusstsein zu stärken und ihre Persönlichkeit neu zu gestalten. Der essentialistische Feminismus betont die unverrückbare Spezifizität der Frau und erklärt, dass ihre Wertkonzepte autonom und überlegen seien. Der lesbische Feminismus entleert durch die Zurückweisung der Heterosexualität die sexuelle Teilung der Existenz ihres Sinnes, der bisher sowohl dem Mannsein als auch dem Frausein zugrundegelegen hat. Die vielfältigen Identitäten von Frauen bestimmen neue Wege, sich an der Basis echter Erfahrung zu befinden, sei dies nun wirklich gelebt oder auch nur eingebildet. Und die Kämpfe von Frauen um Überleben und Würde statten sie mit Macht aus und untergraben so die Vorstellungen von der patriarchalisierten Frau, die gerade durch ihre Unterwerfung definiert ist. In unterschiedlichen Formen und auf unterschiedlichen Wegen löst der Feminismus die patriarchalische Dichotomie von Mann und Frau auf, wie sie sich in gesellschaftlichen Institutionen und in der sozialen Praxis manifestiert. Auf diese Weise konstruiert der Feminismus nicht eine, sondern viele Identitäten, von denen eine jede durch ihre autonome Existenz Mikro-Macht innerhalb des weltumspannenden Gewebes (*world wide web*) von Lebenserfahrungen an sich zieht.

Die Macht der Liebe: Lesbische und schwule Befreiungsbewegungen[105]

Jegliche Theorie kulturell-politischer Schöpfungskraft, die die lesbische Existenz als ein marginales oder weniger „natürliches" Phänomen behandelt, als bloße „sexuelle Wahl" oder als das Spiegelbild entweder heterosexueller oder männlich homosexueller Beziehungen wird hierdurch zutiefst geschwächt ... Eine feministische Kritik der heterosexuellen Zwangsorientierung für Frauen ist längst überfällig.
Adrienne Rich, „Compulsory heterosexuality and lesbian existence," S. 229

Unsere Bewegung mag als der Kampf einer Minderheit begonnen haben, aber was wir jetzt versuchen sollten zu „befreien", ist ein Aspekt des persönlichen Lebens aller Menschen – sexuelle Selbstverwirklichung.
John D'Emilio, „Capitalism and gay identity", S. 474

Patriarchalismus erfordert Zwangsheterosexualität. Zivilisation, wie wir sie aus der Geschichte kennen, beruht auf Tabus und sexueller Repression. Sexualität ist, wie Foucault aufgezeigt hat, gesellschaftlich konstruiert.[106] Die Regulierung von Begierden liegt gesellschaftlichen Institutionen zugrunde. Sie kanalisiert daher Übertretungen und organisiert Herrschaft. Es besteht eine endlose Spirale zwischen Begierde, Repression, Sublimation, Übertretung und Bestrafung. Sie ist verantwortlich für einen Großteil menschlicher Leidenschaft, menschlicher Leistung und menschlichen Scheiterns, wenn wir die Epen der Geschichte aus der Perspektive der verborgenen Seite der Erfahrung betrachten. Dieses zusam-

105 Die hier vorgelegte Analyse umfasst nicht die Untersuchung schwuler und lesbischer *Problemstellungen* und *Wertvorstellungen*, noch deren Beziehung zu den gesellschaftlichen Institutionen. Sie konzentriert sich auf lesbische und schwule *Bewegungen* und auf ihre Auswirkungen auf den Patriarchalismus durch die sexuelle Befreiung. Um dies zu spezifizieren, benutze ich zwei Fallstudien, für jede der beiden Bewegungen eine. Einerseits befasse ich mich mit dem Auftreten einer mächtigen lesbischen Bewegung in Taipei während der 1990er Jahre, die in Interaktion mit der feministischen und der schwulen Bewegung stand. Dabei bemühe ich mich bewusst, mich außerhalb der nordamerikanischen und westeuropäischen Szene der lesbischen Befreiung zu bewegen und den zunehmenden Einfluss des Lesbianismus auf Kulturen herauszustellen, die so patriarchalisch sind wie die chinesische Kultur. Andererseits analysiere ich knapp die Herausbildung und Entwicklung der schwulen Gemeinschaft in San Francisco, von der man sagen kann, sie sei eine der mächtigsten und sichtbarsten schwulen Gemeinschaften oder Bewegungen der Welt. Meine Darstellung der lesbischen Bewegung in Taipei beruht in erster Linie auf einer ausgezeichneten Studie einer meiner Doktorandinnen in Berkeley, Lan-chih Po, die zugleich eine aktive Militante in der feministischen Bewegung in Taipei ist (Po, 1996). Ich habe zum Verständnis der Szene von Taipei außer meiner persönlichen Kenntnis auch meine Beziehungen in Taiwan genutzt. Hier bin ich You-tien Hsing und Chu-joe Hsia dankbar. Für San Francisco stütze ich mich auf meine Feldstudien, die ich Anfang der 1980er Jahre zusammen mit Karen Murphy durchgeführt habe (Castells und Murphy, 1982; Castells, 1983: 138-172) und füge dem einige Anmerkungen über neuere Entwicklungen hinzu. Hier ist wirklich nicht der Ort, die überreiche, wichtige Literatur über schwule und lesbische Fragestellungen zu behandeln. Einen wissenschaftlichen Überblick über diese Bibliografie bietet der ausgezeichnete *Lesbian and Gay Studies Reader*, hg. von Abelove u.a. (1993).

106 Foucault (1976, 1984a,b)

menhängende System der Herrschaft verknüpft die Korridore des Staates mit dem Pulsieren der Libido durch Muttersein, Vatersein und die Familie. Es hat aber ein schwaches Kettenglied: die Voraussetzung der Heterosexualität. Wenn diese Voraussetzung in Frage gestellt wird, fällt das gesamte System zusammen: die Verknüpfung zwischen kontrolliertem Sex und der Reproduktion der Gattung wird in Frage gestellt; Schwesternschaft und dann die Revolte der Frauen werden möglich, wenn die geschlechtsspezifisch ungleiche Teilung der sexuellen Arbeit abgeschafft wird, die die Frauen spaltet; und Beziehungen zwischen Männern bedrohen die Männlichkeit und untergraben so den kulturellen Zusammenhalt der von Männern beherrschten Institutionen. Während historische Berichte in einigen Kulturen, vor allem im alten Griechenland, auf permissive Haltungen gegenüber männlicher Homosexualität hinweisen,[107] wurde der Lesbianismus während des größten Teils der menschlichen Erfahrung brutal unterdrückt, und zwar nicht trotz sondern wegen des Widerstandes gegen die Heterosexualität. Wie Adrienne Rich schreibt:

> Frauen haben es in buchstäblich jeder Kultur und im gesamten Verlauf der Geschichte gewagt, eine unabhängige, nicht-heterosexuelle, auf den Bindungen von Frauen beruhende Existenz zu führen, so weit dies ihr Kontext ihnen ermöglichte. Das geschah oft im Glauben, sie seien die „einzigen", die dies je getan hätten. Sie riskierten dies sogar, obwohl nur wenige Frauen sich in der wirtschaftlichen Lage befanden, der Ehe gänzlich zu widerstehen, und obwohl die Angriffe gegen unverheiratete Frauen von Verachtung und Belächeln bis zum bewussten Gynozid reichten; dazu gehörte das Verbrennen und Foltern von Millionen von Witwen und unverheiratet gebliebenen Frauen während der Hexenverfolgungen des 15., 16. und 17. Jahrhunderts in Europa.[108]

Männliche Homosexualität wurde allgemein in Zeit und Raum begrenzt durch das „wissentliche Übersehen" jugendlicher Impulse oder verdeckter Ausdrucksformen in spezifischen Zusammenhängen, beispielsweise in den religiösen Orden der Katholischen Kirche. Weil Männer ihre Geschlechts-, Klassen- und Rassenprivilegien bewahrten, war und ist die Unterdrückung der Homosexualität in hohem Maße sozial selektiv. Dennoch war und ist die Norm, die grundlegende Norm des Patriarchalismus das Leben, das um die heterosexuelle Familie organisiert ist; diese Norm erlaubte Männern gelegentlich den Ausdruck gleichgeschlechtlicher Begierde, solange dies auf die versteckten Seitengässchen der Gesellschaft beschränkt blieb.

Während es zu allen Zeiten und in allen Kulturen Widerstand gegen Zwangsheterosexualität gegeben hat, sind erst während der letzten drei Jahrzehnte Bewegungen zur Verteidigung lesbischer und schwuler Rechte und zur Inanspruchnahme sexueller Freiheit auf der ganzen Welt aufgekommen, angefangen mit den Vereinigten Staaten 1969/70, dann Europa und danach auf einem Großteil des Planeten. Warum gerade während dieser Periode? Es scheint,

107 Halperin u.a. (1990).
108 Rich (1980/1993: 230).

als gebe es für jede dieser beiden unterschiedlichen Bewegungen ein paar gemeinsame Faktoren und ein paar spezifische Elemente, die geeignet sind, Zeitpunkt und Umstände ihrer Entwicklung zu erklären.

Der Lesbianismus ist eigentlich, wie oben dargelegt, ein Bestandteil der feministischen Bewegung, wenngleich Lesben häufig Bündnisse mit schwulen Männern zum Kampf gegen die von heterosexuellen Frauen ausgeübte kulturelle Herrschaft suchen. Als die feministische Kritik der geschlechtlich bestimmten Institutionen einmal die patriarchalische Orthodoxie erschüttert hatte, war die Infragestellung der sexuellen Normen für diejenigen Sektoren der feministischen Bewegung die logische Entwicklungslinie, die ihre Identität in all ihren Dimensionen zum Ausdruck bringen wollten. Außerdem machte die Identifikation von Männern als Ausgangspunkt der Unterdrückung für diese Frauen eine emotionale und sexuelle Partnerschaft mit ihren „Klassenfeinden" immer schwieriger. Dies begünstigte den Ausdruck des latenten Lesbianismus, der in vielen Frauen vorhanden war.

Drei ineinanderwirkende Faktoren haben anscheinend dazu geführt, dass eine Bewegung schwuler Männer entstanden ist: das aufrührerische Klima der Bewegungen der 1960er Jahre, in denen Selbstverwirklichung und das Hinterfragen von Autorität es möglich machten, das Undenkbare zu denken und auszuleben und so „aus dem Hinterstübchen hervorzukommen"; die Auswirkungen des Feminismus auf den Patriarchalismus, was die Kategorie Frau in Frage stellte und damit auch die Kategorie Mann, weil es sie nur in dieser Dichotomie geben kann; und die brutale Repression durch eine homophobe Gesellschaft, die auch diejenigen schwulen Männer radikalisierte, die sich einfach arrangieren wollten.[109]

Meiner Ansicht nach gab es drei zusätzliche Faktoren, die zu der außerordentlichen Entwicklung sowohl der schwulen wie der Lesbenbewegung in Amerika und anderswo beigetragen haben. Der eine ist strukturell: Die Herausbildung einer informationellen Ökonomie in den größten Ballungsräumen brachte einen diversifizierten, innovativen Arbeitsmarkt und flexible Unternehmensnetzwerke hervor und schuf auf allen Qualifikationsebenen neue Arten von Arbeitsplätzen, die unabhängig von den Großorganisationen sind, in denen das individuelle Verhalten leichter reguliert werden kann. Der zweite Faktor bezieht sich auf die Popularität der sexuellen Befreiung als Leitmotiv der sozialen Bewegungen der 1960er Jahre. So kann ich etwa als jemand, der die Bewegung des Mai 1968 in Paris aus der Nähe beobachtet hat (ich war Assistenzprofessor für Soziologie in Nanterre, wo die Bewegung begann), sagen, dass sexuelle Befreiung und Selbstverwirklichung *die* überragenden Ziele der radikalen Studentenbewegung waren: Die Bewegung begann sogar als gemeinsamer Protest von Männern und Frauen für freien Zugang zu den Studentenheimen der Universität. Das Banner der sexuellen Befreiung, das auch die alltägliche Moral der Be-

109 D'Emilio (1983).

wegung in Frankreich ebenso wie in den Vereinigten Staaten am Leben hielt, symbolisierte den utopischen Wunsch befreiter Begierden als treibende Kraft der 1960er Jahre; dies war die Parole, durch die eine ganze Generation die Möglichkeit eines anderen Lebens spürte. Aber sexuelle Befreiung, soll sie denn Befreiung sein, hat keine Grenzen. So führte die Befreiung der Sexualität dazu, dass das Diktat der Heterosexualität zurückgewiesen wurde, und in vielen Fällen alle Begrenzungen der Begierde beseitigt wurden und Öffnungen zur Erkundung von Transgressionen entstanden, etwa in der schnell anwachsenden und ideologisch lautstarken Sadomaso-Bewegung.

Der dritte Faktor, der meiner Meinung nach parallel die lesbische und die schwule Bewegung angeregt hat, ist kontroverser. Er bezieht sich auf die physische ebenso wie psychologische Separation zwischen Männern ebenso wie Frauen durch die Herausforderung des Feminismus gegen den Patriarchalismus. Damit sage ich nicht, dass Frauen Lesben und Männer Schwule geworden sind, weil sie sich mit ihren heterosexuellen Partnern zerstritten hätten. Vielmehr führt Homosexualität unabhängig von Heterosexualität ein Eigenleben mit eigenem Entwicklungsmuster. Die grundlegende Kluft jedoch, zu der es durch die gemeinsamen Folgen der feministischen Herausforderung und der Unfähigkeit der meisten Männer kam, mit dem Verlust ihrer Privilegien zurecht zu kommen, verstärkte die Wahrscheinlichkeit, dass sich gleichgeschlechtliche Unterstützungs- und Freundschaftsnetzwerke bildeten und so ein Milieu schufen, in dem alle möglichen Begierden und Wünsche leichter ausgedrückt werden konnten.

Schließlich steht zwar die sexuelle Befreiung im Zentrum der Schwulen- und der Lesbenbewegung, doch *können Schwulsein und Lesbianismus nicht als sexuelle Präferenzen definiert werden. Sie sind zutiefst Identitäten* und dabei zwei unterschiedliche Identitäten: Lesben und Schwule. Als derartige Identitäten sind sie nicht vorgegeben; sie kommen nicht aus irgendeiner Form biologischer Festlegung. Zwar existieren biologische Prädispositionen, aber homosexuelle Begierde ist zumeist mit anderen Impulsen und Gefühlen vermischt (s. Abb. 4.10), so dass das tatsächliche Verhalten, die Grenzen der sozialen Interaktion und die Ich-Identität kulturell, sozial und politisch konstruiert sind. Bezüglich der Besonderheiten dieses politischen Prozesses der Identitätskonstruktion wende ich mich nun meinen Fallstudien über die Lesbenbewegung in Taipei und die schwule Gemeinschaft in San Francisco zu.

Abbildung 4.10 Wechselbeziehung zwischen unterschiedlichen Aspekten gleichgeschlechtlicher Sexualität: für 150 Frauen (8,6% von insgesamt 1.749), die überhaupt von Sexualität mit demselben Geschlecht im Erwachsenenalter berichten; für 143 Männer (10,1% von insgesamt 1.410), die überhaupt von Sexualität mit demselben Geschlecht im Erwachsenenalter berichten

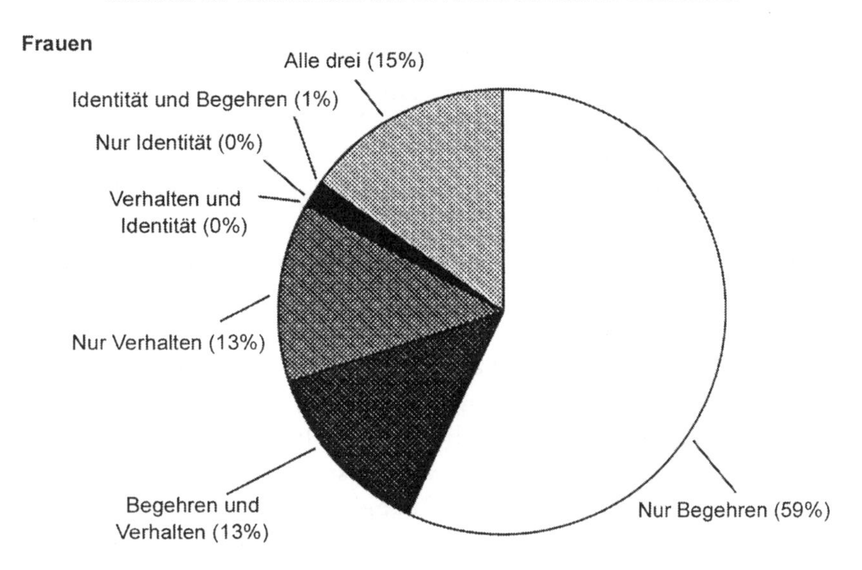

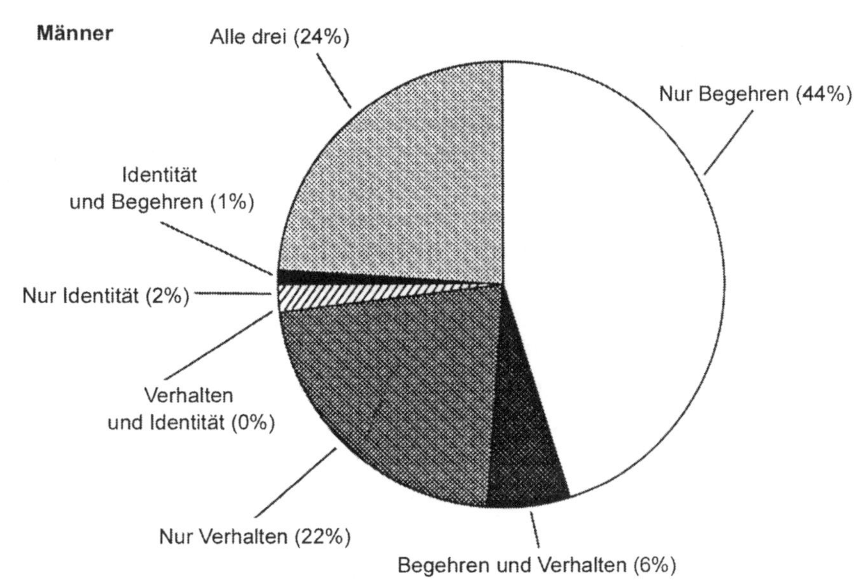

Quelle: Laumann u.a. (1994)

Feminismus, Lesbianismus und sexuelle Befreiungsbewegungen in Taipei[110]

In Taipei entstand wie im größten Teil der Welt die Lesbenbewegung als Teil der feministischen Bewegung. Das blieb sie auch, obwohl sie in den 1990er Jahren in einem engen Bündnis mit der ebenso mächtigen Bewegung schwuler Männer stand. Die Tatsache, dass eine solche Bewegung mit weit ausgreifendem Einfluss auf junge Frauen in Taipei in einem quasi-autoritären politischen Umfeld und mitten in einer zutiefst patriarchalischen Kultur stattfand, zeigt, wie die globalen Tendenzen der Identitätspolitik traditionelle Formen sprengen können.

Die feministische Bewegung Taiwans begann 1972 auf Initiative einer intellektuellen Pionierin, Hsiu-lien Lu. Als sie nach Abschluss ihres Magisterexamens aus den Vereinigten Staaten zurückkehrte, gründete sie eine Frauengruppe, organisierte „Notruf-Hotlines" und startete die *Pioneer Publishing Company*, um Bücher zu Frauenthemen zu veröffentlichen. Lus „neuer Feminismus" nahm weitgehend die klassischen Themen des liberalen Feminismus auf, kombiniert mit der Idee der Modernisierung des Arbeitsmarktes, der Frontstellung gegen sexuelle Diskriminierung und die Beschränkung von Frauen auf bestimmte Rollen: „Frauen sollten vor allem und zuerst Menschen sein, und dann Frauen"; „Frauen sollten die Küche verlassen"; „die sexuelle Diskriminierung gegen Frauen sollte abgeschafft und die Fähigkeiten von Frauen entwickelt werden." Gleichzeitig unterstrich sie den genuin chinesischen Charakter ihrer Bewegung und wandte sich gegen einige der Wertvorstellungen des westlichen Feminismus, etwa die Beseitigung von Geschlechterunterschieden oder die Ablehnung weiblicher Kleidung. In Lus Augen „sollten Frauen sein, wie sie sind". Ende der 1970er Jahre schlossen sich die Feministinnen der politischen Oppositionsbewegung an, und nach den Unruhen in Kaohsiung 1979 waren sie Ziel von Repressionen; Lu kam ins Gefängnis. Die organisierte Bewegung konnte die Repression nicht überleben, wohl aber die Frauennetzwerke. So entwickelte sich Anfang der 1980er Jahre eine zweite Welle des Feminismus. 1982 gründete eine kleine Gruppe von Frauen das *Awakening Magazine*, eine Monatszeitschrift, um Frauenmeinungen zu veröffentlichen und Druck im Kampf für Frauenrechte auszuüben. Im Januar 1987 gingen Hunderte von Frauen in Taipei auf die Straße, um gegen die Sexindustrie in der Stadt zu protestieren. 1987 wurde nach der Aufhebung des Kriegsrechtes, das die taiwanesische Opposition jahrzehntelang eingeengt hatte, formell die Awakening Foundation gegründet: Sie

110 Meine Analyse der lesbischen Bewegung in Taipei lehnt sich eng an die Studie von Lan-chih Po (1996) an. Neben ihren eigenen Beobachtungen stützt sie sich teilweise auf die Papiere (in Chinesisch) einer Konferenz über „Neue Landkarten der Begierde: Literatur, Kultur und Sexuelle Orientierung", die am 20. April 1996 an der Nationalen Taiwan-Universität in Taipei organisiert wurde, sowie auf das Sonderheft *Awakening Magazine* (1995: Nr. 158-161) über die Beziehungen zwischen Feminismus und Lesbianismus.

entwickelte sich zum Koordinationszentrum für die Kämpfe der Frauen Taiwans. Dabei vermischten sich liberale Themen, radikale Anliegen und Unterstützung für eine breite Palette von Fraueninitiativen. In einer weitgehend spontanen Bewegung wurden Ende der 1980er Jahre zahlreiche Frauenbewegungen gebildet, etwa Vereinigungen von geschiedenen Frauen, von Hausfrauen, Gruppen zur Rettung Jugendlicher vor der Prostitution und Ähnliches. Die Medien, begannen, über die Tätigkeit dieser Gruppen zu berichten und machten sie auf diese Weise stärker sichtbar. So wurde eine wachsende Anzahl von Frauen vor allem aus den gebildeten und professionellen Gruppen in Taipei angezogen.

Mit dem Einsetzen eines demokratischen politischen Lebens während der 1990er Jahre – die demokratische Opposition eroberte sogar in den Kommunalwahlen die Stadtverwaltung von Taipei – entstand in Taipei eine diversifizierte, kulturell orientierte soziale Bewegung. Die Frauenbewegung wuchs zahlenmäßig, gewann an Einfluss und differenzierte sich intern zwischen dem Kampf um Frauenrechte, der Verteidigung von Arbeiterinnen und dem Ausdruck neuer weiblicher Identitäten, zu denen auch der Lesbianismus gehörte. Die Universitäten wurden buchstäblich vom Feminismus überrollt. Im Mai 1995 wurde die Vorsitzende der „Frauenstudien-Gruppe" an der Nationalen Taiwan-Universität (der führenden Universität Taiwans) zur Vorsitzenden der Studierendenschaft gewählt und überrundete dabei sowohl den Kandidaten der Regierungspartei als auch der Studierenden der politischen Opposition. Die Unterstützung, die die feministische Bewegung außerhalb der Universität bei Frauen, vor allem bei verheirateten Frauen der neuen taiwanesischen Gesellschaft fand, löste aus Anlass der Novellierung des „Familiengesetzes" im taiwanesischen Parlament eine Reihe von Debatten aus, die sich vor allem mit der Vorstellung von Familie befassten.

In diesem Zusammenhang einer übersprudelnden kulturellen Aufbruchsstimmung und aufstrebender feministischer Ideen begann eine Reihe junger radikaler Feministinnen, die lesbische Debatte in Taiwan einzuführen. Das „Achsen-Kollektiv" verbreitete die Ideen radikaler Feministinnen und lesbischer Theoretikerinnen wie Audre Lorde, Adrienne Rich, Gayle Rubin und Christine Delphy und übersetzte einige ihrer Texte ins Chinesische. Entsprechend Lordes' Vorstellung von „Erotik als Macht" wurde ein neues, um den weiblichen Körper und weibliche Sexualität zentriertes Feld der Identitätspolitik geschaffen. Neben der Entstehung von Frauengruppen an den Universitäten wurde 1990 die erste ausdrücklich lesbische Gruppe geschaffen: „Unter uns" (*wo-men-chih-chien*).

Am 22. Mai 1994 organisierten Feministinnen auf den Straßen von Taipei eine „Parade gegen sexuelle Belästigung". Etwa 800 Frauen, hauptsächlich Studierende, marschierten von ihren Universitäten ins Stadtzentrum. Während der Demonstration improvisierte Ho, eine feministische Wissenschaftlerin, die den Diskurs zur sexuellen Befreiung vorangebracht hatte, den Slogan „Ich will sexuellen Orgasmus, ich will keine sexuelle Belästigung!" Er wurde von den Demonstrantinnen begeistert aufgenommen und hallte laut durch die Straßen des schockierten, patriarchalischen Taipei. Der Slogan beherrschte die Schlagzeilen der meisten Zeitungen. Die Publizität dieses Vorfalls löste innerhalb der feministischen Bewegung eine Grundsatzdebatte aus. Zu einem Zeitpunkt, da die Bewegung im Begriff war, Legitimität und Anerkennung dafür zu gewinnen, dass die Lage von Frauen verbessert und Gleichheit zwischen den Geschlechtern eingeklagt wurde, fanden viele Feministinnen, es sei peinlich und möglicherweise destruktiv, den Feminismus in der öffentlichen Meinung mit sexueller Befreiung zu identifizieren. Zudem argumentierten viele Feministinnen auch, dass die sexuelle Befreiung im Westen eine Falle für Frauen sei und sich in Wirklichkeit zum Vorteil der Männer auswirke. Sie hielten es für besser, für das „Recht auf Autonomie des Körpers" zu kämpfen. Ho und andere Feministinnen, die in Beziehung zur Lesbenbewegung standen, beharrten auf der Notwendigkeit eines feministischen Ansatzes der sexuellen Befreiung und forderten gleichzeitig die Emanzipation der Frauen und der Sexualität von Frauen. Aus ihrer Sicht ist die sexuelle Befreiung die radikale Methode zur Herausforderung der patriarchalischen Kultur, die sich in der Kontrolle über den Frauenkörper manifestiert. Die Frauenbewegung zur sexuellen Befreiung mit einer starken, aber nicht ausschließlich lesbischen Komponente schritt zur Tat. 1995 begannen die Frauenstudien-Gruppen an der Taiwan-Universität während des Wahlkampfes für ihre Kandidatin für die Studierendenvertretung, in den Frauenwohnheimen pornografische Filme zu zeigen. Gleichzeitig wurde an verschiedenen Universitäten ein „erotisches Pionierfestival für Frauen" organisiert. Über die Aktivitäten dieser zumeist sehr jungen Frauen wurde in den Medien breit berichtet und die Gesellschaft von Taipei war schockiert. Dies löste bei den feministischen Führerinnen große Beunruhigung aus und führte zu einer scharfen und manchmal von Feindseligkeit geprägten Debatte innerhalb des Feminismus.

In diesem Kontext, als das feministische Erwachen und sexuelle Befreiung zusammentrafen, vervielfachten sich Gruppen von Lesben und Schwulen. Damit brachen sie ein tiefsitzendes Tabu der chinesischen Kultur. Außerdem war während der 1990er Jahre die traditionelle Marginalisierung Homosexueller in Taiwan durch das Stigma von AIDS verstärkt und rationalisiert worden. Und doch folgte auf die Gründung der Lesbengruppe „Unter uns" eine Explosion sowohl lesbischer wie auch schwuler Kollektive, zumeist im Universitätsbereich: Lesbengruppen wie „Unter uns", ALN, „Lambda" (Taiwan-Universität) und „I Bao"; Gruppen schwuler Männer wie „Schwuler Schwatz" (Taiwan-Universität), „NCA" und „Speak Out". In anderen Gruppen taten sich Lesben und Schwule zusammen: „Queer Workshop", „Wir können" (Chin-hua-Universität); DV8 (She-shin College); „Quist" (Chong-yung-Universität) usw. Diese Gruppen schufen ein homosexuelles Gemeinschaftsleben. Sie vollzogen ein „kollektives Coming-out" und verbanden Sexualität, Vergnügen und Politik. So entdeckten sie die Tatsache wieder, dass „das Persönliche politisch ist". Bars waren von entscheidender Bedeutung für Information, Vernetzung, Bildung und letztlich für die Produktion schwuler und lesbischer Kultur. Wie Po schreibt: „Genauso wie die Kneipen für die Entstehung der britischen Arbeiterklasse spielen die Schwulenbars eine wichtige Rolle für die Herausbildung städtischer schwul/lesbischer Gemeinschaften in Taipei.“[111]

Im Informationszeitalter, in das Taiwan vollständig einbezogen ist, sind Schwule und Lesben für ihre Vernetzung jedoch nicht auf Bars beschränkt. Sie nutzen das Internet und SMS extensiv als Form des Kontakts, der Kommunikation und Interaktion. Sie haben auch „alternative Medien“ geschaffen, vor allem durch eine Reihe von schwul/lesbischen Piratensendern. Zudem wurden 1996 in Taipei zwei schwul/lesbische Programme über offizielle Radiostationen verbreitet.

Jenseits von Kommunikation, Vernetzung und Selbstverwirklichung entfaltete die Lesbenbewegung im engen politischen Bündnis mit der Schwulenbewegung eine Reihe von Kampagnen, sozialen Protesten und stellte politische Forderungen auf. Von besonderer Bedeutung war die Mobilisierung zur AIDS-Politik. Einerseits gingen Feministinnen, Lesben und Schwule auf die Straße, um gegen die Brandmarkung schwuler Männer zu protestieren, die von der Regierung für die Epidemie verantwortlich gemacht wurden. Andererseits griff die feministische Gruppe „Awakening“ die Angelegenheit als Überlebensfrage von Frauen auf, weil heterosexuelle Frauen die am schnellsten zunehmende Gruppe von HIV-Infizierten in Asien ist. So bilden Hausfrauen in Taiwan die größte Gruppe HIV-infizierter Frauen, die hilflose Opfer der gewohnheitsmäßigen Prostituiertenbesuche ihrer Ehemänner sind. Frauengruppen in Taiwan griffen die Widersprüchlichkeit der politischen Strategien zur Verhinderung der Ausbreitung von AIDS auf: Wie konnten Frauen der Infektion durch ihre Ehemänner entrinnen, wenn sie ihr eigenes Sexualleben nicht kontrollieren konnten? Die von Feministinnen, Lesben und schwulen Männern gemeinsam aufgebaute Anti-AIDS-Bewegung machte die Probleme der sexuellen Befreiung zu handfesten Alltagsfragen und zeigte den Frauen, dass sie es mit tödlicher sexueller Unterdrückung zu tun hatten. So bewirkte diese Bewegung eine grundlegende Herausforderung der patriarchalischen Struktur sexueller Herrschaft.

Ein zweites wesentliches Aktionsfeld für die Lesben- und die Schwulenbewegung in einer extrem patriarchalischen Gesellschaft war der Kampf gegen das traditionelle Stigma und die Unsichtbarkeit im öffentlichen Erscheinungsbild. Die schwulen Männer mussten sich gegen das Stigma der Abnormalität wehren. Die Lesben hatten gegen ihre Unsichtbarkeit zu kämpfen. Für beide wurde das Coming-out in die Öffentlichkeit zu einer überragenden Zielsetzung, um eine gesellschaftliche Existenz zu erhalten. Für diesen Zweck waren kulturelle Aktivitäten entscheidend. Ein 1992 durchgeführtes Filmfestival zum „queer cinema“ war der Ausgangspunkt öffentlicher, kollektiver Selbst-Behauptung. Ein Publikum aus Lesben und/oder Schwulen füllte die Säle mehrerer Kinos, und die

111 Po (1996: 20).

Filme wurden durch Diskussionen über „queer theory" eingeleitet. Übrigens haben die taiwanesischen und Hongkonger Aktivistinnen und Aktivisten den Begriff „queer" kreativ mit „*tong-chii*" ins Chinesische übersetzt, was „Genosse" bedeutet. „Genosse" bezieht sich also nicht mehr auf die kommunistische Bruderschaft, sondern auf „queer"-Identität. Angefangen mit dem Filmfestival veränderten eine Reihe kultureller, durchweg gemeinschaftlich und festlich gestalteter Aktivitäten die Wahrnehmung von lesbischer und schwuler Kultur in Taiwan. So fühlte sich die Bewegung 1996 schließlich stark genug, um den Valentins-Tag damit zu begehen, dass unter prominenten Gestalten aus Unterhaltung, Gesellschaft und Politik die zehn besten „schwul/lesbischen Idole" gewählt wurden – natürlich waren nicht gerade alle Auserwählten über ihre Popularität bei Schwulen und Lesben erfreut.

Drittens wird es nicht überraschen, dass die Lesben- und die Schwulenbewegung sich bemüht haben, Kontrolle über den öffentlichen Raum zu gewinnen. Dies wird symbolisiert durch ihren Kampf um den Neuen Park in Taipei, den sie geschworen haben, „sich zurückzuholen". Der Park in der Nähe der Präsidentenhalle war zu einem „queer"-Raum geworden, einem wichtigen Ort der Versammlung und des Ausschauhaltens für die schwule Gemeinschaft. 1996 plante die neue demokratische Stadtverwaltung die Erneuerung Taipeis und auch seiner Parks. In Sorge, sie könnten ihres „befreiten Raumes" beraubt werden, forderten die Lesben und Schwulen, am Planungsprozess beteiligt zu werden, und organisierten sich in dem Netzwerk „Comrade Space Front Line"; sie forderten die freie Nutzung des Parks für ihre Aktivitäten tagsüber, um sich so von ihrem Status als „Gemeinschaft in der Dunkelheit" zu befreien.

Als der Einfluss und die Militanz der Lesben zunahmen, kam es zu einer Reihe von Konflikten zwischen ihnen und der breiteren feministischen Bewegung. Bei dem Wichtigsten ging es um die Novellierung des Familiengesetzes im Parlament. Die Lesben kritisierten den Vorschlag von Frauengruppen, weil dieser von der Norm der heterosexuellen Familie ausging und die Rechte der Homosexuellen ignorierte. So *engagierten sich* Lesben und schwule Männer *aktiv für die rechtliche Anerkennung gleichgeschlechtlicher Ehen.* Dies ist eine grundlegende Forderung in den meisten Schwulen/Lesbenbewegungen auf der ganzen Welt, auf die ich noch ausführlich zurückkommen werde. Der Konflikt rief in der feministischen Bewegung und vor allem in der zentralen Awakening Foundation Nachdenklichkeit und Diskussionen hervor. Die Lesben kritisierten die Heuchelei feministischer Slogans wie „Frauen lieben Frauen" als Ausdruck von Solidarität, wobei doch die sexuelle Dimension dieser Liebe ignoriert werde. 1996 befanden sich die Lesben innerhalb der feministischen Bewegung in der Offensive und forderten vehement die Anerkennung und Verteidigung ihrer spezifischen Rechte als eines legitimen Teils der Frauenbewegung.

An dieser Erzählung über die lesbische Bewegung in Taipei verdienen mehrere Elemente hervorgehoben zu werden. Sie zerstörte die vorgefasste Meinung der Festigkeit des Patriarchalismus und der Heterosexualität in Kulturen, die durch den Konfuzianismus inspiriert sind. Sie entstand in Ausweitung der Frauenbewegung und verband sich zugleich mit der Schwulenbefreiungsbewegung in einer Einheitsfront zur Verteidigung der Rechte auf Sexualität in all ihren Formen. Sie schloss sich der Mobilisierung gegen AIDS an und setzte diese Krankheit in Beziehung zur sexuellen Unterwerfung von Hausfrauen. Sie schlug eine Brücke zwischen den avanciertesten theoretischen Debatten über Feminismus und Lesbianismus weltweit und spezifischen Anpassungen an die chinesische Kultur und an die gesellschaftlichen Institutionen Taiwans während der 1990er Jahre. Sie setzte ein ganzes Spektrum kultureller Ausdrucksformen ein, um im Zentrum öffentlicher Aufmerksamkeit ein „kollektives Coming-out" zu inszenieren. Sie machte extensiven Gebrauch vom Internet und von alternativen Kommunikationsmitteln wie Piratensendern. Sie stellte Verbindungen mit städtischen sozialen Bewegungen und politischen Kämpfen auf lokaler Ebene her. Und sie vertiefte die Kritik an der patriarchalischen Familie, indem sie eine rechtliche und kulturelle Schlacht ausfocht, um die Vorstellung von gleichgeschlechtlichen Ehen und nicht-heterosexuellen Familien voranzubringen. Ich werde auf diese Dinge näher eingehen, wenn ich die Beziehung zwischen der Lesben- und der Schwulenbewegung und ihre Herausforderung des Patriarchalismus zusammenfasse.

Räume der Freiheit: die schwule Gemeinschaft in San Francisco[112]

Allgemein wird angenommen, der Beginn der amerikanischen Schwulenbefreiungsbewegung sei die Stonewall-Revolte in Greenwich Village in New York am 27. Juni 1969 gewesen. Damals kämpften Hunderte von Schwulen drei Tage lang gegen die Polizei, nachdem diese einmal mehr eine brutale Razzia in The Stonewall, einer schwulen Bar, veranstaltet hatte. Danach wuchs die Bewegung mit außerordentlicher Geschwindigkeit, vor allem in den Ballungsräumen. Die Schwulen kamen individuell und kollektiv an die Öffentlichkeit. 1969 gab es im ganzen Land etwa 50 Organisationen; 1973 war diese Zahl auf 800 angestiegen. Während New York und Los Angeles wegen ihrer Größe zur Heimat der größten schwulen Bevölkerungsgruppen wurden, war San Francisco der Ort, wo sich eine sichtbare, organisierte und politisierte schwule Gemeinschaft bildete, die in den folgenden beiden Jahrzehnten die Stadt in ihrer Räumlichkeit, ihrer Kultur und ihrer Politik transformieren sollte. Nach meinen Berechnungen – die zwangsläufig nur annähernd sein können, weil es zum Glück keine statistischen Erhebungen über sexuelle Präferenz gibt – könnte die schwule und lesbische Bevölkerung um 1980 etwa 17% der erwachsenen Einwohnerinnen und Einwohner der Stadt ausgemacht haben, wovon dann zwei Drittel schwule Männer ge-

112 Zu Quellen und Methoden meiner Studie über die schwule Gemeinschaft von San Francisco s. Castells (1983), vor allem den methodologischen Anhang, S. 355-362.

wesen wären. In wichtigen Wahlen könnten sie wegen ihrer hohen Beteiligung um die 30% der Wählerinnen und Wähler gestellt haben. Ich vermute, dass die schwule und lesbische Bevölkerung von San Francisco in den 1990er Jahren trotz der AIDS-Epidemie zugenommen hat. Das geht hauptsächlich auf eine Zunahme an Lesben, anhaltende schwule Zuwanderung und die Konsolidierung stabiler gleichgeschlechtlicher Partnerschaften zurück. Bedeutsamer ist noch, dass Schwule sich vorwiegend in bestimmten Stadtgebieten ansiedelten. Sie bildeten authentische Kommunen, in denen Wohnungen, Geschäfte, Immobilien, Bars, Restaurants, Kinos, Kulturzentren, lokal verankerte Vereinigungen, Straßenversammlungen und Feste ein Gewebe sozialen Lebens und kultureller Autonomie schufen: einen Raum der Freiheit. Auf der Grundlage dieses Raumes organisierten sich Schwule und Lesben politisch und begannen einen erheblichen Einfluss in der Stadtverwaltung von San Francisco auszuüben; so setzten sie auch die Verpflichtung zur Rekrutierung von mindestens 10% Schwulen und Lesben in die Polizei durch. Diese räumliche Konzentration schwuler Bevölkerungsteile ist natürlich ein Merkmal schwuler Kultur in den meisten größeren Städten, wenn sie sich auch in den 1990er Jahren wegen der größeren Toleranz und der viel höheren Zahl offen schwuler Menschen auf den größten Teil der amerikanischen metropolitanen Geografie ausgebreitet haben, sehr zur Besorgnis homophober Konservativer. Es gibt einen doppelten Grund für diese geografische Konzentration während des formativen Stadiums der schwulen Kultur: Sichtbarkeit und Schutz. Wie Harry Britt, ein politischer Führer der Schwulen San Francisco vor Jahren in einem Interview sagte: „Wenn Schwule räumlich verstreut sind, sind sie nicht schwul, weil sie dann unsichtbar sind.“ Der grundlegende Befreiungsakt für Schwule war und ist das „Coming-out“, öffentlich ihre Identität und ihre Sexualität zum Ausdruck zu bringen und sich dann neu zu sozialisieren. Aber wie ist es möglich, mitten in einer feindlichen und gewalttätigen Gesellschaft, die sich ihrer grundlegenden Wertvorstellungen von Männlichkeit und des Patriarchalismus immer unsicherer wird, offen schwul zu sein? Und wie kann man ein neues Verhalten, einen neuen Code und eine neue Kultur in einer Welt erlernen, in der Sexualität in der Selbst-Darstellung einer jeden und eines jeden impliziert und in der die allgemeine Vorannahme Heterosexualität ist? Schwule haben sich mit dem Ziel der Selbstverwirklichung immer zusammengefunden – in modernen Zeiten in Nachtbars und an chiffrierten Orten. Als sie bewusst und stark genug waren, sich kollektiv zu „outen, bezeichneten sie Orte, wo sie sicher zusammenkommen und ein neues Leben erfinden konnten. Die territorialen Grenzen ihrer so ausgewählten Orte wurden zur Grundlage für den Aufbau autonomer Institutionen und für die Schaffung kultureller Autonomie. Levine hat die systematischen Muster räumlicher Konzentrationen von Schwulen in amerikanischen Großstädten während der 1979er Jahre aufgezeigt.[113] Benutzen er und andere die Bezeich-

113 Levine (1979).

nung „Ghetto", so sprechen die schwulen Militanten von „befreiten Zonen": Und es besteht wirklich ein wesentlicher Unterschied zwischen Ghettos und schwulen Gebieten, denn die Letzteren sind gewöhnlich von Schwulen mit Absicht konstruiert worden, um ihre eigene Stadt innerhalb des Rahmens der weiteren städtischen Gesellschaft zu schaffen.

Warum nun San Francisco? Als Instant-Stadt, als Ansiedlung von Abenteurern, die von Gold und Freiheit angelockt worden waren, war San Francisco immer ein Ort toleranter Moralvorstellungen. Die Barbary Coast war ein Treffpunkt für Seeleute, Reisende, Durchreisende, Träumer, Gauner, Unternehmer, Rebellen und Abweichler – ein Milieu zufälliger Zusammentreffen und weniger sozialer Regeln, wo sich die Grenzlinie zwischen dem Normalen und dem Unnormalen verwischte. Während der 1920er Jahre entschied sich die Stadt jedoch, ehrbar zu werden, wurde zur Kulturhauptstadt des amerikanischen Westens und wuchs ordentlich heran im achtungsgebietenden Schatten der Katholischen Kirche, die sich auf ihre Legionen aus der irischen und italienischen Arbeiterklasse stützte. Als die Reformbewegung in den 1930er Jahren das Rathaus und die Polizei erreichte, wurden „Normabweichler" unterdrückt und mussten sich verstecken. Deshalb sind die Ursprünge San Franciscos als freie Stadt der Pionierzeit nicht ausreichend, um seine Bestimmung zur Szene der Schwulenbefreiung zu erklären. Der große Wendepunkt war der Zweite Weltkrieg. San Francisco war der wichtigste Hafen für die Pazifik-Front. Etwa 1,6 Mio. junge Männer und Frauen kamen durch diese Stadt: allein, entwurzelt, am Rande von Tod und Leiden, die sie zumeist mit Leuten ihres eigenen Geschlechtes (*sex*) teilten. Dabei entdeckten oder wählten viele für sich die Homosexualität. Und viele wurden unehrenhaft aus der Marine entlassen und gingen in San Francisco an Land. Sie blieben lieber in der Stadt, als mit dem Stigma heim nach Iowa zu gehen. Ihnen schlossen sich bei Kriegsende Tausende anderer schwuler Leute an. Sie trafen sich in Bars und bauten Netzwerke zur gegenseitigen Unterstützung und Anteilnahme auf. Seit Ende der 1940er Jahre begann eine schwule Kultur zu entstehen. Der Schritt aus den Bars hinaus auf die Straße musste aber noch länger als ein Jahrzehnt warten. Damals blühten in San Francisco alternative Lebensstile mit der Beatnik-Generation auf und um die literarischen Zirkel die im City Lights-Buchladen vernetzt wurden, neben anderen mit Ginsberg, Kerouac und den Black Mountain Poets. Diese Kultur konzentrierte sich geografisch im ehemals italienischen Gebiet von North Beach, in der Nähe des Touristen-Rotlichtbezirks am Broadway. In dieser toleranten, experimentellen Umgebung waren die Schwulen voll akzeptiert. Als sich die Medien intensiver mit der Beatnik-Kultur befassten, stellten sie das weitverbreitete Vorkommen von Homosexualität als Beweis für deren Abartigkeit heraus. Damit machten sie San Francisco als schwules Mekka bekannt, was Tausende von Schwulen aus ganz Amerika anzog. Die Stadtverwaltung reagierte mit Repression. Was wiederum 1964 zur Gründung der *Society of Individual Rights* führte, die Schwule in Zusammenarbeit mit der *Tavern Guild* verteidigte, einer Vereinigung von Eigentümern von Schwulen- und Bohème-Bars, die gegen die Belästigung durch die Polizei kämpfte. Dann lösten Ende der 1960er Jahre die Hippie-Kultur, die sozialen Bewegungen in der Region der Bucht von San Francisco und vor allem in Berkeley/Oakland sowie das Auftreten der Schwulenbefreiungsbewegung in ganz Amerika eine qualitative Veränderung in der Entwicklung der schwulen Gemeinschaft in San Francisco aus. Dabei baute sie auf der Stärke der vorhandenen Netzwerke auf. 1971 war die schwule Bewegung in Kalifornien erstmals stark genug, um einen Marsch auf die Hauptstadt des Staates, Sacramento, zur Unterstützung der Rechte der Schwulen zu organisieren. Während der 1970er Jahre blühte eine schwule Gemeinschaft in San Francisco in bestimmten Stadtvierteln, vor allem im Castro-Gebiet. Sie kauften oder mieteten Häuser in einem heruntergekommen traditionellen Arbeiterdistrikt, der nun von schwulen Haushalten, schwulen Immobilienmaklern und schwulen Renovierungsunternehmen saniert wurde. Nach verstreuten Orten, später in Bars und gegenkulturellen Gebieten, waren die Schwulen in den 1970er Jahren nun in der Lage, sich in einem Viertel zu konzentrieren, das sie ihr eigenes nennen konnten. Abbildung 4.11 zeigt die Ausdehnung der schwulen Wohngebiete in San Francisco zwischen 1950 und 1980 auf der Grundlage meiner Feldforschung.

Abbildung 4.11 Schwule Wohngebiete in San Francisco

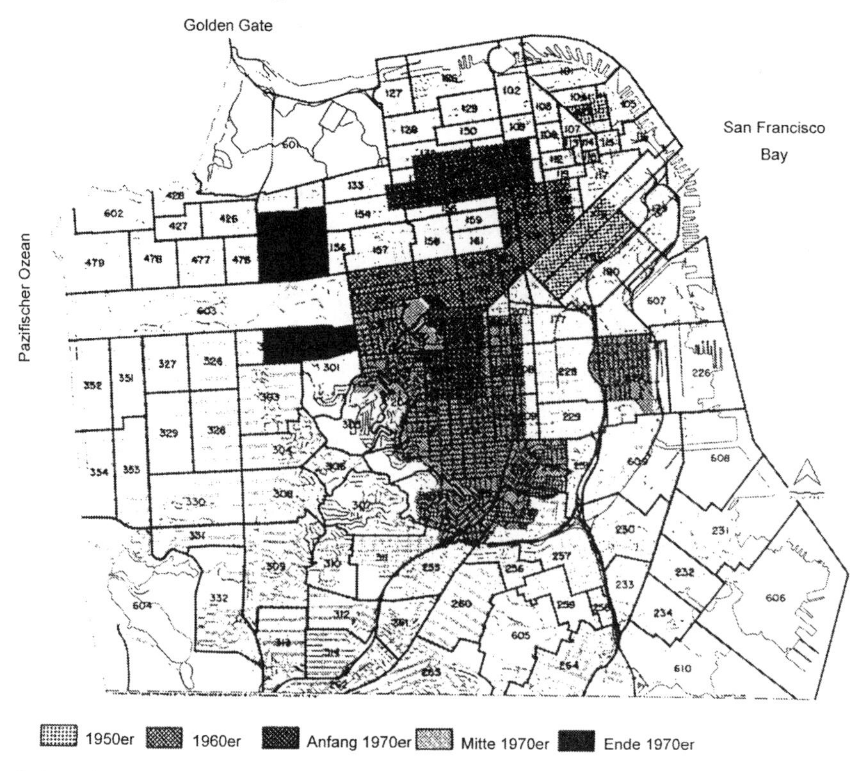

Quelle: Castells (1983)

Der Aufbau der schwulen Gemeinschaft erfolgte jedoch nicht nur spontan. Er war auch das Ergebnis gezielten politischen Handelns, zu dem die Anregung vor allem von dem historischen Anführer der schwulen Gemeinschaft San Franciscos ausging, von Harvey Milk. Er war Absolvent der State University of New York in Albany, durfte aber keine Lehrfunktion übernehmen, nachdem er wegen Homosexualität unehrenhaft aus der Marine entlassen worden war. Wie Tausende von Schwulen ging er 1969 nach San Francisco. Nachdem er einen Job als Finanzanalyst aufgegeben hatte, eröffnete er an der Castro Street ein Fotogeschäft, Castro Camera. Er entwickelte einen Plan, nach dem die Schwulen auf der Basis ihrer Gemeinsamkeit eine wirtschaftliche Position und schließlich Macht gewinnen konnten. Er rief dazu auf, dass „Schwule bei Schwulen kaufen" sollten. Damit sollte Castro Street mehr werden als eine Flaniermeile, vielmehr ein Raum, dessen Eigentümer Schwule sein sollten, den Schwule bewohnen und den sie genießen sollten. Als nächster Schritt konnten Schwule, wenn sie schwul einkaufen und als Schwule leben konnten, auch schwul wählen. 1973 kandidierte er als ausdrücklich schwuler Kandidat für das Amt des *supervisor* (Ratsmitglied) der Stadt San Francisco. Er bekam viele Stimmen, wurde aber nicht gewählt. Er gab nicht auf und widmete sich dem Aufbau einer politischen Basis, der Stärkung der schwulen politischen Clubs, der Herstellung einer Verbindung mit der Demokratischen Partei und baute sein Programm aus, indem er Fragen der lokalen Stadtpolitik wie die Kontrolle der Immobilienspekulation einbezog. Ein politisches Ereignis änderte dann sein Schicksal. 1975 wurde ein liberaler Staatssenator von Kalifornien, George Moscone, mit knappem Vorsprung zum Bürgermeister von San Francisco gewählt. Um sich die Unterstützung der mittlerweile starken schwulen Gemeinschaft zu sichern, gab er Harvey Milk einen einflussreichen Posten in der Lokalverwaltung. Erstmals wurde so eine offen schwule Führungsperson zum städtischen Amtsträger. Etwa zur selben Zeit erreichte die mächtige Nachbarschaftsbewegung in San Francisco, dass das Wahlgesetz reformiert wurde und die Wahl für den Stadtrat (*Board of Supervisors*) nach lokalen Distrikten eingeführt wurde, anstatt dass wie bisher die Stadt als ein einziger Wahlkreis behandelt wurde. Danach wurde Harvey Milk auf der Grundlage des Territoriums, das sich die schwule Gemeinschaft im Castro-Gebiet, das nun zum Wahldistrikt wurde, erobert hatte, 1975 zum *supervisor* gewählt. Von dieser neuen Position aus mobilisierte er die Bewegung für schwule Machtpositionen in der ganzen Stadt und im ganzen Staat. 1978 wurde bei den Wahlen in Kalifornien ein konservativer Antrag zur Abstimmung gestellt, nach dem Homosexuelle vom Lehramt in öffentlichen Schulen ausgeschlossen werden sollten. Bei der Wahl wurde dieser Vorschlag mit 58% in ganz Kalifornien und mit 75% in San Francisco abgelehnt. Harvey Milk war mit geschicktem Medieneinsatz der Anführer dieser Kampagne. Im April 1978 stimmte der *Board of Supervisors* einer sehr liberalen Verordnung über die Rechte der Schwulen zu. Zur gleichen Zeit erhielten zwei führende Lesben, Del Martin und Phyllis Lyon, die beide Posten in der Stadtverwaltung hatten, von der Stadt

San Francisco eine Ehrenurkunde für ihre staatsbürgerlichen Verdienste – zu denen auch die Unterstützung von Lesben gerechnet wurde – und dafür, dass sie 25 Jahre zusammengelebt hatten. Diese und weitere schwule Durchbrüche überstiegen die Toleranzschwelle der homophoben Kultur. Am 27. November 1978 erschoss der konservative Stadt-*supervisor* Dan White, ein ehemaliger Polizist, der seinen Wahlkampf gegen Toleranz für „sexuelle Abweichler" geführt hatte, den Bürgermeister George Moscone und den *supervisor* Harvey Milk in ihren Rathausbüros. Er ergab sich später seinen früheren Polizeikollegen. Die Trauerfeier für Moscone und Milk war eine der eindrucksvollsten politischen Demonstrationen, die es in San Francisco je gegeben hat: 20.000 Menschen marschierten schweigend mit Kerzen, nachdem sie Reden angehört hatten, in denen die Bewegung aufgerufen wurde, den Kampf im Sinne von Harvey Milk weiterzuführen. Was sie auch tat. Die neue Bürgermeisterin, Dianne Feinstein, ernannte einen anderen Schwulen, Harry Britt, einen Sozialisten, zum Nachfolger Harvey Milks auf seinem Verwaltungsposten und auch er wurde später zum *supervisor* gewählt. Während des folgenden Jahrzehnts steigerten die führenden Schwulen und Lesben ihren Anteil im elfköpfigen *Board of Supervisors*. Zwar verloren sie 1992 eine Wahl gegen einen konservativen Bürgermeister, aber sie bildeten erneut einen wesentlichen Bestandteil der Koalition, die 1996 Willie Brown, eine altgediente schwarze Führungspersönlichkeit der Demokraten, zur Wahl als Bürgermeister verhalf. Eine Anekdote aus dem Wahlkampf von 1996 macht das Ausmaß der geistigen Verwirrung deutlich, das sich der homophoben Kultur in San Francisco bemächtigt hatte, die sich in der Ungewissheit über ihre für so lange Zeit hochgehaltenen Wertvorstellungen verlaufen hatte. Der damals regierende Bürgermeister, ein ehemaliger Polizeichef, könnte seine Wiederwahl durch einen einschneidenden politischen Fehler verhindert haben. Er lag in den Meinungsumfragen zurück und wollte sich beim schwulen Publikum einschmeicheln, indem er ein Interview unter der Dusche gab, wobei die Radiojournalisten ebenso gewandet waren wie er. Die Entrüstung schwuler ebenso wie heterosexueller Wählerinnen und Wähler machte seine Chancen zunichte. Der neue Bürgermeister erneuerte die mittlerweile zwei Jahrzehnte alte Verpflichtung der Stadt auf die Respektierung und Förderung schwuler Rechte und schwuler Kultur, die mehrmals im Jahr mit Umzügen und Festlichkeiten zelebriert wird.

Die schwule Gemeinschaft der 1990er Jahre ist jedoch nicht dieselbe wie die, die sich in den 1970er Jahren gebildet hatte, weil Anfang der 1980er Jahre die AIDS-Epidemie ausbrach.[114] Während der folgenden 15 Jahre starben in San Francisco etwa 15.000 Menschen an AIDS, und außerdem wurde bei mehreren Tausend weiteren eine HIV-Infektion diagnostiziert. Die Reaktion der schwu-

---

114 Zur Beziehung zwischen der Schwulenbewegung, dem Kampf gegen AIDS und den Reaktionen der Gesellschaft s. Coates u.a. (1988); Mass (1990); Heller (1992); Price und Hsu (1992); Herek und Greene (1995); Lloyd und Kuselewickz (1995).

len Gemeinschaft war bemerkenswert, denn San Francisco wurde für die ganze Welt zu einem Modell an Selbstorganisation, Prävention und politischer Aktion zur Kontrolle der die Menschheit gefährdenden AIDS-Epidemie. Ich glaube, man kann sagen, dass die wichtigste schwule Bewegung der 1980er und 1990er Jahre der schwule Bestandteil der Bewegung gegen AIDS ist. Ihre unterschiedlichen Ausdrucksformen reichen von Gesundheitsstationen bis zu militanten Gruppen wie ACT UP! In San Francisco kümmerte man sich zuerst um Hilfe für die Kranken und die Prävention einer weiteren Ausbreitung der Krankheit. Es wurden große Anstrengungen zur Aufklärung der Gemeinschaft unternommen, wobei Vorkehrungen für *safe sex* gelehrt und verbreitet wurden. Nach ein paar Jahren waren die Ergebnisse spektakulär. Während der 1990er Jahre ist das Auftreten neuer AIDS-Fälle innerhalb der heterosexuellen Bevölkerung als Ergebnis von Drogenmissbrauch, Prostitution und Infektion von Frauen durch unachtsame Männer viel höher. Die schwule Bevölkerung dagegen ist informierter und besser organisiert, und hier ist es zu einem deutlichen Rückgang an Neuinfektionen gekommen. Die Krankenfürsorge wurde auf allen Ebenen organisiert. Das San Francisco General Hospital war das erste Krankenhaus, das eine dauerhafte AIDS-Abteilung eingerichtet hatte, und ein ganzes Netzwerk von Freiwilligen leistet Menschen im Krankenhaus und zu Hause Hilfe und spendet Trost. Die Ausübung militanten Drucks zur Verstärkung der Forschungsbemühungen und zur beschleunigten Erteilung von Genehmigungen für Experimente mit neuen Medikamenten erbrachte wesentliche Ergebnisse. Die University of California im San Francisco General Hospital wurde zu einem der führenden Zentren der auf AIDS bezogenen Forschung. Auf internationaler Ebene wurden auf der weltweiten AIDS-Konferenz in Vancouver 1996 potenzielle Durchbrüche bei der Kontrolle der Krankheit und vielleicht sogar bei einer zukünftigen Verminderung ihrer Tödlichkeit in Aussicht gestellt.

Vielleicht die wichtigste Initiative der schwulen Gemeinschaft in San Francisco und anderswo bestand aber in dem kulturellen Kampf darum, AIDS zu entmystifizieren, das Stigma zu beseitigen und die Welt davon zu überzeugen, dass die Krankheit nicht durch Homosexualität und natürlich auch nicht durch Sexualität hervorgebracht wird. Kontaktnetzwerke, zu denen auch sexueller Kontakt gehörte, die aber auch viele andere Formen umfassten, waren die tödlichen Sendboten, nicht Homosexualität.[115] Und das Aufbrechen dieser Netzwerke, wodurch sich die Epidemie unter Kontrolle bringen ließ, war nicht eine Frage des Ausschlusses, sondern der Information, Organisation und Verantwortlichkeit, mit Unterstützung sowohl von öffentlichen Gesundheitsinstitutionen wie durch das öffentliche Bewusstsein. Dass die schwule Gemeinschaft ausgehend von San Francisco in der Lage war, diese Schlacht gegen die anfängliche öffentliche Meinung zu gewinnen, war ein entscheidender Beitrag für die Menschheit. Nicht nur, dass ein neues Verbrechen gegen die Menschlichkeit

115 Castells (1992c).

verhindert wurde, als die Bewegung erfolgreich die Forderungen zurückdrängte, Trägerinnen und Träger von HIV aufzuspüren und zu isolieren. Worum es grundsätzlich ging, war die Fähigkeit der Welt, AIDS unmittelbar ins schrekkenerregende Gesicht zu blicken und die Epidemie auf der Ebene des Virus oder der Viren anzugehen, wie sie sind, und nicht auf der Ebene unserer Vorurteile und Alpträume. Auf der ganzen Welt waren wir einem Punkt sehr nahegekommen, an dem AIDS als die verdiente göttliche Strafe für das Neue Sodom betrachtet wurde; das hätte bedeutet, die notwendigen Schritte zu versäumen, um eine noch größere Ausbreitung der Krankheit zu verhindern, bis es überhaupt zu spät gewesen wäre, sie zu kontrollieren. Dass dies nicht so gekommen ist, dass die Gesellschaften rechtzeitig begriffen haben, dass AIDS keine Homosexuellen-Krankheit ist und dass die Ursachen und Wege ihrer Ausbreitung innerhalb der gesamten Gesellschaft bekämpft werden müssen, war in erheblichem Maße der Arbeit der Anti-AIDS-Bewegung zu verdanken, die in der schwulen Gemeinschaft verankert war. Die Pioniere dieser Bewegung – viele von ihnen todkrank – fanden sich in der befreiten Stadt San Francisco.

Nicht ohne Beziehung zur AIDS-Epidemie war eine weitere wesentliche Entwicklung in der schwulen Gemeinschaft in San Francisco während der 1990er Jahre. Die Formen der sexuellen Interaktion wurden stabiler, teils als Zeichen für das Älterwerden und den Reifeprozess einiger Segmente der Gemeinschaft, teils auch als Form, Sexualität in sichere Formen der Liebe zu kanalisieren. Der starke Wunsch nach gleichgeschlechtlichen Familien wurde zu einer der mächtigsten kulturellen Tendenzen unter Schwulen und noch mehr unter Lesben. Die Sicherheit einer dauerhaften monogamen Beziehung wurde zum vorherrschenden Leitbild für Schwule und Lesben mittleren Alters. Daher wuchs aus der schwulen Gemeinschaft eine neue Bewegung mit dem Ziel, die institutionelle Anerkennung für solche stabilen Beziehungen als Familien zu bekommen. Man suchte daher bei lokalen und staatlichen Verwaltungsstellen nach amtlichen Urkunden für diese Partnerschaften nach, wobei diese Anerkennung auch das Recht auf die Zuwendungen für Ehepaare mit sich bringen sollte. Außerdem wurde die Legalisierung gleichgeschlechtlicher Ehen zu einer zentralen Forderung der Bewegung. Sie nahm damit die Konservativen mit ihrer Propagierung der Familienwerte beim Wort und dehnte den Wert der Familie auf nicht-traditionelle, nicht-heterosexuelle Formen der Liebe, der Teilhabe und der Kindererziehung aus. Was als Bewegung zur sexuellen Befreiung begonnen hatte, vollzog eine Wende um 180 Grad und suchte die patriarchalische Familie mit dem Angriff auf ihre heterosexuellen Wurzeln heim und ihre exklusive Aneignung der Familienwerte untergrub.

Weil jede Aktion eine Reaktion auslöst, führte die relative Zähmung der Sexualität in den neuen schwulen und lesbischen Familien parallel zur Entwicklung sexueller Minderheitskulturen – heterosexueller wie homosexueller – wie der sadomasochistischen Bewegung und von Netzwerken freiwilliger Sexsklaven. Dies war in der Szene von San Francisco in den 1990er Jahren vor allem im

Gebiet South of the Market ein wichtiges Phänomen, obwohl mir die Bedeutung dieser kulturellen und persönlichen Revolte bereits während meiner Feldforschung vor 15 Jahren aufgefallen war. Die Sadomasochisten, zu deren Kultur einige sehr artikulierte Intellektuelle gehören, kritisieren die gewöhnlichen Schwulen, weil diese versuchten, neue Normen des „gesellschaftlich Akzeptablen“ zu bestimmen und so die Herrschaftslogik reproduzierten, die Schwule und Lesben während der gesamten Geschichte unterdrückt hat. Für die Sadomasochisten ist die Reise nicht zu Ende. So sind kontrollierte Gewalt, akzeptierte Erniedrigung, Sklavenversteigerungen, schmerzhafte Lust, Lederkleidung, Nazi-Embleme, Ketten und Peitschen mehr als sexuelle Stimulanzien. Sie sind kulturelle Ausdrucksformen der Notwendigkeit, jegliche moralischen Werte zu zerstören, die die einseitig starr auf heterosexuelle Normen fixierte Gesellschaft ihnen gelassen hat, denn diese Werte wurden traditionell benutzt, um Homosexualität, aber auch Sexualität überhaupt zu stigmatisieren. Die erhebliche Peinlichkeit, die diese kulturelle Minderheit den meisten Schwulen und Lesben bereitet, ist das Symptom dafür, dass sie ein wichtiges, wenn auch schwieriges Problem aufgegriffen haben.

In ihrem kulturellen Ghetto sich selbst überlassen, wird die schwule Gemeinschaft kaum die sexuelle Revolution und die Untergrabung des Patriarchalismus vollbringen, die implizit die Ziele der Bewegung darstellen, auch wenn sie von einem wachsenden Segment männlicher Eliten nicht mitgetragen werden, die die Schwulenbewegung eher konsumieren als sie zu produzieren. Strategische Bündnisse mit Lesben und mit der feministischen Bewegung insgesamt scheinen eine notwendige Bedingung für die Einlösung der schwulen Befreiungsperspektive zu sein. Schwule sind jedoch Männer, und ihre Sozialisation als Männer und die Privilegien, die sie vor allem dann haben, wenn sie Weiße aus der Mittelklasse sind, begrenzen ihre vollständige Einbeziehung in eine antipatriarchalische Allianz. Das ist der Grund, warum es in San Francisco während der 1990er Jahre zunehmend zu einer Spaltung zwischen einem radikal orientierten schwulen und lesbischen Bündnis einerseits und einer wohlanständigen schwulen Elite andererseits gekommen ist, die eine tolerierte Minderheit innerhalb der Institutionen des Patriarchalismus bildet. Wenn jedoch diese Unterschiedlichkeit innerhalb einer weiteren Bewegung zum Ausdruck kommen kann, die Menschen die Freiheit zugesteht, auch im Gegensatz zur heterosexuellen Norm zu wählen, wen sie lieben, so ist es dazu gekommen, weil Harvey Milk und andere Pioniere einmal eine freie Kommune im Westen aufgebaut haben.

Zusammenfassung: sexuelle Identität und die patriarchalische Familie

Die Lesben- und die Schwulenbewegung sind nicht bloß Bewegungen zur Verteidigung der grundlegenden Menschenrechte, wählen zu können, wen und wie man liebt. Sie sind auch machtvolle Ausdrucksformen sexueller Identität und daher sexueller Befreiung. Aus diesem Grund stellen sie einige der jahrtausendealten Grundlagen in Frage, auf denen Gesellschaften historisch aufgebaut waren: sexuelle Repression und Zwangsheterosexualität.

Wenn Lesben in einer institutionellen Umgebung, die so repressiv und patriarchalisch ist wie die chinesische Kultur in Taipei, in der Lage sind, offen ihre Sexualität zum Ausdruck zu bringen und die Berücksichtigung gleichgeschlechtlicher Ehen im Familienrecht zu fordern, so ist in dem institutionellen Gerüst, das zur Kontrolle der Lust aufgebaut worden ist, eine entscheidende Bruchstelle entstanden. Wenn die schwule Bewegung in der Lage ist, die ignorante Stigmatisierung zu überwinden und dazu beizutragen, dass AIDS nicht zur Pandemie wird, so bedeutet dies, dass Gesellschaften fähig geworden sind, sich aus ihrer Dunkelheit zu herauszulösen und ohne Vorurteil oder Gewalt auf die gesamte Vielfalt menschlicher Erfahrung zu blicken. Und wenn in Präsidentschaftswahlkämpfen in Amerika derzeit notgedrungen mit der Diskussion über schwule Rechte gerechnet werden muss, so bedeutet dies, dass die Herausforderung der Heterosexualität durch die sozialen Bewegungen nicht mehr länger ignoriert oder unterdrückt werden kann. Die Kräfte der Transformation, die durch die Bewegungen für sexuelle Identität entfesselt worden sind, lassen sich jedoch schwerlich auf die Grenzen einfacher Toleranz und Achtung der Menschenrechte beschränken. Sie setzen eine ätzende Kritik an der sexuellen Normalisierung und an der patriarchalischen Familie in Gang. Ihre Herausforderung ist für den Patriarchalismus besonders furchterregend, weil sie zu einem historischen Zeitpunkt eintritt, zu der biologische Forschung und medizinische Technologie die Auflösung der Verknüpfung zwischen Heterosexualität, Patriarchalismus und Reproduktion der Gattung möglich machen. Gleichgeschlechtliche Familien, die es nicht aufgeben werden, Kinder großzuziehen, sind der offenkundigste Ausdruck dieser Möglichkeit.

Andererseits führt die Verwischung der sexuellen Grenzen, die Auflösung des Zusammenhanges zwischen Familie, Sexualität, Liebe, Geschlecht (*gender*) und Macht zu einer grundlegenden Kritik an der Welt, wie wir sie bisher kannten. Aus diesem Grund wird die weitere Entwicklung der sexuellen Befreiungsbewegungen nicht einfach sein. Mit der Verlagerung von der Verteidigung der Menschenrechte auf die Neubestimmung von Sexualität, Familie und Persönlichkeit treffen sie den Nerv von Repression und Zivilisation, und die Antwort wird entsprechend ausfallen. Es liegt ein stürmischer Horizont vor der Schwulen- und der Lesbenbewegung, und AIDS wird nicht das einzige abscheuliche Gesicht des anti-sexuellen Gegenschlages bleiben. Wenn jedoch die Erfahrung des letzten Vierteljahrhunderts irgendeine Beweiskraft besitzt, so scheint die Macht der Identität zur Magie zu werden, wenn sie von der Macht der Liebe berührt wird.

Familie, Sexualität und Persönlichkeit in der Krise des Patriarchalismus[116]

In der Gesellschaft voll Trennung und Scheidung schafft die Kernfamilie eine Vielfalt neuer Verwandtschaftsbande, die zum Beispiel mit den sogenannten rekombinierten Familien in Zusammenhang stehen. Der Charakter dieser Bindungen verändert sich jedoch, weil sie in stärkerem Maße als zuvor Aushandlungsprozessen unterliegen. Verwandtschaftsbeziehungen wurden oft auf der Grundlage von Vertrauen als selbstverständlich hingenommen; nun muss um Vertrauen verhandelt und gefeilscht werden und Verpflichtung ist im selben Maß eine Streitfrage, wie in sexuellen Beziehungen.

Anthony Giddens, *The Transformation of Intimacy*, S. 96

Die unglaublich schrumpfende Familie

Die Krise des Patriarchalismus wurde durch das Zusammenwirken des informationellen Kapitalismus mit der feministischen Bewegung und der Bewegung um sexuelle Identität ausgelöst. Sie manifestiert sich in der zunehmenden Vielfalt von Partnerschaftsarrangements zwischen Menschen, die ihr Leben miteinander teilen und gemeinsam Kinder aufziehen. Um meine Argumentation zu vereinfachen, will ich dies anhand amerikanischer Daten illustrieren. Ich behaupte aber nicht, dass alle Länder und Kulturen diesem Weg folgen werden. Wenn aber die sozialen, wirtschaftlichen und technologischen Entwicklungen, die der Krise des Patriarchalismus zugrunde liegen, weltweit vorhanden sind, so ist es plausibel, dass die meisten Gesellschaften gezwungen sein werden, ihre patriarchalischen Institutionen unter den spezifischen Bedingungen ihrer Kultur und Geschichte umzustrukturieren oder zu ersetzen. Die folgenden Überlegungen bauen empirisch auf amerikanischen Trends auf. Sie sollen die sozialen Mechanismen identifizieren, die die Krise der patriarchalischen Familie und die Transformation der sexuellen Identität mit der sozialen Neubestimmung des Familienlebens und damit der Persönlichkeitssysteme verbinden.

Es geht dabei nicht um das Verschwinden der Familie, sondern um ihre tiefgreifende Diversifizierung und um eine Veränderung ihres Machtsystems. In der Tat heiraten nach wie vor die meisten Menschen: 90% aller Amerikanerinnen und Amerikaner tun dies im Laufe ihres Lebens. Wenn sie sich scheiden lassen, so heiraten 60% der Frauen und 75% der Männer erneut, durchschnittlich innerhalb von drei Jahren. Und Schwule und Lesben kämpfen für das Recht auf eine legale Ehe. Dennoch bewirken späte Eheschließung, häufiges unverheiratetes Zusammenleben und hohe Scheidungsraten (stabilisiert etwa die Hälfte aller Ehen) sowie häufige Trennungen, dass es zu einem zunehmend viel-

116 Die in diesem Abschnitt verwendeten Daten stammen, wenn nicht anders angegeben, vom *US Bureau of the Census* und aus *The World Almanac and Book of Facts* (1996). Die Veröffentlichungen des *US Bureau of the Census*, die zur Zusammenstellung dieser Daten benutzt wurden, sind Folgende: *US Department of Commerce, Economics and Statistics Administration, Bureau of the Census* (1989, 1991, 1992a-d).

fältigen Bild des Familien- und des Nicht-Familienlebens kommt (Abb. 4.12a und 4.12b fassen die groben Trends für 1960-1990 und für 1975-1995 zusammen). Die Zahl der sogenannten „Nicht-Familien-Haushalte" hat sich zwischen 1960 und 1995 verdoppelt und ist von 15% aller Haushalte auf 29% der Haushalte angestiegen, wobei hierzu natürlich die Alten gehören und damit der demografische Trend ebenso zum Ausdruck kommt wie kultureller Wandel. Frauen machen zwei Drittel der Single-Haushalte aus. Wichtiger noch, die archetypische Kategorie „verheiratete Paare mit Kindern" sank von 44,2% der Haushalte 1960 auf 25,5% 1995. Also ist das „Modell" der patriarchalischen Kernfamilie gerade für etwas mehr als ein Viertel der amerikanischen Haushalte Wirklichkeit. Stacey zitiert Quellen, die zeigen, dass auf der Basis der traditionellsten Version des Patriarchalismus, also des verheirateten Paares mit Kindern und einem einzigen männlichen Ernährers sowie der Ehefrau als Vollzeit-Hausfrau, dieser Anteil auf 7% aller Haushalte absinkt.[117]

Abbildung 4.12a Zusammensetzung der Haushalte in den USA, 1960-1990 (%) (Kinder = eigene Kinder unter 18)

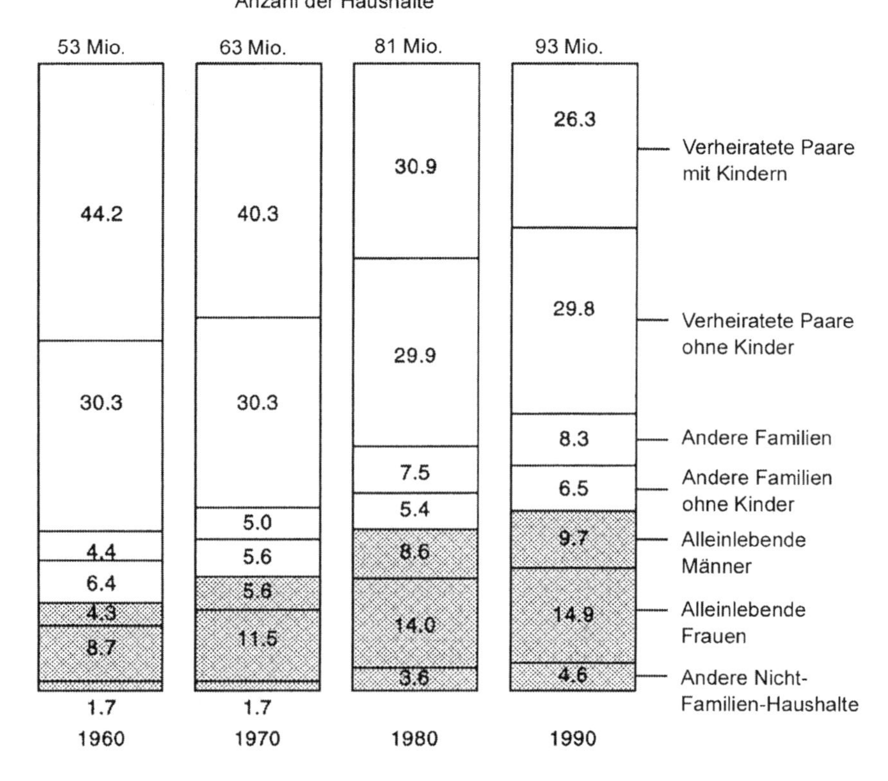

Quelle: US Bureau of the Census (1992a)

117 Stacey (1990: 28).

Abbildung 4.12b Zusammensetzung der Haushalte in den USA, 1970-1995 (%)

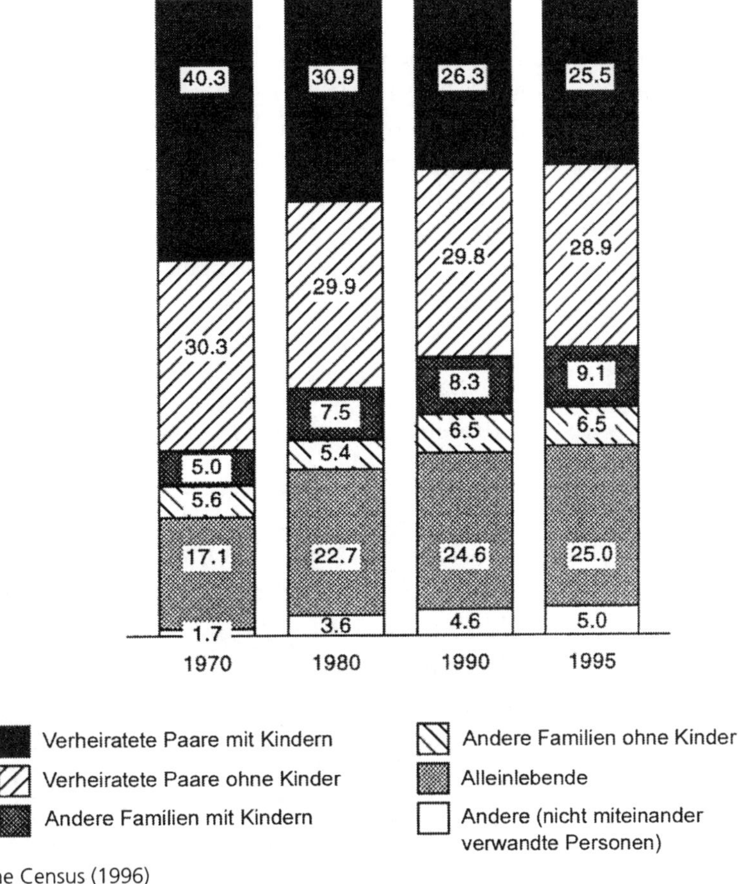

Quelle: US Bureau of the Census (1996)

Das Leben der Kinder hat sich verändert. Wie Abbildung 4.13 zeigt, lebten 1990 mehr als ein Viertel der Kinder nicht mit zwei Elternteilen zusammen, gegenüber weniger als 13% 1960. Außerdem betrug nach einer Studie des US Bureau of the Census von 1991 der Anteil der Kinder, die bei ihren beiden biologischen Eltern lebten, nur 50,8%.[118] Andere Quellen schätzen ebenfalls, dass „nahezu 50% aller Kinder nicht mit ihren beiden genetischen Eltern zusammenleben".[119] Adoptionen haben während der beiden letzten Jahrzehnte erheblich zugenommen, und 20.000 Babys wurden nach einer in vitro-Fertilisation geboren.[120] Die *Tendenzen*, die alle in dieselbe Richtung deuten, nämlich auf das Verschwinden der patriarchalischen Kernfamilie, sind es, worauf es wirklich ankommt: Der Anteil der Kinder, die mit einem einzigen Elternteil zusammen-

118 US Bureau of the Census (1994).

119 Buss (1994: 168).

120 Reigot und Spina (1996: 238).

lebten, hat sich zwischen 1970 und 1990 verdoppelt und die Zahl von 25% aller Kinder erreicht. Unter diesen Kindern ist der Anteil derjenigen, die mit einer nie verheirateten Mutter zusammenlebten, von 7% 1970 auf 31% 1990 gestiegen. Von alleinerziehenden Frauen geführte Haushalte nahmen während der 1970er Jahre um 90,5% zu und in den 1980er Jahren noch einmal um 21,2%. Von alleinerziehenden Männern geführte Haushalte machten 1990 zwar nur 3,1% aller Haushalte aus, nahmen aber noch schneller zu: um 80,6% in den 1970er und um 87,2% in den 1980er Jahren. Von Frauen geführte Familien ohne anwesenden Ehemann nahmen von 11% aller Familien 1970 auf 18% 1994 zu. Der Prozentsatz der Kinder, die nur bei ihrer Mutter lebten, verdoppelte sich zwischen 1970 und 1994 von 11 auf 22%, während sich der Anteil der Kinder, die nur bei ihrem Vater lebten, in derselben Zeit von 1 auf 3% verdreifachte.

Abbildung 4.13 Lebensverhältnisse von Kindern unter 18 Jahren nach Anwesenheit der Eltern (USA), 1960-1990 (Prozentverteilung)

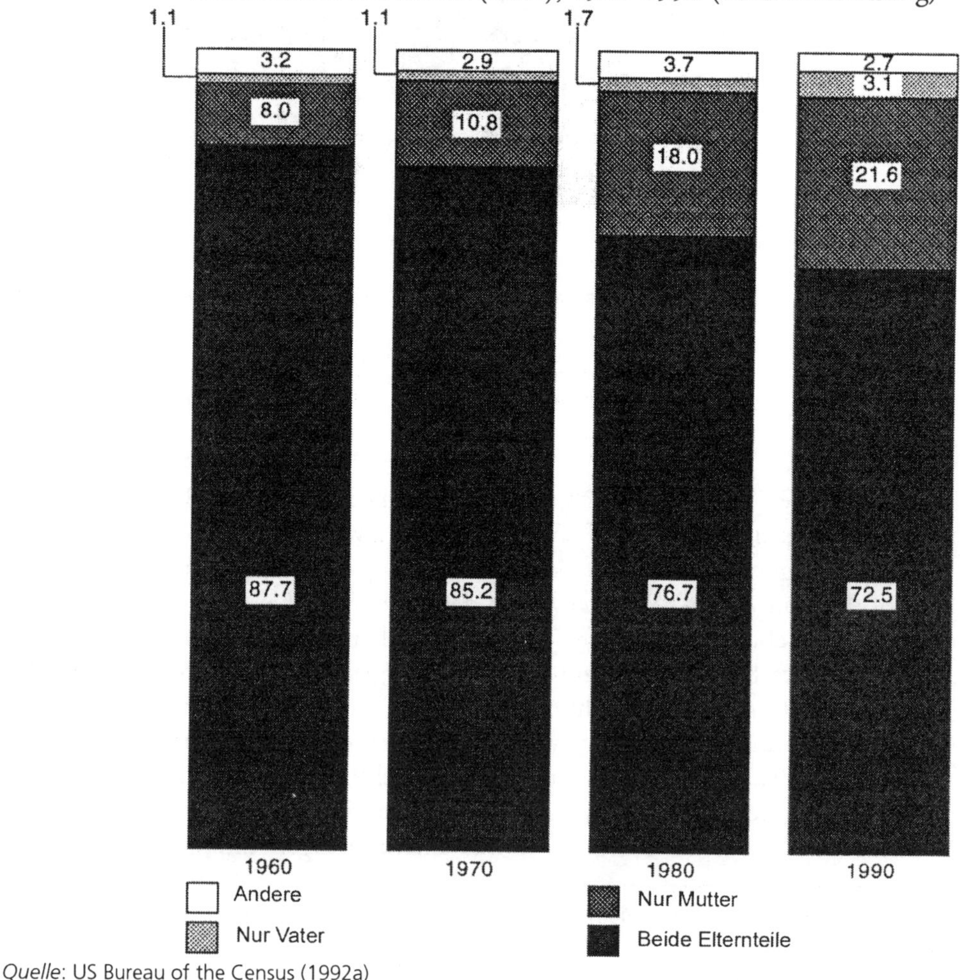

Quelle: US Bureau of the Census (1992a)

Neue Profile von Lebensarrangements vervielfachen sich.[121] 1980 gab es 4 Mio. rekombinierte Familien (zu denen Kinder aus früheren Ehen gehörten); 1990 waren es 5 Mio.; 1992 hatte ein Viertel der ledigen Frauen über 15 Jahre Kinder; 1993 gab es 3,5 Mio. unverheiratete Paare, von denen 35% Kinder im Haushalt hatten; die Zahl der ledigen Väter mit Kindern verdoppelte sich von 1980 bis 1992; 1 Mio. Kinder lebte 1990 bei ihren Großeltern (eine Zunahme um 10% gegenüber 1960), bei insgesamt 3,5 Mio. Kindern, in deren Haushalt ein Großelternteil lebte. Ehen, denen unverheiratetes Zusammenleben vorausging, nahmen von 8% Ende der 1960er Jahre auf 49% Mitte der 1980er Jahre zu, und die Hälfte der so zusammenlebenden Paare hatten Kinder.[122] Außerdem können sich nach dem massiven Eintritt von Frauen in die Reihen der bezahlten Erwerbsarbeit und bei ihrer unverzichtbaren Rolle zur Versorgung der Familie nur wenige Kinder einer Vollzeit-Betreuung durch ihre Mutter oder ihren Vater erfreuen. 1990 arbeiteten in etwa 70% der Familien verheirateter Paare sowohl Ehemann wie Ehefrau und 58% der Mütter mit kleinen Kindern außer Haus. Die Kinderbetreuung ist für Familien ein echtes Problem. Zwei Drittel der Kinder wurden von Verwandten oder Nachbarn im eigenen Heim betreut.[123] Außerdem sollten nicht registrierte Haushaltshilfen für die Betreuung von Kindern hinzugerechnet werden. Arme Frauen, die Kinderbetreuung nicht bezahlen können, sehen sich vor die Wahl gestellt, sich von ihren Kindern zu trennen oder ihre Arbeit aufzugeben, wodurch sie dann in die Wohlfahrtsfalle geraten, die am Ende dazu führen kann, dass ihnen ihre Kinder weggenommen werden.[124]

Es gibt wenige zuverlässige Schätzungen über gleichgeschlechtliche Haushalte und Familien. Eine stammt von Gonsioreck und Weinrich; danach sind schätzungsweise 10% der männlichen amerikanischen Bevölkerung schwul und zwischen 6 und 7% der weiblichen Bevölkerung lesbisch.[125] Sie schätzen, dass etwa 20% der schwulen männlichen Bevölkerung einmal verheiratet waren und dass zwischen 20 und 50% von diesen Kinder haben. Lesben sind häufig Mütter, viele aus früheren heterosexuellen Ehen. Eine Schätzung mit hohem Unsicherheitsgrad beziffert die Zahl der Kinder, die bei ihren lesbischen Müttern leben, mit zwischen 1,5 und 3,3 Mio. Die Zahl der Kinder, die bei entweder

---

121 Reigot und Spina (1996).

122 Coleman und Ganong (1993: 113).

123 Farnsworth Riche (1996).

124 Susser (1991).

125 Gonsioreck und Weinrich (1991). Die Schwelle von 10% Homosexualität in der Gesamtbevölkerung ist ein demografischer Mythos, der sich aus einer oberflächlichen Lektüre des Kinsey-Reports herleitet (der sich in Wirklichkeit auf amerikanische weiße Männer bezog). Wie Laumann u.a. (1994) mit starker empirischer Grundlage zeigen, gibt es keine klare Grenze der Homosexualität, die auf einen abgrenzbaren biologischen Impuls zurückgeführt werden könnte. Das Ausmaß homosexuellen Verhaltens in seinen unterschiedlichen Ausdrucksformen entwickelt sich entsprechend der kulturellen Normen und gesellschaftlicher Kontexte. S. hierzu Laumann u.a. (1994: 283-320).

schwulen oder lesbischen Elternteilen leben, wird auf zwischen 4 und 6 Mio. geschätzt.[126] Unter den Nicht-Familien-Haushalten ist die Kategorie mit dem schnellsten Wachstum „andere Nicht-Familien-Haushalte". Sie nahm von 1,7% aller Haushalte 1970 auf 5% 1995 zu. Zu dieser Gruppe gehören nach der US-Volkszählung Mitbewohner, Freunde und nicht miteinander verwandte Einzelpersonen. So würden unter dieser Kategorie auch unverheiratet miteinander lebende Paare ohne Kinder fallen.

Mit Blick auf die nahe Zukunft lässt sich z.B. aufgrund der Schätzungen der Harvard-Universität über die Haushaltsbildung bis zum Jahr 2000 erwarten, dass verheiratete Paare mit Kindern als Prozentsatz aller Haushalte von 31,5% 1980 auf 22,6% 2000 weiter zurückgehen, während die Einpersonen-Haushalte von 22,6% auf 26,6% ansteigen und so in der Statistik den Haushaltstypus der verheirateten Paare mit Kindern überholen könnten.[127] Die Zahl der alleinerziehenden Eltern würde leicht von 7,7 auf 8,7% ansteigen. Verheiratete Paare ohne Kinder würden zum zahlreichsten, aber nicht zum vorherrschenden Haushaltstyp werden und auf dem Stand von etwa 29,5% aller Haushalte bleiben. Dies ist eine Folge des langen Überlebens beider Ehepartner, zusammen damit, dass diese einstmals verheirateten Paare mit Kindern durch eine stärker diversifizierte Palette von Haushaltsformen ersetzt werden. Was als „andere Haushalte" bezeichnet wird und unterschiedliche Wohnarrangements umfasst, soll sogar von 8,8% 1980 auf 11,8% 2000 ansteigen. Insgesamt werden nach den Schätzungen und Voraussagen der Harvard-Universität verheiratete Paare, die 1960 noch drei Viertel aller US-Haushalte ausgemacht hatten, während Nicht-Familien-Haushalte nur 15% aller Haushalte stellten, im Jahr 2000 etwa 53% ausmachen und die Nicht-Familien-Haushalte werden dann ihren Anteil auf 38% gesteigert haben. Was sich aus diesem statistischen Überblick ergibt, ist ein Bild der Diversifikation, von der Veränderung der Grenzen in den Partnerschaften der Menschen, wobei ein großer Prozentsatz der Kinder unter Bedingungen sozialisiert werden, die vor nur drei Jahrzehnten, also einem Wimpernschlag nach den Maßstäben historischer Zeit, marginal oder sogar undenkbar gewesen sind.[128]

Was also sind diese neuen Arrangements? Wie leben die Menschen jetzt, innerhalb und außerhalb der Familie, an den Grenzlinien des Patriarchalismus?

---

126 Reigot und Spina (1996: 116).

127 Masnick und Ardle (1994); Masnick und Kim (1995).

128 Nach den Daten, die Ehrenreich (1983: 20) anführt, glaubten 1957 53% der Amerikanerinnen und Amerikaner, dass unverheiratete Leute „krank", „unmoralisch" oder „neurotisch" seien, und nur 37% betrachteten sie „neutral". 1976 hatten nur noch 33% eine negative Einstellung gegenüber Unverheirateten und 15% sahen es in günstigem Licht, wenn Leute ledig blieben.

Seit der Pionierforschung von Stacey, Reigot und Spina, Susser und anderen wissen wir etwas darüber.[129] Wie Stacey schreibt:

> Frauen und Männer haben das amerikanische Familienleben während der letzten drei Jahrzehnte der postindustriellen Umwälzung schöpferisch erneuert. Aus der Asche und den Überresten der modernen Familie haben sie eine Reihe unterschiedlicher, oft wenig zueinander passender kultureller, politischer, wirtschaftlicher und ideologischer Ressourcen bezogen und haben diese Ressourcen in neue Geschlechter- und Verwandtschaftsstrategien gemodelt, um mit den postindustriellen Herausforderungen, Belastungen und Chancen umzugehen.[130]

Zu ähnlichen Schlussfolgerungen kommt die qualitative Studie von Reigot und Spina über neue Familienformen.[131] Es gibt keinen vorherrschenden Familientypus, der sich abzeichnen würde, Verschiedenheit ist die Regel. Aber einige Elemente scheinen für die neuen Arrangements entscheidend zu sein: *Unterstützungsnetzwerke, zunehmende Frauenzentriertheit, Aufeinanderfolge von Partnern und Mustern über den gesamten Lebenszyklus hinweg.* Unterstützungsnetzwerke, häufig zwischen Familienmitgliedern geschiedener Paare sind eine neue und wichtige Form der Soziabilität und der Lastenteilung, vor allem dann, wenn Kinder zwischen beiden Eltern aufgeteilt werden und ihr Unterhalt gewährleistet werden muss, nachdem die getrennten Eltern jeweils neue Haushalte gegründet haben. So stellte eine Studie über geschiedene Paare der Mittelklasse in den Vorstädten von San Francisco fest, dass ein Drittel von ihnen Verwandtschaftsbeziehungen zu ihren früheren Ehepartnern und deren Verwandten aufrechterhielten.[132] Unterstützungsnetzwerke für Frauen sind nach den von Reina und Spina, von Susser sowie von Coleman und Ganong dargestellten Fallstudien von entscheidender Bedeutung für alleinerziehende Mütter ebenso wie für Mütter, die ganztags beschäftigt sind.[133] Stacey schreibt sogar, „wenn es eine Familienkrise gibt, so ist dies eine männliche Familienkrise."[134] Da außerdem die meisten Leute trotz Enttäuschungen und Fehlschlägen weiter versuchen, Familien zu bilden, werden Familien mit Stiefeltern und einer Abfolge von Partnerschaften zur Regel. Sowohl aufgrund von Lebenserfahrung wie der Komplexität der Haushalte passen sich die Arrangements innerhalb der Familie bei der Verteilung von Rollen und Verantwortlichkeiten nicht mehr an eine Tradition an: Sie müssen ausgehandelt werden. So schließen Coleman und Ganong nach einer Darstellung weit verbreiteten Familienzerfalls: „Bedeutet dies das Ende der Familie? Nein. Es bedeutet aber sehr wohl, dass viele von uns in neuen, kom-

---

129 Stacey (1990); Susser (1991, 1996); Reigot und Spina (1996); s. auch Bartholet (1990); Gonsioreck und Weinrich (1991); Brubaker (1993); Rubin und Riney (1994); Fitzpatrick und Vangelisti (1995).

130 Stacey (1990: 16).

131 Reigot und Spina (1996).

132 Zit. bei Stecey (1990: 254).

133 Coleman und Ganong (1993); Reigot und Spina (1996); Susser (1996).

134 Stacey (1990: 269).

plexeren Familien leben werden. In diesen neuen Familien wird es wohl nötig sein, Rollen, Regeln und Verantwortlichkeiten auszuhandeln, anstatt sie als selbstverständlich zu betrachten, wie dies für traditionellere Familien typisch ist.“[135]

Demnach wird der Patriarchalismus in der Familie zumindest im zunehmenden Anteil der von Frauen geführten Haushalte vollständig eliminiert; in den meisten anderen Familien wird er ernsthaft in Frage gestellt, weil Frauen und Kinder im Haushalt Bedingungen stellen und Aushandlungsprozesse einfordern. Zudem gehört ein weiterer steigender Anteil der Haushalte, der vielleicht bald mehr als 40% erreicht, zu den Nicht-Familien-Haushalten. Damit wird der Sinn der patriarchalischen Familie als Institution in einem Großteil der gesellschaftlichen Praxis entleert, trotz ihrer überragenden Präsenz als mächtiger Mythos.

Was geschieht unter solchen Bedingungen mit der Sozialisation der Kinder, die der geschlechtsspezifischen Aufteilung der Gesellschaft und der Reproduktion des Patriarchalismus selbst zugrunde liegt?

Die Reproduktion des Mutterns bei Nicht-Reproduktion des Patriarchalismus

Es ist innerhalb der Grenzen dieses Kapitels kein Platz, im Detail auf komplexes, vielfältiges und kontroverses empirisches Material über die Transformation der familiären Sozialisation in der neuen familiären Umgebung einzugehen, von dem das meiste in den Patientenakten von Kinderpsychologinnen verborgen liegt. Aber ich denke, dass man auf der Grundlage der klassischen Arbeiten der feministischen Psychoanalytikerin Nancy Chodorow eine Reihe von Hypothesen aufstellen kann. In ihrem Buch *Das Erbe der Mütter* legte Chodorow ein einfaches, elegantes und eindrucksvolles psychoanalytisches Modell der Produktion und Reproduktion der Geschlechterverhältnisse vor. Dieses Modell hat sie in ihren späteren Schriften weiter ausgearbeitet und ergänzt.[136] Zwar ist ihre Theorie kontrovers, und die Psychoanalyse ist sicherlich nicht der einzig mögliche Ansatz zum Verständnis von Persönlichkeitsveränderungen in der Krise des Patriarchalismus. Dennoch bietet dieses Modell meiner Ansicht nach einen nützlichen Ausgangspunkt, um diese Veränderungen theoretisch zu erfassen. Ich will Chodorows analytisches Modell in ihren eigenen Worten zusammenfassen und dann genauer auf die Implikationen dieses Modells für Persönlichkeit und Geschlecht unter den Bedingungen der Krise des Patriarchalismus eingehen. Nach Chodorow ist die Reproduktion des Mutterns zentral für die Reproduktion der Geschlechterbeziehungen. Sie erfolgt durch einen soziokulturell beding-

135 Coleman und Ganong (1993: 127).

136 Chodorow (1989, 1994).

ten psychologischen Prozess, der nicht das Produkt der Biologie noch institutionellen Rollentrainings ist. In ihren eigenen Worten:

> Als Mütter produzieren Frauen Töchter, die wiederum mütterliche Fähigkeiten und Bedürfnisse – den Wunsch nach einem Kind – haben. Diese Fähigkeiten und Bedürfnisse entstehen in und aus dem Mutter-Tochter-Verhältnis. Im Gegensatz dazu reproduzieren Frauen als Mütter (und Männer als Nicht-Mütter) Söhne, deren mütterliche Fähigkeiten und Bedürfnisse systematisch beschnitten und unterdrückt werden. So werden Männer auf ihre spätere Rolle in der Gesellschaft vorbereitet, die weniger als die der Frauen eine gefühlsmäßige ist. Dadurch werden Männer befähigt, sich hauptsächlich in der außerfamiliären Welt, in der öffentlichen Welt der Arbeit zu engagieren. Die geschlechtsspezifische Arbeitsteilung in der Familie – in der Frauen muttern und mehr als die Männer mit den zwischenmenschlichen Beziehungen und den Gefühlen beschäftigt sind – bewirkt in Töchtern und Söhnen eine Aufspaltung psychologischer Fähigkeiten, weshalb sie dann diese geschlechtsspezifische familiäre Arbeitsteilung weitertragen. ... [Es ist] Tatsache, daß Frauen inner- und außerhalb der Familie die Hauptverantwortung für die Aufzucht der Kinder haben, daß Frauen sich Kinder wünschen und davon befriedigt und beglückt werden, daß Frauen letztlich, trotz aller Widersprüche und Konflikte, erfolgreich muttern.[137]

Dieses Reproduktionsmodell hat außerordentliche Auswirkungen auf die Sexualität und deshalb auf die Persönlichkeit und das Familienleben: „Weil Frauen muttern, unterscheiden sich Entwicklung und Bedeutung der heterosexuellen Objektwahl von Frauen und Männern.“[138] Jungen behalten die Mutter während ihrer Kinderzeit als primäres Liebesobjekt bei und müssen wegen des Fundamentaltabus den klassischen Prozess der Trennung und der Auflösung ihres Ödipus-Komplexes durchmachen, indem sie ihre Mutterbindung unterdrücken. Wenn sie erwachsen werden, sind Männer bereit, eine primäre Beziehung mit jemandem *wie* ihrer Mutter einzugehen (hv.: Chodorow). Das ist bei Mädchen anders:

> Weil ihr erstes Liebesobjekt eine Frau ist, muß ein Mädchen die primäre Objektwahl auf den Vater und Männer verlagern, um eine angemessene heterosexuelle Orientierung zu entwickeln. ... Auch für Mädchen [wie für Jungen] sind Mütter die primären Liebesobjekte. Daher unterscheidet sich die innere Objektstruktur der weiblichen Heterosexualität von der männlichen. Der Vater wird erst im Kontext des bisexuellen Beziehungsdreiecks zur wichtigen primären Figur. ... Mädchen vollziehen keinen absoluten Objektwechsel und entwickeln keine exklusive Zuneigung zu ihren Vätern. ... Das hat zwei Folgen. Erstens unterscheiden sich heterosexuelle Beziehungen von Knaben und Mädchen grundsätzlich. Als Folge des Ödipus-Komplexes orientieren sich die meisten Frauen auf den Vater und Männer als primäre *erotische* Objekte, aber es ist klar, daß Männer *emotional* sekundär bleiben oder höchstens ebenso wichtig sind wie vergleichsweise die primäre und exklusive emotionale Bindung des ödipalen Knaben an die Mutter und Frauen allgemein. Zweitens ... [n]ach Deutsch erleben Frauen heterosexuelle Beziehungen in einem Dreieckszusammenhang, in dem Männer für sie keine exklusiven Objekte sind. Diese Aussage wird durch kulturübergreifende Unter-

137 Chodorow (1985: 15f.)
138 Chodorow (1985: 248)

suchungen von Familienstrukturen und Geschlechterbeziehungen bestätigt, die Nähe zwischen Ehepartnern eher für die Ausnahme als für die Regel halten.[139]

Tatsächlich tendieren Männer dazu, sich romantisch zu verlieben, während Frauen aufgrund ihrer wirtschaftlichen Abhängigkeit und ihres frauenorientierten emotionalen Systems gegenüber Männern eine komplexere Rechnung aufstellen, in der der Zugang zu Ressourcen überragende Bedeutung besitzt,[140] wie die interkulturelle Studie von Buss über menschliche Paarungsstrategien zeigt.[141] Aber folgen wir weiter der Logik von Chodorow:

> Obwohl die meisten [Frauen] heterosexuell werden und es auch bleiben [Castells: freilich mit immer mehr Ausnahmen von der Regel], führen sowohl die männlichen Probleme mit der Liebe als auch die eigenen Beziehungsgeschichten mit der Mutter dazu, daß sie woanders nach Liebe und emotionaler Befriedigung suchen. Eine Möglichkeit der Erfüllung dieser Bedürfnisse ist die Herstellung und Aufrechterhaltung wichtiger persönlicher Beziehungen zu anderen Frauen. ... Für die meisten Frauen sind tiefe, affektive Beziehungen zu anderen Frauen auf alltägliche Weise nur schwer herstellbar. Zwar werden in lesbischen Beziehungen die Gefühle und Verbindungen der Mutter-Tochter-Beziehung eher wiedererschaffen, die meisten Frauen sind aber heterosexuell. ... Es gibt eine weitere Alternative. ... Die Beziehung der Frau zum Mann bedarf, weil sie selbst in einer emotional asymmetrischen Dreieckssituation aufgewachsen ist, auf der Ebene der psychischen Struktur einer dritten Person, denn diese Struktur ist ursprünglich in einem Dreieck entstanden. ... Auf der Ebene der psychischen Struktur vervollständigt nun ein Kind das Beziehungsdreieck [für die Frau].[142]

In der Tat lernen Frauen, „sich primäre Beziehungen zu Kindern zu wünschen und auch zu brauchen."[143] Bei Männern ist das wiederum anders wegen ihrer primordialen Bindung an ihre Mutter und später an ihre Mutterfigur: „Im Gegensatz dazu stellt für Männer die heterosexuelle Beziehung allein schon die frühe Bindung an die Mutter wieder her; *das Kind stellt eine Unterbrechung dar* [Hv.: M.C.]. Männer definieren sich außerdem nicht über Beziehungen und haben gelernt, Beziehungsfähigkeiten zu unterdrücken und Beziehungsbedürfnisse zu verdrängen. Das bereitet sie auf die Teilnahme an der gefühlsverleugnenden, entfremdeten Arbeitswelt vor – nicht aber darauf, weibliche Bedürfnisse nach Intimität und primären Beziehungen zu erfüllen."[144] „So trägt der männliche Mangel an Verfügbarkeit und die geringere Exklusivität der heterosexuellen Bindung der Frauen dazu bei, das Muttern der Frauen zu sichern."[145]

---

139 Chodorow (1985: 249f.)

140 Natürlich ist die Weltliteratur ebenso wie unsere persönliche Erfahrung voll von Beispielen, in denen Frauen alles zugunsten der romantischen Liebe aufgeben. Ich würde aber behaupten, dass dies eine Manifestation der ideologischen Herrschaft des patriarchalischen Modells ist und selten den Test der tatsächlichen Erfahrung in der Beziehung aushält. Das ist der Grund, warum daraus so guter Romanstoff wird!

141 Buss (1994).

142 Chodorow (1985: 258f.)

143 Chodorow (1985: 263)

144 Chodorow (1985: 268)

145 Chodorow (1985: 269)

> Die institutionalisierten Elemente der Familienstruktur und der sozialen Reproduktionsbeziehungen reproduzieren sich [letztlich] selbst. Eine psychoanalytische Untersuchung zeigt, daß die mütterlichen Fähigkeiten und Zugeständnisse der Frauen und die allgemeinen psychologischen Fähigkeiten und Wünsche, die die Grundlage der Gefühlsarbeit der Frauen sind, während ihrer Entwicklung in die weibliche Persönlichkeit eingebaut werden. Weil Frauen selbst von Frauen bemuttert wurden, entwickeln sie Beziehungsfähigkeiten und -bedürfnisse und eine psychologische Definition des Selbst-in Beziehung, die sie zum Muttern prädestiniert. Weil Männer von Frauen bemuttert wurden, tun sie das nicht. Frauen bemuttern Töchter, die dann als Frauen wieder muttern.[146]

Chodorows Modell ist, zumal von lesbischen Theoretikerinnen und materialistischen Feministinnen angegriffen und unberechtigterweise beschuldigt worden, Homosexualität herunterzuspielen, den Patriarchalismus zu fixieren und individuelles Verhalten vorherzubestimmen. Das trifft in Wirklichkeit nicht zu. Chodorow selbst hat ihre Ansichten klargemacht: „Ich behaupte – gegen Verallgemeinerungen –, dass Männer und Frauen auf ebenso viele Weisen lieben, wie es Männer und Frauen gibt.“[147] Und sie hat ihre Analyse verfeinert, indem sie betont hat, dass „Differenzierung nicht Abgrenzung und Trennung bedeutet, sondern eine spezifische Form, mit anderen verbunden zu sein.“[148] Das Problem für Frauen, so argumentiert sie und ich stimme ihr zu, besteht nicht darin, ihre weibliche Identität geltend zu machen, sondern in ihrer Identifikation mit einer Identität, die unter dem Patriarchalismus sozial entwertet worden ist. Was Chodorow analysiert, ist kein ewigwährender biologischer Prozess männlich/weiblicher Spezifizität, sondern ein grundlegender Mechanismus der Reproduktion von Geschlechterbeziehungen und damit von Identität, Sexualität und Persönlichkeit *unter den Bedingungen des Patriarchalismus und der Heterosexualität*, wie sie verschiedentlich klar gemacht hat.

Mir geht es also darum, ob uns dieses institutionell-psychoanalytische Modell helfen kann zu verstehen, was geschieht, wenn sich die patriarchalische Familie auflöst. Ich will versuchen, meine Beobachtungen über die neuen Familienformen und Wohn- und Lebensarrangements mit Chodorows Theorie zu verknüpfen.[149] Unter klassischen und nunmehr verschwindenden patriarchalisch-heterosexuellen Bedingungen beziehen sich heterosexuelle Frauen primär auf vier Arten von Objekten: auf Kinder als Objekt ihres Mutterns; auf Frauennetzwerke als ihre primäre emotionale Stütze; auf Männer als erotische Objekte; und auf Männer als Versorger der Familie. Unter den gegenwärtigen Bedingungen ist für die meisten Familien und die meisten Frauen das vierte Objekt als

---

146 Chodorow (1985: 270)

147 Chodorow (1994: 71).

148 Chodorow (1989: 107).

149 Ich sollte daran erinnern, dass Chodorow in erster Linie Psychoanalytikerin ist und Theorie vor allem *auf der Grundlage klinischer Befunde* entwickelt. Deshalb überschreitet der Einsatz ihres vorsichtigen psychoanalytischen Ansatzes für meine weitreichenden soziologischen Verallgemeinerungen bei Weitem ihre üblichen Grenzen und wird natürlich ausschließlich auf meine Verantwortung hin unternommen.

ausschließlicher Versorger gestrichen. Die Frauen bezahlen teuer, mit Arbeitszeit und Armut, für ihre wirtschaftliche Unabhängigkeit oder für ihre unverzichtbare Rolle als Versorgerinnen der Familie. Aber insgesamt ist die wirtschaftliche Basis des Familienpatriarchalismus unterspült worden, weil die meisten Männer auch das Einkommen von Frauen benötigen, um auf einen annehmbaren Lebensstandard zu kommen. Da Männer als emotionale Stützen bereits sekundär sind, bleibt ihnen primär nur noch die Rolle des erotischen Objekts. Das ist in Zeiten der weit verbreiteten Entwicklung von Unterstützungsnetzwerken von Frauen, einschließlich des Ausdrucks von Zuneigung in einem „lesbischen Kontinuum" für Frauen eine Quelle von schwindendem Interesse; hinzu kommt die Konzentration von Frauen auf die Kombination des Mutterns mit ihrem Arbeitsleben.

Demnach ist das erste Lebensarrangement, das sich nach der Logik des Modells von Chodorow aus der Krise des Patriarchalismus ergibt, die Bildung von Mutter-Kind-Familien mit der Unterstützung von Frauennetzwerken. Diese „Frauen/Kinder-Kommunen" werden im Fall von heterosexuellen Frauen von Zeit zu Zeit nach einem Muster sukzessiver Partnerschaften von Männern besucht, die zusätzliche Kinder und weitere Gründe für den Separatismus hinterlassen. Wenn die Mütter altern, werden die Töchter Mütter und reproduzieren das System. Dann werden die Mütter zu Großmüttern, was die Unterstützungsnetzwerke für die Töchter und Enkel ebenso wie für Töchter und Kinder der vernetzten Haushalte verstärkt. Dies ist kein separatistisches Modell, sondern ein selbstgenügsames frauenzentriertes Modell, in dem die Männer kommen und gehen. Das Hauptproblem des frauenzentrierten Modells besteht, wie Barbara Ehrenreich vor Jahren gezeigt hat,[150] in seiner schwachen wirtschaftlichen Grundlage. Kinderbetreuung, soziale Dienste sowie Bildung und berufliche Chancen für Frauen sind die fehlenden Kettenglieder, damit dieses Modell auf gesellschaftlicher Ebene zu einer weitgehend selbstgenügsamen Frauen-Kommune werden kann.

Die Lage für Männer ist zwar sozial privilegierter, persönlich aber komplizierter.[151] Da ihre wirtschaftliche Verhandlungsmacht zurückgeht, können sie in der Regel nicht mehr durch die Verweigerung von Ressourcen Disziplin in der Familie erzwingen. Wenn sie sich nicht auf egalitäre Elternschaft einlassen, können sie den grundlegenden Mechanismus nicht ändern, nach dem ihre Töchter als Mütter produziert werden und sie selbst als diejenigen, die Frauen/Mütter *für sich selbst* begehren. Also suchen sie weiter nach *der* Frau als Liebesobjekt, nicht nur in erotischer, sondern auch in emotionaler Beziehung sowie als Sicherheitsnetz und nicht zu vergessen als nützliche Arbeitskraft im Haushalt. Da es weniger Kinder gibt, Frauen arbeiten, Männer in weniger sicheren Jobs weniger verdienen und feministische Ideen in der Luft liegen, sehen sich

150 Ehrenreich (1983).

151 Ehrenreich (1983); Astrachan (1986); Keen (1991).

Männer, wenn diese Analyse zutrifft, einer Anzahl von Optionen gegenüber, von denen keine in der Reproduktion der patriarchalischen Familie besteht.

Die erste ist *Separation*, „die Flucht aus der Verantwortung",[152] und diese Tendenz beobachten wir tatsächlich in der Statistik. Der konsumistische Narzissmus kann vor allem in jüngeren Jahren behilflich sein. Aber Männer sind nicht gut im Vernetzen, in Sachen Solidarität und Beziehungsarbeit, wie ebenfalls durch Chodorows Theorie erklärt. Zwar sind männliche Bindungen in traditionellen patriarchalischen Gesellschaften durchaus eine übliche Praxis. Wie ich mich aber aus meiner (alten und neueren) spanischen Erfahrung erinnere, beruhen soziale Zusammenkünfte „unter Männern" auf der Voraussetzung, dass zuhause die Abstützung durch die Familie und durch Frauen wartet. Nur auf der Grundlage einer stabilen Herrschaftsstruktur, die wesentliche affektive Bedürfnisse befriedigt, können Männer zusammen Spaß haben, im Allgemeinen, in dem sie über Frauen reden, mit ihnen angeben und für sie herumstolzieren. Die *peñas*[153] der Männer werden still und deprimierend, wenn Frauen verschwinden. Sie verwandeln sich plötzlich in Trinkgelage zum Leichenschmaus für männliche Macht. Tatsächlich sind in den meisten Gesellschaften alleinstehende Männer weniger gesund, weniger langlebig und haben höhere Selbstmord- und Depressionsraten als verheiratete Männer. Das Gegenteil trifft auf Frauen zu, die sich scheiden lassen oder sich trennen, trotz häufiger kurzer Depressionen nach einer Scheidung.

Die zweite Alternative ist *Schwulsein.* Es sieht tatsächlich so aus, dass Schwulsein sich unter Männern ausbreitet, deren biologische Prädisposition beide Formen des sexuellen Ausdrucks erlaubt, die aber unter den Bedingungen des privilegierten Patriarchalismus sich entschieden haben würden, das homosexuelle Stigma zu meiden. Schwulsein erhöht die Chancen von Unterstützungsnetzwerken, die Männern gewöhnlich fehlen. Es erleichtert auch egalitäre oder ausgehandelte Partnerschaften, weil die sozialen Normen dem Paar keine Herrschaftsrollen zuweisen. Daher können schwule Familien experimentelle Milieus für den Egalitarismus im Alltagsleben sein.

Für die meisten Männer besteht jedoch die akzeptabelste, stabilste und langfristigste Lösung darin, *den heterosexuellen Familienvertrag neu auszuhandeln.* Dazu gehört Teilung der Hausarbeit, wirtschaftliche Partnerschaft, sexuelle Partnerschaft und vor allem *die volle Teilung der Elternschaft.* Diese letzte Bedingung ist für Männer entscheidend, weil sich nur so der „Chodorow-Effekt" verändern kann und es möglich wird, dass Frauen nicht nur als Mütter, sondern als Männer begehrende Frauen produziert werden und Männer nicht einfach als

152 Ehrenreich (1983).

153 Die *peña* ist eine mittelalterliche spanische Institution, ursprünglich exklusiv für Männer. Sie führte und führt die Jugendlichen des Dorfes oder des Viertels zusammen, um das jährliche religiöse Volksfest vorzubereiten. Sie dient als soziales Netzwerk zum Trinken und zur Geselligkeit über das ganze Jahr, wie in den berühmtesten *peñas,* denen der San Fermines in Pamplona. Das Wort *peña* bedeutet fester Fels. Die *peñas* sind die Felsen, auf denen Männerbünde stehen.

Frauenliebhaber erzogen werden, sondern als Väter von Kindern. Wenn dieser Mechanismus nicht umgedreht wird, kann die schlichte Reform der wirtschaftlichen und Machtarrangements innerhalb der Familie kaum eine befriedigende und dauerhafte Lösung für die Männer bringen. Denn während sie sich noch immer nach *der* Frau als *ihrem* exklusiven Liebesobjekt sehnen und sie selbst immer weniger von den Frauen gebraucht werden, ist ihre bedingte Kapitulation in der reformierten Kernfamilie strukturell mit Ressentiments angefüllt. Über die individuelle Aushandlung innerhalb der reformierten Familie hinaus liegt daher die künftige Möglichkeit der Rekonstruktion lebensfähiger heterosexueller Familienbindungen in der Subversion der Geschlechterbeziehungen durch die Revolution der Elternschaft, wie es Chodorow von Anfang gefordert hatte. Ohne eine neue Runde statistischer Details zu eröffnen, möchte ich einfach sagen, dass in dieser Richtung zwar bedeutsame Fortschritte erzielt worden sind,[154] dass aber egalitäre Elternschaft noch einen weiten Weg vor sich hat und ihr Wachstum langsamer ist als die Zunahme des Separatismus bei Männern ebenso wie bei Frauen.

Die Hauptopfer dieses kulturellen Übergangs sind die Kinder, denn sie sind unter den gegenwärtigen Bedingungen der Familienkrise zunehmend vernachlässigt worden. Ihre Lage könnte sich sogar noch verschlechtern, entweder weil Frauen unter schwierigen materiellen Bedingungen bei ihren Kindern bleiben, oder weil Frauen auf der Suche nach Autonomie und persönlichem Überleben anfangen, ihre Kinder auf dieselbe Art zu vernachlässigen, wie Männer das tun. Da die Unterstützung durch den Wohlfahrtsstaat schwindet, bleibt es Männern und Frauen selbst überlassen, wie sie mit den Problemen ihrer Kinder zurechtkommen, während sie die Kontrolle über ihr eigenes Leben verlieren. Die drastische Zunahme der Kindesmisshandlung in vielen Gesellschaften, besonders in den Vereinigten Staaten, könnte durchaus ein Ausdruck der Verwirrung der Menschen bezüglich ihres Familienlebens sein. Damit vertrete ich gewiss nicht die konservative Argumentation, die den Feminismus oder die sexuelle Befreiung für die Not der Kinder verantwortlich macht. Ich verweise auf ein grundlegendes Problem in unserer Gesellschaft, mit dem man sich ohne ideologische Vorurteile auseinandersetzen muss: Wie Sozialwissenschaftler und Journalisten aufzeigen, werden Kinder massiv vernachlässigt.[155] Die Lösung liegt nicht in der unmöglichen Rückkehr zur obsoleten und bedrückenden patriarchalischen Familie. Die Rekonstruktion der Familie durch egalitäre Beziehungen und die Verantwortlichkeit öffentlicher Institutionen für die Sicherung materieller und psychologischer Unterstützung für Kinder sind mögliche Wege, auf denen sich der Kurs auf die massenhafte Zerstörung menschlicher Psyche ändern lässt, der in dem gegenwärtigen, beunruhigenden Leben von Millionen von Kindern impliziert ist.

---

154 Shapiro u.a. (1995).
155 Susser (1996).

Körperidentität: die (Neu-)Konstruktion von Sexualität

Eine sexuelle Revolution entsteht, aber nicht diejenige, die von den sozialen Bewegungen der 1960er und 1970er Jahre proklamiert und angestrebt wurde. Freilich waren sie wichtige Faktoren bei der Auslösung der real existierenden sexuellen Revolution. *Sie ist charakterisiert durch die Entkoppelung von Ehe, Familie, Heterosexualität und sexuellem Ausdruck* (oder Begierde, wie ich es nenne). Diese vier Faktoren waren unter dem modernen Patriarchalismus während der letzten beiden Jahrhunderte miteinander verknüpft. Wie eine Reihe von Beobachtungen in diesem Kapitel zu zeigen scheinen, befinden sie sich jetzt in einem Prozess der Autonomisierung. Wie Giddens schreibt:

> Die heterosexuelle Ehe scheint oberflächlich ihre zentrale Stellung in der sozialen Ordnung zu bewahren. In Wirklichkeit ist sie weitgehend durch die reine Beziehung und plastische Sexualität untergraben. Wenn die orthodoxe Ehe noch nicht weithin als nur eine Lebensform unter anderen betrachtet wird, was sie mittlerweile bereits ist, so liegt das teilweise an der komplizierten Mischung zwischen Anziehung und Abstoßung, die die psychische Entwicklung jeden Geschlechtes [*sex*] im Hinblick auf das andere hervorbringt. ... Manche Ehen dürften hauptsächlich noch zum Zweck der Zeugung oder des Aufziehens von Kindern geschlossen oder aufrechterhalten werden. Jedoch ... ist von den meisten heterosexuellen Ehen – und vielen homosexuellen Liaisons – die sich nicht der reinen Beziehung annähern, zu erwarten, dass sie sich in zwei Richtungen entwickeln, wenn sie nicht in den Zustand gegenseitiger Abhängigkeit verfallen. Die eine Richtung ist eine Form der genossenschaftlichen Ehe. Das Niveau des sexuellen Engagements der Eheleute miteinander ist niedrig, aber es besteht in der Beziehung ein gewisses Maß an Gleichheit und gegenseitiger Sympathie ... Die andere Richtung bezeichnet den Zustand, wo die Ehe beiden Partnern als eine Art Ausgangsbasis dient, wobei jeder nur wenig Emotionen in den anderen investiert.[156]

In beiden Fällen ist Sexualität von der Ehe abgekoppelt. Das traf nun für die meisten Frauen während der gesamten Geschichte zu,[157] aber das Geltendmachen der weiblichen Sexualität, der Homosexualität für Männer ebenso wie für Frauen, und darüber hinaus der sexuellen Wahlfreiheit führen zu einem steigenden Abstand zwischen den Begierden der Menschen und ihren Familien. Dies führt jedoch nicht zur sexuellen Befreiung, sondern für die Mehrheit der Bevölkerung, die sich vor den Folgen von Untreue (für die jetzt auch die Männer zahlen müssen) sowie in den 1980er und1990er Jahren der AIDS-Epidemie fürchten, ist die Konsequenz sexuelle Armut, wenn nicht sexuelles Elend. Das lässt sich zumindest aus der umfassendsten neueren empirischen Studie über das Sexualverhalten in Amerika schließen, die 1992 mit einer repräsentativen nationalen Stichprobe durchgeführt wurde.[158] Etwa 35,5% der Männer berichteten, sie hätten wenige Male im Monat Sex, weitere 27,4% ein paar Mal im Jahr oder überhaupt nicht. Für Frauen waren die entsprechenden Prozentzahlen 37,2%

156 Giddens (1992: 154f).

157 Buss (1994).

158 Laumann u.a. (1994).

und 29,7%. Nur 7,7% der Männer und 6,7% der Frauen sagten, sie hätten viermal wöchentlich oder öfter Sex und sogar in der Altersgruppe von 18-24 Jahren, der sexuell aktivsten, lag der Prozentsatz mit hoher Frequenz für Männer wie für Frauen bei 12,4%. Hohe Aktivitätsraten (mehr als viermal die Woche) sind bei verheirateten Paaren etwas niedriger als in der Gesamtbevölkerung (7,3% bei den Männern, 6,6% bei den Frauen). Die Daten bestätigen auch den Geschlechterabstand bei angegebenen Orgasmen: 75% der sexuellen Kontakte bei Männern, nur 29% bei Frauen, obwohl die Kluft bei den Angaben zu „Vergnügen" geringer ist. Die Anzahl der Sexualpartner während der letzten zwölf Monate zeigt für die überwältigende Mehrheit der Bevölkerung eine begrenzte Zahl von sexuellen Partnerschaften: 66,7% der Männer und 74,7% der Frauen hatten nur einen Partner; und 9,9% bzw. 13,6% hatten keinen. Also keine weite Verbreitung der sexuellen Revolution im Amerika der frühen 1990er Jahre.

Unter der Oberfläche sexueller Ruhe lässt die reiche Datenfülle der Studie der University of Chicago jedoch eine Tendenz zu zunehmender Autonomie im sexuellen Ausdruck erkennen. Das gilt besonders für die jüngeren Altersgruppen. So ist während der letzten vier Jahrzehnte das Alter des ersten Geschlechtsverkehrs beständig gefallen: Trotz AIDS sind die Teenager sexuell aktiver als je zuvor. Zweitens ist das Zusammenleben vor der Ehe inzwischen eher die Norm als die Ausnahme. Erwachsene haben zunehmend sexuelle Partnerschaften ohne Trauschein. Etwa die Hälfte dieser Lebensgemeinschaften enden nach weniger als einem Jahr, 40% werden in Ehen umgewandelt, von denen 50% in der Scheidung enden werden, von denen wiederum zwei Drittel in erneute Verehelichung münden, bei der die Wahrscheinlichkeit der Scheidung sogar noch höher als beim Durchschnitt aller Ehen liegt. Es ist diese Austrocknung der Begierde durch aufeinanderfolgende Versuche, sie mit Lebensarrangements zu verbinden, die das Amerika der 1990er Jahre kennzeichnet.

Andererseits scheint „konsumistische Sexualität" im Ansteigen begriffen zu sein, wenn auch die Anzeichen dafür eher indirekt sind. Laumann u.a. analysieren ihre Stichprobe nach normativen sexuellen Orientierungen. Sie folgen dabei der klassischen Unterscheidung zwischen traditioneller Sexualität (prokreativ), relationaler (Gemeinsamkeit) und rekreationaler (am sexuellen Genuss orientiert). Sie isolieren auch einen „libertär-rekreationalen" Typus, der den Bildern der pop-sexuellen Befreiung oder in Giddens' Terminologie der „plastischen Sexualität" näherzukommen scheint. Bei der Analyse ihrer Stichprobe nach den Großregionen Amerikas stellten sie fest, dass 25,5% ihrer Stichprobe in Neuengland und 22,2% in der Pazifikregion der „libertär-rekreationalen" Kategorie zugeordnet werden konnten: Das ist etwa ein Viertel der Bevölkerung in einigen der Gebiete, die am stärksten die kulturellen Trends in Amerika bestimmen.

Abbildung 4.14 Vorkommen von oralem Sex im Lebensverlauf nach Kohorten: Männer und Frauen

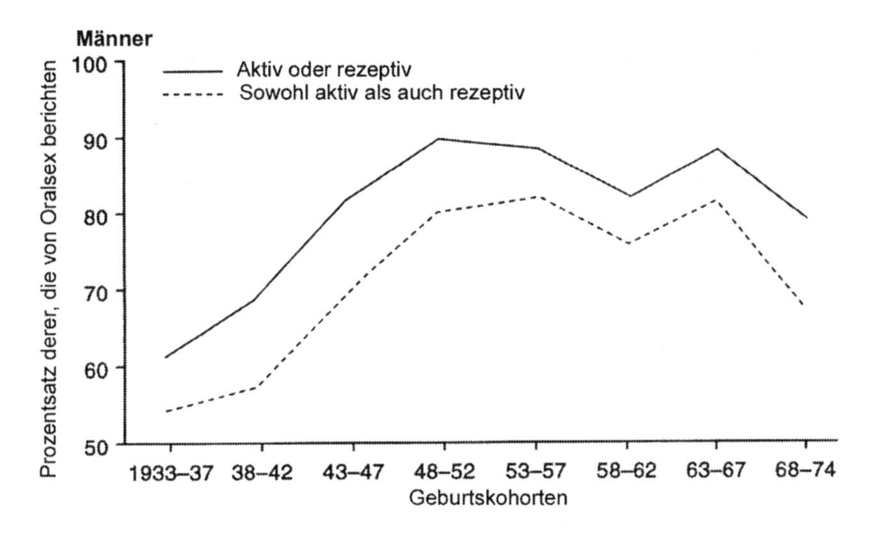

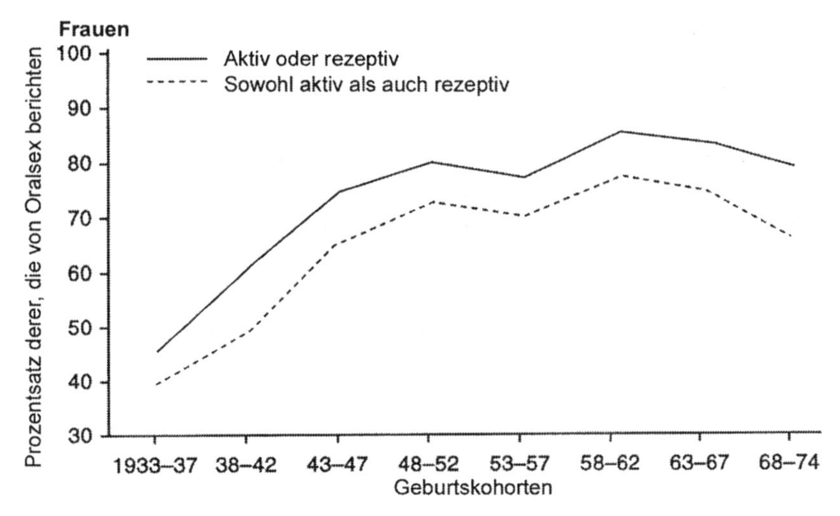

Quelle: Laumann u.a. (1994)

Ein aussagekräftiger Indikator für die zunehmende sexuelle Autonomie als genussorientierter Tätigkeit ist die Praxis von oralem Sex, der, wie ich in Erinnerung rufen möchte, in 24 amerikanischen Staaten als Sodomie eingestuft wird und ausdrücklich gesetzlich verboten ist — freilich bei fragwürdigen Durchsetzungsmöglichkeiten. Abbildung 4.14 zeigt das Vorkommen von oralem Sex nach Alterskohorten, also die Prozentzahlen von Frauen und Männern, die während ihres Lebens entweder Cunnilingus oder Fellatio erlebt haben, nach Gruppen von Geburtsjahrgängen. Laumann u.a. betonen in ihren Anmerkungen zu diesen Ergebnissen, dass die übergreifende Tendenz etwas offenlegt, was wir als schnellen Wandel in den Sexualtechniken, wenn nicht als Revolution bezeichnen könnten. Der Unterschied zwischen der Erfahrung mit oralem Sex während ihres Lebens zwischen Befragten, die zwischen 1933 und 1942 geboren wurden, und denen, die nach 1943 geboren wurden, ist drastisch. Der Anteil der Männer, die während ihres Lebens oralen Sex erfahren, steigt von 62% derer, die zwischen 1933-1937 geboren sind, auf 90% der zwischen 1948-1952 Geborenen ... Der Zeitpunkt, zu dem die Sexualtechniken praktiziert wurden, scheint eine Reaktion auf die kulturellen Veränderungen Ende der 1950er Jahre gewesen zu sein. Diese Veränderungen hatten ihren Höhepunkt Mitte bis Ende der 1960er Jahre, *als sie ihren Sättigungsgrad innerhalb der Bevölkerung erreichten. Die niedrigeren Raten bei den jüngsten Gruppen in unserer Untersuchung sind nicht unbedingt ein Beleg für einen Rückgang von oralem Sex; diese Gruppen waren einfach noch nicht in sexuellen Beziehungen, in denen oraler Sex wahrscheinlich oder sogar normativ wird.*[159]

Übrigens erlebten auch zwischen 75 und 80% der Frauen in den jüngsten Kohorten oralen Sex, und in den jüngeren Gruppen ist dies Vorkommen höher als bei den Männern. Laumann u.a. berichten auch über das weit verbreitete Vorkommen von Auto-Erotik (zusammen mit hohen Niveaus von partnerorientierter Sexualaktivität) und von Masturbation, schwerlich eine neuartige Technik, die aber zwei Drittel der Männer und über 40% der Frauen anwenden.

Wenn wir also das Sexualverhalten nicht durch die Normbrille der heterosexuellen, repetitiven Partnerschaft betrachten, sondern einen eher „perversen" Zugang wählen, zeigen die Daten eine andere Geschichte, eine Geschichte des Konsumismus, des Experimentierens und der Erotik, die dabei sind, die ehelichen Schlafzimmer zu verlassen und noch immer auf der Suche nach neuen Ausdrucksformen und zugleich auf der Hut vor AIDS sind. Weil diese neuen Verhaltensmuster bei jüngeren Gruppen und in den trendbestimmenden Großstädten deutlicher sichtbar sind, glaube ich sicher vorhersagen zu können, dass es, wenn und falls die AIDS-Epidemie erst einmal unter Kontrolle ist, ein, zwei, drei, viele Sodoms geben wird, die aus den Phantasien hervorgehen, die durch die Krise des Patriarchalismus befreit und durch die Kultur des Narzissmus angestachelt wurden. Unter solchen Bedingungen wird, wie Giddens behauptet, Sexualität zum Eigentum des Individuums.[160] Wo Foucault die Ausdehnung der Machtapparate in das sexuell konstruierte/dekonstruierte Subjekt hinein sah, sieht Giddens, und ich folge ihm dabei, den Kampf zwischen Macht und Identität auf dem Schlachtfeld des Körpers.[161] Es ist nicht unbedingt ein befreiender Kampf, denn Begierde erwächst häufig aus Übertretung, so dass eine „sexuell befreite Gesellschaft" einfach ein Supermarkt persönlicher Phantasien wird, in dem die Individuen einander konsumieren anstatt sich gegenseitig hervorzubringen. Wenn aber der Körper als Identitätsprinzip abseits der Institutionen des Patriarchalismus unterstellt wird, so ermächtigt die Vielfalt der sexuellen

159 Laumann u.a. (1994: 103f); Hv.: M.C.

160 Giddens (1992: 175).

161 Giddens (1992: 31).

Ausdrucksformen das Individuum zur mühsamen (Neu-)Konstruktion seiner Persönlichkeit.[162]

Flexible Persönlichkeiten in einer post-patriarchalischen Welt

Neue Generationen werden außerhalb des traditionellen Musters der patriarchalischen Familie sozialisiert und in frühem Alter der Notwendigkeit ausgesetzt, mit unterschiedlichen Situationen und unterschiedlichen Erwachsenenrollen zurechtzukommen. Soziologisch betrachtet spielt der neue Sozialisationsprozess in gewissem Maße die institutionellen Normen der patriarchalischen Familie herunter und diversifiziert die Rollen innerhalb der Familie. In ihrer aufschlussreichen Erkundung dieses Gegenstandes meinen Hage und Powers, dass als Ergebnis solcher Prozesse neue Persönlichkeiten entstehen, die komplexer sind, unsicherer und doch fähiger, sich veränderlichen Rollen in sozialen Zusammenhängen anzupassen, weil im frühen Alter durch neue Erfahrungen Anpassungsmechanismen in Gang gesetzt werden.[163] Die zunehmende Individualisierung der Beziehungen innerhalb der Familien trägt dazu bei, dass die Bedeutung persönlicher Anforderungen jenseits der institutionellen Regeln zunimmt. So wird Sexualität auf der Ebene sozialer Wertvorstellungen zu einem persönlichen Bedürfnis, das nicht notwendigerweise innerhalb der Familie kanalisiert und institutionalisiert werden muss. Wenn die Mehrheit der erwachsenen Bevölkerung und ein Drittel der Kinder außerhalb der Grenzen der traditionellen Kernfamilie leben und beide Anteile noch zunehmen, so funktioniert die Konstruktion von Identität zunehmend über interpersonelle Beziehungen außerhalb des Verwandtschaftszusammenhangs der traditionellen Familie: Sie wird zur Ausdrucksform des Ich. Die Sozialisation von Teenagern nach diesen neuen kulturellen Mustern führt zu einem höheren Maß an sexueller Freiheit als in den vorangegangenen Generationen, einschließlich derjenigen, die während der 1960er Jahre befreit wurden, und trotz der Bedrohung durch die AIDS-Epidemie.

So haben die Revolte der Frauen, die ausgelöst und ermöglicht wurde durch ihren massenhaften Eintritt in das informationelle Erwerbsleben, und die sozialen Bewegungen der sexuellen Identität die patriarchalische Kernfamilie in Frage gestellt. Die Krise hat die Form einer zunehmenden Trennung zwischen den unterschiedlichen Dimensionen angenommen, die zuvor durch ein und dieselbe Institution zusammengehalten worden waren: interpersonelle Beziehungen zwischen den beiden Mitgliedern des Paares; das Arbeitsleben eines jeden Haushaltsmitgliedes; die wirtschaftliche Verbindung zwischen den Haushaltsmitgliedern; die Leistung von Hausarbeit; das Aufziehen von Kindern; Sexualität;

162 Grosz (1995).
163 Hage und Powers (1992).

emotionale Absicherung. Die Schwierigkeit, mit all diesen Rollen gleichzeitig zurechtzukommen, wenn sie erst einmal nicht mehr in einer formellen, institutionellen Struktur wie der patriarchalischen Familie fixiert sind, erklärt die Schwierigkeit, stabile soziale Beziehungen innerhalb des auf der Familie beruhenden Haushalts aufrechtzuerhalten. Wenn Familien überleben sollen, so wird es nötig sein, dass neue institutionalisierte Formen sozialer Beziehungen entstehen, die den veränderten Beziehungen zwischen den Geschlechtern entsprechen.

Gleichzeitig hat der technologische Wandel in der biologischen Reproduktion die Möglichkeit eröffnet, die Reproduktion der Gattung von den sozialen und personellen Funktionen der Familie abzulösen. Die Möglichkeiten der in vitro-Fertilisation, von Samenbanken, Leihmüttern, gen-manipulierten Babys eröffnen ein ganzes Feld für soziale Experimente. Aufgrund der davon potenziell ausgehenden Bedrohung unserer moralischen und rechtlichen Grundlagen wird die Gesellschaft versuchen, dieses Feld so weit wie möglich zu kontrollieren und zurückzudrängen. Die Tatsache jedoch, dass Frauen eigene Kinder haben können, ohne den Vater auch nur kennen zu müssen, oder dass Männer sogar nach ihrem Tod Leihmütter benutzen können, die dann ihre Kinder bekommen, lockert die grundlegende Beziehung zwischen Biologie und Gesellschaft bei der Reproduktion der menschlichen Gattung und trennt so Sozialisation von Elternschaft ab. Unter diesen historischen Bedingungen werden Familien und Lebensarrangements auf noch unklare Weise neu definiert.

Da Familie und Sexualität grundlegende Determinanten der Persönlichkeitssysteme sind, führen die Infragestellung bekannter Familienstrukturen und das offene Bekenntnis zu selbstgewählter Sexualität die Möglichkeit neuer Persönlichkeitstypen herbei, die wir nur eben erst wahrzunehmen beginnen. Hage und Powers meinen, dass die entscheidende Fähigkeit, auf individueller Ebene auf die derzeitigen gesellschaftlichen Veränderungen zu reagieren, die Fähigkeit ist, sich auf „Rollenneudefinition" einzulassen, die sie als den „zentralen Mikroprozess der postindustriellen Gesellschaft" verstehen.[164] Ich stimme dieser höchst klarsichtigen Analyse zu, füge dem aber eine komplementäre Hypothese zum Verständnis der entstehenden Persönlichkeitssysteme hinzu. Mit dem Wagnis, meiner psychoanalytischen Neigung treu zu bleiben, würde ich die Idee formulieren, dass die offene Anerkennung individueller Begierden, wie sie in der sich abzeichnenden Kultur unserer Gesellschaft insinuiert ist, zu einer solchen Verirrung führen würde wie die Institutionalisierung von Begierden. Da Begierde oft mit Überschreitung zu tun hat, würde die Anerkennung von Sexualität außerhalb der Familie zu extremer sozialer Spannung führen. Der Grund ist folgender: Solange die Überschreitung lediglich darin bestand, Sexualität außerhalb der Familie zum Ausdruck zu bringen, konnte die Gesellschaft leicht damit fertig werden. Diese Sexualität wurde durch kodierte Situationen und organisierte Kontexte kanalisiert, etwa Prostitution, gekennzeichnete Homosexualität oder

164 Hage und Powers (1992).

allgemein akzeptierte sexuelle Verfolgung: Das war Foucaults Welt der Sexualität als Normalisierung. Jetzt liegen die Dinge anders. Wenn es keine patriarchalische Familie mehr gibt, die betrogen werden kann, wird die Überschreitung zu einem individuellen, gegen die Gesellschaft gerichteten Akt werden müssen. Die Pufferfunktion der Familie ist verloren gegangen. Das eröffnet den Weg dazu, Begierden in der Form nicht-instrumenteller Gewalt Ausdruck zu verleihen. So willkommen der Zusammenbruch der patriarchalischen Familie (der einzigen, die historisch existiert hat) als befreiende Entwicklung auch sein mag, so macht er doch zugleich den Weg frei für die Normalisierung der Sexualität (Pornofilme im Fernsehen zur *prime time*) und für die Ausbreitung sinnloser Gewalt in der Gesellschaft über die versteckten Seitenstraßen wilder Begierden, das heißt der Perversion.

Die Befreiung von der Familie konfrontiert das Ich mit der selbst zugefügten Unterdrückung. Das Entkommen in die Freiheit innerhalb der offenen, vernetzten Gesellschaft wird zu individuellen Angstzuständen und sozialer Gewalt führen, bis neue Formen der Koexistenz und der geteilten Verantwortlichkeit gefunden werden. Sie müssten Frauen, Männer und Kinder in einer neu konstruierten, egalitären Familie zusammenführen, die besser geeignet ist für freie Frauen, gebildete Kinder und unsichere Männer.

Das Ende des Patriarchalismus?

Die andauernden Kämpfe innerhalb des Patriarchalismus und in seinem Umfeld erlauben keine klaren Vorhersagen über den historischen Horizont. Ich möchte erneut wiederholen, dass es keine vorherbestimmte Richtung in der Geschichte gibt. Wir befinden uns nicht auf dem Marsch durch die triumphalen Prachtstraßen unserer Befreiung, und wenn wir uns dies einbilden, so sollten wir besser darauf achten, wohin uns diese leuchtenden Pfade führen. Das Leben wurstelt sich durchs Leben, und wie wir wissen, ist es voller Überraschungen. Eine fundamentalistische Restauration, die den Patriarchalismus wieder unter den Schutz des göttlichen Gesetzes stellen würde, könnte durchaus den Prozess der Untergrabung der patriarchalischen Familie rückgängig machen, der ungewollt durch den informationellen Kapitalismus ausgelöst und willentlich durch die kulturellen Sozialbewegungen gefördert worden ist. Der homophobe Gegenschlag kann die Anerkennung homosexueller Rechte rückgängig machen, wie es die überwältigende Mehrheit des US-Kongresses im Juli 1996 gezeigt hat, die Heterosexualität zur Vorbedingung einer legalen Ehe erklärte. Und auf der ganzen Welt ist der Patriarchalismus trotz der Krisensymptome, die ich in diesem Kapitel versucht habe hervorzuheben, noch immer mopsfidel und wohlauf. Doch gerade die Vehemenz der Reaktionen zur Verteidigung des Patriarchalismus, wie etwa in Form der religiös-fundamentalistischen Bewegungen, die in vielen Ländern florieren, ist auch ein Zeichen für die Intensität der antipatriarchalischen Herausforderungen. Werte, die angeblich ewig, natürlich, sogar göttlich waren, müssen jetzt gewaltsam durchgesetzt werden, womit sie sich auf ihrer letzten Verteidigungslinie eingraben und die Legitimität in den Köpfen der Menschen verlieren.

Die Fähigkeit oder auch die Unfähigkeit der feministischen Bewegung und der Bewegungen für sexuelle Identität, ihre Wertvorstellungen zu institutionalisieren, wird grundlegend von ihrer Beziehung zum Staat abhängen, dem Apparat der letzten Zuflucht für den Patriarchalismus während der gesamten Geschichte. Die außerordentlichen Forderungen, die von den sozialen Bewegungen, die die Herrschaftsinstitutionen an ihrer Wurzel angreifen, an den Staat gestellt werden, treten jedoch gerade zu einem Zeitpunkt auf, wo der Staat selbst sich mitten in einer strukturellen Krise zu befinden scheint. Diese Krise wird bewirkt durch den Widerspruch zwischen der Globalisierung seiner Zukunft und der Identifikation seiner Vergangenheit.

5 Ein machtloser Staat?

„Als Spezifikum des kapitalistischen Staates" verstand Nicos Poulantzas 1978 [richtig: 1977, d.Ü.], „daß er die gesellschaftliche Zeit und den gesellschaftlichen Raum an sich reißt und ... danach strebt, die Organisationsverfahren des Raums und der Zeit zu monopolisieren, die so durch ihn zu Netzwerken der Herrschaft und der Macht werden. So erscheint auch die moderne Nation als ein Produkt des Staates."[1] Jetzt nicht mehr. Die Kontrolle des Staates über Raum und Zeit wird zunehmend überspielt durch die globalen Ströme von Kapital, Gütern, Dienstleistungen, Technologie, Kommunikation und Information. Wenn der Staat die historische Zeit durch seine Aneignung der Tradition und die (Re-)Konstruktion der nationalen Identität hatte okkupieren können, so wird dies jetzt durch plurale Identitäten in Frage gestellt, die von autonomen Subjekten definiert werden. Der Versuch des Staates, seiner Macht in der globalen Arena neue Geltung zu verschaffen, indem er übernationale Institutionen schafft, unterminiert seine Souveränität noch weiter. Und die Anstrengung des Staates, Legitimität durch die Dezentralisierung der Verwaltungsmacht auf regionaler und lokaler Ebene wiederherzustellen, verstärkt die zentrifugalen Tendenzen, weil sie den Bürgerinnen und Bürgern zwar Staat und Verwaltung näher bringt, aber ihre Distanz zum Nationalstaat erhöht. Während also der globale Kapitalismus floriert und nationalistische Ideen auf der ganzen Welt explosionsartig zunehmen, scheint der Nationalstaat, wie er historisch in der Neuzeit geschaffen wurde, seine Macht zu verlieren, freilich, und das ist entscheidend, *nicht seinen Einfluss.*[2] In diesem Kapitel erkläre ich, warum das so ist, und gehe näher auf die möglichen Konsequenzen dieser grundlegenden Entwicklung ein. Ich benutze Illustrationen von Nationalstaaten in verschiedenen Ländern um zu unterstreichen, dass wir ein systemisches, globales Phänomen beobachten, wenn auch mit einer großen Bandbreite von Manifestationen. Tatsächlich scheint sich die zunehmende Herausforderung gegenüber der staatlichen Souveränität auf

---

1 Poulantzas (1978: 91).

2 Tilly (1975); Giddens (1985); Held (1991, 1993); Sklair (1991); Camilleri und Falk (1992); Guehenno (1993); Horsman und Marshall (1994); Touraine (1994); Calderon u.a. (1996).

der ganzen Welt aus der Unfähigkeit des modernen Staates herzuleiten, in den stürmischen und unbekannten Gewässern zwischen der Macht globaler Netzwerke und der Herausforderung singulärer Identitäten eine Richtung zu finden.[3]

Globalisierung und Staat

Die instrumentelle Fähigkeit des Staates wird entscheidend durch die Globalisierung der wirtschaftlichen Kernaktivitäten untergraben, durch die Globalisierung der Medien und die elektronische Kommunikation sowie durch die Globalisierung der Kriminalität.[4]

---

3 Die Analyse der Krise des Nationalstaates setzt eine Definition und eine Theorie des Nationalstaates voraus. Da meine Arbeit zu diesem Gegenstand jedoch auf bereits entwickelten soziologischen Theorien aufbaut, verweise ich auf die Definition von Anthony Giddens in *The Nation-State and Violence* (1985: 121): „Der Nationalstaat, der in einem Komplex anderer Nationalstaaten existiert, ist ein System institutioneller Formen der Regierung, das ein administratives Monopol über ein Territorium mit markierten Grenzlinien aufrechterhält, wobei seine Herrschaft durch das Gesetz und die direkte Kontrolle über die inneren und äußeren Gewaltmittel sanktioniert ist.“ Jedoch, wie Giddens schreibt, „kann der Staatsapparat im Allgemeinen nur in modernen Nationalstaaten erfolgreich Anspruch auf das Monopol über die Gewaltmittel erheben, und nur in solchen Staaten korrespondiert die Reichweite des Staatsapparates direkt mit den territorialen Grenzen, für die ein solcher Anspruch erhoben wird“ (S. 18). Tatsächlich ist, wie er sagt, „der Nationalstaat ein abgegrenzter Machtbehälter, der herausragende Machtbehälter der modernen Ära“ (S. 120). Was also geschieht, und wie haben wir den Staat begrifflich zu fassen, wenn die Grenzen niederbrechen und wenn die Behälter selbst in Behältnisse eingeschlossen sind? Meine Untersuchung beginnt in theoretischer Kontinuität dort, wo der Nationalstaat in der Begrifflichkeit von Giddens anscheinend durch die historische Transformation überholt wird.

4 Zu meiner Definition und Analyse der Globalisierung s. Bd. I, Kap. 2. Eine heilsame Kritik an vereinfachenden Ansichten über die Globalisierung liefern Hirst und Thompson (1996). Es ist oft gesagt worden, dass die Globalisierung keine neue Erscheinung ist und in unterschiedlichen historischen Perioden vorgekommen ist, vor allem während der Expansion des Kapitalismus am Ende des 19. Jahrhunderts. Das mag zutreffen, obwohl ich nicht davon überzeugt bin, dass die neue Infrastruktur auf der Grundlage der Informationstechnologie, nicht einen qualitativen sozialen und wirtschaftlichen Wandel einleitet, weil sie ermöglicht, dass globale Prozesse in Echtzeit funktionieren. Aber ich habe wirklich keine Probleme mit diesem Argument; es hat mit meiner Untersuchung nichts zu tun. Ich versuche, unsere Gesellschaft am Ende des 20. Jahrhunderts in ihrer Vielfalt kultureller, wirtschaftlicher und politischer Zusammenhänge zu analysieren und zu erklären. Deshalb sollte mein intellektueller Beitrag auf seinem eigenen Gebiet beurteilt werden, wo es um die aktuellen Prozesse geht, die in den drei Bänden dieses Buches behandelt werden. Zweifellos würde das wissenschaftliche Denken erheblich von vergleichenden historischen Arbeiten profitieren, in denen die gegenwärtigen Interaktionsprozesse zwischen Technologie, Globalisierung von Wirtschaft und Kommunikation, politischen Strategien und politischen Institutionen früheren Erfahrungen mit ähnlichen Transformationen gegenübergestellt würden. Ich hoffe, dass diese Unternehmungen von Kolleginnen und Kollegen vor allem aus der Geschichtswissenschaft in Angriff genommen werden wird, und ich werde mich mehr als glücklich schätzen,

Der transnationale Kern von Volkswirtschaften

Die gegenseitige Abhängigkeit der Finanz- und Währungsmärkte weltweit, die in Echtzeit als eine Einheit funktionieren, verbindet die nationalen Währungen untereinander. Der ständige Austausch zwischen Dollars, Yen und Euro erzwingt eine systemische Koordinierung zwischen diesen Währungen. Das ist die einzige Maßnahme, die in der Lage ist, auf dem Währungsmarkt und damit bei den globalen Investitionen und im Welthandel ein gewisses Maß an Stabilität aufrechtzuerhalten. Alle anderen Währungen der Welt sind in praktischer Hinsicht an dieses Dreieck des Reichtums angeschlossen. Wenn die Wechselkurse systemisch voneinander abhängig sind, so gilt dies auch für die Währungspolitik, oder es wird doch dahin kommen. Und wenn die Währungspolitik irgendwie auf übernationaler Ebene harmonisiert ist, so gilt dies auch für die Leitzinsen und letztlich für die Haushaltspolitik, oder es wird doch dahin kommen. Daraus folgt, dass die einzelnen Nationalstaaten die Kontrolle über grundlegende Elemente ihrer Wirtschaftspolitik verlieren oder verlieren werden.[5] Das war tatsächlich bereits die Erfahrung, die die Entwicklungsländer während der 1980er und die europäischen Länder Anfang der 1990er Jahre gemacht haben. Barbara Stallings hat gezeigt, wie die Wirtschaftspolitik in den Entwicklungsländern während der 1980er Jahre durch internationalen Druck bestimmt wurde, als die internationalen Finanzinstitutionen und die Privatbanken antraten, die Entwicklungsökonomien zu stabilisieren, um die Voraussetzungen für internationale Investitionen und Handel zu schaffen.[6] In der Europäischen Union ist die Bundesbank bereits de facto die Europäische Zentralbank. Als etwa die Bundesbank nach der unverantwortlichen Entscheidung der Regierung, den Wechselkurs zur Vereinigung Deutschlands auf eine Westmark gegen eine Ostmark festzulegen, zur Kontrolle der deutschen Inflation die Zinsen erhöhte, erzwang sie in ganz Europa unabhängig von der Stärke der Volkswirtschaften eine Deflation. 1992 ging die Bundesbank so weit, den Medien ihre Kritik an der britischen Geldpolitik zuzuspielen, um so die Abwertung des Pfundes zu erzwingen, was dann auch geschah.

Die japanische Wirtschaftspolitik ist im Wesentlichen durch die Beziehung zwischen der Handelsbilanz und dem Wechselkurs gegenüber den Vereinigten Staaten bestimmt. Die Vereinigten Staaten sind die unabhängigste Volkswirt-

---

meine allgemeinen theoretischen Aussagen auf der Grundlage von Schlussfolgerungen aus solcher Forschung zurechtzurücken. Für den Augenblick berücksichtigen die wenigen Versuche in dieser Richtung, die ich kenne, meiner Meinung nach zu wenig die radikal neuen Prozesse in der Technologie, der Produktion, der Kommunikation und der Politik. Sie mögen daher das historische Material zutreffend analysieren, es bleibt aber unklar, warum das Gegenwärtige einfach nur eine Wiederholung vergangener Erfahrungen sein soll, wenn man sich nicht mit der etwas simplen Ansicht begnügen will, dass es nichts Neues unter der Sonne gebe.

5 Moreau Deffarges (1993); *Business Week* (1995a); Orstrom Moller (1995); Cohen (1996).

6 Stallings (1992).

schaft. Sie konnten es trotz des gewaltigen Handelsdefizits während der 1980er Jahre nur bleiben, weil die erhöhten Staatsausgaben durch Anleihen, großenteils von ausländischem Kapital finanziert wurden. Damit wurde in den 1990er Jahren die Zurückführung des gigantischen Haushaltsdefizits, das drohte, zum schwarzen Loch der Volkswirtschaft zu werden, das beherrschende Thema der amerikanischen Politik. Amerikas wirtschaftliche Unabhängigkeit war eine Illusion, die sich in der Zukunft wahrscheinlich verflüchtigen wird, wenn der Lebensstandard die Wettbewerbsfähigkeit innerhalb der globalen Wirtschaft zum Ausdruck bringen wird und die Abfederung durch massive Staatsanleihen, die unter der Reagan-Administration außer Kontrolle geraten waren, erst einmal wegfällt.[7] Man kann sagen, dass die Freiheitsgrade für die Wirtschaftspolitik der Regierungen sich während der 1990er Jahre drastisch reduziert haben: Ihre Haushaltspolitik saß in der Falle zwischen den aus der Vergangenheit ererbten, selbstverständlich gewordenen Ansprüchen und der hohen Kapitalmobilität der Gegenwart, die in der Zukunft wahrscheinlich noch ansteigen wird.[8]

Diese zunehmende Schwierigkeit, auf die eine staatliche Kontrolle über die Wirtschaft stieß, wurde von manchen Ökonomen freudig begrüßt. Sie wird durch die zunehmende Transnationalisierung der Produktion weiter akzentuiert, die sich nicht nur aus dem Druck der multinationalen Konzerne ergibt, sondern hauptsächlich aus der Funktionsweise der Produktions- und Handelsnetzwerke, in die diese Konzerne integriert sind.[9] Daraus folgt eine abnehmende Fähigkeit der Regierungen, auf ihren Territorien die produktive Grundlage zur Schaffung von Staatseinkommen zu sichern. Weil Unternehmen ebenso wie reiche Einzelpersonen auf der ganzen Welt Steuerparadiese vorfinden und weil die Berechnung von Mehrwert in einem internationalen Produktionssystem immer mühsamer wird, kommt es zu einer neuen Finanzkrise des Staates. Sie ist Ausdruck eines zunehmenden Widerspruchs zwischen der Internationalisierung von Investitionen, Produktion und Konsumtion einerseits und der nationalen Grundlage der Steuersysteme andererseits.[10] Ist es ein Zufall, dass die pro Kopf reichsten Länder der Welt Luxemburg und die Schweiz sind? Es kann durchaus sein, dass eines der letzten Rückzugsgefechte des Nationalstaates im Raum der Cyber-Buchhaltung zwischen pflichtbewussten Steuerbeamten und raffinierten transnationalen Rechtsanwälten ausgefochten wird.

7 Throw (1992); Cohen (1993).
8 Chesnais (1994); Nunnenkamp u.a. (1994).
9 Buckley (1994).
10 Guehenno (1993).

Eine statistische Einschätzung der neuen Finanzkrise des Staates in der globalen Wirtschaft

An diesem Punkt der Analyse dürfte es nützlich sein, die Entwicklung der Staatsfinanzen während der Periode der forcierten Globalisierung der Volkswirtschaften zwischen 1980 und den frühen 1990er Jahren zu betrachten. Um die Komplexität der Analyse zu begrenzen, habe ich sechs Länder ausgewählt: die drei größten Marktwirtschaften (USA, Japan, Deutschland); die offenste der großen europäischen Volkswirtschaften (Vereinigtes Königreich); als weiteres europäisches Land Spanien, das zwar die achtgrößte Marktwirtschaft der Welt ist, sich aber auf einem niedrigeren wirtschaftlich-technologischen Entwicklungsstand befindet als die G 7-Länder; und eine große Volkswirtschaft der neu industrialisierten Welt,

Tabelle 5.1 Internationalisierung der Volkswirtschaften und der öffentlichen Finanzen: Veränderungsraten 1980-1993 (und Quoten für 1993, wo nicht anders angegeben)

	Vereinigte Staaten	Vereinigtes Königreich	Deutschland	Japan	Spanien	Indien
Staatl. Auslandsschuld/BIP %	104,2 (9,8)	31,8 (5,8/1992)	538,5 (p) (16,6) (p)	0,0 (0,3/1990)	1.066,7 (10,5)	–25,3 (5,9)
Staatl. Auslandsschuld/ Devisenreserven %	20,1 (998,6)	44,7 (168,1/ 1992)	325,3 (p) (368,4) (p)	9,9 (12,2/ 1990)	674,5 (121,6)	–16,5 (149,4)
Staatl. Auslandsschuld/ Export %	133,0 (134,0)	50,5 (32,2/ 1992)	590,8 (p) (75,3) (p)	9,5 (2,3/ 1990)	795,5 (79,7)	–55,6 (70,7)
Staatl. Auslandsschuld/ Staatsausgaben %	92,2 (41,7)	17,5 (13,5/ 1992)	423,5 (p) (44,5) (p)	–	586,8 (36,4)	–40,7 (35,4)
Staatl. Nettoneuverschuldung/Staatsausgaben %	203,0 (6,12)	787,5 (14,2/ 1992)	223,4 (p) (15,2) (p)	–	–	10,3 (4,3)
Auslandsdirektinvestitionen im Ausland/ Inlandsinvestitionen %	52,8 (5,5)	44,4 (17,9)	52,2 (3,5)	57,1 (1,1)	183,3 (2,8)	–
Zufluss an Auslandsdirektinvestitionen/ Inlandsinvestitionen	-35,5 (2,0)	-8,9 (10,2)	-50,0 (0,1)	–	236,7 (8,6)	–

(p) vorläufige Daten

Anm.: Zu den Zahlen und den Einzelheiten über Quellen und Berechnungsmethoden s. den Methodologischen Anhang

Quellen: Zusammengestellt und bearbeitet von Sandra Moog aufgrund der folgenden Quellen: *Government Finance Statistics Yearbook*, Bd. 18 (Washington, D.C.: IMF, 1994); *International Financial Statistics Yearbook*, Bd. 48 (Washington, D.C.: IMF, 1995); *The Europa World Yearbook* (London: Europa Publications, 1982, 1985, 1995); *National Accounts: Detailed Tables, 1980-1992*, Bd. 2 (Paris: OECD, 1994); *OECD Economic Outlook*, Bd. 58 (Paris: OECD, 1995); *World Tables, 1994* (The World Bank, Baltimore: The Johns Hopkins University Press, 1994)

Tabelle 5.2 Rolle der Regierung in Wirtschaft und öffentlichen Finanzen: Veränderungsraten 1980-1992 (und Quoten für 1992, wo nicht anders angegeben)

	Vereinigte Staaten	Vereinigtes Königreich	Deutschland	Japan	Spanien	Indien
Staatl. Ausgaben/BIP %	9,1 (24,0)	13,1 (43,2)	19,7 (34,6)	–	49,4 (25,1)	29,3 (p) (17,2) (p)
Haushaltsmäßiges Steuereinkommen der Zentralregierung/BIP %	–15,6 (10,8)	8,0 (27,0)	11,6 (p) (13,5) (p)	18,2 (13,0/ 1990)	64,2 (17,4/ 1991)	17,3 (p) (11,2) (p)
Staatl. Haushaltsdefizit/BIP %	42,9 (4,8)	8,7 (5,0)	44,4 (2,6)	–78,6 (1,5/ 1990)	16,2 (4,3)	20,0 (p) (5,2) (p)
Staatsschuld/BIP %	91,9 (52,2)	–26,0 (34,1)	78,1 (28,5)	30,1 (53,2/ 1990)	160,8 (39,9)	28,2 (p) (52,8) (p)
Staatl. Beschäftigung/ Gesamtbeschäftigung %	–4,7 (16,2)	–3,1 (22,2)	–0,6 (16,4)	–20,9 (7,2)	–	–
Staatl. Kapitalbildung/ Brutto fixe Kapitalbildung %	21,2 (16,0)	–	–7,0 (27,9)	–	–	–
Staatskonsum/Privatkonsum %	–6,9 (27,2)	–2,7 (34,5)	–8,1 (32,7)	66,3 (16,3)	33,8 (26,9)	40,2 (p) (19,0) (p)

(p) vorläufige Daten

Anm.: Zu den Zahlen und den Einzelheiten über Quellen und Berechnungsmethoden s. den Methodologischen Anhang

Quellen: Zusammengestellt und bearbeitet von Sandra Moog aufgrund der folgenden Quellen: *Government Finance Statistics Yearbook*, Bd. 18 (Washington, D.C.: IMF, 1994); *International Financial Statistics Yearbook*, Bd. 48 (Washington, D.C.: IMF, 1995); *The Europa World Yearbook* (London: Europa Publications, 1982, 1985, 1995); *National Accounts: Detailed Tables, 1980-1992*, Bd. 2 (Paris: OECD, 1994); *OECD Economic Outlook*, Bd. 58 (Paris: OECD, 1995); *World Tables, 1994* (The World Bank, Baltimore: The Johns Hopkins University Press, 1994)

Indien. Auf der Grundlage von Statistiken, die Sandra Moog zusammengestellt und bearbeitet hat, entstanden die Tabellen 5.1 und 5.2, die einen Überblick über einige Indikatoren für Staatsfinanzen und Wirtschaftsaktivität in Beziehung zur Internationalisierung der Volkswirtschaften geben. Ich werde dies nicht detailliert kommentieren. Vielmehr werde ich diese Tabellen benutzen, um die Überlegungen zu Globalisierung und Staat weiter auszuführen und zu spezifizieren, die ich auf den vorangegangenen Seiten entwickelt habe.

Betrachten wir zuerst die Gruppe von vier Ländern (USA, Vereinigtes Königreich, Deutschland und Spanien), die sich nach sehr groben Maßstäben ähnlich zu verhalten scheinen, wenn auch mit Unterschieden, die ich hervorheben werde. Die Staatsausgaben haben zugenommen und machen jetzt zwischen einem Viertel und 40% des BIP aus. Der Staatsdienst ist überall zurückgegangen. Der staatliche Konsum ist in den drei großen Ländern zurückgegangen, in Spanien dagegen angestiegen. Der Anteil der staatlichen Kapitalbildung hat in den USA zugenommen und ist in Deutschland zurückgegangen. Das Steuereinkommen der Zentralregierung hat in den USA abgenommen, ist dagegen in den anderen Ländern gestiegen, in Spanien sogar erheblich. Das Staatsdefizit hat zugenommen, und zwar in den USA und in Deutschland erheblich. Die Staatsverschuldung ist im Vereinigten Königreich zurückgegangen, obwohl sie noch immer etwa 34% des BIP ausmacht, und ist drastisch gestiegen in Spanien, Deutschland und den USA, wo sie 1992 52,2% des BIP betrug. Die Finanzierung des Staatsdefizits hat die vier Länder veranlasst, die Abhängigkeit von Auslandsschulden und Auslandsnettoanleihen in manchen Fällen erheblich zu erhöhen. Die Quoten der staatlichen Auslandsschulden und der Auslandsnettoanleihen gegenüber dem BIP, den Währungsreserven der Zentralbanken, den Staatsausgaben und den Exporten der Länder zeigen allgemein gesprochen *eine zunehmende Abhängigkeit der Regierungen von den globalen Märkten*. So hat sich in den Vereinigten Staaten zwischen 1980 und 1993 die staatliche Auslandsschuld als Prozentsatz des BIP mehr als verdoppelt; als Prozentsatz der Währungsreserven ist sie um 20% gestiegen und belief sich 1993 auf nahezu das Zehnfache des Gesamtbestandes an Währungsreserven; als Prozentsatz der Exporte nahm sie um 133% zu; und als Prozentsatz der Regierungsausgaben hat sie sich fast verdoppelt und den Stand von 41,7% der Gesamtausgaben erreicht. Die ausländischen Nettoanleihen der US-Regierung haben während dieser 14 Jahre um atemberaubende 456% zugenommen, was ihr Verhältnis zu den Regierungsausgaben um 203% steigerte, womit sie ein Niveau von 6% der Staatsausgaben erreichten. Weil die US-Direktinvestitionen im Ausland im Verhältnis zu den Inlandsinvestitionen um 52,8% zunahmen, während der Zustrom an ausländischen Direktinvestitionen ebenfalls im Verhältnis zu den US-Inlandsinvestitionen um 35,5% abnahm, kann man sagen, dass die US-Bundesregierung in hohem Maß von den globalen Kapitalmärkten und Auslandsanleihen abhängig geworden ist.

Die Dinge verhalten sich beim Vereinigten Königreich, Deutschland und Spanien etwas anders, aber die Tendenzen sind ähnlich. Es ist wichtig festzustellen, dass das Vereinigte Königreich weniger abhängig zu sein scheint, dass dagegen Deutschland seine Abhängigkeit vom ausländischen Kapital schneller steigert als die USA. Das zeigt sich an mehreren Indikatoren: staatliche Auslandsschulden gegenüber dem BIP (Steigerung um 538,5%), gegenüber Währungsreserven (Steigerung um 325,3%) und gegenüber Exporten (Steigerung um 590,8%). Die Auslandsnettoanleihen der deutschen Regierung erreichten 1993 ein Niveau, das über 15% der Staatsausgaben entsprach, und ihre Auslandsschuld entspricht dem Gegenwert von 44,5% der Staatsausgaben, beide Male ein höherer Prozentsatz als für die USA. So hat Deutschland ungeachtet seiner starken Exportleistungen während der 1980er Jahre anders als Japan die internationale Abhängigkeit seines Nationalstaates erheblich gesteigert.

Es ist durchaus interessant, dass Indien zwar seine staatlichen Ausgaben, den staatlichen Konsum und die Staatsverschuldung gesteigert hat, aber viel weniger abhängig von Auslandsschulden zu sein scheint: In der Tat weisen alle Indikatoren finanzieller Abhängigkeit für den Untersuchungszeitraum ein negatives Wachstum auf, mit Ausnahme der Quote der Staatsanleihen im Ausland gegenüber den Staatsausgaben, die immer noch auf einem bescheidenen Stand ist. Eine ansehnliche Steigerung des Anteils des Steuereinkommens am BIP bildet nur einen Teil der Erklärung, denn der Hauptgrund ist die erhebliche Beschleunigung bei Indiens Wirtschaftswachstum im letzten Jahrzehnt. Ich muss aber betonen, dass die Veränderungsrate für die Indikatoren der finanziellen Abhängigkeit des Staates in Indien während des Untersuchungszeitraums zwar negativ gewesen ist, dass jedoch das Niveau der Abhängigkeit nach wie vor hoch liegt – die staatliche Auslandsschuld beträgt mehr als 70% des Exports und fast 150% der Währungsreserven.

Wie so oft ist Japan anders. Für den japanischen Staat spielten Auslandsanleihen während der 1980er Jahre keine Rolle. Das Haushaltsdefizit liegt im Verhältnis zum BIP bei weitem am niedrigsten, und es ist in der Periode von 1980-1993 erheblich zurückgegangen. Andererseits hat sich der Staatskonsum erhöht, die Staatsschuld ist gleichfalls gestiegen, und Japan ist bei der Quote der Staatsschuld zum BIP gleichauf mit den USA (über 50%). Diese Beobachtungen zeigen, dass die japanischen Staatsfinanzen weitgehend auf Binnenanleihen beruhen. Das ist auch Ausdruck der größeren Wettbewerbsfähigkeit der japanischen Wirtschaft und des erheblichen Handels- und Zahlungsbilanzüberschusses, den das Land angesammelt hat. Damit ist der japanische Staat gegenüber dem Rest der Welt viel autonomer als andere Staaten. Aber die japanische Wirtschaft ist weit abhängiger von der Handelsbilanz, weil das japanische Kapital seine Regierung mit den Erträgen seiner Wettbewerbsfähigkeit finanziert. Was also als Ausnahme von der Regel der staatlichen Abhängigkeit und des zunehmenden Staatsdefizits erscheint, ist es in Wirklichkeit nicht. Die japanischen Konzerne konkurrieren auf dem Weltmarkt, und ihre Wettbewerbsfähigkeit finanziert den Staat, dessen Konsum viel schneller angestiegen ist als in irgendeinem anderen der untersuchten Länder. Der japanische Staat befindet sich gegenüber den Bewegungen der internationalen Wirtschaft in einer Abhängigkeit zweiter Ordnung, die durch seine Anleihen bei den japanischen Banken vermittelt ist, deren Geschicke mit denen ihrer *keiretsu* verbunden sind.

Im Hinblick auf die Überlegungen dieses Kapitels lassen sich drei Haupttendenzen hervorheben:

1. Trotz eines gewissen Rückzuges des Staates aus der Wirtschaft vor allem im Hinblick auf direkte Beschäftigung und Regulation spielt der Staat nach wie vor eine wichtige Rolle, die neben der Besteuerung zusätzliche Finanzierung erfordert und so mit Ausnahme des Vereinigten Königreiches die finanziellen Verpflichtungen des Staates erhöht (s. Abb. 5.1).
2. Die staatlichen Anleihen sind mit der wichtigen Ausnahme Japans zunehmend abhängig von Auslandsanleihen, und zwar in einem Ausmaß, das bereits die Währungsreserven der Zentralbanken übersteigt und die Exportleistungen überschattet. Das ist Ausdruck des weiterreichenden Phänomens der

zunehmenden Kluft zwischen dem schnelleren Wachstum der globalen Finanzmärkte im Vergleich zum Wachstum des globalen Handels.

3. Dem japanischen Staat ist es gelungen, sich ein gewisses Maß an Autonomie gegenüber dem ausländischen Kapital zu verschaffen. Er hat dies jedoch auf der Grundlage von Binnenanleihen getan, die durch die Erträge der japanischen Konzerne aus Protektionismus und Exportleistung finanziert wurden; damit sind die japanische Wirtschaft und der japanische Staat süchtig nach Handelsüberschüssen und nach der Zurückführung von Profiten auf japanischen Boden geworden. Diese Sachlage führte Ende der 1980er Jahre zur japanischen „bubble economy" und daher zur Rezession Anfang der 1990er Jahre, als die Blase geplatzt war.

Abbildung 5.1 Allgemeine staatliche Bruttoverbindlichkeiten (% des BIP)

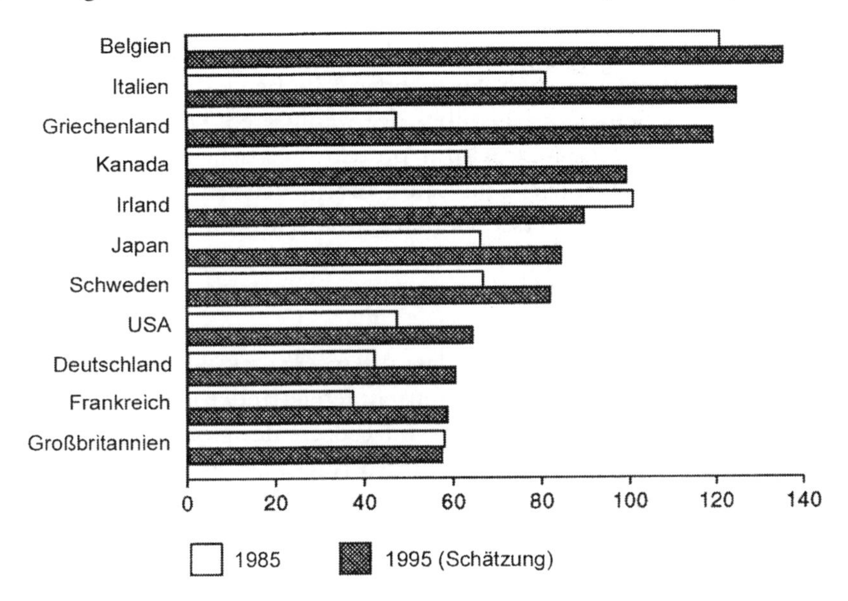

Quelle: OECD, bearbeitet in *The Economist*, 20. Januar 1996

Insgesamt haben die Verflechtung der Volkswirtschaften und die Abhängigkeit der Staatsfinanzen von den globalen Märkten und ausländischen Anleihen die Voraussetzungen für eine internationale Finanzkrise des Nationalstaates geschaffen, die auch die reichsten und mächtigsten Nationalstaaten ergriffen hat.

Globalisierung und Wohlfahrtsstaat

Die Globalisierung von Produktion und Investition gefährdet auch den *Wohlfahrtsstaat*, ein Schlüsselelement in der Politik des Nationalstaates während des letzten halben Jahrhunderts und wahrscheinlich der wichtigste Baustein seiner

Legitimität in den industrialisierten Ländern.[11] Der Grund liegt darin, dass es für Unternehmen zunehmend widersprüchlicher wird, auf globalisierten, internationalisierten Märkten zu operieren und gleichzeitig mit großen Kostenunterschieden bei den Sozialabgaben sowie deutlich unterschiedlichen Niveaus der Regulierung konfrontiert zu sein. Das gilt nicht nur für den Norden gegenüber dem Süden, sondern auch zwischen unterschiedlichen OECD-Ländern: So sind etwa die Lohnnebenkosten in den USA viel niedriger als in Deutschland (s. Abb. 5.2). Was jedoch ein komparativer Vorteil des US-Standortes gegenüber Deutschland ist, wird seit dem Inkrafttreten des NAFTA-Vertrages zu einem Nachteil gegenüber Mexiko. Weil sich die Firmen wegen der Informationstechnologie an vielen unterschiedlichen Standorten ansiedeln und trotzdem Verbindung zu den globalen Produktionsnetzwerken und den Märkten halten können (s. Bd. I, Kap. 6), ergibt sich eine Abwärtsspirale der Konkurrenz bei den Sozialabgaben. Die Grenzen solcher „negativer Wettbewerbsfähigkeit" waren in der Vergangenheit von zweierlei Art: Einerseits schützte der Produktivitäts- und Qualitätsabstand zwischen den Ländern die Beschäftigten in den fortgeschrittenen Volkswirtschaften gegenüber der weniger entwickelten Konkurrenz; andererseits sorgte interner Druck für protektionistische Politik, womit die Importpreise durch Zölle auf ein Niveau gebracht wurden, auf dem der Vorteil externer Versorgung zum Verschwinden gebracht wurde. Die neue Welthandelsorganisation ist jetzt dabei, ein Überwachungssystem aufzubauen, um Barrieren gegen den Freihandel aufzudecken und zu bestrafen. Zwar wird die tatsächliche Wirkung dieser Kontrollen durch die reale internationale Handelspolitik bestimmt, aber es scheint doch, dass offener Protektionismus großen Stils zunehmend durch die Vergeltung seitens anderer Länder bestraft wird, sollte es nicht zu einer drastischen Kehrtwende im Prozess der globalen wirtschaftlichen Integration kommen. Im Hinblick auf den Rückstand in Produktivität und Qualität hat die Studie von Harley Shaiken über amerikanische Autofabriken in Mexiko den schnellen Aufholprozess der Produktivität der mexikanischen Arbeitskräfte gezeigt, die nach etwa 18 Monaten derjenigen der Beschäftigten in Amerika gleichkam. Ähnliche Prozesse sind in Asien beobachtet worden.[12] Und – daran sollte man die Europäer erinnern – die amerikanische Arbeitsproduktivität ist noch immer die höchste der Welt. Damit entfällt ein mögliches Produktivitätsdifferential zugunsten Europas, das allenfalls noch den Spielraum für einen großzügigen Wohlfahrtsstaat hergeben würde. In einer Wirtschaft, deren Kernmärkte für Kapital, Güter und Dienstleistungen zunehmend im globalen Maßstab integriert werden, gibt es wenig Platz für riesige Unterschiede der Wohlfahrtsstaaten untereinander, wenn die Niveaus der Arbeitsproduktivität und der Produktionsqualität relativ ähnlich sind. Wenn das Ende der großzügigsten Wohlfahrtsstaaten vermieden werden soll, könnte dies nur durch einen globalen

11 Wilensky (1975); Janowitz (1976); Navarro (1994, 1995); Castells (1996).
12 Shaiken (1990); Rodgers (1994).

Gesellschaftsvertrag geschehen, der die Lücke verringern würde, ohne zwangsläufig die sozialen und Arbeitsverhältnisse einander völlig anzugleichen, und der verbunden wäre mit internationalen Zollabkommen. Weil jedoch in der neu liberalisierten, vernetzten, globalen Wirtschaft ein solcher weitreichender Sozialvertrag unwahrscheinlich ist, werden die Wohlfahrtsstaaten auf den kleinsten gemeinsamen Nenner heruntergefahren, der sich spiralförmig immer weiter nach unten bewegt.[13] Auf diese Weise verschwindet eine grundlegende Komponente von Legitimität und Stabilität des Nationalstaates. Das gilt nicht nur für Europa, sondern auf der ganzen Welt, von Mittelklasse-Wohlfahrtsstaaten in Chile oder Mexiko bis zu den Überresten der etatistischen Wohlfahrtsstaaten in Russland, China oder Indien oder zu dem urbanen Wohlfahrtsstaat, der in den USA als Folge der sozialen Kämpfe der 1960er Jahre entstand.

Abbildung 5.2 Arbeitskosten in der Fertigung 1994 (US$ pro Stunde)

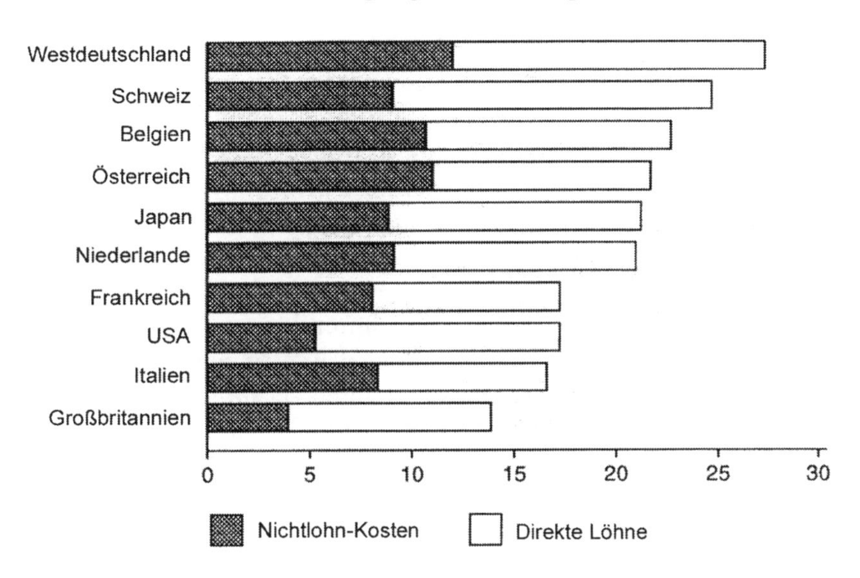

Quelle: Schwedischer Arbeitgeberverband, bearbeitet in *The Economist*, 27. Januar 1996

Deshalb ist der Nationalstaat zunehmend machtlos, wenn es um die Kontrolle der Geldpolitik, die Entscheidung über den Staatshaushalt, die Organisation von Produktion und Handel, die Eintreibung der Steuern von Konzernen und die Erfüllung seiner Pflichten bei der Zahlung von Sozialleistungen geht. Insgesamt hat er den größten Teil seiner ökonomischen Macht verloren, wenn er auch noch immer über eine gewisse regulatorische Kapazität verfügt und eine relative Kontrolle über seine Untertanen ausübt.

13 Sengenberger und Campbell (1994); Navarro (1995); Castells (1996).

Globale Kommunikationsnetzwerke, lokales Publikum, ungewisse Regulatoren

Die Aussichten einer nationalen Regulierung und Kontrolle sind auch auf einem weiteren, für die staatliche Macht entscheidenden Gebiet nicht viel besser: Medien und Kommunikation. Die Kontrolle von Information und Unterhaltung und damit auch der Meinungen und Bilder war historisch ein Werkzeug, mit dem sich die Staatsmacht zu verankern pflegte und das im Zeitalter der Massenmedien perfektioniert werden sollte.[14] In diesem Bereich sieht sich der Nationalstaat drei großen miteinander verbundenen Herausforderungen gegenüber: Globalisierung und verflochtene Eigentumsverhältnisse; Flexibilität und Allgegenwart der Technologie; Autonomie und Vielfalt der Medien (s. Bd. I, Kap. 5). Und er hat in den meisten Ländern auch bereits vor ihnen kapituliert.[15] Bis Anfang der 1980er Jahre standen mit der wichtigen Ausnahme der USA die meisten Fernsehsender der Welt unter staatlicher Kontrolle, und Radiostationen sowie Zeitungen unterlagen selbst in demokratischen Ländern der scharfen potenziellen Beschränkung staatlichen Wohlwollens. Selbst in den Vereinigten Staaten übte die Federal Communications Commission eine strikte Kontrolle über die elektronischen Medien aus, die nicht immer frei war von Verzerrungen zugunsten spezieller Interessen,[16] und die drei großen Fernsehnetzwerke monopolisierten 90% des Publikums, womit sie der öffentlichen Meinung einen Rahmen setzten, wenn sie sie schon nicht formten. Das alles änderte sich innerhalb eines Jahrzehnts.[17] Dieser Wandel wurde durch die Technologie bewirkt. Die Diversifikation der Modi der Kommunikation, die Verknüpfung aller Medien zu einem digitalen Hypertext, der den Weg zum interaktiven Multimedia eröffnete und die Unmöglichkeit, Satelliten zu kontrollieren, die über Grenzen hinweg senden, oder auch computervermittelte Kommunikation über Telefonleitungen – all das sprengte die traditionellen Verteidigungslinien der Regulierung. Die Explosion der Telekommunikation und die Entwicklung des Breitbandkabels schufen die Mittel für eine nie dagewesene Sendekapazität. Es kam zur Bildung von Riesenkonzernen, und auf der ganzen Welt wurde Kapital mobilisiert, um in der Medienindustrie Fuß zu fassen – einer Industrie, die Macht in den Sphären der Wirtschaft, Kultur und Politik miteinander zu verbinden vermochte.[18] Die nationalen Regierungen gerieten während der 1980er Jahre auf verschiedene Weise unter Druck:[19] öffentliche oder veröffentlichte Meinung, die nach Freiheit und Vielfalt der Medien lechzte; Aufkäufe von in Schwierigkeiten

14 Mattelart (1991).

15 Blumenfield (1994); Brenner (1994); Chong (1994); Graf (1995).

16 Cohen (1986).

17 Doyle (1992); Irving u.a. (1994); Negroponte (1995); Scott u.a. (1995); Campo Vidal (1996).

18 MacDonald (1990).

19 Gerbner u.a. (1993); Campo Vidal (1996).

geratenen nationalen Medien; Zusammenschlüsse von Kommentatoren, die Apologien der entfesselten Kommunikation verfassten; Versprechen des politischen Wohlwollens, wenn nicht der Unterstützung an nahezu jeden und jede, die an der Macht waren oder die Chance hatten, es in naher Zukunft zu sein; und nicht zuletzt persönliche Vorteile für diejenigen Beamten, die zu allem bereit sind. Die symbolische Politik, in der die Liberalisierung der Medien mit technologischer Modernisierung in Verbindung gebracht wurde, spielte eine wesentliche Rolle dabei, die Meinung der Eliten zugunsten des neuen Mediensystems zu beeinflussen.[20] Es gibt kaum ein Land mit Ausnahme von China, Singapur und der islamisch-fundamentalistischen Welt, in dem die institutionelle und wirtschaftliche Struktur der Medien nicht zwischen Mitte der 1980er und Mitte der 1990er Jahre drastisch umgekrempelt worden wäre.[21] Fernsehen und Radio wurden im großen Maßstab privatisiert, und die verbleibenden staatlichen Netzwerke waren oft nicht mehr vom Privatfernsehen zu unterscheiden, weil sie dem Diktat der Zuschauerquoten und/oder der Werbeeinnahmen unterworfen waren.[22] Zeitungen wurden in großen Konsortien konzentriert, hinter denen häufig Finanzgruppen standen. Und das wichtigste war, dass sich das Mediengeschäft auf die globale Ebene begab. Kapital, Talente, Technologie und Konzerneigentum wirbelten über die ganze Welt und entfernten sich so aus der Reichweite der Nationalstaaten (s. Abb. 5.3). Daraus folgt nicht, die Staaten hätten bei den Medien überhaupt nichts mehr zu sagen. Die Regierungen kontrollieren noch immer wichtige Medien, haben Aktieneigentum und Einflussmöglichkeiten auf eine Vielzahl von Angelegenheiten in der Medienwelt. Und die Geschäftsleute achten darauf, diejenigen nicht zu verärgern, die die Zugänge zu potenziellen Märkten kontrollieren: Als Murdochs Star Channel von der chinesischen Regierung wegen seiner liberalen Ansichten über chinesische Politik gegeißelt wurde, befleißigte Star sich neu entdeckter Zurückhaltung, strich den Nachrichtendienst der BBC aus dem chinesischen Programm und investierte in eine on-line-Ausgabe der *Volkszeitung*. Aber wenn die Regierungen auch noch immer Einfluss auf die Medien besitzen, so haben sie doch viel von ihrer Macht verloren, ausgenommen die Medien unter unmittelbarer Kontrolle autoritärer Staaten. Außerdem müssen die Medien ihre Unabhängigkeit als entscheidenden Bestandteil ihrer Glaubwürdigkeit begründen – nicht nur gegenüber der Öffentlichkeit, sondern auch im Hinblick auf die verschiedenen Machthaber und Werbepartner, weil die Werbeindustrie die wirtschaftliche Grundlage des Medienbusiness ist. Wenn ein bestimmtes Medium vorwiegend einer ausdrücklichen politischen Meinung zugeordnet wird oder bestimmte Arten von Information systematisch unterdrückt, beschränkt es sein Publikum auf ein relativ kleines

20 Vedel und Dutton (1990).

21 MacDonald (1990); Doyle (1992); Perez-Tabernero u.a. (1993); Dentsu Institute for Human Studies (1994); *The Economist* (1994, 1996).

22 Perez-Tabernero u.a. (1993).

Segment, wird es schwerlich in der Lage sein, auf dem Markt Profit zu machen, und es wird ihm nicht gelingen, die Interessen unterschiedlicher gesellschaftlicher Gruppen anzusprechen. Je unabhängiger, breiter und glaubwürdiger andererseits ein Medium auftritt, desto mehr zieht es Informationen, Käufer und Verkäufer aus einem breiten Spektrum an sich. Unabhängigkeit und Professionalität sind für die Medien nicht nur lohnende Ideologien: Sie übersetzen sich in gute Geschäfte, wozu manchmal auch die Möglichkeit gehört, diese Unabhängigkeit bei sich bietender Gelegenheit zu einem guten Preis zu verkaufen. Sind die Medien einmal in ihrer Unabhängigkeit anerkannt, hat sich der Nationalstaat einmal mit diesem Zustand als einem entscheidenden Nachweis seines demokratischen Charakters abgefunden, so ist der Kreis geschlossen: Jeglicher Versuch, die Freiheit der Medien zu beschneiden, wird politisch kostspielig sein, weil die Bürger zwar nicht unbedingt wählerisch sind, was die Genauigkeit der Nachrichten angeht, aber dennoch eifersüchtig das Privileg verteidigen, Informationen aus Quellen zu erhalten, die dem Staat nicht untertan sind. Aus diesem Grund verlieren sogar autoritäre Staaten im Informationszeitalter die Schlacht um die Medien. Die Fähigkeit von Informationen und Bildern, sich über Satellit, Videocasette oder das Internet zu verbreiten, hat sich dramatisch ausgeweitet. Daher werden Nachrichtensperren in den wichtigsten städtischen Zentren autoritärer Länder immer ineffektiver, und das sind genau die Orte, wo die gebildeten alternativen Eliten wohnen. Weil außerdem die Regierungen auf der ganzen Welt ebenfalls „global werden" wollen und die globalen Medien ihr Zugangsvehikel sind, lassen sich Regierungen oft auf zweiseitige Kommunikationssysteme ein, die zwar langsame und vorsichtige Fortschritte machen, aber letztlich ihren Zugriff auf die Kommunikation unterminieren.

In einer Parallelbewegung zur Globalisierung der Medien ist es in vielen Ländern dank der neuen Kommunikationstechnologien wie der Satellitenübertragung mit Unkostenaufteilung auch zu einem außerordentlichen Wachstum lokaler Medien gekommen. Das gilt vor allem für Radio und Kabelfernsehen. Die meisten dieser Medien, die Programme häufig gemeinsam gestalten, haben eine starke Verbindung mit spezifischen Publikumssegmenten der Unterschichten hergestellt, indem sie die standardisierten Ansichten umgehen, die in den Massenmedien verbreitet werden. Auf diese Weise entgehen sie den traditionellen Kanälen der direkten oder indirekten Kontrolle, die der Nationalstaat gegenüber den Fernsehnetzwerken und den großen Zeitungen aufgebaut hat. Die zunehmende politische Autonomie der lokalen und regionalen Medien, die flexible Kommunikationstechnologien einsetzen, ist bei der öffentlichen Meinungsbildung eine ebenso wichtige Tendenz wie die Globalisierung der Medien. Zudem konvergieren beide Tendenzen in vielen Fällen, wenn globale Medienkonzerne sich in Marktnischen unter der Bedingung einkaufen, dass sie die Besonderheiten des Publikums akzeptieren, das sich um die lokalen Medien entwickelt hat.[23]

---

23 Levin (1987); Abramson u.a. (1988); Scheer (1994); Spragen (1995); Fallows (1996).

Abbildung 5.3 Umfang und Ort der Aktivitäten der 15 größten Druck- und Medienmultis (Deutschland, Kanada, Frankreich und Australien sind die wichtigsten Exporteure; die USA und das Vereinigte Königreich sind die wichtigsten Importeure)

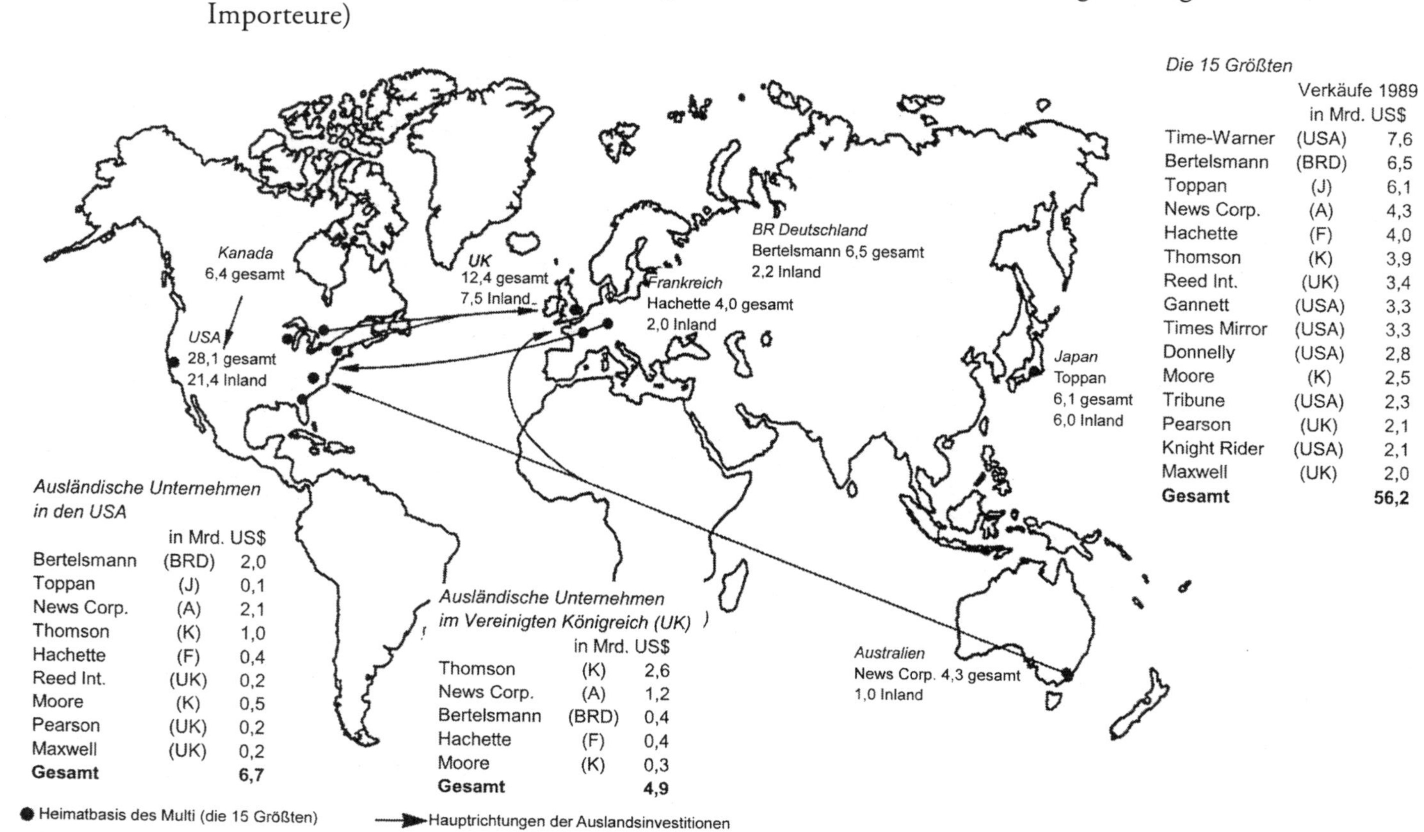

Quelle: *Fortune*, 23. April 1990, sowie Jahresberichte der Unternehmen, bearbeitet von McDonald (1990).

Die computervermittelte Kommunikation entgeht ebenfalls der Kontrolle des Nationalstaates und läutet so eine neue Ära der extraterritorialen Kommunikation ein.[24] Die meisten Regierungen scheinen über diese Aussicht entsetzt zu sein. Im Januar 1996 gab der französische Minister für Informationstechnologie die Absicht seiner Regierung bekannt, der Europäischen Union eine Reihe von Maßnahmen vorzuschlagen, um den freien Zugang zum Internet zu verbieten. Das Ereignis, das den Anlass zu dieser Initiative für elektronische Zensur in dem Land gab, das in Europa die revolutionären Ideale der Freiheit und auch den Minitel vorangetrieben hatte, war die letzte Schlacht Mitterrands. Nach seinem Tod veröffentlichte sein Arzt ein Buch, das enthüllte, dass Mitterrand während der gesamten 14 Jahre seiner Präsidentschaft an Prostata-Krebs gelitten hatte. Das Buch wurde auf Ersuchen der Familie Mitterrand in Frankreich verboten, aber jeder konnte es im Netz lesen. Die Wut der französischen Regierung ging weit über diesen Einzelfall hinaus. Es wurde klar, dass die Entscheidungen der Regierung oder der Gerichte in Informationsfragen nicht mehr durchgesetzt werden konnten. Und die Kontrolle von Informationen war schon lange vor dem Informationszeitalter das Fundament staatlicher Macht.[25] Ähnliche Initiativen gingen etwa zur selben Zeit von der chinesischen, der deutschen und der amerikanischen Regierung aus, wegen so unterschiedlicher Probleme wie finanzielle und politische Informationen in China oder Kinderpornografie in den Vereinigten Staaten.[26] Im Kern ging es um grenzüberschreitende Informationsflüsse, die staatliche Verfolgung einer Informationsquelle selbst dann erschweren, wenn sie entdeckt wird. Es ist noch immer eine offene Frage, welches die tatsächlichen technischen Möglichkeiten sind, den Zugang zum Internet abzuschneiden, ohne ein ganzes Land vom Netzwerk abzuschotten. Es scheint, dass nachträgliche Zensur und Strafen sowie selbstbediente Filter einfacher zu handhaben sind als das Blockieren von Kommunikation. Doch selbst wenn externe Filtermechanismen effektiv werden sollten, werden sie zur Schrumpfung des Netzwerkes führen und so den Zugang zu vielen nützlichen Informationen unterbinden und Ausmaß und Reichweite der Interaktivität vermindern. Außerdem müssen sich, wenn das Netz selektiv eingeschränkt werden soll, alle angeschlossenen Länder auf die Themen einigen, die verboten werden sollen. Dann müssen sie ein gemeinsames Überwachungssystem schaffen, das in demokratischen Ländern mit Sicherheit als verfassungswidrig angegriffen wird. Tatsächlich hat in den Vereinigten Staaten im Juni 1996 ein Bundesgericht in Pennsylvania den größten Teil des neuen Bundesgesetzes für verfassungswidrig erklärt, das die Verbreitung pornografischen Materials über das Netz regulieren sollte. In einer scharf formulierten Entscheidung schrieben die drei Richter: „Genauso

24 Kahn (1994); *Financial Technology International Bulletin* (1995); Kuttner (1995); Ubois (1995).

25 Couch (1990).

26 Berman und Weitzner (1995); Faison (1996); Lewis (1996a).

wie die Stärke des Internet das Chaos ist, ist auch die Stärke unserer Freiheit abhängig von Chaos und Missklang der ungezügelten Rede, die vom Ersten Amendment geschützt ist."[27] Also werden die Nationalstaaten in den kommenden Jahren darum kämpfen, Informationen zu kontrollieren, die in den global miteinander verknüpften Kommunikationsnetzwerken zirkuliert. Ich wette, das ist ein aussichtsloser Kampf. Und am Ende wird diese Niederlage den Verlust eines Eckpfeilers staatlicher Macht bedeuten.

Insgesamt läuft die Globalisierung/Lokalisierung der Medien und der elektronischen Kommunikation auf die Entnationalisierung und Entstaatlichung der Information hinaus. Dabei sind diese beiden Tendenzen auf absehbare Zeit unauflösbar miteinander verbunden.

Eine gesetzlose Welt?

Die Globalisierung der Kriminalität trägt weiter zur Unterhöhlung des Nationalstaates bei. Sie transformiert die Prozesse des Regierungs- und Verwaltungshandelns tiefgreifend, und in vielen Fällen paralysiert sie den Staat sogar. Diese Tendenz ist von entscheidender Bedeutung, und sie wird ebenso leicht zur Kenntnis genommen, wie ihre Konsequenzen ignoriert werden.[28] Ein ganzes Kapitel (Bd. III, Kap. 3) analysiert, was eine der bedeutsamsten Entwicklungen unserer Welt ist und sie zudem von anderen Perioden unterscheidet. Es ist aber an diesem Punkt unserer Überlegungen notwendig, diese für unser Verständnis der gegenwärtigen Krise des Nationalstaates wesentliche Tendenz zu berücksichtigen. Neu ist nicht die Allgegenwart des Verbrechens oder seine Wirkung auf die Politik. Neu sind die globalen Verbindungen des organisierten Verbrechens, sein Einfluss auf die internationalen Beziehungen auf wirtschaftlicher wie auf politischer Ebene. Dieser Einfluss ergibt sich aus der Größe und Dynamik der kriminellen Wirtschaft. Neu ist die tiefe Durchdringung und letztlich die Destabilisierung von Nationalstaaten, zu der es unter dem Einfluss des transnationalen Verbrechens in einer Reihe von Zusammenhängen gekommen ist. Der Drogenhandel ist zwar die bedeutendste Branche in der neuen kriminellen Wirtschaft, doch kommen alle möglichen Arten illegaler Geschäfte in diesem Schattensystem zusammen, das seine Reichweite und seine Macht über die Welt ausgebreitet hat: Waffen, Technologie, radioaktives Material, Kunstschätze, menschliche Wesen, menschliche Organe, bezahlte Killer und Schmuggel jeglicher profitabler Gegenstände von irgendwoher nach irgendwohin sind miteinander durch die Mutter aller Verbrechen verbunden – die Geldwäsche. Ohne sie wäre die kriminelle Wirtschaft weder global noch sonderlich profitabel. Und

27 Zit. bei Lewis (1996b).

28 Arrieta u.a. (1991); Roth und Frey (1992); Smith (1993); Lodato (1994); Sterling (1994); Golden (1995); Handelman (1995); Johnson (1995); WuDunn (1996).

über die Geldwäsche ist die kriminelle Wirtschaft an die globalen Finanzmärkte angeschlossen, wo sie einen umfangreichen Bestandteil und eine nie versiegende Quelle der Spekulation bildet. Nach Angaben der Konferenz der Vereinten Nationen über die globale kriminelle Wirtschaft, die im Oktober 1994 in Neapel stattfand,[29] liegt eine vernünftige Schätzung der Summe des Kapitals aus illegalen Quellen, die im globalen Finanzsystem gewaschen wird, bei US$ 750 Mrd. pro Jahr. Diese Kapitalströme müssen mit größerer Mobilität und Flexibilität verarbeitet werden als diejenigen, die aus irgendeiner anderen Branche stammen, denn es ist ihr beständiges Umherwirbeln, das es ihnen ermöglicht, der Entdeckung durch die Gesetzeshüter zu entgehen.

Diese Tendenzen haben für Nationalstaaten vor allem dreierlei Folgen:

1. In vielen Fällen ist die gesamte staatliche Struktur einschließlich der höchsten Ebenen der Macht von kriminellen Verbindungen durchzogen, sei es durch Korruption, Drohungen oder illegale Finanzierung der Politik. Dies schafft tiefe Verwirrung bei der Führung der öffentlichen Angelegenheiten.
2. Die internationalen Beziehungen zwischen den Nationalstaaten geraten in vielen Ländern in unterschiedlichem Ausmaß in Abhängigkeit von der richtigen oder falschen Handhabung der Kooperation im Kampf gegen die kriminelle Wirtschaft. Der bisher typische Fall waren die Beziehungen zwischen den Vereinigten Staaten und einigen lateinamerikanischen Ländern (Kolumbien, Bolivien, Mexiko, Paraguay, Panama), aber in dem Maße, wie sich die kriminelle Wirtschaft diversifiziert, wird dies zu einem weiter verbreiteten Phänomen (etwa die Sorgen Deutschlands über den Schmuggel mit radioaktivem Material; oder die Probleme der russischen Regierung mit der zunehmenden Beteiligung der sizilianischen Mafia und der kolumbianischen Kartelle an der russischen *Mafija*).
3. Die zunehmende Bedeutung der Finanzströme kriminellen Ursprungs sind Schlüsselelemente, die ganze Volkswirtschaften stimulieren oder destabilisieren. Daher kann in vielen Ländern und Regionen keine richtige Wirtschaftspolitik betrieben werden, ohne dass dieser hochgradig unvorhersagbare Faktor mit berücksichtigt wird.

Früher war es so, dass die nationalen Regierungen, die von den Geschäften der kriminellen Wirtschaft betroffen waren, eine Handvoll üblicher Verdächtiger waren, etwa Italien und Kolumbien. Das ist jetzt anders. Die Bedeutung dieses Phänomens, seine globale Reichweite, der Umfang seines Reichtums und Einflusses und seine fest etablierte Verbindung zur internationalen Finanz machen kriminelle Verbindungen zur politischen Korruption in den wichtigen Ländern zu einem weit verbreiteten Phänomen. So hat etwa die japanische *Yakuza* vor kurzem ihre Verbindungen internationalisiert. Und die offenen ebenso wie die weniger offenen Beziehungen der *Yakuza* zu führenden japanischen Regierungs-

---

29 United Nations, Economic and Social Council (1994).

stellen sind so gut bekannt, dass das Bauministerium über lange Zeit hinweg als der richtige Ort galt, wo man Staatsaufträge bei öffentlichen Bauvorhaben gegen großzügige Spenden von Wirtschaftsunternehmen, die der *Yakuza* unterstanden, an die Liberaldemokratische Partei eintauschen konnte – ein System, das den Entwicklungsprogrammen der italienischen Christdemokratie für den *Mezzogiorno* und ihrem Verhältnis zur Mafia nicht unähnlich ist. Oder als Japan 1996 von einer Serie von Bankenkrisen erschüttert wurde, was zu Not leidenden Krediten in Höhe von Hunderten Milliarden von Dollars führte, erhob sich der ernsthafte Verdacht, die *Yakuza* habe die Bankmanager gezwungen, diese Anleihen zu gewähren und sei dabei so weit gegangen, zwei Banker umzubringen.[30] In einem anderen Zusammenhang ist der Verdacht besorgniserregend, dass russische kriminelle Organisationen mit internationalen Verbindungen in verschiedene staatliche Bereiche einschließlich der Streitkräfte eines der mächtigsten Länder der Erde eingedrungen sind. Und die Kette politischer Skandale, die Regierungen auf der ganzen Welt während der 1990er Jahre erschüttert haben (ein Thema, das ich in Kap. 6 analysiere), ist in vielen Fällen nicht ohne Bezug zum fortgesetzten Machtkampf zwischen den Strukturen des globalen Verbrechens und den Strukturen der Nationalstaaten. Außerdem leiden selbst wichtige Regierungen, die sich gegenüber dem Eindringen der Kriminalität in ihre höheren Ebenen für relativ immun halten, sehr wohl unter den Nachwirkungen krimineller politischer Manöver. Beispielsweise zerfiel die mexikanische Wirtschaft 1994-1995 trotz massiver US-Anleihen wegen einer politischen Krise, die, wie ich weiter unten zeige, auf das Eindringen von Drogenschmugglern in die höchsten Ränge der mexikanischen Regierungspartei zurückging. Damals verfiel der Dollar deutlich, und die deutsche Mark schoss an den Währungsmärkten in die Höhe, wodurch das europäische Währungssystem destabilisiert wurde. Der Grund war die Befürchtung der Investoren, das US-Staatsdefizit könne sich bei dem Unterfangen, Mexiko aus seinem potenziellen Zusammenbruch heraus zu helfen, aufblähen. In diesem komplizierten Wirbel von Verbrechen, Kapital und Macht gibt es keinen sicheren Ort. Und natürlich auch keine sicheren nationalen Institutionen.

Demnach unterminiert die Globalisierung in ihren unterschiedlichen Dimensionen die Autonomie und die Entscheidungsmacht des Nationalstaates. Und das geschieht zur selben Zeit, zu der die Ausübung der staatlichen Macht in der internationalen Arena ebenfalls Einschränkungen unterliegt, die der Multilateralismus in der Verteidigungs- und Außenpolitik sowie in Politikfeldern wie der Umweltpolitik mit sich bringt.

30 WuDunn (1996).

Der Nationalstaat im Zeitalter des Multilateralismus

Die Welt nach dem Kalten Krieg ist durch die multilaterale Interdependenz zwischen den Nationalstaaten gekennzeichnet.[31] Das liegt in erster Linie an drei Faktoren: der Auflösung oder Lockerung der Militärblöcke, die um die beiden Supermächte gruppiert waren; den dramatischen Auswirkungen der neuen Technologien auf die Kriegführung; und der gesellschaftlichen Wahrnehmung des globalen Charakters der großen Herausforderungen, vor denen die Menschheit steht; dies geht etwa im Fall der Umweltsicherheit auf den Zuwachs an Wissen und Information zurück.

Mit dem Verschwinden der Sowjetunion und ungeachtet möglicher künftiger Spannungen zwischen Russland, China und der NATO verschwand auch der wichtigste Mechanismus zur Stabilisierung der strategischen Verbindungen, der für die meisten Nationalstaaten um die beiden Supermächte strukturiert war.[32] Zwar ist die NATO nach wie vor um ein westliches Bündnis unter Führung der USA organisiert, doch werden ihre Funktionen während der zweiten Hälfte der 1990er Jahre neu definiert in Richtung auf die Erfüllung von Sicherheitsaufgaben für ein breites Konsortium von Staaten und wo immer möglich gemeinsam mit den Vereinten Nationen. Das neue Konzept einer globalen kollektiven Sicherheit[33] trat erstmals anlässlich des Golfkrieges in Erscheinung, als es darum ging, einer gemeinsamen Bedrohung der Ölversorgung aus dem Nahen Osten entgegenzutreten. Zu diesem Konzept gehört eine symbiotische Beziehung zwischen den schlagkräftigsten Militärmächten (die Berufsarmeen der USA und des Vereinigten Königreichs), den Finanziers der Operationen (in erster Linie, Japan, Deutschland und die arabischen Fürsten) und den rhetorischen Aussagen im Namen der zivilisierten Welt (oft von den französischen Führern übernommen). Der bewusste Versuch dieser auf der NATO aufbauenden Allianz, Russland etwa in Bosnien an gemeinsamen Operationen zu beteiligen, ist ein deutlicher Hinweis auf die Transformation der Militärbündnisse von der Herrschaft der Supermächte hin zu Ordnungsfunktionen, die sich in einer labilen Weltordnung gegen potenziell unvorhersagbare Bedrohungen des Systems richten. Das neue Sicherheitssystem wird in erster Linie gegen äußere Barbaren aufgebaut, die noch keinen Namen haben.[34] Dabei sind die Nationalstaaten, auch die mächtigsten, in ein Gewebe von Interessen und Aushandlungen verstrickt, das sich bei jedem Problem, das angepackt wird, eine neue Gestalt gibt. Die Notwendigkeit dramatischer Entschiedenheit in Situationen, bei denen es um Leben und Tod geht, wie bei der potenziellen Konfrontation der Super-

---

31 Baylis und Rengger (1992); McGrew u.a. (1992); Falk (1995); Orstrom Moller (1995); Alonso Zaldivar (1996).

32 Alonso Zaldivar (1996); McGrew (1992b).

33 McGrew (1992a); Mokhtari (1994).

34 Rosenau (1990); Berdal (1993); Guehenno (1993).

mächte und ihrer Verbündeten im Kalten Krieg des Atomzeitalters, besteht nicht mehr. Deshalb übersetzt sich das Durchwursteln einer Außenpolitik mit variabler Geometrie in die zunehmende Unfähigkeit eines jeden Staates, in der internationalen Arena auf eigene Faust zu handeln. Die Außenpolitik ist an dieser Jahrtausendwende ihrem Wesen nach multilateral.[35] Zwei wichtige Einschränkungen betreffen das Ausmaß, in dem Russland, das noch immer eine Supermacht ist, und China, das eine Supermacht im Werden ist,[36] in dieses System kollektiver Sicherheit eingebunden sind. Weil es jedoch unwahrscheinlich ist, dass eines von beiden eine Reihe von ständigen Verbündeten um seine Interessen organisieren wird – trotz der Verbindungen Chinas zu Pakistan – stehen ihre relative Isolation und das tiefsitzende Misstrauen zwischen ihnen nicht im Widerspruch zum multilateralen Charakter des neuen Sicherheitssystems, sondern sie fügen ihm einfach Komplexität hinzu.

Schnelle Veränderungen in der Militärtechnologie unterminieren ebenfalls die Fähigkeit des Nationalstaates, für sich allein zu handeln.[37] Wie der Golfkrieg gezeigt hat, ist Kriegführung heute wesentlich abhängig von elektronischer und Kommunikationstechnologie. Die massive Verwüstung, die aus großer Distanz durch Raketenstarts und Luftschläge bewirkt werden kann, kann in ein paar Stunden eine große Armee lahm legen, vor allem dann, wenn ihre Abwehr durch elektronische Gegenmaßnahmen blind gemacht wird und wenn die Ziele über Satellit identifiziert und von Computern verarbeitet worden sind, die Tausende von Kilometern entfernt das tatsächliche Feuer in diesem unsichtbaren Krieg dirigieren. Das Neue in der gegenwärtigen Periode ist einerseits die Geschwindigkeit des technologischen Wandels, die Waffen in kurzer Zeit obsolet macht.[38] Das erzwingt die ständige Verbesserung der Waffensysteme, wenn die Armeen wirklich gegen andere Armeen kämpfen sollen und nicht ihr eigenes Volk kontrollieren, was für einen großen Teil der Menschheit noch immer zutrifft. Armeen auf niedrigem technologischem Entwicklungsstand sind überhaupt keine Armeen, sondern verkappte Polizeikräfte. Andererseits erfordert die neue Militärtechnologie eine Berufsarmee, in der das Personal über anspruchsvolles Wissen verfügt, um das halbautomatische Waffenarsenal und die Kommunikationssysteme zu bedienen. Das verschafft Ländern mit fortgeschrittenem technologischen Niveau unabhängig von der Größe ihrer Streitkräfte einen Vorteil, wie die Fälle Israels und Singapurs illustrieren. Wegen der entscheidenden Rolle der Technologie geraten Nationalstaaten, die noch immer ihre Fähigkeit zur Gewaltausübung beweisen wollen, in ständige Abhängigkeit von den Lieferanten dieser Technologie und zwar nicht nur bezüglich des Materials, sondern auch hinsichtlich der menschlichen Ressourcen. Diese Abhängigkeit

35 Frankel (1988); McGrew u.a. (1992).
36 Boardmann (1994); Alonso Zaldivar (1996).
37 McInnes (1992).
38 McInnes und Sheffield (1988); Grier (1995).

steht jedoch im Zusammenhang einer zunehmenden Diversifizierung konventioneller Kriegswaffen in dem Maße, wie sich Länder industrialisieren und Technologie diffundiert.[39] So können Brasilien oder Israel effiziente Lieferanten modernsten Kriegsgeräts sein. Frankreich, das Vereinigte Königreich, Deutschland, Italien und China haben gemeinsam mit den Vereinigten Staaten ihre Rolle als Ausrüster der Armeen der Welt ausgeweitet. Es entsteht ein zunehmend komplexes Muster von Kooperation und Konkurrenz, wenn China moderne Kampfflugzeuge von Russland und Kommunikationstechnologie von den USA kauft, und Frankreich Raketen überall dahin verkauft, wo sie gewünscht werden, einschließlich der auf den Kauf folgenden Dienstleistungen von Ausbildung und Wartung. Außerdem haben sich die illegalen globalen Märkte für Waffen, für jegliche Art von Waffen, vervielfacht und die weite Verbreitung jeglicher verfügbarer Technologie von „Stingers" bis „Patriots", von Nervengas bis zu elektronischen Störeinrichtungen ermöglicht. Daraus folgt, dass anders als in anderen historischen Perioden kein einzelner Staat bei der Produktion von Kriegsgerät Selbstversorger sein kann – mit der entscheidenden Ausnahme der Vereinigten Staaten (weil Russland jetzt technologisch von Mikroelektronik- und Kommunikationssystemen abhängig ist). Das bedeutet aber nicht, dass alle Nationalstaaten dazu verdammt sind, amerikanische Kolonien zu werden. Es ist vielmehr umgekehrt. Das Fehlen eines klar bestimmten Gegners hat die vom US-Verteidigungsministerium ausgeübte technologische Kontrolle gelockert, so dass die meisten der wesentlichen Technologien und konventionellen Waffen weithin zugänglich sind. Da Nationalstaaten die Quellen für ihre dem Stand der Entwicklung entsprechende Ausrüstung nicht kontrollieren können, sind sie für die potenzielle Ausübung ihrer Fähigkeit zur Kriegführung dauerhaft nicht nur von den USA abhängig, sondern von verschiedenen globalen Lieferantennetzwerken. Die Tatsache, dass die Vereinigten Staaten technologischer Selbstversorger sind (und das nur wegen der Bemühung des Pentagon, gegen die Abhängigkeit von japanischen Ausrüstungen zur Herstellung von Halbleitern anzukämpfen), verleiht den Vereinigten Staaten den Titel, die einzige wahre Supermacht zu sein. Doch selbst diese Tatsache übersetzt sich wegen der schwachen finanziellen und politischen Lage der USA, im Hinblick auf den Auslandseinsatz ihrer Streitkräfte nicht in volle Souveränität der Außenpolitik.[40] Außerdem hat, wie McInnes meint, „der Charakter der modernen Kriegführung die Militärdenker veranlasst, sich zu fragen, ob ein Konflikt hoher Intensität jemals die damit verbundenen Kosten wert wäre (unabhängig vom Einsatz von Kernwaffen) und ob ein solcher Krieg, selbst wenn es dazu käme, über längere Zeit hinweg überhaupt durchzuhalten wäre [angesichts der hohen Kosten hochtechnologischer Waffen und der Möglichkeit ihrer schnellen Zerstörung]".[41]

---

39 McGrew (1992b).

40 Savigear (1992).

41 McInnes (1992: 156).

Die technologische Entwicklung verleiht den internationalen Beziehungen eine neue Wendung hin zum Multilateralismus. Die Industrialisierung neuer Weltregionen, die Diffusion wissenschaftlicher und technologischer Kenntnisse und der illegale Handel mit allem und jedem haben die Verbreitung der Fähigkeit zur nuklearen, chemischen und biologischen Kriegführung vorangetrieben und treiben sie weiter voran.[42] Die Nationalstaaten sind daher für ihre konventionelle Kriegführung zunehmend von Spitzentechnologie abhängig, können aber zugleich Zugang zu dem haben, was ich „Veto-Technologien" nennen würde, also Massenvernichtungswaffen, die allein durch ihre Existenz einen mächtigeren Staat davon abschrecken können, auf Sieg zu spielen. Das globale „Gleichgewicht des Schreckens" ist dabei, in viele lokale „Gleichgewichte des Schreckens" dezentralisiert zu werden. Diese Entwicklung zwingt einerseits die großen Mächte zu koordiniertem multilateralen Handeln, um zu verhindern, dass zusätzliche Länder, politische Kräfte oder terroristische Gruppen die Kontrolle über diese Waffen erlangen. Andererseits ist das globale Sicherheitssystem zum Eingreifen gezwungen, wenn erst einmal eine Reihe von Ländern trotzdem in den Besitz dieser Waffen gekommen sind. Es muss dann helfen, die Mächte der Vernichtung in jeder Weltregion auszubalancieren, um gefährliche Konfrontationen zu vermeiden.[43] Es ergibt sich ein komplexes, verwickeltes Gewebe unterschiedlicher Ebenen von Vernichtungsmacht, die sich gegenseitig durch ad hoc geschlossene Abkommen und ausgehandelte Prozesse der Abrüstung und der Abkühlung von Konflikten kontrollieren. In einem solchen Gewebe ist kein Nationalstaat mehr frei, selbst die Vereinigten Staaten nicht; denn eine Fehlkalkulation oder die exzessive Ausübung überlegener Macht kann einen nuklearen oder bakteriologischen lokalen Holocaust auslösen. Die Menschheit wird auf lange Zeit mit den Monstern der Vernichtung leben, die wir entweder für die massenhafte, standardisierte Vernichtung geschaffen oder für das maßgeschneiderte Gemetzel auf Miniaturformat gebracht haben. Unter solchen Bedingungen ist es zur grundlegendsten Aufgabe der Nationalstaaten – und nicht nur wie im Kalten Krieg der Supermächte – geworden, die tatsächliche Ausübung ihrer Militärmacht einzuschränken und so deren ursprüngliche Existenzberechtigung zu schwächen.

Die Nationalstaaten sehen sich den Grenzen ihrer Legitimität und damit letztlich ihrer Macht auch im Hinblick auf das globale Management der Umwelt gegenüber.[44] Wissenschaft und Technologie produzieren wegen der gestiegenen Computerkapazität nie dagewesene neue Wissensmengen über die Zerstörung der Natur und über deren Konsequenzen für unsere Gattung. Damit zusammenhängend hat die Umweltbewegung, wie in Kapitel 3 gezeigt, das ökologische Bewusstsein in Gesellschaften auf der ganzen Welt erhöht und zuneh-

42 McGrew (1992b).
43 Daniel und Hayes (1995).
44 Rowlands (1992); Vogler (1992); Morin und Kern (1993); Wapner (1995); Hempel (1996).

mend Druck auf die Verantwortlichkeit der Regierungen ausgeübt, auf dem Weg in die Katastrophe innezuhalten. Einzelne Nationalstaaten sind jedoch für sich alleine machtlos, Probleme zu bearbeiten wie die Erderwärmung, das Ozonloch, die Entwaldung des Planeten, die Verschmutzung der Wasserreserven, die Erschöpfung des Lebens in den Ozeanen und Ähnliches. Bemühungen, Staaten zusammenzuführen, nehmen in den meisten Fällen eher die Form internationaler Shows und feierlicher Rhetorik an als die tatsächliche Durchführung gemeinsamer Aktionsprogramme. Lipschutz und Coca schreiben am Schluss ihrer globalen Untersuchung über koordinierte Umweltpolitik:

> Die Möglichkeit einer hegemonialen Leitung oder des Entstehens einer zentralen Koordinierungsbehörde erscheint im Hinblick auf Umweltfragen als weit entfernt. Und die Wahrscheinlichkeit effektiver multilateraler Koordination scheint ebenfalls gering zu sein, weil über die Kosten und den Nutzen von Umweltschutz und -management große Unsicherheit besteht. Diesen Hindernissen und Rahmenbedingungen möchten wir eine Reihe von Faktoren hinzufügen, die sich aus der Natur des Staates selbst ergeben: die grundlegende Unfähigkeit von Regierungen, die hier zur Debatte stehenden Zerstörungsprozesse zu kontrollieren, die geringe Zahl effektiver politischer Hebel und die Bedeutung der Extraktion von Schlüsselressourcen (und damit von Umweltzerstörung) für Schlüsselallianzen zwischen Staat und Gesellschaft.[45]

Der Grund ist nicht notwendigerweise Ignoranz oder böser Wille seitens der Regierungen, sondern die Tatsache, dass jeder Nationalstaat weiterhin, nach seinen eigenen Interessen oder nach den Interessen der Gruppen handelt, die ihm am wichtigsten sind.[46] Auf diese Weise wird der Multilateralismus zu einem Debattenforum und einer Verhandlungsarena anstatt zu einem Mittel zur Ausübung kollektiver Verantwortung. Nach der von Habermas so bezeichneten Logik der „Krisenverlagerung" „wird der grundlegende und globale Widerspruch zwischen Umwelt und Wirtschaft", wie Hay es ausdrückt, „auf die Ebene des Nationalstaates verlagert".[47] Diese strukturell bedingte Widerspenstigkeit der Nationalstaaten führt paradoxerweise zu ihrer Schwächung als lebensfähige politische Institutionen, weil Bürgerinnen und Bürger auf der ganzen Welt erkennen, wie unfähig diese ziemlich teuren und beschwerlichen Apparate bei der Bearbeitung der großen Probleme sind, denen die Menschheit sich gegenüber sieht. Um also ihre zunehmende Irrelevanz zu überwinden, tun sich Nationalstaaten vermehrt zusammen und schalten um auf eine neue, übernationale Regierungsordnung.

---

45 Lipschutz und Coca (1993: 332).
46 Castells (i.E.).
47 Hay (1994: 87).

Global Governance und der Super-Nationalstaat

„Wenn man eine knappe Erklärung für die erneuerte Dynamik der europäischen Integration Mitte der 1980er Jahre sucht, so wird man," wie Streeck und Schmitter schreiben, „sie vermutlich als Ergebnis des Ausgleichs zwischen zwei breiten Interessenlagen sehen – derjenigen der großen europäischen Unternehmen, die darum kämpfen, die von ihnen wahrgenommenen Wettbewerbsvorteile des japanischen und des US-Kapitals zu überwinden, und derjenigen der staatlichen Eliten, die danach streben, zumindest einen Teil der politischen Souveränität wiederzuerlangen, die sie auf nationaler Ebene allmählich durch die zunehmende internationale Interdependenz verloren hatten."[48] Sowohl mit Blick auf die wirtschaftlichen wie auf die politischen Interessen strebte man keine Überstaatlichkeit an, sondern die Rekonstruktion der auf der Nation basierenden Staatsmacht auf einer höheren Ebene, einer Ebene, wo sich ein gewisses Maß an Kontrolle über die globalen Ströme von Reichtum, Informationen und Macht ausüben ließ. *Die Bildung der Europäischen Union war – wie ich in Band III zeige – nicht der Prozess des Aufbaus eines europäischen Bundesstaates der Zukunft, sondern die Schaffung eines politischen Kartells, des Brüsseler Kartells, innerhalb dessen die europäischen Nationalstaaten noch immer in der Lage sind, sich kollektiv ein Stück Souveränität aus der neuen globalen Unordnung herauszuschneiden und dann den Nutzen nach endlos ausgehandelten Regeln unter den Mitgliedern zu verteilen.* Deshalb beobachten wir nicht die Einleitung einer Ära von Übernationalität und *Global Governance*, sondern das Entstehen eines Super-Nationalstaates, also eines Staates, der in variabler Geometrie die aggregierten Interessen der Mitglieder, die ihn ausmachen, zum Ausdruck bringt.[49]

Eine ähnliche Überlegung lässt sich auf die Vielzahl internationaler Institutionen extrapolieren, die sich das Management der Wirtschaft, der Sicherheit, der Entwicklung, der Umwelt in dieser Welt des *fin de millénium* teilen.[50] Die Welthandelsorganisation ist geschaffen worden, um den Freihandel durch einen störungsfreien Mechanismus von Kontrolle und Aushandlung mit Handelsrestriktionen vereinbar zu machen. Die Vereinten Nationen bemühen sich, ihre neue Doppelrolle als legitime Polizeimacht im Namen von Frieden und Menschenrechten sowie als Welt-Medienzentrum zu etablieren, das alle sechs Monate globale Konferenzen über die Schlagzeilen inszeniert, die die Menschheit bewegen: Umwelt, Bevölkerung, soziale Exklusion, Frauen, Städte und Ähnliches. Der Club der G 7 hat sich selbst zum Supervisor der globalen Wirtschaft ernannt, lässt Russland zur Sicherheit durchs Fenster hineinspähen und weist den Internationalen Währungsfonds und die Weltbank an, global wie lokal die

48 Streeck und Schmitter (1991: 148).
49 Orstrom Moller (1995).
50 Berdal (1993); Rochester (1993); Bachr und Gordenker (1994); Dunaher (1994); Falk (1995); Kraus und Knight (1995); Oversight of IWF/World Bank (1995).

Disziplin auf den Finanzmärkten und bei der Währungspolitik aufrechtzuerhalten. Die NATO ist nach dem Kalten Krieg zum Kern einer glaubwürdigen Militärmacht geworden, um die neue Weltunordnung zu hüten. NAFTA ist dabei, die wirtschaftliche Integration der westlichen Hemisphäre zu verstärken; dabei straft die mögliche Einbeziehung von Chile ihr nördliches Etikett Lügen. MERCOSUR macht andererseits die Unabhängigkeit Südamerikas durch zunehmenden Handel mit Europa anstatt mit den Vereinigten Staaten geltend. Verschiedene internationale Institutionen zur pazifischen Kooperation versuchen, eine Gemeinsamkeit wirtschaftlicher Interessen aufzubauen und dabei das historische Misstrauen wichtiger Teilnehmer (Japan, China, Korea, Russland) zu überbrücken. Länder auf der ganzen Welt nutzen alte Institutionen wie ASEAN oder die Organisation für Afrikanische Einheit oder selbst postkoloniale Institutionen wie das Britische Commonwealth oder das französische Kooperationssystem als Ausgangsbasis für gemeinsame Unternehmungen für vielfältige Ziele, die von einzelnen Nationalstaaten allein schwerlich zu erreichen wären. Die meisten Einschätzungen dieses zunehmenden Prozesses der Internationalisierung staatlicher Politik scheinen die Praktikabilität von *Global Governance* als vollständig geteilter Souveränität in Zweifel zu ziehen, obwohl sehr viel dafür spricht, dass dieses Konzept sinnvoll sein könnte. Vielmehr wird unter *Global Governance* gewöhnlich die ausgehandelte Konvergenz zwischen den Interessen und politischen Strategien nationaler Regierungen verstanden.[51] Die Nationalstaaten und ihre Eliten wachen allzu eifersüchtig über ihre Privilegien, als dass sie bereit wären, Souveränität abzugeben, es sei denn gegen die Aussicht greifbarer Vorteile. Außerdem ist es Meinungsumfragen zufolge höchst unwahrscheinlich, dass in absehbarer Zukunft die Mehrheit der Bürgerinnen und Bürger in irgendeinem Land die vollständige Integration in einen übernationalen föderalen Staat akzeptieren würde.[52] Die historische Erfahrung der USA mit dem föderalen Aufbau einer Nation ist so spezifisch, dass sie sich trotz ihrer starken Ausstrahlung kaum als Modell für föderalistische Bestrebungen an der Wende des Millenniums in anderen Teilen der Welt eignet.

Außerdem führt die wachsende Unfähigkeit der Staaten, die globalen Probleme anzugehen, die auf die öffentliche Meinung Eindruck machen – vom Schicksal der Wale bis zur Folterung von Dissidenten auf der ganzen Welt – zunehmend die Zivilgesellschaften dahin, dass sie die Verantwortlichkeiten globaler Staatsbürgerschaft in die eigenen Hände nehmen. So sind Amnesty International, Greenpeace, *Medecins sans frontières*, Oxfam und eine Menge weiterer humanitärer Nicht-Regierungsorganisationen während der 1990er Jahre zu einer bedeutenden Macht in der internationalen Arena geworden. Sie sind oft erfolgreicher im *fund raising*, arbeiten effektiver und erfreuen sich höherer Legitimität als staatlich initiierte internationale Unternehmungen. Die „Privatisie-

51 United Nations Commission on Global Governance (1995).
52 Orstrom Moller (1995).

rung“ des globalen Humanitarismus unterminiert allmählich einen der letzten Gründe für die Notwendigkeit des Nationalstaates.[53]

Insgesamt ist das, was wir beobachten, gleichzeitig einerseits eine unumkehrbare Aufteilung von Souveränität bei der Behandlung wesentlicher Wirtschafts-, Umwelt- und Sicherheitsfragen und andererseits die Verbarrikadierung der Nationalstaaten als der Grundbestandteile dieses verwickelten Gewebes politischer Institutionen. Das Ergebnis dieses Prozesses besteht jedoch nicht in der Stärkung der Nationalstaaten, sondern in der systemischen Erosion ihrer Macht im Tausch gegen ihr andauerndes Fortbestehen. Das liegt vor allem daran, dass die Prozesse der unablässigen Konflikte, Bündnisse und Verhandlungen die internationalen Institutionen ziemlich ineffektiv machen und so der größte Teil ihrer politischen Energie für den Prozess anstatt für das Produkt verausgabt wird. Das verringert die Eingriffsmöglichkeiten der Staaten wesentlich, die unfähig sind, alleine zu handeln, aber paralysiert, wenn sie versuchen, es kollektiv zu tun. Ferner tendieren die internationalen Institutionen, teils um dieser Lähmung zu entgehen, teils wegen der immanenten Logik jeder Großbürokratie dazu, ein Eigenleben zu führen. Dabei definieren sie ihr Mandat in einer Weise, die dazu neigt, die Macht der Staaten zu verdrängen, aus denen sie eigentlich bestehen und schaffen so de facto eine globale Bürokratie. So ist es grundsätzlich falsch, der Internationale Währungsfonds sei, wie viele linke Kritiker meinen, ein Agent des amerikanischen Imperialismus oder überhaupt irgendeines Imperialismus. Er ist sein eigener Agent, der im Kern durch die Ideologie der neoklassischen Wirtschaftsorthodoxie und von der Überzeugung angetrieben wird, ein Bollwerk des Maßes und der Rationalität in einer Welt irrationaler Erwartungen zu sein. Die Kaltherzigkeit, die ich persönlich im Verhalten der IWF-Technokraten erlebt habe, die dazu beigetragen haben, in den kritischen Augenblicken der Transition 1992-1995 die russische Gesellschaft zu zerstören, hatte nichts mit kapitalistischer Herrschaft zu tun. Es handelte sich wie in Afrika, wie in Lateinamerika um ein tief verwurzeltes, ehrliches ideologisches Engagement, die Menschen auf der Welt in finanzieller Rationalität als der einzigen ernstzunehmenden Grundlage zu unterweisen, auf der sich eine neue Gesellschaft aufbauen lässt. Die IWF-Experten beanspruchen den Sieg im Kalten Krieg für den frei agierenden Kapitalismus, was übrigens ein historischer Affront gegen die harten Kämpfe ist, die die Sozialdemokratie gegen den Staatskommunismus ausgefochten hat. Dabei handeln die IWF-Experten nicht unter der Leitung der Regierungen, die sie ernennen, oder der Bürger, die sie bezahlen, sondern als selbstgerechte Chirurgen, die geschickt die Reste politischer Kontrolle über die Marktkräfte entfernen. So können sie unter den Bürgern auf der ganzen Welt tiefe Ressentiments auslösen, weil diese den vollen Einfluss zu spüren bekommen, den die globalen Institutionen unter Umgehung ihrer obsoleten Nationalstaaten auf ihr Leben ausüben.

---

53 Guehenno (1993); Rubert de Ventos (1994); Falk (1995).

Die zunehmend wichtigere Rolle, die internationale Institutionen und übernationale Konsortien in der Weltpolitik spielen, kann daher nicht gleichgesetzt werden mit dem Verschwinden des Nationalstaates. Aber der Preis, den die Nationalstaaten für ihr prekäres Überleben als Segmente von Staats-Netzwerken zahlen, besteht in ihrer abnehmenden Bedeutung, was ihre Legitimität untergräbt und letztlich ihre Machtlosigkeit weiter verschärft.

Identitäten, lokale Regierungsorgane und die Dekonstruktion des Nationalstaates

Am 25. Dezember 1632 schrieb der Graf und Herzog Olivares an seinen König Philipp IV:

> Die wichtigste Aufgabe in Eurer Monarchie besteht darin, dass Eure Majestät sich zum König von Spanien machen; ich meine damit, Sire, dass Eure Majestät nicht zufrieden damit sein sollten, König von Portugal, Aragon, Valencia und Graf von Barcelona zu sein, sondern heimlich darauf hinwirken sollten, dass diese Königreiche aus denen Spanien zusammengesetzt ist, nach Art und Gesetz Kastilien angeglichen werden, mit keinerlei Unterschied in der Form der Grenzen, Zollstationen, der Macht, die Cortes von Kastilien, Aragon und Portugal zu berufen, wann immer dies wünschenswert erscheint und der uneingeschränkten Ernennung von Ministern aus unterschiedlichen Nationen hier wie dort ... Und wenn Eure Majestät dies erreichen, so werdet Ihr der mächtigste Fürst auf der Welt sein.[54]

Der König folgte diesem Ratschlag und leitete damit einen Prozess ein, der am Ende zum Schnitteraufstand in Katalonien, zur Revolte gegen die Salzsteuer im Baskenland und zur Rebellion und schließlichen Unabhängigkeit Portugals führte. Zugleich legte er dabei auch die Fundamente des modernen, zentralisierten spanischen Nationalstaates, wenn auch auf so prekäre Weise, dass dies drei Jahrhunderte von Aufständen, Unterdrückung, Bürgerkriegen, Terrorismus und institutioneller Instabilität hervorrief.[55] Wenn auch der spanische Staat bis 1977 einen Extremfall erzwungener Homogenität darbot, so sind doch die meisten modernen Nationalstaaten und vor allem der revolutionäre französische Staat auf der Leugnung der historisch-kulturellen Identitäten ihrer Bestandteile zugunsten derjenigen Identität aufgebaut worden, die am Anfang des Staates den Interessen der herrschenden gesellschaftlichen Gruppen am meisten angemessen waren. Wie in Kapitel 1 gezeigt, schuf der Staat und nicht die Nation (nach Kultur, Territorium oder nach beidem definiert) den Nationalstaat *in der Neuzeit.*[56] War eine Nation einmal unter der territorialen Kontrolle eines bestimmten Staates etabliert, so führte die gemeinsame Geschichte durchaus zu

54 Zit. von Elliott und de la Pena (1978: 95); nach der Übers. von Elliott; d.Ü.

55 Alonso Zaldivar und Castells (1992).

56 Norman (1940); Halperin Donghi (1969); Tilly (1975); Gellner (1983); Giddens (1985); Rubert de Ventos (1994).

sozialen und kulturellen Bindungen und auch zu gemeinsamen wirtschaftlichen und politischen Interessen unter seinen Mitgliedern. Die ungleichmäßige Repräsentanz der gesellschaftlichen Interessen, Kulturen und Territorien innerhalb des Nationalstaates verlieh den nationalen Institutionen jedoch eine Schlagseite zugunsten der Interessen der ursprünglichen Eliten und der Geometrie ihrer Bündnisse. Damit war der Weg für institutionelle Krisen eröffnet, wenn abgedrängte, historisch verwurzelte oder ideologisch wiederbelebte Identitäten in der Lage waren, Unterstützung für eine Neuaushandlung des historischen Nationalvertrages zu mobilisieren.[57]

Die Struktur des Nationalstaates ist territorial differenziert. Diese territoriale Differenzierung, in deren Rahmen Macht geteilt oder nicht geteilt wird, repräsentiert Bündnisse und Gegensätze zwischen gesellschaftlichen Interessen, Kulturen, Regionen und Nationalitäten, aus denen der Staat zusammengesetzt ist. Wie ich andernorts ausführlich gezeigt habe,[58] hellt die territoriale Differenzierung staatlicher Institutionen weitgehend das scheinbare Geheimnis auf, warum Staaten häufig im Interesse einer Minderheit regiert werden, aber nicht unbedingt auf Repression zurückgreifen. Untergeordnete gesellschaftliche Gruppen sowie kulturelle, nationale, regionale Minderheiten haben in den Territorien, in denen sie leben, Zugang zu den unteren staatlichen Ebenen. Es ergibt sich so für die Beziehung zwischen dem Staat, den gesellschaftlichen Klassen, sozialen Gruppen und Identitäten, die in der zivilen Gesellschaft präsent sind, eine komplexe Geometrie. In jeder politischen Gemeinde und in jeder Region sind die gesellschaftlichen Bündnisse und ihre politischen Ausdrucksformen spezifischer Art. Sie entsprechen den bestehenden lokalen/regionalen Machtbeziehungen, der Geschichte des Territoriums und seiner spezifischen Wirtschaftsstruktur. Diese Differenzierung von Machtbündnissen nach unterschiedlichen Regionen und Gemeinden ist ein wesentlicher Mechanismus, um insgesamt die Interessen der unterschiedlichen Eliten im Gleichgewicht zu halten, die wenn auch in unterschiedlichem Ausmaß, in unterschiedlichen Dimensionen und in unterschiedlichen Territorien doch gemeinsam von der staatlichen Politik profitieren.[59] Die lokale und regionale Prominenz tauscht Macht in ihrem eigenen Territorium gegen Loyalität gegenüber den Herrschaftsstrukturen auf nationaler Ebene ein, wo die Interessen der nationalen oder globalen Eliten mächtiger sind. Die lokale Prominenz ist Mittler zwischen den lokalen Gesellschaften und dem nationalen Staat: Sie ist gleichzeitig politischer Makler und lokaler Chef. Weil Übereinkommen, die zwischen sozialen Akteuren auf der Ebene der Lokalverwaltung erzielt worden sind, selten den politischen Bündnissen entsprechen, die auf nationaler Ebene zwischen den verschiedenen gesellschaftlichen Interessen geschlossen worden sind, entwickelt sich das lokale Machtsystem selbst in der euro-

57 Hobsbawm (1990); Blas Guerrero (1994).
58 Castells (1981).
59 Dulong (1978); Tarrow (1978).

päischen Situation der von Parteien beherrschten Demokratien nicht ohne Weiteres strikt nach Parteizugehörigkeit. Lokale und regionale Bündnisse sind häufig Ad hoc-Arrangements, in deren Zentrum lokale Führungsgruppen stehen. Die lokalen und regionalen Regierungs- und Verwaltungsorgane sind daher gleichzeitig einerseits Ausdrucksformen der dezentralisierten Staatsmacht, der engste Kontaktpunkt zwischen Staat und Zivilgesellschaft, und andererseits Ausdruck kultureller Identitäten, die zwar auf einem bestimmten Territorium Hegemonie ausüben, aber nur spärlich in die herrschenden Eliten des Nationalstaates einbezogen werden.[60]

Ich habe in Kapitel 1 die These vertreten, dass die zunehmende Diversifizierung und Fragmentierung der gesellschaftlichen Interessen in der Netzwerkgesellschaft dazu führt, dass sie sich in Form (neu) konstruierter Identitäten aggregieren. Also vermittelt eine Vielzahl von Identitäten dem Nationalstaat die Ansprüche und Herausforderungen der Zivilgesellschaft. Die steigende Unfähigkeit des Nationalstaates, *gleichzeitig* auf diese riesige Palette von Forderungen einzugehen, führt zu dem, was Habermas eine „Legitimationskrise" genannt hat,[61] oder was in der Analyse von Sennett als „der Niedergang der öffentlichen Person" bezeichnet wird,[62] der Figur, die das Fundament demokratischer Staatsbürgerschaft ausmacht. Um eine solche Legitimationskrise zu überwinden, dezentralisieren die Staaten einen Teil ihrer Macht an lokale und regionale politische Institutionen. Einerseits finden regionale und nationale Minoritäten aufgrund der territorialen Differenzierung staatlicher Institutionen am ehesten Ausdrucksmöglichkeiten auf lokaler und regionaler Ebene. Andererseits tendieren die nationalen Regierungen dazu, sich darauf zu konzentrieren, mit den strategischen Herausforderungen zu Rande zu kommen, die sich durch die Globalisierung von Reichtum, Kommunikation und Macht stellen, und lassen es daher zu, dass untere Regierungs- und Verwaltungsebenen die Verantwortung dafür übernehmen, die Verbindung mit der Gesellschaft herzustellen, indem sie die Fragen des Alltagslebens regeln und so Legitimität durch Dezentralisierung neu aufbauen. Wenn es jedoch einmal zu dieser Dezentralisierung von Macht kommt, ist es möglich, dass die lokalen und regionalen Staatsorgane im Namen ihrer Bevölkerungen die Initiative ergreifen, sich ihrerseits an Strategien gegenüber dem globalen System beteiligen und so am Ende in Konkurrenz zu ihren eigenen Eltern-Staaten geraten.

Dieser Trend zeigt sich während der 1990er Jahre auf der ganzen Welt. In den Vereinigten Staaten geht das wachsende Misstrauen gegen die Bundesregierung Hand in Hand mit einer Wiederbelebung der staatlichen Instanzen auf einzelstaatlicher und lokaler Ebene als Orte öffentlichen Interesses. In der Tat

60 Gremion (1976); Ferraresi und Kemeny (1977); Rokkan und Urwin (1982); Borja (1988); Ziccardi (1995); Borja und Castells (1996).

61 Habermas (1973).

62 Sennett (1978).

bietet nach Meinungsumfragen aus der Mitte der 1990er Jahre[63] diese Re-Lokalisierung von Staat und Regierung den unmittelbarsten Weg zur Re-Legitimierung der Politik, sei es in der Form eines ultrakonservativen Populismus wie in der Bewegung für *county rights* oder in der wiedergeborenen Republikanischen Partei, die ihre Hegemonie auf den Angriff gegen die Regierungsstrukturen auf Bundesebene gegründet hat.[64] In der Europäischen Union sind erhebliche Bereiche der Souveränität nach Brüssel verlagert worden, jedoch wurde die Verantwortlichkeit für viele Alltagsangelegenheiten regionalen und lokalen Staatsorganen übertragen. Dazu gehören in den meisten Ländern Bildung, Sozialpolitik, Kultur, Wohnungspolitik, Umwelt und städtische Einrichtungen.[65] Ferner haben sich Städte und Regionen aus ganz Europa zu institutionellen Netzwerken zusammengefunden, die die nationalen Staaten umgehen und eine der mächtigsten Lobbys bilden, indem sie gleichzeitig auf die europäischen Institutionen und auf ihre jeweiligen nationalen Regierungen einwirken. Zudem führen Städte und Regionen aktiv Verhandlungen mit multinationalen Konzernen und sind zu den wichtigsten Akteuren der wirtschaftlichen Entwicklungspolitik geworden, weil die Regierungen in ihren Handlungsmöglichkeiten durch die EU-Bestimmungen eingeschränkt sind.[66] In Lateinamerika hat die Neustrukturierung der öffentlichen Politik zur Überwindung der Krise der 1980er Jahre den Regierungen und Verwaltungen von Städten und Gliedstaaten neue Anstöße gegeben. Traditionell waren sie mit der wichtigen Ausnahme Brasiliens durch die Abhängigkeit von den nationalen Regierungen in den Schatten gestellt worden. Auf lokaler Ebene ebenso wie in Provinzen und Gliedstaaten haben Staatsorgane in Mexiko, Brasilien, Bolivien, Ecuador, Argentinien, Chile in den 1980er und 1990er Jahren von der Dezentralisierung von Macht und Ressourcen profitiert und eine Reihe von sozialen und wirtschaftlichen Reformen durchgeführt, die die institutionelle Geografie Lateinamerikas transformiert haben. Auf diese Weise haben sie nicht nur die Macht mit dem Nationalstaat geteilt, sondern wichtiger noch, sie haben die Grundlage für eine neue politische Legitimität gelegt, die die lokalen Staatsorgane begünstigt.[67]

China erlebt eine ähnliche Transformation. Hier kontrollieren Shanghai und Guangdong die wichtigsten Zugangswege zur globalen Wirtschaft, und viele Großstädte und Provinzen im ganzen Land organisieren ihre eigenen Verbindungen zum neuen Marktsystem. Während Beijing mit eiserner Faust die Kontrolle zu wahren scheint, beruht die Macht der chinesischen Kommunistischen Partei in Wirklichkeit auf einer feinen Balance der Teilung von Macht und der Distribution von Reichtum zwischen nationalen, regionalen und loka-

63 Roper Center of Public Opinion and Polling (1995).
64 Balz und Brownstein (1996).
65 Orstrom Moller (1995).
66 Borja u.a. (1992); Goldsmith (1993); Graham (1995).
67 Ziccardi (1991, 1995); Laserna (1992).

len Eliten. Dieses zentral/regional/lokale Arrangement des chinesischen Staates im Prozess der ursprünglichen Akkumulation könnte durchaus der Schlüsselmechanismus sein, der einen geordneten Übergang vom Etatismus zum Kapitalismus garantiert.[68] Eine ähnliche Situation ist im postkommunistischen Russland zu beobachten. Die Machtbalance zwischen Moskau und den lokalen und regionalen Eliten war für die relative Stabilität des russischen Staates inmitten einer chaotischen Wirtschaft entscheidend, ebenso bei der Aufteilung von Macht und Profit zwischen der Föderationsregierung und den „Ölgeneralen" Westsibiriens; oder zwischen den Moskauer Eliten und den lokalen Eliten sowohl des Europäischen Russland wie des Fernen Ostens.[69] Andererseits führte, als Forderungen nach nationaler Identität nicht die notwendige Anerkennung erhielten und schließlich falsch behandelt wurden wie im Falle Tschetscheniens, der daraus folgende Krieg dazu, dass der Zug der russischen Transition aus dem Gleis geworfen wurde.[70] So sind vom Glanz Barcelonas bis zur Agonie von Groznij territoriale Identität und lokal/regionale Staatsorgane zu entscheidenden Kräften für das Schicksal von Bürgerinnen und Bürgern geworden, aber auch für die Beziehungen zwischen Staaten und Gesellschaften sowie für die Umformung der Nationalstaaten. Die Untersuchung komparativen Materials über politische Dezentralisierung scheint eine populäre Redewendung zu bestätigen, nach der die nationalen Regierungen im Informationszeitalter zu klein sind, um mit den globalen Kräften fertig zu werden, jedoch zu groß, um das Leben der Menschen zu gestalten.[71]

Die Identifikation des Staates

Die selektive Institutionalisierung von Identität im Staat hat eine überaus wichtige indirekte Konsequenz für die Gesamtdynamik von Staat und Gesellschaft. Nicht alle Identitäten sind nämlich in der Lage, in den Institutionen der lokalen und regionalen Staatsorgane Zuflucht zu finden. Vielmehr besteht eine der Funktionen der territorialen Differenzierung des Staates gerade darin, das Prinzip der universellen Gleichheit aufrechtzuerhalten und zugleich seine Anwendung als segregierte Ungleichheit zu organisieren. Die Norm von Abtrennung und Ungleichheit liegt beispielsweise der starken lokalen Autonomie der amerikanischen Lokalverwaltung und -regierung zugrunde.[72] Die Konzentration armer Leute und ethnischer Minoritäten in den Kernstädten Amerikas oder in den französischen *banlieues* trägt dazu bei, dass die sozialen Probleme räumlich

68 Cheung (1994); Li (1995); Hsing (1996).
69 Kiselyova und Castells (1997).
70 Khazanov (1995).
71 Borja und Castells (1996).
72 Blakely und Goldsmith (1993).

eingegrenzt werden, zugleich aber das Niveau der zugänglichen öffentlichen Ressourcen gerade durch die Aufrechterhaltung der lokalen Autonomie abgesenkt wird. Die lokale/regionale Autonomie stärkt die Position der in einem Territorium herrschenden Eliten und Identitäten, entrechtet dagegen diejenigen sozialen Gruppen, die entweder in diesen autonomen Institutionen nicht repräsentiert oder aber ghettoisiert und isoliert sind.[73] Unter solchen Umständen kann es zu zwei unterschiedlichen Prozessen kommen. Einerseits können Identitäten, die eher inklusiv sind, ihre Kontrolle über die regionalen Institutionen nutzen, um ihre soziale und demografische Basis zu erweitern. Andererseits errichten lokale Gesellschaften, die sich in einer Defensivposition eingegraben haben, ihre autonomen Institutionen als Mechanismen der Exklusion. Ein Beispiel für den ersten Prozess ist das demokratische Katalonien: Es wird von Katalanen und auf Katalanisch regiert, obwohl während der 1990er Jahre die Mehrheit der erwachsenen Bevölkerung nicht in Katalonien geboren war, weil die genuin katalanischen Frauen traditionell eine Geburtenrate unterhalb der Bestandserhaltungsquote aufwiesen. Der Prozess der kulturellen Integration und sozialen Assimilation von Einwanderern aus dem Süden Spaniens verläuft jedoch relativ reibungslos, und ihre Kinder werden daher kulturell Katalanen sein (s.o., Kap. 1). An diesem Beispiel ist die Beobachtung wichtig, wie eine bestimmte kulturelle oder nationale Identität – katalanisch zu sein – die Kontrolle über den lokalen und/oder regionalen Staat nutzt, um als Identität zu überleben; dabei stärkt sie einerseits ihre Verhandlungsposition gegenüber dem spanischen Nationalstaat und nutzt andererseits ihre Kontrolle über die regionalen und lokalen Institutionen, um Nicht-Katalanen zu integrieren, sie so als Katalanen zu produzieren und Katalonien durch Ersatzfamilien zu reproduzieren.

Eine völlig andere Situation entsteht, wenn Identitäten und Interessen, die in lokalen Institutionen vorherrschen, das Konzept der Integration ablehnen, wie etwa in ethnisch gespaltenen Gemeinschaften. In den meisten Fällen reagiert die ausgeschlossene Gruppe auf die Zurückweisung durch die offizielle Kultur, indem sie Stolz auf ihre ausgeschlossene Identität entwickelt, wie dies in vielen Latino-Gemeinschaften in den amerikanischen Städten oder bei den jungen *beurs* in den nordafrikanischen Ghettos in Frankreich geschieht.[74] Diese ausgeschlossenen ethnischen Minoritäten wenden sich nicht an den lokalen Staat, sondern sie appellieren an den nationalen Staat, um die Anerkennung ihrer Rechte zu erreichen und ihre Interessen oberhalb der und gegen die lokalen und föderalen Staatsorgane zu verteidigen. Das ist der Fall bei der Forderung amerikanischer Minderheiten nach Programmen für *affirmative action*, um Jahrhunderte institutioneller und sozialer Diskriminierung auszugleichen. Um seine Legitimationskrise gegenüber der „Mehrheit“ zu überleben, verlagert der

73 Smith (1991).

74 Sanchez Jankowski (1991); Wieviorka (1993).

Nationalstaat jedoch immer mehr Macht und Ressourcen auf die lokale und regionale Ebene. Damit sinkt aber zunehmend seine Kraft, die Interessen der verschiedenen Identitäten und sozialen Gruppen auszugleichen, die insgesamt im Nationalstaat vertreten sind. Daher bedroht wachsender sozialer Druck das Gleichgewicht der gesamten Nation. Die durch die Dezentralisierung seiner Macht bewirkte zunehmende Unfähigkeit des Nationalstaates, auf derartigen Druck zu reagieren, delegitimiert zusätzlich seine Rolle als Beschützer und Vertreter diskriminierter Minderheiten. Diese Minderheiten suchen dann Zuflucht in ihren lokalen Gemeinschaften, in nichtstaatlichen Strukturen, wo sie sich auf die eigenen Möglichkeiten verlassen.[75] Was daher als Prozess der Neu-Legitimierung des Staates durch die Verlagerung von Macht von der nationalen auf die lokale Ebene begonnen hatte, kann schließlich in der Vertiefung der Legitimationskrise des Nationalstaates und in der Tribalisierung der Gesellschaft in Form von Gemeinschaften enden, die, wie in Kapitel 1 gezeigt, um Primäridentitäten aufgebaut sind.

In Grenzfällen, in denen der Nationalstaat keine mächtige Identität repräsentiert oder keinen Raum für eine Koalition gesellschaftlicher Interessen bietet, die sich unter einer (neu) konstruierten Identität Macht entfalten, kann eine gesellschaftlich-politische Kraft, die durch eine partikulare – ethnische, territoriale, religiöse – Identität definiert ist, den Staat übernehmen und ihn zum exklusiven Ausdruck ihrer eigenen Identität machen. Das ist der Prozess der Herausbildung fundamentalistischer Staaten wie der Islamischen Republik Iran oder der Institutionen einer amerikanischen Regierungsform, wie sie während der 1990er Jahre von der Christian Coalition vertreten wurden. Auf den ersten Blick kann es scheinen, als verleihe der Fundamentalismus dem Nationalstaat eine neue und machtvolle Breite in aktualisierter Fassung. Er ist aber in Wirklichkeit die tiefgreifendste Ausdrucksform für das Ende des Nationalstaates. Wie in Kapitel 1 erläutert, ist der Ausdruck des Islam nicht der Nationalstaat und kann es nicht sein, sondern vielmehr die *umma*, die Gemeinschaft der Gläubigen. Die *umma* ist definitionsgemäß transnational und sollte sich auf das gesamte Universum erstrecken. Das gilt auch für die Katholische Kirche, eine transnationale, fundamentalistische Bewegung, die danach strebt, den gesamten Planeten zu dem einzigen und wahren Gott zu bekehren und die sich dabei wenn möglich staatlicher Unterstützung bedient. Aus dieser Perspektive ist ein fundamentalistischer Staat kein Nationalstaat – weder in seiner Beziehung zur Welt noch in seiner Beziehung zu der Gesellschaft, die auf dem Staatsgebiet lebt. Gegenüber der Welt muss der fundamentalistische Staat im Bündnis mit anderen Apparaten anderer Rechtgläubiger, ob dies nun Staaten sind oder nicht, auf die Ausbreitung des Glaubens hinarbeiten, auf die Formung von Institutionen auf nationaler, internationaler und lokaler Ebene nach den Prinzipien des Glaubens: Das fundamentalistische Projekt ist eine

75 Wacquant (1994); Trend (1996).

globale Theokratie, nicht ein nationaler religiöser Staat. Gegenüber der territorial definierten Gesellschaft geht es dem fundamentalistischen Staat nicht darum, die Interessen aller Staatsbürger und aller auf dem Territorium vorhandenen Identitäten zu vertreten, sondern darum, diesen Bürgerinnen und Bürgern in ihren unterschiedlichen Identitäten zu helfen, die Wahrheit Gottes zu finden, die alleinige Wahrheit. Deshalb entfesselt der fundamentalistische Staat zwar die letzte Welle absoluter staatlicher Macht, er tut dies aber in Wirklichkeit, indem er die Legitimität und Dauerhaftigkeit des Nationalstaates negiert.

Der gegenwärtige Todestanz zwischen Identitäten, Nationen und Staaten hinterlässt daher einerseits historisch entleerte Nationalstaaten, die auf der offenen See globaler Machtströme treiben; andererseits fundamentale Identitäten, die sich in ihren Gemeinschaften eingegraben oder sich mobilisiert haben, um kompromisslos den in Not geratenen Nationalstaat zu besetzen; dazwischen müht sich der lokale Staat, Legitimität und Instrumentalität wiederzuerlangen, indem er zwischen den transnationalen Netzwerken und den integrativen lokalen Zivilgesellschaften hindurchsteuert.

Ich möchte die volle Bedeutung dieser Annahme illustrieren, indem ich näher auf gegenwärtige Entwicklungen in zwei wichtigen Nationalstaaten eingehe, die ebenso wie viele andere auf der Welt während der 1990er Jahre eine strukturelle Krise durchmachen: Mexiko und die Vereinigten Staaten.

Gegenwärtige Krisen von Nationalstaaten: Der PRI-Staat in Mexiko und die US-Bundesregierung in den 1990er Jahren

Die Analyse der Krise der Nationalstaaten, wie sie in diesem Kapitel vorgetragen wurde, kann verdeutlicht werden, indem sie durch eine kurze Darstellung spezifischer Krisen illustriert wird. Es ist aber darauf hinzuweisen, dass die unten referierten Beobachtungen und ihre Interpretation angesichts der Beschränkungen dieses Kapitels keine vollständigen Studien über die Krisen von Staaten sein sollen; freilich beruhen sie auf empirischer Kenntnis des Gegenstandes. Aus einer großen Zahl von Fällen aus der ganzen Welt habe ich teilweise aufgrund meiner persönlichen Vertrautheit zwei wichtige Fälle ausgewählt. Erstens den mexikanischen PRI-Staat; denn nachdem dieser *etwa sechs Jahrzehnte lang eines der stabilsten Regime der Welt gewesen war, löste er sich innerhalb von ein paar Jahren auf und zwar, wie ich zeigen möchte, unter der gemeinsamen Einwirkung von Globalisierung, Identität und einer transformierten Zivilgesellschaft.* Zweitens halte ich es für sinnvoll, nach den tatsächlichen Folgen der oben beschriebenen Prozesse für die US-Bundesregierung zu fragen, auch wenn die USA wegen der Größe ihrer Wirtschaft, der Flexibilität ihrer Politik und des hohen Grades an Dezentralisierung in der staatlichen Struktur ein Sonderfall sind. Es ist jedoch genau dieser Exzeptionalismus,[76] der die Beobachtung des amerikanischen Nationalstaates analytisch bedeutsam macht. Denn *wenn sogar ein Staat mit globaler Reichweite, der in einem flexiblen Föderalismus verankert ist, durch die gegenwärtigen, in diesem Kapitel dargestellten Trends in Schwierigkeiten gerät, so dürfte die vorgeschlagene Analyse allgemeinen Wert besitzen.*

NAFTA, Chiapas, Tijuana und die Agonie des PRI-Staates[77]

Nach zwei Jahrzehnten postrevolutionärer Instabilität ging Mexiko daran, einen der effektivsten, wenn auch nicht demokratischsten Staaten in der ganzen Welt aufzubauen. In seinem Zentrum stand das, was als *Partido Revolucionario Institucional* (PRI) bekannt wurde. Damit wurde buchstäblich das Projekt unterstrichen, die Revolution von 1910-1917 in all ihrer Vielfalt von Idealen und Akteuren zu institutionalisieren. Der PRI-Staat war in der Lage, die konkurrierenden Machtzentren zurückzudrängen, die in den meisten anderen Ländern der Region zur Geißel der lateinamerikanischen Politik wurden: das Militär und die Katholische Kirche. Er überlebte geschickt die unausweichliche enge Verbindung zu den Vereinigten Staaten, indem er den mexikanischen Nationalismus am Leben erhielt und politische Autonomie beanspruchte, sich aber doch im Allgemeinen guter Beziehungen zu seinem mächtigen Nachbarn erfreute. Er vermochte es, eine starke nationale, indigene Identität aufzubauen und damit die Brücke zur Erinnerung an die vorkolumbischen Zivilisationen zu schlagen und dennoch die 10% indianische Bevölkerung in unsichtbarer Marginalität zu halten. Es gelang ihm auch, zwischen 1940 und 1974 für ein erhebliches Wirtschaftswachstum zu sorgen, so dass bis zu den 1990er Jahren die zwölftgrößte Volkswirtschaft der Welt entstand. Und mit Ausnahme der gezielten Tötung von Grundeigentümern und lokalen Kaziken, gelegentlichen politischen Massakern – etwa Tlatelolco 1968 – und einiger begrenzter Aktionen linker Guerillas war Gewalt in der mexikanischen Politik selten. Daher verlief die Übertragung der Macht von Präsident zu Präsident geordnet, vorhersagbar und unangefochten. Jeder Präsident designierte einen Nachfolger und verließ die politische Arena für immer. Und ein jeder Präsident verriet seinen Vorgänger, kritisierte ihn aber niemals und ließ niemals seine Handlungen untersuchen. Die systemische,

76 Lipset (1996).

77 Die hier vorgelegte Analyse Mexikos beruht auf dreierlei Quellen: (a) Zeitungen und Zeitschriften aus Mexiko und anderen Ländern sowie *Revista Mexicana de Sociologia*; (b) einer Reihe veröffentlichter Quellen, nämlich Mejia Barquella u.a. (1985); Berins Collier (1992); Gil u.a. (1993); Cook u.a. (1994); *Partido Revolucionario Institucional* (1994); Trejo Delarbre (1994a, b); Aguirre u.a. (1995); *Business Week* (1995c); Golden (1995); Marquez (1995); Perez Fernandez del Castillo u.a. (1995); Summers (1995); *The Economist* (1995b, c); Tirado und Luna (1995); Woldenberg (1995); Ziccardi (1995); Moreno Toscano (1996); und (c) meiner persönlichen Kenntnis Mexikos, nachdem ich 25 Jahre lang regelmäßig zu diesem Land geforscht habe.

weit verbreitete Korruption verlief in geordneten Bahnen, wurde nach Regeln gehandhabt und war sogar ein wichtiger stabilisierender Faktor in der mexikanischen Politik: Jeder Präsident erneuerte die Verteilung der politischen Ämter im gesamten Staatsapparat, was alle sechs Jahre Zehntausende von Neuernennungen mit sich brachte. Diese kollektive Rotation der Eliten innerhalb eines äußerst lohnenden Systems garantierte kollektive Disziplin, weil jeder auf seine Chance wartete (gewöhnlich war es *seine*), die wahrscheinlich kommen würde, wenn er die Spielregeln einhielt. Die Strafe dafür, dass jemand die Regeln der Disziplin, des Schweigens, der Geduld und vor allem der Hierarchie brach, war die immer während Verbannung aus jeder bedeutsamen Position von Macht und Reichtum im Land, einschließlich der Medienpräsenz und bedeutender akademischer Positionen. Innerhalb des PRI konkurrierten unterschiedliche politische Fraktionen (*camarillas*) um die Macht. Sie brachen jedoch niemals die kollektive Parteidisziplin und stellten niemals die Autorität des Präsidenten in Frage, der bei jedem Streit das letzte, entscheidende Wort hatte. Der Schlüssel zur sozialen und politischen Stabilität im mexikanischen Staat bestand jedoch in dem ausgefeilten Beziehungssystem zwischen PRI und ziviler Gesellschaft. Dieses System beruhte auf der organischen Einbeziehung von Teilen der Massen, hauptsächlich durch die Gewerkschaften (*Confederación de Trabajadores Mexicanos*, CTM), die die Arbeiterklasse kontrollierten, weiter durch die *Confederación Nacional Campesina* (CNC), die die Bauern und Farmer kontrollierte, die zumeist in einem System kommunaler Landnutzung auf Staatseigentum (*ejidos*) lebten, das durch die Agrarrevolution geschaffen worden war; und schließlich durch die *Confederación Nacional de Organizaciones Populares* (CNOP), die – freilich mit merklich geringerem Erfolg – versuchte, ein Gemisch städtischer Gruppierungen der Unterklassen zu organisieren. Dieses System des politischen Klientelismus beruhte größtenteils nicht auf Manipulation und Repression, sondern auf der tatsächlichen Bereitstellung von Jobs, Löhnen, Sozialleistungen, Gütern (einschließlich Land) und Dienstleistungen (einschließlich städtischer Einrichtungen) im Rahmen eines umfassenden populistischen Konzeptes. Die mexikanische Bourgeoisie und das ausländische Kapital waren im Wesentlichen vom Machtsystem ausgeschlossen, obwohl ihre Interessen häufig durch den PRI vertreten wurden, der sicherlich eine pro-kapitalistische Partei war, freilich in einer nationalpopulistischen Version. Die meisten Wirtschaftsgruppierungen mit Ausnahme der Monterrey-Gruppe waren sogar Ableger des mexikanischen Staates. Nicht zuletzt wurden die Wahlen – wenn nötig systematisch – durch Betrug und Einschüchterung verfälscht. In den meisten Fällen hätte der PRI aber auch so gewonnen – wenn auch nicht in allen Fällen und bei allen Wahlen, wie sich zeigte. Das lag an der Effektivität eines populistischen Systems, das durch Netzwerke, Familismus und persönliche Loyalitäten in Gang gehalten wurde, die in einer vertikalen Kette der Reziprozität arrangiert waren und das ganze Land abdeckten. In diesem Sinne war das PRI-System nicht einfach ein politisches Regime, sondern die Struktur des mexikanischen Staates selbst, wie er im 20. Jahrhundert existierte.

Dann wurde das alles innerhalb von weniger als einem Jahrzehnt zunichte, von Mitte der 1980er bis Mitte der 1990er Jahre. Selbst in dem unwahrscheinlichen Fall, dass der erste mexikanische Präsident des 21. Jahrhunderts wiederum ein PRI-Kandidat sein sollte, würde er einem sehr viel anderen Staat präsidieren, weil das oben beschriebene politische System bereits zusammengebrochen ist. 1994, im ersten Jahr des Bestehens von NAFTA, des institutionellen Ausdrucks der vollständigen Globalisierung der mexikanischen Wirtschaft, kam es zu den folgenden Ereignissen: Die Zapatisten begannen am ersten Tag jenes Jahres ihren Aufstand in Chiapas; der Präsidentschaftskandidat des PRI, Luis Donaldo Colosio, wurde ermordet – das erste Mal seit einem halben Jahrhundert, das so etwas geschah; der mexikanische Peso brach zusammen, und Mexiko hätte trotz nie dagewesener Unterstützung durch die USA und den IWF fast Bankrott gemacht, was Schockwellen in der gesamten Weltwirtschaft auslöste; der Generalsekretär des PRI, Francisco Ruiz Massieu (dessen erste Frau die Schwester von Präsident Salinas war) wurde ermordet, sein Bruder, stellvertretender Generalstaatsanwalt von Mexiko, wurde der Vertuschung verdächtigt und floh aus dem Land; Raul Salinas, ein Bruder von Präsident Salinas und mit dem Präsidenten geschäftlich eng verbunden, wurde beschuldigt, hinter der Ermordung von Ruiz Massieu zu stecken und verhaftet; die Verbindungen von Raul Salinas zu den Drogenkartellen und seine Beteiligung an der Wäsche von Hunderten Millionen von Dollars wurden enthüllt; Präsident Carlos Salinas leugnete nach dem Ende seiner Amtszeit im Dezember 1994 jegliches Fehlverhalten, inszenierte einen 24-stündigen Hungerstreik und verließ, nachdem er von seinem Nachfolger Präsident Zedillas höflich besänftigt worden war, das Land; sein Abgang eröffnete erstmals überhaupt einen Schwall öffentlicher Beschuldigungen und gegenseitiger Anklagen durch mexikanische Politiker aller Fraktionen einschließlich früherer Präsidenten, die sich sicher waren, dass es jetzt um alles ging. Obwohl die Wahlen vom August 1994 vom PRI in einem relativ sauberen Wahlgang gewonnen wurden, war weit verbreitete Furcht vor Gewalt im Fall einer Niederlage des PRI für diesen Sieg entscheidend. Die Ergebnisse der Wahlen in Bundesstaaten, Kommunen und zum Kongress, die danach abgehalten wurden, zeigten einen deutlichen Aufwärtstrend von Stimmen für die konservative Opposition, den *Partido de Acción Nacional* (PAN), und in geringerem Maße für die linken Kritiker, die um den *Partido de la Revolución Democrática* (PRD) herum organisiert waren. Präsident Zedillo gab einen erheblichen Teil der Kontrolle über den Wahlapparat ab, berief Unabhängige und PAN-Mitglieder auf hohe Posten seiner Regierung und schien bereit zu sein, Präsident der Transition hin zu einer anderen Art von Regime und vielleicht auch Staat zu sein. Aber der PRI schien anders zu denken. Im November 1996 lehnte er das Abkommen mit anderen Parteien über das Gesetz zur politischen Reform ab.

Die politische Zukunft Mexikos ist zum Zeitpunkt der Niederschrift (1996) ungewiss, weil politische Kräfte und politische Führungspersonen unterschiedlicher Herkunft und Ideologie sich für eine neue politische Ära in Position bringen.

Die einzige Gewissheit ist, dass der historische Weg des PRI-Staates an sein Ende gekommen ist.[78] Und *es geht um die Frage, warum und wie dieses wichtige politische Ereignis mit den hier entwickelten übergreifenden Überlegungen zur Krise des Nationalstaates in Verbindung steht, wieweit es also ein Ergebnis von Konflikten ist, die durch den Widerspruch zwischen Globalisierung und Identität ausgelöst wurden.*

Die derzeitige Transformation Mexikos und das Ende seines Nationalstaates begannen 1982, als Mexiko nicht mehr in der Lage war, die Zinsen auf seine Auslandsschulden zu bezahlen, obwohl seine Ölproduktion genau zu dem Zeitpunkt richtig in Gang gekommen war, als die beiden Ölversorgungskrisen von 1974 und 1979 die Welterdölpreise erheblich hinaufgedrückt hatten. Die Präsidentschaft von Lopez Portillo (1976-1982) war mit der plötzlichen Nationalisierung von Mexikos Banken zu Ende gegangen, ein verzweifelter Versuch, der staatlichen Kontrolle über eine sich schnell internationalisierende Wirtschaft neue Geltung zu verschaffen. Danach beschlossen die politischen und wirtschaftlichen Eliten Mexikos, die USA und internationale Konzerninteressen – ich weiß nicht genau, wie –, dass Mexiko ein zu wichtiges Land sei, als dass man seine Regierung traditionellen Populisten überlassen dürfe. Eine neue Generation von *tecnicos* im Unterschied zu den *politicos* kam an die Macht. Damit ersetzten in den USA ausgebildete Wirtschafts- und Finanzfachleute sowie Politikwissenschaftler die *licenciados* von der Jurafakultät der Universidad Autónoma de Mexico, die traditionell diese Positionen innegehabt hatten. Dennoch mussten Angehörige der neuen Eliten auch zugleich *licenciados* der UNAM sein, und sie mussten auch immer noch der Verwandtschaft einer der traditionellen politischen Familien des PRI angehören. Im Falle von Carlos Salinas war dies das Netzwerk des früheren Präsidenten Miguel Aleman über Salinas' Vater, der 1958-1964 Handelsminister gewesen war und Salinas' Onkel, Ortiz Mena, Mexikos Finanzminister zwischen 1958 und 1982. Miguel de Madrid, ein Technokrat mit Verbindungen zu katholisch-integristischen Kreisen, war 1982-1988 der Übergangspräsident. Seine Aufgabe bestand darin, Mexikos Finanzen in Ordnung zu bringen und ein junges Team technisch kompetenter, politisch wagemutiger Führungspersönlichkeiten heranzuziehen, die aus dem PRI heraus ein neues Land und einen neuen Staat schaffen sollten: Carlos Salinas aus Harvard als Minister für Haushaltsplanung und Manuel Camacho als Minister für Stadtentwicklung waren die führenden Figuren. Aber das von de la Madrid während der 1980er Jahre durchgeführte Austeritätsprogramm führte Mexiko in eine Rezession und damit faktisch zum Bruch des Sozialpaktes mit der organisierten Arbeiterbewegung und den städtischen Unterklassen. Die Gewerkschaftsführer

78 Im November 1996 gewannen die Oppositionsparteien mit überwältigendem Vorsprung die Kommunalwahlen in den Staaten Mexico D.F. und Hidalgo. Von den für Juli 1997 in Mexiko-Stadt und Monterrey geplanten Kommunalwahlen wird eine weitere schwere Niederlage des PRI erwartet. [Die Präsidentschaftswahlen vom Juli 2000 brachten schließlich das Ende der PRI-Herrschaft mit dem Wahlsieg von Vicente Fox von der PAN; d.Ü.]

achteten darauf, ihre Privilegien nicht zu gefährden, aber die Industriearbeiter, die Angestellten im öffentlichen Dienst und die Leute in den einfachen Stadtvierteln spürten die Schmerzen der Umstrukturierung. Dann war Mexiko-Stadt 1985 von einem Erdbeben betroffen, dass Wohn- und Geschäftshäuser zerstörte und soziale Proteste auslöste. Eine alternative politische Koalition, die von Cuauthemoc Cardenas, dem Sohn des Generals Cardenas, des historischen populistischen Führers des PRI in den 1930er Jahren, organisiert wurde, gewann an Dynamik und erwies sich als attraktiv für die Linke innerhalb des PRI, aus der Cuauthemoc Cardenas hervorgegangen war. Der PRI überstand nur mit Mühe die Präsidentschaftswahl von 1988: Mexiko-Stadt, Guadalajara und Ciudad Juarez stimmten gegen den PRI. Der designierte PRI-Kandidat Carlos Salinas wurde durch Schiebung gewählt, und diesmal war der Stimmenunterschied gering genug, dass Betrug zum entscheidenden Faktor wurde. Salinas, ein intelligenter, hochgebildeter Mann, verstand die Botschaft. Er machte seinen alten Freund Manuel Camacho zum *Regente* (Bürgermeister) von Mexiko-Stadt und erlaubte ihm, seinen sozialen Instinkten freien Lauf zu lassen: Sozialprogramme, Verhandlungen mit der Zivilgesellschaft, Demokratisierung. Der neue Präsident konzentrierte sich darauf, die vollständige Integration Mexikos in die globale Wirtschaft zu garantieren; dabei bediente er sich der einflussreichen Hilfe des „mexikanischen Rasputin", des in Frankreich geborenen internationalen Consultant spanischer Abstammung José Cordoba. Salinas' Ansichten waren klar und einfach: „Wir erleben eine intensive wirtschaftliche Globalisierung der Märkte, und die Revolution des Wissens und der Technologie führt dazu, dass wir alle mehr denn je in einer einzigen, universellen Geschichte leben."[79] So war es denn auch sein Karriereziel für das Leben nach der Präsidentschaft, der erste Generalsekretär der neu geschaffenen Welthandelsorganisation zu werden, und er hatte bereits halboffiziell seine Kandidatur angemeldet. Also schnallte er Mexikos Gürtel enger, reduzierte die öffentlichen Ausgaben drastisch, modernisierte die Kommunikations- und Telekommunikationsinfrastruktur, privatisierte die meisten öffentlichen Betriebe, internationalisierte den Bankensektor, liberalisierte den Handel und öffnete das Land weit für Investitionen aus dem Ausland. Während der Lebensstandard für die Mehrheit der Bevölkerung abfiel, wurde die Inflation deutlich reduziert, die mexikanische Wirtschaft wuchs beträchtlich, der Export boomte, die Investitionen strömten herein, so dass Mexiko 1993 zum Land mit den höchsten ausländischen Direktinvestitionen in der Entwicklungswelt wurde. Die Währungsreserven akkumulierten sich zügig. Die Bedienung der Auslandsschulden war unter Kontrolle. Es war erfolgreiche Globalisierung in der Praxis. Salinas leitete auch einen nie dagewesenen Angriff auf korrupte Arbeiterführer ein, der in Wirklichkeit eine Warnung an die gesamte organisierte Arbeiterbewegung war. Und er sagte der Korruption und dem Drogenhandel den Kampf an, wenn auch in diesen Fragen die Geschichte vielleicht

79 Zit. in Berins Collier (1992: 134).

schon bald seine wahren Taten beurteilen wird. Bei alledem senkte er die Reallöhne in Mexiko drastisch ab und drückte große Teile der Bevölkerung in die Armut. Er begann auch ein karitatives Programm, *Pronasol*, das von einem seiner engsten Mitarbeiter, Luis Donaldo Colosio geleitet wurde, beauftragte Manuel Camacho, den unruhigen Bewohnern von Mexiko-Stadt zu helfen und Ernesto Zedillo, das Bildungssystem zu modernisieren. Vor dem Hintergrund großen menschlichen Leids wurde die mexikanische Wirtschaft tatsächlich in ein paar Jahren transformiert. Das ging so weit, dass die USA und internationale Investoren beschlossen, es sei an der Zeit, Mexiko das Reifezeugnis auszustellen und diese Nation von über 90 Mio. Menschen im Erste Welt-Klub (der OECD) willkommen zu heißen – auch wenn über 50% ihrer Bürgerinnen und Bürger unter der Armutsgrenze und 30% in absoluter Armut lebten. Die Unterzeichnung des NAFTA-Abkommens 1993 war der Höhepunkt dieser Strategie, Mexiko in die globale Wirtschaft zu integrieren. Es war der Zeitpunkt von Salinas' Triumph. Damals war es auch an der Zeit, den nächsten Präsidenten auszuwählen. Anstatt Camacho zu wählen, den Stärksten und Populärsten aus dem inneren Kreis, entschied er sich für Colosio, einen anderen jungen *tecnico*, der zwar nicht zur alten Garde des PRI gehörte, aber Parteivorsitzender war und vom Parteiapparat als kompromissbereiter angesehen wurde. Ironischerweise war Camachos bester Freund innerhalb des PRI, Ruiz Massieu, der Generalsekretär der Partei. Aber seine Aufgabe in dieser Funktion bestand just darin, die „Dinosaurier", die alte Parteigarde, abzuwehren. Camacho war durch seine Degradierung aus persönlichen ebenso wie aus politischen Gründen verärgert, und erstmals in der mexikanischen Politik brachte er seine Gedanken sowohl gegenüber dem Präsidenten als auch in der Öffentlichkeit klar zum Ausdruck. Aber er hatte keine andere Wahl. Ende 1993 schien alles unter Kontrolle zu sein, und Salinas schien mit seiner *perestrojka* genau dadurch Erfolg gehabt zu haben, dass er den Fehler vermied, den Gorbatschow seiner Meinung nach begangen hatte: die Politik zu reformieren, bevor die Wirtschaft reformiert war.

Dann, am 1. Januar 1994, dem ersten Tag der NAFTA-Ära, griffen die Zapatisten an. Ich habe bereits die Ursachen, Umstände und Bedeutung der zapatistischen Bewegung analysiert (Kap. 2). Deshalb gehe ich hier nur auf die Folgen der Bewegung für die Krise des mexikanischen Staates ein. Sie waren verheerend. Nicht, weil die Bewegung die Staatsmacht vom militärischen Standpunkt aus wirklich gefährdet hätte. Sondern, weil sie schnell zur Parole für eine Zivilgesellschaft wurde, die in ihrer großen Mehrheit wirtschaftlich litt und politisch entfremdet war. Außerdem bedeutete eine genuin indianische und bäuerliche Rebellion einen schweren Schlag für die Mythologie des PRI. Die Armen, die Bauern, die Indianer waren nicht die unterwürfigen, dankbaren Nutznießer der Revolution, sondern sie wehrten sich. Der Schleier der Heuchelei, hinter dem Mexiko jahrzehntelang gelebt hatte, war unwiederbringlich zerrissen. Der Kaiser war nackt, und der PRI war es auch.

Zweiter Akt. Salinas war wegen Camachos Reaktion nervös geworden und beschloss (mit Zwecken und Absichten, die mir unbekannt sind), ihn wieder um seine Dienste zu bitten, um den Schaden in Chiapas zu beheben. Camacho wurde zum Kommissar des Präsidenten für den Frieden ernannt. Seine geschickte, ausgleichende Verhandlungsführung und die Popularität der Zapatisten lösten Anfang 1994 im PRI eine neue Runde von Intrigen aus. Während Colosios Wahlkampf nur schleppend anlief, wurde die Möglichkeit zum Stadtgespräch, der Präsident könne seine Entscheidung umkehren, nämlich die Nominierung von Camacho anstelle von Colosio. Der Präsidentschaftskandidat Colosio, ein sehr fähiger und wohlmeinender Technokrat (ein an der University of Pennsylvania ausgebildeter Regionalplaner), war nicht Mitglied der alten Garde. Der Parteiapparat war wegen seiner Benennung bereits spannungsgeladen. Aber Camacho war ihnen zu stark: Er war politisch mit allen Wassern gewaschen, verfügte über eigene Verbindungen in der Partei, Unterstützung an der Basis, gute Umfrageergebnisse und nahm eine kompromisslose Haltung ein. Sowohl Colosio als auch Camacho ließen für die Partei, sollten sie Präsident werden, künftig Schwierigkeiten erwarten. Schlimmer noch als der eine oder der andere war aber die Ungewissheit darüber, wer es sein würde und selbst die Möglichkeit eines Bündnisses zwischen beiden. Während die Verhandlungen in Chiapas fortgesetzt wurden und der Wahlkampf Colosios zum Stillstand zu kommen schien, intensivierten sich die Spannungen innerhalb des Parteiapparates, vor allem in einigen Bereichen, wo man sehr spezifische Interessen und viel zu verlieren hatte.

An diesem Punkt meiner Analyse muss ich ein neues Element einführen, das nach meiner wohlerwogenen Meinung absolut entscheidend ist, selbst wenn ich dafür keine harten Fakten anführen kann: *Mexikos neue Rolle im organisierten Verbrechen*. Seit den 1960er Jahren baute Mexiko Marihuana an und exportierte es, aber nicht mehr (in Wirklichkeit weniger) als einige Gebiete in den USA wie Nord-Kalifornien und Kentucky. Die Heroin-Produktion begann in begrenztem Ausmaß in den 1970er Jahren. Aber die große Veränderung trat in den 1980er Jahren ein. Jetzt kam es zur Bildung globaler Drogennetzwerke. Zudem veranlasste der verstärkte Druck, der innerhalb der USA auf die karibischen und zentralamerikanischen Routen ausgeübt wurde, die kolumbianischen Kartelle, einen Teil ihres für die USA bestimmten Schmuggels mit den mexikanischen Kartellen zu teilen, indem sie ihnen eine Menge Kokain gaben, die dem entsprach, was sie für die Kolumbianer in die USA schmuggeln konnten. Der Schmuggel nahm blitzartig zu, und es wurden mächtige mexikanische Kartelle organisiert: in Tamaupilas und am Golf um Garcia Abrego; in Ciudad Juarez um Assado Carrillo; in Tijuana um die Gebrüder Arellano Felix, um nur einige zu nennen. Sie expandierten in die profitable Heroinproduktion und den entsprechenden Schmuggel. Dann kamen die Amphetamine. Dann alles. In der Größenordnung von -zig Milliarden Dollar. Um still und professionell zu arbeiten, orientierten sie sich eher am Cali-Modell als an dem von Medellin.

Vermeide unnötige Morde, sei diskret. Sei einfach nur ruhig, effizient, kaufe, wen immer du brauchst: Polizei, Drogenfahnder, Richter, Staatsanwälte, lokale und regionale Beamte und auch PRI-Bosse, so hoch wie möglich. Jeder Dollar, der in Korruption investiert wird, rentiert sich, denn er schafft ein Netzwerk, das sich ausweitet, und so die Unterstützung vervielfacht und Stillschweigen garantiert. Während also die neue techno-politische Elite Mexikos damit beschäftigt war, die Verbindung mit der globalen Wirtschaft herzustellen, schufen wichtige Sektoren des traditionellen PRI-Apparates zusammen mit staatlichen und lokalen Amtsträgern unterschiedlicher politischer Orientierung ihrerseits eine Verbindung zur „anderen globalen Wirtschaft". 1994 war die neue „Mafiokratie" stark genug, ihre Interessen zu verteidigen, aber nicht fest genug etabliert, um Kasse zu machen und in den finanziellen Wandelgängen der Geldwäsche zu verschwinden. Sie brauchten mehr Zeit, kalkulierbare Zeit. Und Colosio ebenso wie Camacho waren unkalkulierbar und gefährdeten ihre Interessen. Sie beschlossen, alle beide umzubringen: Colosio mit einer Kugel; Camacho mit einer wohlorganisierten Stimmungsmache, die ihn moralisch für Colosios Schicksal verantwortlich machte. Sie hatten Erfolg. Das war kein Zufall. Colosio wurde in Tijuana getötet. Zedillo, der Wahlkampfmanager von Colosio und einer der vier aus Salinas' innerem Kreis (der vierte war Pedro Aspe, der Finanzminister), trat an seine Stelle. Er ist ein kompetenter, in Yale ausgebildeter Wirtschaftler. Aber seine politischen Verbindungen waren schwach und seine politischen Fähigkeiten unerprobt. Nicht, dass die kriminelle Bande ihre Ziele voll durchgesetzt hätte. Aber sie hatte zumindest die Spielregeln verändert. Wer immer in ihr Territorium eindringen sollte, würde dies mit seinem Untergang bezahlen.

Der nächste war der Generalsekretär der PRI, der bei der Untersuchung über den Tod von Colosio, der bei der Niederschrift noch ungeklärt ist, zu weit zu gehen schien. Diesmal wurde der Mörder des Generalsekretärs José Francisco Ruiz Massieu zu einem prominenten PRI-Parlamentarier, zum Tamaulipas-Kartell und letztlich zu Raul Salinas zurückverfolgt, dem Bruder und engen Mitarbeiter des Präsidenten. Merkwürdig genug, dass der Bruder von Ruiz Massieu, der von der Regierung als Sonderstaatsanwalt gegen den Drogenhandel eingesetzt worden war, formell beschuldigt wurde, auf der Gehaltsliste des Kartells zu stehen. Es ist zu früh, jenseits von allem Zweifel zu behaupten, wer was getan hat, und es liegt sicherlich jenseits meines Wissens und meiner Kompetenz. Es ist jedoch analytisch relevant, dass während der entscheidenden politischen Krise von 1994 der Verbund zwischen Drogenschmuggel und PRI eine wesentliche Rolle bei den Mordanschlägen, Einschüchterungen und Vertuschungsaktionen gespielt hat, die die traditionellen Regeln des politischen Spiels zerstörten und den Weg für das Ende des PRI-Staates frei machten. Es muss betont werden, dass dies nicht ein typischer Fall der politischen Infiltration durch den Mob ist. *Es sind die globale Reichweite dieser kriminellen Netzwerke, ihre Bedeutung für die Beziehungen zwischen den USA und Mexiko und die Ver-*

wicklung höherer Ebenen des Staates, die der Krise Signifikanz verleihen als Illustration dafür, wie die Globalisierung des Verbrechens mächtige, stabile Nationalstaaten überwältigt.

Die politischen Morde, die offenkundige Infiltration krimineller Elemente in den Staat, die Herausforderung der Zapatisten, die von einer Mehrheit der öffentlichen Meinung unterstützt wurden, und die internen Konflikte des PRI erschütterten das Vertrauen der ausländischen Investoren in die Stabilität des neuen Marktes in Mexiko. Der Kapitalabfluss begann im März 1994 nach der Ermordung von Colosio am 23. März. Trotzdem entschieden sich Salinas und sein Minister Aspe, am festen Wechselkurs festzuhalten und Mexikos reichliche Währungsreserven einzusetzen, um den Verlust an ausländischem Kapital auszugleichen. Sie rechneten darauf, den Trend umkehren zu können. Das geschah nicht. Als Zedillo am 1. Dezember 1994 die Kontrolle übernahm, geriet er angesichts der wahren Situation, die in der geheimen Buchführung zum Ausdruck kam, in Panik. Er beschloss eine überstürzte Abwertung, die alles noch schlimmer machte. Die darauf folgende Kapitalflucht brachte Mexiko an den Rand des Bankrotts und erschütterte die Märkte in Buenos Aires und São Paulo. Der US-Präsident erschien als Retter und ging unter den Zwängen von NAFTA so weit, unter Umgehung des Kongresses US$ 20 Mrd. als zusätzliche Garantiesumme einzuschießen, die dem Bundeshaushalt entnommen wurde. Auch der IWF beteiligte sich mit einer Anleihe von US$ 8 Mrd. (der größten überhaupt) und arrangierte ein paar weitere Geschäfte, so dass Mexiko Mitte 1995 mit US$ 50 Mrd. einigermaßen abgefedert war. Im Austausch dafür verlor es seine ökonomische Unabhängigkeit für immer.

Jenseits der wirtschaftlichen Neustrukturierung mit ihren hohen sozialen Kosten und den neuen Verbindungen zum System des globalen Verbrechens bestand ein weiteres wesentliches Element, das zum Ende des PRI-Staates beitrug, in der Mobilisierung der zivilen Gesellschaft vor allem in den großen städtischen Zentren. Diese Mobilisierung war zweideutig, weil sie sich aus sehr unterschiedlichen sozialen Interessen, Kulturen und politischen Projekten speiste. Sie führte wichtige Teile der professionellen Mittelklassen zusammen, die von den Aussichten einer dynamischen Wirtschaft profitierten, sich aber nach Demokratie, einer sauberen Regierung und einer Beschränkung des Staatsapparates sehnten. Sie warf aber auch Angestellte des öffentlichen Sektors in den Kampf gegen den PRI-Staat, die ihre Sicherheit gefährdet sahen; unzufriedene Stadtviertel, die sich vor dem Zusammenbruch des Redistributionssystems von Land und Dienstleistungen fürchteten; Studierende, die sich um die erneuerten Symbole sozialer Veränderung mobilisierten; und arme Menschen, Millionen in Stadt und Land, die auf jede Weise ums Überleben kämpften. Und obwohl der politische Skeptizismus zunimmt und nicht viele Mexikanerinnen und Mexikaner wahrhaftig glauben, ihr Schicksal hinge von alternativen politischen Parteien ab, so besteht doch ein Konsens, dass der PRI-Staat nicht in der Lage ist, das Notwendige zu tun. Der Zusammenbruch der populistischen Legitimität ist gleichbedeutend mit dem Ende populistischer, organischer Bündnisse im Kern des Systems.

Die Bemühungen der Salinas-Administration um Demokratisierung äußerten sich in der Verlagerung von Macht und Ressourcen auf die Kommunen und Bundesstaaten. Dazu gehörte es auch, Wahlsiege der Opposition in einer Reihe wichtiger Staaten und Städte vor allem in Norden zu tolerieren. Die Reihe von Monografien über Stadtverwaltungen während der 1990er Jahre, die Alicia Ziccardi[80] koordiniert hat, zeigt wesentliche Verbesserungen in der Lokalverwaltung, vor allem etwa in Leon, Durango, Torreon und im Bundesdistrikt Mexiko. Die politische Folge dieser relativen Erfolge war aber die weitere Unterminierung des PRI-Staates. In allen diesen Fällen wurde nämlich eine stärkere Verbindung zwischen den Stadtverwaltungen, die sich vielfach in der Hand von Oppositionsparteien befanden, und den lokalen Zivilgesellschaften geschaffen. Selbst im Bundesdistrikt Mexiko schuf die Stadtverwaltung des vom Präsidenten ernannten *Regente* Manuel Camacho am Ende dessen eigene Wählerbasis bei der Bevölkerung und umging dabei den PRI-Apparat. So hatte das Bemühen um Demokratisierung und Dezentralisierung der Macht, ihrer Verlagerung auf die unteren staatlichen Ebenen, während der Präsident und seine Technokraten auf der Welle der globalen Wirtschaft ritten, insgesamt eine größere Distanz zwischen allen Bevölkerungssegmenten und der nächsten Umgebung des Präsidenten zur Folge. Weil das Wesen des mexikanischen Staates im göttlichen Status des Präsidenten bestand, solange er Präsident war, läutete der weit verbreitete Mangel an entsprechender Ehrfurcht selbst in den Augenblicken von Salinas' Triumphen einem der dauerhaftesten politischen Regime dieses Jahrhunderts das Totenglöcklein.

Der mexikanische Nationalstaat wird auf einem neuen historischen Kurs weiter bestehen, weil die Wurzeln des Nationalismus fest in die Herzen der Mexikaner eingepflanzt sind. Es wird jedoch nicht derselbe Nationalstaat sein, wie er vom PRI geschaffen wurde. Und ich möchte behaupten, er wird zwar immer noch einflussreich sein und über Ressourcen verfügen, aber seine Macht wird dennoch weiter schwinden.

Wirtschaftlich ist Mexiko ebenso wie die Welt insgesamt in eine neue Ära eingetreten, wobei Mexiko wahrscheinlich der Pionier ist. Larry Summers, einer der angesehensten internationalen Finanzexperten und einer der Hauptbeteiligten bei der Rettung Mexikos schrieb Ende 1995 mit zeitlichem Abstand: „Die Form der Krise Mexikos [1994] war geprägt durch die Finanzinnovationen der letzten Jahre: Und die Fortschritte in der Informations- und Kommunikationstechnologie bewirkten, dass sie sich in noch nie dagewesener Weise ausbreitete. Es ist daher kaum verwunderlich, dass Michel Camdessus vom Internationalen Währungsfonds sie zur ersten Krise des 21. Jahrhunderts erklärt hat."[81] Das

80 Ziccardi (1991, 1995).
81 Summers (1995: 46).

übersetzte sich in die Tatsache, dass Mexikos Wirtschaftspolitik, und jegliche Art von Politik, in Zukunft eng mit der Wirtschaftspolitik der USA und den internationalen Finanzmärkten koordiniert werden muss.

Politisch muss Mexiko von jetzt an mit der Penetration seines Staatsapparates durch die Netzwerke des internationalen Verbrechens rechnen, und zwar auf sämtlichen Ebenen. Es ist zu bezweifeln, dass seine eigene Polizei und Justiz immun gegen eine derartige Penetration sind, was die Wiedergewinnung der vollständigen Autonomie des Staates gegenüber der Kriminalität schwierig macht. Tatsächlich scheint es, als stammten die meisten Enthüllungen über Verbindungen des Drogenhandels mit dem politischen System einschließlich derjenigen, die sich auf Raul Salinas bezogen, aus den Nachforschungen von US-Geheimdiensten – was die mexikanische Führung von den amerikanischen Geheimdiensten abhängig macht.

In der Innenpolitik experimentiert eine besser gebildete und mobilisierte Zivilgesellschaft mit neuen Formen des Ausdrucks und der Organisation. Das steht alles im unmittelbaren Gegensatz zum PRI-Staat und ist häufig auf der lokalen Ebene stärker entwickelt als auf der nationalen. Die zunehmende Globalisierung und Segmentierung der Medien lockern die Kontrolle, welche die Televisa-Gruppe, ein privates Multimedia-Imperium im traditionell engen Bündnis mit dem PRI-Staat, über das „Infotainment" ausgeübt hat.

Und symbolisch hat die Macht der Identität, wie sie von Marcos und den Zapatisten geltend gemacht wurde, mehr getan, als nur die ideologische Selbstgefälligkeit Mexikos zu entlarven: Sie hat Brücken gebaut zwischen den wirklichen Indianern, den wirklichen Armen und den gebildeten städtischen Sektoren, die auf der Suche nach neuen mobilisierenden Utopien sind. Dabei wurde die mexikanische Nation neu vereinigt, dieses Mal gegen den Staat des PRI.

Das Volk gegen den Staat: die schwindende Legitimität der US-Bundesregierung[82]

Die Krise des amerikanischen Staates in den 1990er Jahren ist eine Legitimitätskrise, von der ich behaupte, dass sie weit über den traditionellen libertären Strang in der US-Politik hinausgeht. Sie stammt aus den Tiefen der zivilen Ge-

---

82 Eine der besten Darstellungen der politischen Entwicklung in den USA während der 1990er Jahre ist Balz und Brownstein (1996). Ich verweise auf dieses Buch für zusätzliche Quellen. Um die amerikanische Anti-Regierungskultur in ihre historische Perspektive einzuordnen, s. Lipset (1996) und Kazin (1995). Zusätzliche nützliche Informationen und Analysen zu den in diesem Abschnitt behandelten Themen bieten: Stanley und Niemi (1992); Davidson (1993); Bennett (1994); Black und Black (1994); Murray und Herrnstein (1994); Woodward (1994); Barone und Ujifusa (1995); Campbell und Rockman (1995); Greenberg (1995); Himmelfarb (1995); Pagano und Bowman (1995); Roper Center of Public Opinion and Polling (1995); Dionne (1996); Fallows (1996). Eine strikte soziologische Kritik an den Thesen von Murray liefern Fischer u.a. (1995).

sellschaft, die ihren Kummer über eine Reihe von Einzelproblemen zum Ausdruck bringt, die alle darauf hinaus laufen, Rolle, Funktion und Macht der Bundesregierung zu hinterfragen, wie sie in den Grundsatzentscheidungen des Obersten Gerichtshofes von 1810 und 1819 festgelegt worden sind. Die unmittelbare politische Folge des neuerlichen Misstrauens in den Staat ist die zunehmende Stärke der Republikanischen Partei, die eindeutig nach rechts gerückt ist. Dies kam überdeutlich bei den Kongress- und Gouverneurswahlen 1994 zum Ausdruck und wurde in gewissem Maße durch die Kongresswahlen 1996 bestätigt, als die Republikaner die Kontrolle sowohl über das Repräsentantenhaus als auch über den Senat verteidigen konnten. Der Einfluss antistaatlicher Meinungen und Stimmungen reicht jedoch weit über die republikanische Wählerschaft hinaus und erfasst unabhängige Wählerschichten wie diejenigen, die von Ross Perot vertreten werden und das gegenwärtige Parteiensystem vollständig ablehnen. Die antistaatlichen Positionen sind auch in einer wachsenden Anzahl demokratischer Wählergruppen anzutreffen, so dass Präsident Clinton in seiner Botschaft zur Lage der Nation 1996 so weit ging, „das Ende des *big government*“ zu verkünden.

In der Tat war Clintons Wiederwahl 1996 weitgehend darauf zurückzuführen, dass er viele republikanische Themen aufgriff, die sich gegen den Wohlfahrtsstaat und gegen Staatsausgaben wandten, verbunden mit einer scharfen Position zu Recht und Ordnung sowie dem Versprechen, die Ansprüche der Mittelklasse zu wahren. Auf diese Weise besetzte er geschickt die rechte Mitte des politischen Spektrums. Theda Skocpol kommentierte denn auch die Ergebnisse der Präsidentschaftswahlen von 1996 wie folgt: „Unabhängig vom Stärkeverhältnis der Parteien wird uns etwas von der Schwerpunktverlagerung der Debatte von 1994 erhalten bleiben. Es gibt einfach ein Gefühl, dass man die Bundesregierung selbst dann nicht für große Initiativen gebrauchen kann, wenn die nationalen Probleme groß sind.“[83] Außerdem kam in der Wahl von 1996 zunehmende Unzufriedenheit der Wählerschaft mit allen politischen Kandidaturen zum Ausdruck: Nur 49% der Wahlberechtigten machten sich die Mühe zu wählen, und Clinton bekam nur 40% dieser 49%. Dass die exekutive und die legislative Macht in unterschiedlicher Hand blieben, schien das Ergebnis eines impliziten kollektiven Willens zu sein, das System der gegenseitigen institutionellen Kontrolle zu verstärken und so jeder Art von staatlichem Organ eine übermäßige Machtposition zu verweigern.

Diese mächtige, gegen den Staat gerichtete Tendenz wirkt sich erst einmal tiefgreifend auf die Politik, nicht aber auf die Struktur des Staates aus. Aber sie scheint auch im Begriff zu sein, die institutionellen Grundlagen und die politische Zielrichtung der Regierungstätigkeit in Amerika zu transformieren. Wenn die Vorschläge, die der republikanische Parteitag 1995 verabschiedet hat oder eine modifizierte Version dieser politischen Pläne Gesetzesform erlangen, was

---

83 Zit. von Toner (1996).

möglich ist, so würde die Bundesregierung bis 2002 den Regierungen der Einzelstaaten die Verantwortung und die Geldmittel zur Durchführung Dutzender staatlicher Programme übertragen; dazu zählen Sozialhilfe, *Medicaid* (Bundesgesundheitsprogramm für sozial Schwache), berufliche Bildung und Umweltschutz, was insgesamt schätzungsweise eine Summe von US$ 200 Mrd. Jahresausgaben ausmacht.[84] Außerdem würden die Geldmittel als Pauschalzuweisungen vergeben werden, so dass die endgültige Entscheidung über ihren Einsatz in der Hand der Staaten liegen würde, wenn auch mit einigen Leitlinien, deren Inhalt Gegenstand hitziger interner Kämpfe im Kongress ist. Die Clinton-Administration hatte auch den Plan, auf mehreren wichtigen Gebieten wie Transportpolitik und Sozialhilfe zunehmend Verantwortung auf die Staaten zu verlagern. Zusätzlich werden Anstrengungen zur Reduzierung des Haushaltsdefizits, die sowohl von den Republikanern als auch von Präsident Clinton ausgehen, zu einem erheblichen Rückgang der Ausgaben auf Bundesebene ebenso wie bei den Einzelstaaten führen. Die Ausgaben für *Medicaid* könnten zwischen 1995 und 2002 um 30% (d.h. US$ 270 Mrd.) gekürzt werden. Bundesbehörden, die eine wichtige Rolle bei der staatlichen Regulierung spielen wie die Environmental Protection Agency und die Federal Communications Commission, könnten deutliche Einschnitte ihrer Macht und ihrer Finanzen erleben. Tatsächlich ist die Rückführung des Haushaltsdefizits zwar ökonomisch gut begründet, aber zugleich zum mächtigsten Instrument geworden, um die Bundesregierung, die 1995 ein Defizit von US$ 203 Mrd. auswies, einzuschrumpfen. Es ist eine kombinierte Bewegung hin zu einer Verlagerung der Macht auf die Einzelstaaten und Landkreise (*counties*) zu beobachten, zur Deregulierung, zur Aufhebung von Wohlfahrtsrechten, zur drastischen Verminderung von Staatsausgaben und Staatsanleihen sowie zu Steuerreduzierungen; dazu gehört auch die Möglichkeit, dass es zu einer wahrhaften fiskalischen Revolution kommt, was durch die immer wieder aufflammende Debatte über eine einheitliche Einkommenssteuer (*flat rate*) illustriert wird. All das bewirkt eine grundlegende Neudefinition der Macht und der Ziele der Bundesregierung und damit des amerikanischen Staates.

Die Antriebskräfte dieser Transformation der Rolle des Staates in den Vereinigten Staaten entstehen aus einer tiefen und ausgeprägten Ablehnung der Bundesregierung durch eine große Mehrheit der Amerikaner während der 1990er Jahre (s. Abb. 5.4). Balz und Brownstein fassen die Daten aus Meinungsumfragen und politischen Untersuchungen wie folgt zusammen:

> Die Unzufriedenheit mit der Regierung folgt derzeit zwei mächtigen Strömungen. Einerseits folgt die Mehrheit der Amerikaner der populistischen Kritik, die Washington angreift, weil es verschwenderisch und ineffektiv sei, sich in den Krallen von Sonderinteressen befinde und überfüllt sei mit doppelzüngigen, selbstsüchtigen Politikern, die alles sagen, nur um wiedergewählt zu werden. (Diese populistische Entfremdung vom Staat ist in den Wählerschichten

84 *Business Week* (1995e).

der weißen Arbeiterklasse am stärksten – derselben Gruppe, die in den letzten beiden Jahrzehnten dem größten wirtschaftlichen Druck ausgesetzt gewesen ist). An einer zweiten Front beschuldigt eine kleinere, aber immer noch beträchtliche Anzahl der Amerikaner die Regierung aus ideologischen Gründen – als einen überdehnten Behemoth, der individuelle Freiheit und Eigenständigkeit aushöhlt, von der Religion ablenkt sowie die Minderheiten und die Armen begünstigt. Das Misstrauen gegen die Regierung hat sich als gewaltiges Hindernis für die Demokraten erwiesen, Unterstützung für neue staatliche Initiativen zu sammeln – sogar für solche, die darauf abzielen, die wirtschaftliche Unsicherheit durch ausgeweitete berufliche Bildung oder garantierte Gesundheitsversorgung zu bekämpfen. Feindseligkeit gegenüber der Bundesregierung ist heute ebenso sehr Teil der amerikanischen Kultur wie Ehrfurcht vor der Nationalflagge.[85]

Abbildung 5.4 Einstellungen der öffentlichen Meinung zur Größe von Staat und Verwaltung und staatlichen Dienstleistungen (USA), 1984-1995 (Ergebnisse des Umfragepunktes: „Wäre Ihnen ein kleinerer Regierungsapparat mit weniger Dienstleistungen lieber oder ein größerer Regierungsapparat mit zahlreichen Dienstleistungen?")

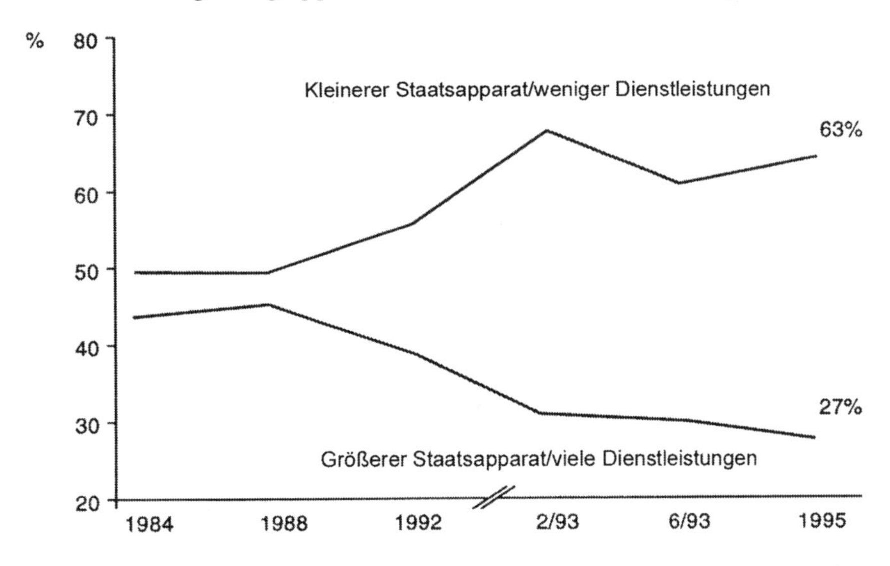

Quelle: Umfragen von ABC News/*The Washington Post*, 1984, 1988, 1992 und Februar 1993 sowie *The Los Angeles Times*, Juni 1993 und Januar 1995

Es ist genau dieser Bruch zwischen verstärkter Loyalität zum Symbol der Nation (der Fahne) und dem zunehmenden Ungehorsam gegenüber den Geboten des Staates (Washington), der eine Legitimationskrise charakterisiert.

In Kapitel 2 habe ich im Zusammenhang mit den sozialen Bewegungen kurz den Aufstand analysiert, der in den Vereinigten Staaten gegen die neue globale Ordnung stattfindet, und einige Überlegungen zu den Wurzeln und Charakteristika von Bewegungen wie „Amerikanische Miliz", der *county*-Rechte

85 Balz und Brownstein (1996: 13).

und der *wise use*-Bewegung sowie diverser „patriotischer", gegen die Regierung gerichteter Mobilisierungen formuliert. In diesem Kapitel gehe ich stärker auf die Auswirkungen dieser Bewegungen und breiterer gesellschaftlicher Entwicklungen auf die öffentlichen Vorstellungen von Politik und Staat ein. Gegen den Staat gerichtete Einstellungen, die in der amerikanischen Gesellschaft der 1990er Jahre bestehen, lassen sich nicht auf ihre extremsten Ausdrucksformen reduzieren; freilich bringt die Patrioten-Bewegung durchaus konzentriert die Wertvorstellungen und den Zorn zum Ausdruck, die in weiten Teilen der Gesellschaft geäußert werden und ihr Echo in den Auslassungen von Rush Limbaughs Radio-Talkshows finden. Gegen die Bundesregierung gerichtete Einstellungen und entsprechende politische Positionen sind der Punkt, an dem eine sehr große Anzahl ideologischer, wirtschaftlicher und gesellschaftlicher Tendenzen zusammenströmen. Sie sind so tief in der Beziehung zwischen Globalisierung, Konstruktion von Identität und Politik verwurzelt, dass man mit Sicherheit voraussagen kann, dass gleichviel, welche Partei im Jahr 2000 gewinnt, die Republikaner oder eine erneuerte Demokratische Partei, sie durchaus zu einer gründlichen Überholung der amerikanischen politischen Institutionen im 21. Jahrhundert gedrängt werden kann. Ein Überblick über die wichtigsten Bestandteile dieses konservativen Populismus der 1990er Jahre kann helfen, die Komplexität des Prozesses sowie das Ausmaß der Krise zu verstehen, die jenseits von Wechseln im politischen Zyklus am Horizont steht.

Die erste machtvolle Tendenz ist eine neue Art von wirtschaftlichem Populismus. Er reagiert auf die Entrechtung eines großen Teils der amerikanischen Arbeiterinnen und Arbeiter unter dem Eindruck der globalen wirtschaftlichen Neustrukturierung. Die Konzernprofite und der Aktienmarkt befanden sich 1996 auf einem absoluten Höchststand, obwohl der Dow Jones-Index jedes Mal steil abfiel, wenn eine spürbare Maßnahme zur Schaffung von Arbeitsplätzen angekündigt wurde. Die Technologie bewirkt langsam aber sicher einen Anstieg der Produktivität. Die meisten Frauen haben jetzt ein eigenes Einkommen. Arbeitsplätze werden in Rekordmenge geschaffen (während der Clinton-Administration 10 Mio. neue Arbeitsplätze). Dennoch sind tiefsitzende Unzufriedenheit und Unsicherheit ein Ausdruck des stagnierenden oder sinkenden Lebensstandards der Mehrheit der Bevölkerung. Hinzu kommt noch die strukturelle Instabilität, die durch die Flexibilisierung der Arbeit, die Vernetzung der Unternehmen und die steigende Abhängigkeit von transnationalen Investitionsmustern in den Arbeitsmarkt gebracht wurde (s. Bd. I). Nun ist dies eigentlich eine gegen die Konzerne und nicht gegen den Staat gerichtete Einstellung, und implizit ist sogar die Forderung nach aktiverer staatlicher Intervention darin enthalten, wie dies auch für die Kampagne für eine protektionistische Wirtschaftspolitik gilt. Es nährt aber den Zorn gegen die Bundesregierung, weil Washington zurecht als Manager der Globalisierung gesehen wird. Das gilt vor allem seit der Unterzeichnung des NAFTA-Vertrages, der zum Symbol der zunehmenden wirtschaftlichen Interdependenz in Amerika geworden ist. Die von dieser Bewegung angesprochenen politischen Fragen bedeuten potenziell wirtschaftlichen Protektionismus, Restriktionen bei der Immigration und Diskriminierung von Immigranten. Ihre Implikationen führen zu einer frontalen Widerstandshaltung gegenüber Konzerninteressen, für die Freihandel und Freizügigkeit von Kapital und hochqualifizierten Arbeitskräften entscheidend sind. Dies schafft einen brisanten Widerspruch innerhalb der Republikanischen Partei, wie sich während der Präsidentschaftsvorwahlen 1996 zeigte, als die republikanische Führungsgruppe alarmiert auf die Anfangserfolge der populistischen Buchanan-Kandidatur reagierte. Ein ähnlicher Widerspruch besteht auch in der Demokratischen Partei. Hier sind die meisten Gewerkschaften und viele Minderheitengruppen gegen NAFTA und gegen die vollständige Mobilität des Kapitals in einer offenen, globalen Wirtschaft. Dieses Programm wird von den demokratischen Führungspersonen allgemein vertreten und von Clinton zweifellos gefördert.

Eine weitere Strömung innerhalb der öffentlichen Meinung, die teilweise mit dem wirtschaftlichen Protektionismus zusammenfällt, ist die Forderung nach Isolationismus. Sie kommt in dem verbreiteten, volkstümlichen Widerstand gegen den Einsatz amerikanischer Truppen im Ausland zum Ausdruck, wenn es keine zu Hause deutlich wahrgenommene Bedrohung der nationalen Sicherheit gäbe, wofür Somalia oder Bosnien nicht ausreichten. Nach dem Hinscheiden der Sowjetunion war eine nationale Mobilisierung für die Köpfe und Herzen der Menschen nicht mehr zu begründen. Die regelmäßige Ausübung des Status einer militärischen Supermacht, die für die wirtschaftlichen, intellektuellen und politischen Eliten so interessant ist, scheint die Kosten und Leiden nicht zu rechtfertigen. Die Ablehnung des Dienstes amerikanischer Truppen unter der UN-Fahne wurde zum Schlagwort gegen den Multilateralismus und gegen die Verwischung der Souveränität der USA im komplexen Gewebe internationaler Organisationen, die wie – etwa die Welthandelsorganisation – die Ära nach dem Kalten Krieg charakterisieren.

Eine dritte Meinungsströmung bezieht sich auf die weit verbreitete Ablehnung dessen, was als staatliche Einmischung in Privatleben, Familie und lokale Gemeinde gilt. Das gilt für die *home school movement*, die oft mit dem christlichen Fundamentalismus verbunden ist, und in der Eltern sich weigern, ihre Kinder zur Schule zu schicken, und die Notwendigkeit formaler Zeugnisse abstreiten. Oder die Bewegungen für *county*-Rechte und *wise use* gegen Umweltbestimmungen, die das Eintreten für lokale Autonomie vor allem im Westen mit den Interessen der Holz- und Bergbaugesellschaften verbinden. Oder die zunehmende, weit verbreitete Sorge über Bedrohungen der Privatsphäre, die vom computerisierten Staat ausgehen. Diese Befürchtungen nähren libertäre Tendenzen unterschiedlicher Art, je nach Bildungsniveau und Sozialkontext.

Familienwerte, Bewegungen gegen Abtreibung, Kampagnen gegen Schwule und religiöser Fundamentalismus meist von weißen Evangelikalen bilden die Grundlage einer breiten und diversifizierten gesellschaftlichen Strömung. Wie bereits in Kapitel 1 und 2 erwähnt, ist die Christian Coalition mit 1,5 Mio.

Mitgliedern und etwa 1.200 Ortsgruppen in 50 US-Bundesstaaten die mächtigste und am stärksten organisierte politische Ausdrucksform dieser Strömung. Die Christian Coalition ist bis Mitte der 1990er Jahre sogar zum wichtigsten Einzelblock von Wählerinnen und Wählern innerhalb der Republikanischen Partei und zu einer entscheidenden Kraft in vielen Wahlen auf lokaler, einzelstaatlicher und Bundesebene geworden. Ihr wird nachgesagt, sie sei das funktionale Äquivalent zu dem, was die organisierte Arbeiterbewegung einmal für die Demokratische Partei war. Der christliche Fundamentalismus ist nicht eine im Prinzip antistaatliche Bewegung. Sein Traum wäre ja gerade eine Theokratie, eine gottesfürchtige Nation, in der die Regierung die göttlichen Gebote durchsetzt, wie dies in einigen Schulbehörden Kaliforniens geschah, über die sie die Kontrolle erlangte, oder durch den Beschluss des Senates von Tennessee im Februar 1996, die Zehn Gebote in Behörden und Schulen aufzuhängen und ihre Beachtung zu verlangen. Unter dem derzeitigen Verfassungsregime religiöser Freiheit und der Trennung von Kirche und Staat erfordert der Neuaufbau der christlichen Nation jedoch zuerst die Demontage des säkularisierten Staates in seiner heutigen Form. Die außerordentliche Entwicklung, die der christliche Fundamentalismus während des vergangenen Jahrzehnts in den USA genommen hat, sowie seine Umwandlung in eine organisierte politische Kraft lassen sich mit der Rekonstruktion von Identität und dem Widerstand gegen die Desintegration der traditionellen Familie in Zusammenhang bringen. Es ist die Ablehnung des Feminismus, der Schwulenbefreiung und des Endes des Patriarchalismus. Und darüber hinaus die Ablehung von staatlichen Bemühungen, Gesetze auszuführen, die die Wahlfreiheit von Frauen, Geschlechtergleichheit und kulturelle Toleranz unterstützen. Aber jenseits dieser Reaktion, die in persönlicher Verunsicherung wurzelt, gibt es den Versuch, Identität und Sinn auf der Grundlage einer idealisierten Vergangenheit neu zu schaffen; es handelt sich um die einstige Familie und Gemeinde in einer homogenen Gesellschaft, die jetzt in der neuen Welt der Vorstädte neu aufgebaut wird, sowie in den kleinen Städten eines dahinschwindenden ländlichen Lebens. Diese Reaktion ist besonders drastisch vor dem Hintergrund des gegenwärtigen Zusammenbruchs der patriarchalischen Familie in Amerika (s. Kap. 4). Der Aufstand gegen die Krise des Patriarchalismus ist ebenso machtvoll wie die Gegnerschaft gegen die neue globale Wirtschaftsordnung, wenn es darum geht, die liberalen Werte und das politische Establishment herauszufordern und so die Bundesregierung zu delegitimieren, die als deren Durchführungsorgan wahrgenommen wird.

Abbildung 5.5. Einstellungen zu Programmen der Bundesregierung und zur Reduzierung des Defizits im Bundeshaushalt in den USA, 1995 (Ergebnisse des Umfragepunktes: „Sagen Sie für jeden der folgenden Programmpunkte, ob es wichtiger ist, den Bundeshaushalt einzuschränken oder zu verhindern, dass das Programm ernstlich beschnitten wird?")

Vorrang für	"Verringerung des Bundesdefizits" (%)	"Einschnitte vermeiden" (%)
Unterstützung der Künste	66	29
Wohlfahrt allgemein	65	30
Lebensmittelgutscheine	60	35
Verteidigungsausgaben	52	43
Unterstützung von Farmern	43	52
Darlehen an Studierende	31	65
Medicaid (Bundesgesundheitsprogramm für die Armen)	29	66
Zuweisungen an Städte für mehr Polizeipräsenz	28	68
Schulspeisungsprogramme	28	69
Sozialversicherung	20	77
Medicare (Bundesprogramm für alte Menschen)	19	78

Quelle: Umfrage der Gallup Organization für CNN/*USA Today*, 24.-26. Februar 1995

Die Kritik an Bundesgesetzen und -institutionen wird noch beißender, wenn sie sich mit Klassen- und Rassenhass gegenüber den Armen und gegenüber rassischen Minderheiten verbindet. Das ist der Grund, aus dem die relative Delegitimierung des Wohlfahrtsstaates, der bereits durch die wirtschaftlichen Entwicklungstendenzen unter schwerem Druck steht, sich in weit verbreiteten Stimmungslagen, Wählerstimmen und antistaatlicher Feindseligkeit niederschlägt. Ich sage relativ, weil Sozial- und Krankenversicherung, die etwa zwei Drittel des Budgets des US-Wohlfahrtsstaates ausmachen, noch immer von einer großen Mehrheit der Bevölkerung unterstützt werden, was es sehr schwer macht, das System zu reformieren (s. Abb. 5.5). Andererseits sind Wohlfahrtsprogramme, Sozialleistungen für die Armen, Ausbildungsprogramme und *affirmative action* für Minderheiten dem Angriff einer Mehrheit ausgesetzt, die sich weigert, Steuern für den Unterhalt „der Anderen" zu bezahlen, die ferner die Armen stigmatisiert und sie für ihr Verhalten verantwortlich macht, indem etwa den Sozialhilfeleistungen die Schuld gegeben wird, wenn die Zahl der „Babys, die von Babys geboren werden", exponenziell zunimmt. In den „Theorien", die von den wissenschaftlichen Beraterstäben der Anti-Wohlfahrtsbewegung vorgetragen werden, wird das viktorianische England mit seiner rigiden Moral zum Modell, und die Armen und die Minderheiten werden wegen ihres biologisch determinierten IQ zu einem dauerhaft niedrigeren Status verurteilt.[86] Eine weitere Ausdrucksform für das Aufbrechen gesellschaftlicher Solidarität ist die besondere Wut, die „zornige weiße Männer" entwickeln, die ihre Ablehnung von *affirmative action* auch auf Frauen ausdehnen und so eine zusätzliche potenzielle Spaltung zwischen unzufriedenen Bürgern und Bürgerinnen verursachen. Die Mobilisierung eines beträchtlichen Teils der Zivilgesellschaft gegen den amerikanischen Wohlfahrtsstaat führt zugleich zur Segmentierung der Gesellschaft und zur Schwächung des Staates, der unter steigenden Druck gerät, in immer höherem Maße vorwiegend ein Repressionsapparat gegen die aufstrebenden „gefährlichen Klassen" zu werden. Die Betonung von gemeindeorientierter freiwilliger Arbeit und Mildtätigkeit als Ersatz für den Wohlfahrtsstaat unterstreicht zwar die Bedeutung einer engagierten Zivilgesellschaft, dient aber im Wesentlichen als ideologische Abschirmung, um sich unter dem Vorwand der Ausübung individueller Verantwortlichkeit nicht mit den Konsequenzen auseinandersetzen zu müssen, wenn die kollektive Verantwortung in zynischer Weise aufgegeben wird.

All diese Dimensionen der Bürgerrevolte befinden sich manchmal im Einklang mit den uneingeschränkten Interessen des Konzernkapitalismus (wie bei der Kritik an Wohlfahrtsstaat und Umweltpolitik), manchmal stehen sie im scharfen Gegensatz dazu (wie bei der Kritik an Globalisierung und Arbeitsflexibilität). Trotz ihrer großen Unterschiede und ihrer Herkunft aus verschiedenen Quellen konvergieren sie aber doch in der frontalen Gegnerschaft gegenüber der extensiven Rolle der Bundesregierung, wie sie für den amerikanischen Nationalstaat in der Form charakteristisch gewesen ist, in der er sich während des letzten halben Jahrhunderts konstituiert hatte.

Aber um das hier klar zu sagen: Insgesamt ist der konservative Populismus im Amerika der 1990er Jahre keine libertäre Bewegung und kein Widerhall der Tradition des regierungskritischen Republikanismus. Einige der wichtigsten Komponenten dieses Populismus, wie sie oben beschrieben wurden, fordern sogar ein sehr etatistisches Vorgehen, weil die Wertvorstellungen einiger organisierter Segmente der Gesellschaft Einzelpersonen und Familien vom Staat aufgezwungen werden sollen. Das gilt eindeutig für den christlichen Fundamentalismus, dessen wachsender Einfluss auf lokale und einzelstaatliche Staatsorgane als Mittel gesehen wird, der gesamten unter seine Jurisdiktion geratenen Gesellschaft ein gottgefälliges Verhalten aufzuzwingen. Das gilt auch für die protektionistische Wirtschaftspolitik, deren vollständige Durchführung von der Bundesregierung eine entschiedene Anstrengung erfordern würde, die gesamte amerikanische Wirtschaft zu kontrollieren und zu koordinieren. Deshalb *ist die Krise*

---

86 Murray und Herrnstein (1994); Himmelfarb (1995).

des Nationalstaates nicht nur ein Ausdruck der kulturellen Hegemonie antistaatlicher Werte, sondern sie geht aus dem Zusammenfluss von Herausforderungen hervor, durch die unterschiedliche Ideologien und Interessen die US-Bundesregierung in der Form, wie sie sich historisch herausgebildet hat, in Frage stellen. Das Ziel besteht entweder darin, die Rolle der Bundesbehörden einschneidend zu reduzieren (traditionelle Ideologie individueller Freiheit), oder sie im Namen einer neuen Mission zu erobern, um die amerikanische Nation unter der Führung Gottes und/oder isoliert von der neuen globalen Ordnung neu aufzubauen. Das ist der Grund, warum die Legitimationskrise der „Republikanischen Revolution" von 1994 zwar zugrunde liegt, aber nicht mit ihr gleichgesetzt werden kann. Diese Krise geht quer durch die Parteien und Wählergruppen und betrifft Industriearbeiter ebenso wie Farmer, zornige Männer ebenso wie zornige Steuerzahler.

Diese sehr unterschiedlichen, mächtigen Strömungen organisieren sich häufig um zwei Forderungen, die für viele zu ihrem gemeinsamen Banner werden: Verweigert Steuern, tragt Waffen. Indem der Staat vor allem auf Bundesebene fiskalischer Einkünfte beraubt wird, wird staatliches Handeln allmählich in den Hintergrund gedrängt. In einer Gesellschaft und Wirtschaft mit steigenden Ansprüchen gegenüber öffentlicher Politik zwingt eine schwindende Steuerbasis den Staat, sich auf seine strategischen Kernfunktionen zu konzentrieren, was im Wesentlichen bedeutet, Recht und Ordnung aufrechtzuerhalten und die Infrastruktur für die neue informationelle globale Wirtschaft bereitzustellen, wobei gleichzeitig die Zinsen für die Schulden bezahlt werden, die das Erbe aus Reagans Kaltem Krieg sind. Auf diese Weise wird der Staat unfähig, andere Funktionen zu erfüllen und damit tatsächlich gezwungen, die Leute in Ruhe zu lassen und nicht weiter zu belasten.

Andererseits ist nach Ansicht eines bedeutenden Teils der Bevölkerung das Recht, Waffen zu tragen, unter Berufung auf die amerikanische Verfassung die letztinstanzliche Grundlage bürgerlicher Freiheit. Wenn auch viele Amerikaner mit diesem Zustand nicht einverstanden sind, so ist es doch eine Tatsache, dass es in den US-Haushalten 300 Mio. Handfeuerwaffen gibt und dass Kriegswaffen auf dem offenen Markt zu kaufen sind.

Mächtige Organisationen und Lobbys wie die Americans for Tax Reform, die National Federation of Independent Business und die legendäre National Rifle Association kämpfen erfolgreich darum, die staatliche Kontrolle über Geld und Waffen zu unterminieren. Mein Gott, meine Familie, meine Gemeinde, mein Geld, mein Gewehr – das scheint der Satz von Werten zu sein, der Bewusstsein und Verhalten eines immer bedeutender werdenden Teils des amerikanischen Volkes bestimmt. Das steht im unmittelbaren Gegensatz zu den Regeln, den Programmen und dem Personal der Bundesregierung und wendet sich mit zunehmender Feindseligkeit gegen die globalen Konzerne und den institutionellen Multilateralismus.

Die Verbreitung dieser Themen innerhalb der amerikanischen Gesellschaft wurde durch die zunehmende Lokalisierung, Segmentierung und Differenzierung der Medien und durch die Ausbreitung der interaktiven, elektronischen Kommunikation unterstützt. Entscheidend ist dabei der steigende Einfluss des lokalen Radios, das Gemeinschaftsprogramme und die Explosion von Talkshows sowie *call-in*-Programme ausstrahlt. Zwischen 1988 und 1995 verdoppelte sich die Anzahl der Sender, die sich auf solches Talk-Radio spezialisiert hatten, auf 1.200. Die neue Satelliten-Technologie und die Lockerung der Bestimmungen über verzerrende Darstellungen waren bei ihrer Entwicklung und der Ausweitung ihres Einflusses hilfreich. Rush Limbaugh, der Star der Talkshows, erfreute sich wöchentlich eines Publikums von 20 Mio., die über 600 Sender im ganzen Land erreicht wurden, und wurde so für sich schon zur politischen Macht. Die neue Republikanische Partei ehrte Limbaugh 1994 mit einem öffentlichen Essen. Dies war der Mann, der mehr als irgend jemand sonst die Sache des Ultrakonservatismus und antistaatliche Positionen im ganzen Land populär gemacht hatte. Neben dem Radio nutzte die neue populistische Basisbewegung, wie in Kapitel 2 gezeigt wurde, das gesamte Potenzial der neuen Kommunikationstechnologien, einschließlich des Internet, aber auch Faxgeräte, um Handeln und Ideen zu koordinieren und sie zielgenau an Rezipienten und Wahlbeamte weiterzuleiten. Mit dem Ende der Massenmedien ließen sich die traditionellen Kanäle indirekter Kontrolle zwischen dem politischen Establishment und dem Publikum umgehen; es entfesselte die Verbreitung von Informationen und Ideen aller Art, auch der ungeheuerlichsten, verdrehtesten und unfairsten, an ein Millionenpublikum. Die Grenzlinie zwischen der Veröffentlichung des allgemein Akzeptablen und des Inakzeptablen, die über Jahrzehnte hinweg durch eine insgesamt verantwortliche Pressefreiheit errichtet worden war, wurde unwiederbringlich weggewischt.

Wie sehr auch vom Zorn verzerrt, sind diese gesellschaftlichen Tendenzen doch mehr als zeitweilige Gefühlslagen der öffentlichen Meinung. Meinungsumfragen aus den 1990er Jahren belegen ihre Dauerhaftigkeit und Tiefe (s. Kap. 6). Sie sind in den großen strukturellen Transformationen verwurzelt, die in diesem Buch dargestellt werden, und die durch die spezifische Kultur und die Institutionen der amerikanischen Gesellschaft verarbeitet werden. Wie Balz und Brownstein schreiben:

> Hinter all diesen wirbelhaften und anschwellenden Bewegungen auf der Rechten steht die Furcht vor einer Welt, die außer Kontrolle gerät ... Weil die Wirtschaft sich unter dem Druck von Globalisierung und technologischem Fortschritt neu strukturiert und weil die Gesellschaft die Spannungen des Zusammenbruchs der Zwei-Eltern-Familie auszuhalten hat, ist dies eine Zeit [in der viele Amerikanerinnen und Amerikaner sich durch Entwicklungen entwurzelt fühlen, die sie weder verstehen noch kontrollieren können]. „Die Leute spüren, dass sie keine Kontrolle über ihr eigenes Leben haben“, sagte der republikanische Meinungsforscher Frank Luntz. „Dass sie ihre Zukunft nicht mehr gestalten können.“[87]

87 Balz und Brownstein (1996: 173).

Und sie machen den Staat dafür verantwortlich, den sie während des letzten halben Jahrhunderts aufgebaut haben. Sie sehnen sich danach, wieder die Kontrolle über ihr Leben in ihrer Gemeinde und in ihren Familien zu übernehmen, und sie distanzieren sich vom Staat. Sie werden dabei durch eine Republikanische Partei unterstützt, die drei Jahrzehnte lang keine parlamentarische Mehrheit gehabt hatte und dann die Chance sah, ihre Macht auf Jahrzehnte hinaus zu befestigen. Aber die Republikanische Partei tut dies, indem sie auf der Welle der gegen den Staat und gegen das Establishment gerichteten Gefühle reitet, und das heißt, mit dem Feuer zu spielen. Wie Balz und Brownstein abschließend sagen: „Die gesamte intellektuelle Energie der Republikanischen Partei ist jetzt drauf konzentriert, Mittel und Wege zu finden, den Staatsapparat auf die Bundesebene zu reduzieren."[88] Die Republikanische Partei vertritt jedoch auch mächtige Konzerninteressen, die in die globale Wirtschaft und internationale Institutionen eingebettet sind. Wenn sie daher zum Instrument des antistaatlichen Populismus wird, so schafft sie einen explosiven inneren Widerspruch zwischen ihrer antistaatlichen und fundamentalistischen Massenbasis und ihrer traditionellen Rolle als Vertreterin der kapitalistischen Konzerne und des Verteidigungsestablishments. Wenn dieser Widerspruch offen ausbricht und es dann zu der wahrscheinlichen Abkehr der mächtigen populistischen Tendenz kommt, die quer durch die Parteien hindurch geht, so kann dies eine grundlegende Krise des amerikanischen politischen Systems auslösen. Das könnte durchaus die sorgfältig austarierte Balance destabilisieren, die von den Gründungsvätern und dem Obersten Gerichtshof historisch zwischen dem Lokalen und dem Föderalen, zwischen Staat und Gesellschaft hergestellt worden ist. Das könnte potenziell die Krise des amerikanischen Nationalstaates auslösen.

Struktur und Prozess in der Krise des Staates

Ich möchte die relevanten analytischen Elemente unterstreichen, die sich aus diesen knappen Fallstudien über die Krise des Staates ableiten lassen. In beiden Fällen, in Mexiko und in den Vereinigten Staaten, sehen wir die unmittelbaren Folgen der Globalisierung und der kapitalistischen Neustrukturierung für die staatliche Legitimität durch den teilweisen Abbau des Wohlfahrtsstaates, die Zerstörung der traditionellen Produktionsstruktur, zunehmende Arbeitsplatzunsicherheit, extreme soziale Ungleichheit und den Anschluss wertvoller Sektoren von Wirtschaft und Gesellschaft an globale Netzwerke, während große Sektoren der Bevölkerung und des Territoriums aus dem dynamischen, globalisierten System ausgeschaltet werden: All jene Prozesse, die ich in Band I analysiert habe, und an denen sich zeigt, dass sie die Fähigkeit des Staates, auf gesellschaftliche

88 Balz und Brownstein (1996: 295).

Forderungen einzugehen und letztlich von der staatlichen Legitimität ihren Tribut verlangen. Außerdem haben die enge Verknüpfung der mexikanischen Wirtschaft mit der US-Wirtschaft, die in NAFTA institutionalisiert wurde, und die elektronische Verbindung der Finanzmärkte mit den globalen Märkten in Echtzeit für den Kollaps des Peso 1994-1995 einen großen Unterschied gegenüber jeder früheren Wirtschaftskrise bedeutet. Wie oben gesagt, ist dies wirklich „die erste Finanzkrise des 21. Jahrhunderts" gewesen. Dazu kommt im Fall von Mexiko die folgenreiche weitere Wendung der Desorganisation der politischen Institutionen und ihrer Legitimationskrise in Form der Durchdringung des Staates durch die globale kriminelle Ökonomie.

Im Falle der Vereinigten Staaten (bisher noch nicht in Mexiko) hat die Krise des Patriarchalismus, deren Wurzeln in der informationellen Wirtschaft und in der Herausforderung durch die sozialen Bewegungen zu finden sind, die Unsicherheit und Furcht großer Teile der Bevölkerung vertieft. Damit wurde der Rückzug aus den rechtlichen und politischen Institutionen eingeleitet, die für Frauenrechte empfänglich waren, und auch aus dem säkularen Staat. Für ein bedeutendes Segment der Bevölkerung führte dies zum defensiven Rückzug auf das Bekenntnis zu Gott, zur Familie und zur Gemeinde als den ewigen, dem Angriff der gesellschaftlichen Herausforderungen entzogenen Werten.

In beiden Fällen wirkte die Strukturkrise, die die Legitimität des Staates unterminierte, mit der Entwicklung sozialer Bewegungen zusammen, die unter für jede der beiden Gesellschaften spezifischen Formen alternative Identitäten geltend machten und ausdrücklich die Legitimität der Bundesregierung bestritten. Zwar umfassten diese auf Identität basierenden Bewegungen nur eine Minderheit von Aktivisten und Aktivistinnen, ihre Forderungen und Ansprüche wurden jedoch durchaus vom politischen System verarbeitet und fanden, gewiss verzerrt, ein Echo in der Gesamtbevölkerung. Es besteht ein nicht zu leugnender Zusammenhang zwischen der symbolischen Wirkung der Zapatisten und der weit verbreiteten Ablehnung des Staates in der mexikanischen Gesellschaft, womit das Ende eines der dauerhaftesten politischen Systeme der Welt bewirkt wurde. In den Vereinigten Staaten sind die Patrioten zwar mehr ein Symptom denn eine Ursache, aber die Legitimationskrise manifestiert sich in einem weit verbreiteten Misstrauen gegenüber dem Staat, vor allem gegenüber der Bundesregierung, sowie gegenüber den Politikern und Parteien, vor allem denjenigen, die mit der politischen Mitte verbunden sind. Der Popularitätszuwachs der konservativen Republikaner Mitte der 1990er Jahre hat in hohem Maße mit ihren politisch selbstmörderischen Kampagnen gegen eben jene staatlichen Institutionen zu tun, die sie kontrollieren möchten.

In beiden Fällen, in Mexiko und in den Vereinigten Staaten, haben die neuen elektronischen Kommunikationssysteme eine entscheidende Rolle dabei gespielt, die Wirkung relativ kleiner Bewegungen auf die öffentliche Meinung insgesamt durch die Versorgung der Medien mit Nachrichten und durch ihre ungehinderte horizontale Vernetzung zu verstärken.

Es besteht demnach ein empirisch zu beobachtender, analytisch bedeutsamer Zusammenhang zwischen Globalisierung, Informationalisierung, kapitalistischer Neustrukturierung, auf Identität beruhenden sozialen Bewegungen und der Krise der politischen Legitimität. Im mexikanischen ebenso wie im amerikanischen Staat, wenn dieser Zusammenhang auch unterschiedliche, für jede Gesellschaft spezifische Formen annimmt. Die Frage, was die Kausalkette in Bewegung setzt, ist methodologisch falsch gestellt, weil Struktur und Prozess in der Sequenz, die zur Krise des Staates führt, unauflöslich ineinander greifen. Es ist schwierig, sich die Auswirkungen der zapatistischen Bewegung auf Mexiko ohne die tiefgreifenden Auswirkungen der Globalisierung auf Wirtschaft und Gesellschaft vorzustellen. Aber die Zapatisten waren nicht das Ergebnis der wirtschaftlichen Krise: Sie existierten bereits vorher in den Kämpfen der Indianer und Bauern, die von katholischen Priestern unterstützt wurden, und im revolutionären Willen der Flüchtlinge aus den radikalen linken Bewegungen der 1970er Jahre. Die Ideologie individueller Freiheit hat in Amerika eine lange Tradition, und der Isolationismus ist für ein mächtiges Land von der Größe eines Kontinents eine beständige Versuchung. Das Gleiche gilt für die entgegengesetzte Versuchung des Imperialismus. Dass in einer bestimmten historischen Periode der eine oder andere die Oberhand gewinnt, ist nicht vorhergezeichnet, denn das genaue Ergebnis der Interaktion zwischen den Elementen, die ich identifiziert habe, und die Struktur und Prozess gleichzeitig konstituieren, ist weitgehend undeterminiert. So gewann Clinton trotz der republikanischen Revolution von 1994 dennoch die Präsidentschaftswahlen von 1996, weitgehend wegen der internen Widersprüche innerhalb der republikanischen Wählerschaft, die zu ein und derselben Zeit für die Interessen der Konzerne und für die Interessen des Populismus der Rechten mobilisiert wurde. Clinton selbst musste jedoch, um zu gewinnen, entschieden vom traditionellen demokratischen Programm abrücken und vergrößerte damit den Abstand zwischen den Hoffnungen vieler Demokraten und der Realität der Politik noch weiter.

Der Grund dafür, dass die soziale und politische Antwort auf die neue globale Unordnung in Mexiko von „der Linken" kam und in den Vereinigten Staaten von „der Rechten", ist teilweise im Charakter der spezifischen politischen Handlungszusammenhänge zu suchen und teilweise in der Krise, mit der man sich auseinanderzusetzen hatte. Weil nämlich der Staat in beiden Fällen unfähig war, den versprochenen Schutz zu leisten, und stattdessen zum aktiven Sachwalter des Prozesses der Globalisierung und Neustrukturierung wurde, ging die Herausforderung gegen den Staat von den Zusammenhängen aus, die nicht zu der traditionellen Basis zählen, die staatlich gelenkte Reformen bisher unterstützt hat: Das waren in den Vereinigten Staaten die für die Bundesregierung eintretenden Demokraten und in Mexiko das populistische PRI-System. Damit ist nicht ausgeschlossen, dass sich in Zukunft in beiden Ländern eine linke Bewegung entwickelt, die für den Wohlfahrtsstaat und für den Regierungsapparat eintritt. Sie müsste aber genau wegen der Legitimationskrise fernab der Gefilde des Establishments heranwachsen.

Diese Offenheit der politischen Prozesse entkräftet nicht das Interesse an einem gründlichen analytischen Verständnis. Die Materialien, die wir offengelegt haben, und ihre Verbindungen untereinander sind nämlich wirklich der Stoff, aus dem politische Institutionen und politische Prozesse in unserem Zeitalter gemacht sind. Um nun die Beziehung zwischen den Quellen der Staatskrise und den neuen Formen des politischen Kampfes und Wettbewerbs zu analysieren, muss ich mich zunächst mit der spezifischen Dynamik der politisch Handelnden im neuen informationellen Paradigma befassen. Dies will ich in Kapitel 6 versuchen.

Staat, Gewalt und Überwachung: vom Großen Bruder zu den kleinen Schwestern

Ist der Staat in der Netzwerkgesellschaft wirklich machtlos? Beobachten wir nicht vielmehr eine Welle der Gewalt und Repression auf der ganzen Welt? Sieht sich die Privatsphäre wegen der Allgegenwart der neuen Informationstechnologien nicht den größten Gefahren der menschlichen Geschichte ausgesetzt? Ist der Große Bruder nicht wie von Orwell vorhergesagt um 1984 herum angekommen? Und wie könnte der Staat machtlos sein, wenn er eine achtungsgebietende Technologie beherrscht und eine nie dagewesene Menge an Informationen kontrolliert?[89]

Diese grundlegenden und üblichen Fragen vermengen widersprüchliche Beweismittel mit konfuser Theorie. Ihre Behandlung ist jedoch von zentraler Bedeutung, will man die Krise des Staates verstehen. Zu allererst muss die Bilderwelt des Großen Bruders empirisch abgetan werden, weil sie auf die Verknüpfung unserer Gesellschaften mit der Orwellschen Prophezeiung zurückgeht. George Orwell hätte, was den Gegenstand seiner Prophezeiung angeht, durchaus Recht gehabt haben können, wenn politische Geschichte und Technologie während des halben Jahrhunderts einer anderen Entwicklungsbahn gefolgt wären, was sicherlich im Bereich des Möglichen gelegen hatte. Denn ihm ging es um den Stalinismus und nicht um den liberalen, kapitalistischen Staat. Aber der Etatismus hat sich im Kontakt mit den neuen Informationstechnologien aufgelöst, weil er nicht in der Lage war, sie zu meistern (s. Bd. III); und die neuen Informationstechnologien haben die Macht der Vernetzung und der Dezentralisierung entfesselt und so in Wirklichkeit die zentralisierende Logik einseitig verlaufender Befehle und vertikaler, bürokratischer Überwachung unterminiert (s. Bd. I). Unsere Gesellschaften sind keine geordneten Gefängnisse, sondern ungeordnete Dschungel.

89 Burnham (1983); Lyon (1994).

Die neuen, mächtigen Informationstechnologien könnten jedoch durchaus von Staatsapparaten in den Dienst der Überwachung, Kontrolle und Repression gestellt werden, etwa durch Polizei, Finanzämter, Zensur, Unterdrückung politischer Abweichung u.ä. Aber genauso könnten sie von Bürgern und Bürgerinnen genutzt werden, um ihre Kontrolle über den Staat zu verbessern, indem sie berechtigterweise auf Informationen in öffentlichen Datenbanken zugreifen, mit ihren politischen Vertreterinnen und Vertretern on-line interagieren, politische Ereignisse live verfolgen und sie schließlich auch live kommentieren.[90] Die neuen Technologien ermöglichen es den Bürgern auch, Ereignisse auf Video festzuhalten und so visuelle Beweismittel von Fehlverhalten herzustellen. Das geschieht, wenn globale Umweltorganisationen Video-Macht an lokale Gruppen auf der ganzen Welt verteilen, damit sie über Umweltverbrechen berichten und so die ökologischen Missetäter unter Druck setzen. Was die Macht der Technologie tatsächlich bewirkt, ist die außerordentliche Verstärkung von Tendenzen, die in der sozialen Struktur und in den Institutionen bereits verwurzelt sind: Repressive Gesellschaften können mit den neuen Überwachungsmitteln noch repressiver werden, während demokratische, partizipative Gesellschaften ihre Offenheit und Repräsentativität verstärken können, indem sie mittels der Technologie die politische Macht weiter aufteilen. Bezüglich der unmittelbaren Auswirkungen der neuen Informationstechnologien auf Macht und Staat handelt es sich daher um eine empirische Frage, zu der die Beweislage uneinheitlich ist. Aber eine tiefere, grundlegendere Tendenz arbeitet in Wirklichkeit daran, die Macht des Nationalstaates zu unterminieren: durch die zunehmende Verbreitung sowohl von Überwachungskapazität und potenzieller Gewalt außerhalb der staatlichen Institutionen wie jenseits der Grenzen der Nation.

In Berichten über die zunehmende Bedrohung der Privatsphäre geht es weniger um den Staat als solchen als um Wirtschaftsorganisationen und private Informationsnetzwerke oder öffentliche Bürokratien, die ihrer eigenen Apparate-Logik folgen und keineswegs im Namen der Regierung handeln. Staaten haben während der gesamten Geschichte Informationen über ihre Untertanen gesammelt, sehr oft mit rudimentären, aber effektiv brutalen Mitteln. Gewiss haben die Computer die Fähigkeit qualitativ verändert, unterschiedliche Informationen miteinander zu verknüpfen, indem sie Sozialversicherungs- und Gesundheitsstatus, Personalausweise sowie Informationen über Wohnort und Beschäftigung miteinander kombinieren. Aber mit der begrenzten Ausnahme der angelsächsischen Länder, die in der libertären Tradition verwurzelt sind, haben Menschen auf der ganzen Welt, von der demokratischen Schweiz bis zum kommunistischen China ihr Leben in Abhängigkeit von Akten verbracht, die Informationen über ihren Wohnort, ihre Arbeit und jeglichen Bereich ihrer Beziehungen zum Staat enthielten. Andererseits, wenn es zutrifft, dass die Arbeit der Polizei durch die neuen Technologien erleichtert wird, so wird sie zugleich auch

90 Anthes (1993); Betts (1995); Gleason (1995).

durch die ähnliche und manchmal überlegene Raffinesse, mit der das organisierte Verbrechen die neuen Technologien anwendet, außerordentlich kompliziert (etwa, wenn sie in die Kommunikation der Polizei eingreift, sich elektronisch vernetzt, auf Computerdaten zugreift usw.). *Das wirkliche Problem liegt woanders: Es liegt in der Sammlung von Informationen über Individuen durch Wirtschaftsunternehmen und Organisationen aller Art und in der Schaffung eines Marktes für derartige Information.* Die Kreditkarte bedeutet mehr als der Personalausweis in Kartenform einen Verlust an Privatheit. Dies ist das Instrument, mit dem sich Profile vom Leben der Menschen erstellen lassen. Es lässt sich analysieren und wird zum Ziel für Vermarktungsstrategien – oder für Erpressung. Und wenn die Kreditkarte ein Leben im öffentlichen Blickfeld bedeutet, so muss diese Feststellung auf eine Reihe wirtschaftlicher Angebote ausgeweitet werden, von Vielflieger-Programmen bis zu allen möglichen Konsumentendienstleistungen und zur Mitgliedschaft in den unterschiedlichsten Vereinigungen. *Anstelle eines unterdrückerischen „Großen Bruders" ist es eine Myriade wohlwollender „kleiner Schwestern", die mit jedem und jeder einzelnen von uns auf persönlichem Fuße stehen, weil sie wissen, wer wir sind – die in alle Bereiche unseres Lebens eingebrochen sind.* Was Computer tatsächlich möglich machen, ist die Sammlung und Verarbeitung einer Masse individualisierter Information und endlich ihre Nutzung, so dass unser Name gedruckt und das Werbeangebot personalisiert werden kann, oder ein Angebot an Millionen von Einzelpersonen versendet oder ausgestrahlt werden kann. Eine aussagekräftige Illustration der neuen technologischen Logik ist auch der V-Chip, der 1997 in alle amerikanischen TV-Geräte eingebaut werden soll, und es den einzelnen Haushalten ermöglicht, eine Zensur anhand von Codes zu programmieren, die zugleich in die von den Sendern ausgestrahlten TV-Signale eingebaut werden. Auf diese Weise wird Überwachung dezentralisiert anstatt dass Kontrolle zentralisiert würde.

David Lyon hat in seinem aufschlussreichen Buch über diese Fragen darauf abgehoben, dass die entscheidende Entwicklung in dieser Ausweitung der Überwachung weit jenseits der Grenzen des Staates liegt.[91] Was er als das „elektronische Auge" bezeichnet, ist in Wirklichkeit eine Überwachungs-„Gesellschaft" eher als ein „Überwachungsstaat". Dies ist schließlich der Kern von Foucaults Theorie der Mikroebenen der Macht, wenn er auch viele seiner Leserinnen und Leser verwirrt hat, wenn er als „Staat" bezeichnete, was in Wirklichkeit seiner eigenen Ansicht nach „das System" ist; nämlich das Netzwerk der Quellen der Macht in unterschiedlichen Bereichen des sozialen Lebens, einschließlich der Macht in der Familie. Wenn wir in der Weberschen Tradition den Begriff des Staates auf diejenigen Institutionen beschränken, die das legitime Monopol über die Gewaltmittel innehaben, und unter Nationalstaat die territoriale Abgrenzung derartiger Macht verstehen,[92] so scheint es, als erlebten wir

91 Lyon (1994).
92 Giddens (1985).

nun die Ausbreitung von Überwachungsmacht und symbolischer ebenso wie physischer Gewalt in die gesamte Gesellschaft.

Diese Tendenz ist noch offenkundiger in der neuen Beziehung zwischen dem Staat und den Medien. Angesichts der zunehmenden finanziellen und rechtlichen Unabhängigkeit der Medien gibt ihnen die gestiegene technologische Kapazität die Fähigkeit, den Staat auszuspionieren und dies im Namen der Gesellschaft und/oder von spezifischen Interessengruppen auch wirklich zu tun (s. Kap. 6). Als 1991 eine spanische Radiostation die Unterhaltung von zwei sozialistischen Funktionären über Handy aufnahm, löste die Ausstrahlung ihrer sehr kritischen Bemerkungen über den sozialistischen Premierminister eine politische Krise aus. Oder als Prinz Charles und seine Freundin sich am Telefon in postmodernen Auslassungen über Tampons und ähnliche Dinge ergingen, erschütterte die Veröffentlichung dieser Gespräche in der Boulevardpresse die britische Krone. Natürlich waren Enthüllungen durch die Medien oder Tratsch schon immer eine Bedrohung für den Staat und eine Verteidigungsmöglichkeit der Bürger. Aber die neuen Technologien und das neue Mediensystem haben die Verwundbarkeit des Staates gegenüber den Medien und damit gegenüber der Geschäftswelt und der gesamten Gesellschaft exponenziell ansteigen lassen. Wenn man die Dinge historisch relativiert, so wird der Staat von heute mehr überwacht, als dass er selbst überwacht.

Während ferner der Nationalstaat zwar die Fähigkeit zur Gewalt beibehält,[93] verliert er doch sein Monopol, weil seine wichtigsten Herausforderungen entweder die Form von transnationalen Netzwerken des Terrorismus annehmen, oder von kommuneartigen Gruppen, die auf selbstmörderische Gewalt zurückgreifen. Im ersten Fall erfordert der globale Charakter des Terrorismus – sei er politisch, kriminell oder beides – und seiner Zulieferernetzwerke an Information, Waffen und Finanzen die systemische Kooperation zwischen den Polizeien der Nationalstaaten, so dass die operative Einheit eine zunehmend transnationale Polizeimacht wird.[94] Im zweiten Fall, wenn kommunale Gruppen oder auch lokale Gangs sich von ihrer Mitgliedschaft im Nationalstaat lossagen, wird der Staat gegenüber einer Gewalt zunehmend verletzlicher, die in der Sozialstruktur seiner Gesellschaft verwurzelt ist – als wären die Staaten ständig damit beschäftigt, einen Guerillakrieg zu führen.[95] Deshalb der Widerspruch, dem sich der Staat gegenüber sieht: Wenn er keine Gewalt einsetzt, schwindet er als Staat dahin; wenn er sie in quasi-permanenter Weise einsetzt, schwindet ein wesentlicher Teil seiner Ressourcen und seiner Legitimation dahin, weil dies einen Ausnahmezustand ohne Ende bedeuten würde. Also kann der Staat nur dann mit solch dauerhafter Gewalt vorgehen, wenn das Überleben der Nation oder des Nationalstaates auf dem Spiel steht. Nun sind die Gesellschaften zunehmend

93 Tilly (1995).
94 Fooner (1989).
95 Wieviorka (1988).

weniger geneigt, einen langfristigen Einsatz von Gewalt zu unterstützen, außer in Extremsituationen. Der Staat sieht sich also einer Schwierigkeit gegenüber, tatsächlich Gewalt in ausreichender Größenordnung anzuwenden, um effektiv zu sein, und deshalb nimmt seine Fähigkeit ab, dies häufig zu tun. Das bedeutet aber, dass sein Privileg als Inhaber der Gewaltmittel allmählich verloren geht.

Somit wird die Fähigkeit zur Überwachung innerhalb der Gesellschaft verstreut, das Gewaltmonopol wird von transnationalen, nichtstaatlichen Netzwerken in Frage gestellt, und die Fähigkeit, Rebellionen zu unterdrücken, wird durch den endemischen Kommunalismus und Tribalismus untergraben. Während der Nationalstaat in seiner glänzenden Uniform noch immer achtungsgebietend aussieht und während die Körper und Seelen von Menschen noch immer in der ganzen Welt routinemäßig gefoltert werden, laufen die Informationsströme am Staat vorbei und überwältigen ihn manchmal; terroristische Kriege verlaufen über nationale Grenzen hin und her; und kommunale Kontrollansprüche erschöpfen die Überwachung von Recht und Ordnung. Der Staat stützt sich noch immer auf Gewalt und Überwachung, aber er hat kein Monopol mehr darauf, und er kann sie von seinem eng umgrenzten nationalen Bereich aus auch nicht ausüben.

Die Krise des Nationalstaates und die Theorie des Staates

In seinem richtungweisenden Artikel über Demokratie, den Nationalstaat und das globale System fasst David Held seine Analyse zusammen und schreibt, dass

> die internationale Ordnung heute sowohl von der Dauerhaftigkeit des Systems souveräner Staaten wie von der Entwicklung pluraler Autoritätsstrukturen charakterisiert ist. Die Einwände gegen dieses hybride System sind schwerwiegend. Es ist sehr die Frage, ob es irgendwelche Lösungen für die fundamentalen Probleme des modernen politischen Denkens bietet, wo es unter anderem um die Begründung und das Fundament von Ordnung und Toleranz, von Demokratie und Verantwortlichkeit sowie legitimer Herrschaft ging.[96]

Zwar formuliert er dann seinen eigenen optimistischen Vorschlag zur Re-Legitimierung des Staates in seiner postnationalen Ausprägung; doch erklären seine gewichtigen Argumente gegen fortbestehende staatliche Souveränität, die er auf den vorangehenden Seiten vorträgt, seine zögerliche Schlussbemerkung: „Es gibt gute Gründe dafür, optimistisch zu sein, was die Ergebnisse angeht – und auch pessimistisch".[97] Ich bin mir hier nicht sicher, was „optimistisch" und „pessimistisch" bedeutet. Ich hege keine sonderliche Sympathie für die modernen Nationalstaaten, die ihre Völker im blutigsten Jahrhundert der Menschheitsgeschichte, dem 20. Jahrhundert, voller Eifer in reziproke Massenschlächtereien geführt

96 Held (1991: 161).
97 Held (1991: 167).

haben.[98] Aber das ist Ansichtssache. *Worauf es wirklich ankommt, ist, dass das neue Machtsystem*, und hier stimme ich Held zu, *durch eine Pluralität von Quellen der Autorität (und, würde ich hinzufügen, der Macht) charakterisiert ist, wobei der Nationalstaat lediglich eine dieser Quellen ist.* Das scheint sogar die historische Regel eher als die Ausnahme gewesen zu sein. Wie Spruyt betont, hatte der moderne Nationalstaat eine Reihe von „Konkurrenten“: Stadtstaaten, Handelsbünde, Reiche;[99] ebenso wie, würde ich hinzufügen, militärische und diplomatische Bündnisse, die nicht verschwanden, sondern mit dem Nationalstaat während seiner gesamten Entwicklung in der Neuzeit koexistierten. Was sich jedoch aus den Gründen, die in diesem Kapitel dargelegt wurden, jetzt abzuzeichnen scheint, ist die Dezentrierung des Nationalstaates innerhalb des Bereiches geteilter Souveränität, die die politische Bühne der Welt gegenwärtig kennzeichnet. Hirst und Thompson, deren entschiedene Kritik an vereinfachenden Sichtweisen zur Globalisierung die andauernde Bedeutung der Nationalstaaten unterstreicht, erkennen nichtsdestoweniger die neue Rolle des Staates an:

> Die entstehenden Formen des Regierens internationaler Märkte und anderer wirtschaftlicher Prozesse beziehen die wichtigen nationalen Regierungen ein, jedoch in einer neuen Rolle: Staaten funktionieren jetzt weniger als „souveräne“ Einheiten und stärker als Komponenten einer internationalen politischen Struktur (*polity*). Die zentralen Funktionen des Nationalstaates werden sich darauf erstrecken, dass er Legitimität für die supranationalen und subnationalen staatlichen Mechanismen schafft und deren Verantwortlichkeit garantiert.[100]

Außerdem unterliegt der Nationalstaat zusätzlich zu seiner komplexen Beziehung zu diversen Ausdrucksformen politischer Macht bzw. Repräsentation in zunehmendem Maße einer subtileren, besorgniserregenderen Konkurrenz durch Machtquellen, die undefiniert und manchmal gar undefinierbar sind. Das sind Netzwerke des Kapitals, der Produktion, der Kommunikation, des Verbrechens, von internationalen Institutionen, supranationalen Militärapparaten, Nicht-Regierungsorganisationen, transnationalen Religionen und Bewegungen der öffentlichen Meinung. Und unterhalb des Staates gibt es die Gemeinschaften, Stämme, Lokalitäten, Kulte und Gangs. Während also die Nationalstaaten weiter fortbestehen und das auf absehbare Zeit auch weiter tun werden, sind sie *Knoten eines weiteren Netzwerkes der Macht* und werden das in noch stärkerem Maße werden. Sie werden häufig mit anderen Machtströmen innerhalb des Netzwerkes konfrontiert sein, wie dies heutzutage den Zentralbanken immer dann widerfährt, wenn sie die Illusion haben, sie könnten der Bewegung des Marktes gegen eine bestimmte Währung entgegentreten. Oder, was das angeht, wenn Nationalstaaten alleine oder gemeinsam beschließen, die Produktion, den Schmuggel und den Konsum von Drogen auszurotten, eine Schlacht, die während der letzten beiden Jahrzehnte wiederholt überall verloren wurde – mit

98 Tilly (1995).
99 Spruyt (1994).
100 Hirst und Thompson (1996: 171).

Ausnahme von Singapur (mit allen Implikationen dieser Bemerkung). Die Nationalstaaten haben ihre Souveränität verloren, weil seit Bodin allein schon der Begriff der Souveränität impliziert, dass es nicht möglich ist, Souveränität „ein bisschen" zu verlieren: Das ist genau der traditionelle *casus belli*. Die Nationalstaaten können durchaus Entscheidungskompetenz behalten, weil sie aber Teil eines Netzwerkes von Mächten und Gegenmächten geworden sind, sind sie für sich genommen machtlos: Sie sind abhängig von einem übergreifenden System, in dem Autorität und Einfluss aus einer Vielzahl von Quellen ineinander greifen. Diese Aussage halte ich für konsistent mit den Beobachtungen und Überlegungen, die in diesem Kapitel dargestellt wurden. Sie hat ernste Konsequenzen für die Theorie und Praxis des Staates.

Die Theorie des Staates wird seit Jahrzehnten durch die Debatte zwischen Institutionalismus, Pluralismus und Instrumentalismus und ihren unterschiedlichen Versionen beherrscht.[101] Der Institutionalismus hat in der Tradition Webers die Autonomie der staatlichen Institutionen betont, die aus der inneren Logik eines historisch gegebenen Staates folgt, wenn der Wind der Geschichte seinen Samen einmal auf dem Territorium ausgestreut hat, das zu seiner nationalen Basis geworden ist. Der Pluralismus erklärt die Struktur und die Evolution des Staates als Ergebnis einer Vielzahl von Einflüssen bei der endlosen (Neu-) Formation des Staates entsprechend der Dynamik einer pluralen Zivilgesellschaft in beständiger Verwirklichung des konstitutionellen Prozesses.

Der marxistische oder historistische Instrumentalismus sieht den Staat als Ausdruck gesellschaftlicher Akteure, die ihre Interessen verfolgen und Herrschaft erlangen, sei es ohne Herausforderung innerhalb des Staates („der ausführende Ausschuss der Bourgeoisie") oder als instabiles Resultat von Kämpfen, Bündnissen und Kompromissen. Aber, wie Giddens, Guehenno und Held argumentieren, wird in allen Denkrichtungen *die Beziehung zwischen Staat und Gesellschaft und damit die Theorie des Staates im Kontext der Nation gesehen und auf den Nationalstaat bezogen*. Was geschieht nun, wenn, wie Held es formuliert, die „nationale Gemeinschaft" innerhalb eines solchen Bezugsrahmens nicht mehr länger die „relevante Gemeinschaft" ist?[102] Wie sollen wir uns nicht-nationale, diversifizierte gesellschaftliche Interessen vorstellen, die im Staat repräsentiert sind oder um ihn kämpfen? Bezieht sich das auf die ganze Welt? Aber die Einheit, die für die Kapitalströme Relevanz besitzt, ist nicht identisch mit derjenigen, die für Arbeitskraft, für soziale Bewegungen oder für kulturelle Identitäten bedeutsam ist. Wie soll man die global und lokal zum Ausdruck kommenden Interessen in einer variablen Geometrie, in der Struktur und Politik des Nationalstaates miteinander verknüpfen? *Vom Standpunkt der Theorie aus* müssen wir daher die Kategorien in der Weise neu konstruieren, dass wir Machtverhältnisse verstehen können, ohne zuvor die notwendige Überschneidung zwischen Na-

101 Carnoy (1984).
102 Held (1991: 142f).

tion und Staat zu unterstellen, d.h., indem wir Identität und Instrumentalität voneinander trennen. Die neuen Machtverhältnisse jenseits des machtlosen Nationalstaates müssen als die Fähigkeit verstanden werden, globale instrumentelle Netzwerke auf der Grundlage spezifischer Identitäten zu kontrollieren, oder aus der Perspektive der globalen Netzwerke gesehen, jede Identität bei der Erfüllung der transnationalen instrumentellen Ziele zurückzudrängen. Die Kontrolle über den Nationalstaat wird so oder anders zu nichts mehr als einem Mittel unter anderen, um Macht zu beanspruchen, d.h., die Fähigkeit, einen gegebenen Willen, ein Interesse oder einen Wert anderen unabhängig von einem Konsens aufzuzwingen. Wie ich im Schlussteil dieses Bandes genauer darlege, verdrängt die Theorie der Macht in diesem Zusammenhang die Theorie des Staates.

Daraus folgt jedoch nicht, Nationalstaaten wären unbedeutend geworden oder würden verschwinden. Das werden sie in den wenigsten Fällen, jedenfalls für eine lange Zeit. Die Gründe dafür sind paradox und haben mehr mit dem Kommunalismus zu tun als mit dem Staat. In der Tat tendieren die Gesellschaften in einer Welt akultureller, transnationaler globaler Netzwerke dazu, sich auf Verteidigungspositionen auf der Grundlage von Identitäten zurückzuziehen und als Ausdruck dieser Identitäten Institutionen zu erbauen oder umzubauen, wie in den vorangegangenen Kapiteln ausgeführt. Deshalb erleben wir gleichzeitig die Krise des Nationalstaates und die Explosion des Nationalismus.[103] Das ausdrückliche Ziel der meisten, wenn nicht all dieser Nationalismen besteht im Aufbau oder Wiederaufbau eines neuen Nationalstaates, der auf Identität basiert und nicht nur auf dem historischen Erbe der Kontrolle über ein Territorium. Auf diese Weise fordern Nationalismen in vielen Fällen bestehende Nationalstaaten heraus, die auf historischen Bündnissen oder der partiellen Leugnung einiger der Identitäten aufgebaut waren, die ihre konstitutiven Teile ausmachen. Sie stürzen sie am Ende in die Krise. Auf diese Weise sind Nationalismen heute tatsächlich ein wesentlicher Faktor bei der Auslösung von Krisen historisch entstandener Nationalstaaten. Das wird durch neuere Erfahrungen in der Sowjetunion, in Jugoslawien und in Afrika illustriert, und es kann in Zukunft in Asien geschehen (Indien, Sri Lanka, Burma, Malaysia, Indonesien) und selbst – wer weiß? – in Europa (Spanien, Vereinigtes Königreich, Italien, Belgien). Sollten diese neuen, auf Identität beruhenden Nationalismen das Stadium der Staatlichkeit erreichen, werden sie sich im Verhältnis zu den globalen Machtströmen denselben Beschränkungen gegenübersehen, denen die gegenwärtigen Nationalstaaten unterliegen. Ihr Aufbau wird jedoch nicht auf die Behauptung von Souveränität abzielen, sondern auf den Widerstand gegen die Souveränität anderer Staaten, während sie in einem endlosen Prozess des Feilschens und der Anpassung durch das internationale System steuern. Manche Autoren benutzen den Begriff der „neu-mittelalterlichen Form einer universellen politischen Ord-

103 Cohen (1996).

nung".[104] Wie bei jeder „Neo"-Charakterisierung habe ich den Verdacht, dass dies der Geschichte nicht gerecht wird. Es ist jedoch ein interessantes Bild, um die Vorstellung von autonomen, machtlosen Staaten zu vermitteln, die dennoch Instrumente politischer Initiative und Quellen bedingter Autorität bleiben.

Nationalstaaten, die inmitten historischer Turbulenzen stark bleiben, wie Japan oder Südkorea, bleiben dies ebenfalls auf der Grundlage gesellschaftlicher Homogenität und kultureller Identität. Allerdings entsteht selbst in solchen Fällen ein zunehmender Widerspruch zwischen den Interessen der japanischen und koreanischen multinationalen Konzerne einerseits, die jetzt wirklich global werden, um die mörderische Konkurrenz zu überleben, und andererseits dem territorialen Herrschaftsbereich und den politischen Interessen des japanischen und des koreanischen Staates. Damit wird das unterminiert, was einmal die historische Grundlage des erfolgreichen Entwicklungsstaates ausgemacht hatte.[105]

Demnach baut der Kommunalismus tatsächlich in der neu globalisierten Gesellschaft Staaten auf und erhält sie aufrecht. In diesem Prozess schwächt er aber den Nationalstaat entscheidend, wie er sich in der Neuzeit konstituiert hat, und vielleicht stellt er selbst die Vorstellung vom Nationalstaat in Frage, indem er ihn für spezifische Identitäten erobert.[106]

Schluss: Der König des Universums, Sun Tzu und die Krise der Demokratie

So wird also der Nationalstaat, was die historische Praxis angeht, absterben? Diese Frage beantwortet Martin Carnoy mit einem deutlichen Nein.[107] Er argumentiert, und ich stimme ihm zu, dass nationale Wettbewerbsfähigkeit noch immer eine Funktion nationaler Politik ist und dass die Attraktivität von Volkswirtschaften für Multis eine Funktion der lokalen wirtschaftlichen Bedingungen ist; dass Multis für direkten und indirekten Schutz hochgradig von ihren Heimat-Staaten abhängig sind; und dass nationale Politik zur Steigerung des Humankapitals wesentlich ist für die Produktivität der Wirtschaftseinheiten, die auf einem nationalen Territorium angesiedelt sind. Hirst und Thompson unterstützen diese Überlegung und zeigen, dass, wenn wir neben der Beziehung zwischen multinationalen Konzernen und Staat noch das große Spektrum politischer Initiativen berücksichtigen, durch die Nationalstaaten ihre Regulierungsmacht nutzen können, um die Bewegungen von Kapital, Arbeitskraft, Informa-

104 Bull (1977: 254), zit. bei Held (1991).
105 Johnson (1982); Castells (1992a).
106 Guehenno (1993).
107 Carnoy (1993: 88).

tionen und Waren zu fördern oder zu blockieren, zu diesem historischen Zeitpunkt das Verschwinden des Staates eine Täuschung ist.[108]

Während der 1990er Jahre sind die Nationalstaaten jedoch aus souveränen Subjekten zu strategisch Handelnden transformiert worden, die ihre Interessen und die Interessen, die sie repräsentieren sollen, in einem globalen System der Interaktion und unter den Bedingungen geteilter Souveränität vertreten. Sie können erheblichen Einfluss aufbringen, aber sie besitzen schwerlich Macht für sich allein, isoliert von den supranationalen Makro-Kräften und nationalen Mikro-Prozessen. Außerdem unterliegen sie, wenn sie in der internationalen Arena strategisch handeln, gewaltigen internen Spannungen. Einerseits müssen sie sich, um die Produktivität und Wettbewerbsfähigkeit ihrer Volkswirtschaften zu fördern, eng mit den globalen Wirtschaftsinteressen zusammentun und sich an die globalen Regeln halten, die Kapitalströme begünstigen, während ihre Gesellschaften geduldig auf die herabtröpfelnden Wohltaten des konzerneigenen Einfallsreichtums warten. Um weiter gute Bürger einer multilateralen Weltordnung zu sein, müssen die Nationalstaaten miteinander kooperieren. Sie müssen die Hackordnung der Geopolitik akzeptieren und pflichtschuldig dazu beitragen, abtrünnige Nationen und mögliche Unruhestifter unabhängig von den Gefühlen ihrer gewöhnlich ortsfixierten Bürgerinnen und Bürger zur Räson zu bringen. Andererseits aber überleben Nationalstaaten jenseits historischer Trägheit wegen des defensiven Kommunalismus der Nationen und der Menschen auf ihrem Territorium. Hier klammern sie sich an ihren letzten Zufluchtsort, um nicht vom Wirbel der globalen Ströme weggerissen zu werden. Je mehr daher die Staaten den Kommunalismus betonen, desto weniger effektiv werden sie als Mit-Akteure eines globalen Systems der Machtteilung. Je mehr sie auf planetarer Bühne in enger Partnerschaft mit den Agenten der Globalisierung triumphieren, desto weniger repräsentieren sie ihre nationale Basis. Die Politik an der Jahrtausendwende ist nahezu überall auf der Welt von diesem fundamentalen Widerspruch beherrscht.

Es kann also sehr gut sein, dass die Nationalstaaten den Status des Königs des Universums bei Saint-Exupery erreichen werden, der alles vollständig zu kontrollieren schien, weil er täglich der Sonne befahl, im Osten aufzugehen. Aber zugleich treten sie, während sie ihre Souveränität verlieren, als wichtige, eingreifende Mitspieler in einer völlig strategischen Welt auf, die so ist wie jene, die vor 2.500 Jahren das Material zur Abhandlung von Sun Tzu über den Krieg geliefert hat:

> Es ist Aufgabe des Feldherrn, Ruhe zu bewahren und damit die Geheimhaltung zu sichern; geradeheraus und gerecht und so die Ordnung aufrechtzuerhalten. Er muss es verstehen, seine Offiziere und Mannschaften durch falsche Berichte und Wahrnehmungen zu täuschen und sie so in völliger Unwissenheit zu halten. Indem er seine Vorkehrungen ändert und seine Pläne wechselt, sorgt er dafür, dass der Feind kein definitives Wissen besitzt. Indem er sein Lager verlegt und kreisförmige Marschrouten einschlägt, verhindert er, dass der Feind

108 Hirst und Thompson (1996).

> seine Absichten errät. Im kritischen Augenblick handelt ein Heerführer wie jemand, der eine Höhe erklommen hat und jetzt mit dem Fuß die Leiter hinter sich in die Tiefe stößt.[109]

So können die machtlosen Staaten immer noch siegreich sein und damit ihren Einfluss ausweiten, vorausgesetzt, sie „stürzen" die Leiter ihrer Nationen um und leiten damit die Krise der Demokratie ein.

---

109 Sun Tzu (ca. 505-496 v. Chr., 1988: 131-133).

6 Informationelle Politik und die Krise der Demokratie

Einleitung: die Politik der Gesellschaft

Macht lag einmal in Händen von Fürsten, Oligarchien und herrschenden Eliten; sie war als die Fähigkeit definiert, anderen seinen Willen aufzuzwingen und dadurch ihr Verhalten zu ändern. Dieses Bild der Macht passt nicht mehr auf unsere Wirklichkeit. Macht ist überall und nirgends: Sie ist in der Massenproduktion, in den Finanzströmen, in Lebensstilen, im Krankenhaus, in der Schule, im Fernsehen, in Bildern, in Botschaften, in Technologien ... Weil die gegenständliche Welt sich unserem Willen entzieht, ist unsere Identität nicht mehr durch das definiert, was wir tun, sondern durch das, was wir sind. Auf diese Weise rücken unsere Gesellschaften etwas näher an die Erfahrung der sogenannten traditionellen Gesellschaften, die eher auf der Suche nach Gleichgewicht sind als auf der Jagd nach Fortschritt. Dies ist die zentrale Frage, auf die politisches Denken und Handeln eine Antwort finden müssen: Wie soll man eine neue Verbindung herstellen zwischen dem übermäßig offenen Raum der Wirtschaft und der übermäßig geschlossenen und fragmentierten Welt der Kulturen? ... Im Grunde geht es nicht darum, an die Macht zu kommen, sondern die Gesellschaft neu zu schaffen, die Politik neu zu erfinden. Dabei gilt es, den blinden Konflikt zwischen offenen Märkten und geschlossenen Gemeinschaften zu vermeiden, den Zusammenbruch von Gesellschaften zu überwinden, in denen der Abstand wächst zwischen den Einbezogenen und den Ausgeschlossenen, denen drinnen und denen draußen.

Alain Touraine, *Lettre à Lionel*, S. 36ff, 42; nach der Übers. von M.C.

Das Verschwimmen der Grenzen des Nationalstaates bringt Unklarheiten für die Definition von Staatsbürgerschaft mit sich. Das Fehlen eines eindeutigen Sitzes der Macht verwässert die soziale Kontrolle und lässt die politischen Herausforderungen diffus erscheinen. Der Aufstieg des Kommunalismus in seinen unterschiedlichen Formen schwächt das Prinzip des politischen Teilens, auf dem die demokratische Politik beruht. Die zunehmende Unfähigkeit des Staates, die Kapitalströme zu kontrollieren und soziale Sicherheit zu garantieren vermindert seine Bedeutung für die durchschnittlichen Bürgerinnen und Bürger. Die Bevorzugung lokaler Institutionen des Regierens vergrößert die Distanz zwischen den Mechanismen politischer Kontrolle und der Handhabung globaler Probleme. Die Entleerung des Gesellschaftsvertrages zwischen Kapital, Arbeit und Staat entlässt alle Beteiligten in den Kampf für ihre individuellen Interessen, wobei sie ausschließlich auf ihre eigenen Kräfte zählen. Wie Guehenno schreibt:

> Die liberale Demokratie beruhte auf zwei Postulaten, die gegenwärtig in Frage stehen: auf der Existenz einer politischen Sphäre als Ort des gesellschaftlichen Konsenses und des allgemeinen Interesses; und auf der Existenz von Akteuren, die mit ihrer eigenen Energie ausgestattet waren, die ihre Rechte ausübten und ihre Macht zum Ausdruck brachten, bevor noch

> die Gesellschaft sie als autonome Subjekte konstituierte. Heutzutage gibt es anstelle von autonomen Subjekten nur noch vorübergehende Augenblickssituationen, die dazu dienen, provisorische Bündnisse abzustützen, die sich aus Fähigkeiten speisen, die für jede einzelne Gelegenheit mobilisiert werden. Anstelle eines politischen Raumes als Ort kollektiver Solidarität sind sie nur herrschende Wahrnehmungen, ebenso vorübergehend wie die Interessen, die sie manipulieren. Eine Gesellschaft, die endlos fragmentiert ist, ohne Gedächtnis und ohne Solidarität, eine Gesellschaft, die ihre Einheit nur in der Abfolge von Bildern wiedergewinnt, die ihr die Medien allwöchentlich zurückgeben. Es ist eine Gesellschaft ohne Bürger und letztlich eine Nicht-Gesellschaft. Die Krise ist nicht – wie man es in Europa gerne hätte, in der Hoffnung, ihr zu entrinnen – die Krise eines bestimmten Modells, des amerikanischen Modells. Die Vereinigten Staaten treiben sicherlich die Logik der Konfrontation von Interessen ins Extrem, die die Idee des gemeinsamen Interesses auflöst; und das Management kollektiver Wahrnehmungen erreicht in Amerika ein Ausmaß an Raffinesse, das in Europa ohne Gegenstück ist. Grenzfälle sind jedoch hilfreich zum Verständnis von Durchschnittssituationen, und die amerikanische Krise zeigt uns unsere Zukunft.[1]

Die Transformation der Politik und der demokratischen Prozesse in der Netzwerkgesellschaft geht noch tiefer, als es in diesen Analysen dargestellt wird. Denn zusätzlich zu den oben angeführten Prozessen benenne ich einen weiteren wesentlichen Faktor, der zur Transformation beiträgt: die unmittelbaren Konsequenzen der neuen Informationstechnologien für die politische Auseinandersetzung und für Machtstrategien. Diese technologische Dimension steht in Wechselwirkung mit den übrigen Tendenzen, die für die Netzwerkgesellschaft kennzeichnend sind, und auch mit den kommunalen Reaktionen auf die herrschenden Prozesse, die sich aus dieser Gesellschaftsstruktur ergeben. Aber sie verleiht dieser Transformation zusätzlich eine folgenreiche Wendung, weil sie zu dem führt, was ich *informationelle Politik* nenne. Bobbio hat demnach durchaus Recht, wenn er auf den fortbestehenden Unterschieden zwischen der politischen Rechten und der politischen Linken auf der ganzen Welt besteht – im Grunde wegen ihrer krassen Unterschiedlichkeit, wenn es um soziale Gleichheit geht.[2] Rechte, Linke und Mitte müssen aber ihre Projekte und Strategien durch ein ähnliches technologisches Medium leiten, wenn sie die Gesellschaft erreichen und sich so genügend Unterstützung durch die Bürger sichern wollen, um den Zugang zum Staat zu erobern. Ich behaupte, dass diese gemeinsame Technologie zu neuen Spielregeln führt, die im Zusammenhang mit den gesellschaftlichen, kulturellen und politischen Transformationen, die in diesem Buch dargestellt werden, die Substanz der Politik in einschneidender Weise betreffen. Der springende Punkt ist, dass die elektronischen Medien (zu denen nicht nur Fernsehen und Radio gehören, sondern alle Formen der Kommunikation, auch Zeitungen und Internet) zum privilegierten Raum der Politik geworden sind. Natürlich lässt sich nicht jegliche Politik auf Bilder, Töne und symbolische Manipulation reduzieren. Aber ohne sie hat man keine Chance, Macht zu erobern

---

1 Guehenno (1993: 46); nach der Übersetzung von M.C.

2 Bobbio (1994).

und auszuüben. So spielen am Ende alle dasselbe Spiel, wenn auch nicht auf dieselbe Weise und mit derselben Absicht.

Um der Klarheit willen möchte ich die Leserin und den Leser gleich zu Anfang vor zwei allzu vereinfachten, verfehlten Versionen der These warnen, nach der die elektronischen Medien die Politik beherrschen. Einerseits wird manchmal behauptet, die Medien zwängen der öffentlichen Meinung ihre politischen Vorlieben auf. Das stimmt nicht, denn, wie ich unten ausführe, sind die Medien äußerst unterschiedlich. Ihre Verbindungen zu Politik und Ideologie sind höchst komplex und indirekt. Freilich gibt es offenkundige Ausnahmen, deren Häufigkeit abhängig ist von Ländern, Zeitperioden und den Eigenheiten der Medien. So können Medienkampagnen in vielen Fällen durchaus die Öffentlichkeit gegenüber dem politischen Establishment unterstützen. Das war in Amerika während der Watergate-Krise der Fall oder während der 1990er Jahre in Italien, als die meisten Medien die Anti-Korruptionskampagne der Justiz unterstützten, die sich sowohl gegen die traditionellen politischen Parteien wie gegen Berlusconi richtete – ungeachtet der Tatsache, dass Berlusconi Eigentümer der drei privaten Fernsehkanäle mit nationaler Verbreitung war. Andererseits wird die öffentliche Meinung oft als passive Empfängerin von Nachrichten betrachtet, die leicht manipuliert werden kann. Auch dies wird durch empirische Untersuchungen widerlegt. Wie ich in Kapitel 5 von Band I gezeigt habe, wird die tatsächliche Wirkung der Botschaften durch einen in beide Richtungen verlaufenden Interaktionsprozess zwischen den Medien und dem Publikum bestimmt. Sie werden vom Publikum verdreht, angeeignet und gelegentlich subversiv gewendet. Im amerikanischen Kontext zeigt die Studie von Page und Shapiro über langfristige politische Einstellungen, wie sehr sich die kollektive öffentliche Meinung in den meisten Fällen durch Unabhängigkeit und gesunden Menschenverstand auszeichnet.[3] Generell sind die Medien in der Gesellschaft verwurzelt, und ihre Wechselwirkung mit dem politischen Prozess ist überaus unbestimmt. Sie ist abhängig vom Kontext, von den Strategien der politisch Handelnden und der spezifischen Interaktion zwischen einer ganzen Reihe gesellschaftlicher, kultureller und politischer Erscheinungen.

Mit der wichtigen Rolle der elektronischen Medien in der gegenwärtigen Politik meine ich etwas anderes. Ich sage, dass die politische Kommunikation und Information im Wesentlichen im Raum der neuen Medien gefangen sind, weil die traditionellen politischen Systeme und die drastisch verstärkte Allgegenwart der neuen Medien in ihren Konsequenzen miteinander zusammenwirken. Außerhalb der medialen Sphäre gibt es nur politische Marginalität. Was in diesem medienbeherrschten politischen Raum geschieht, ist nicht durch die Medien determiniert: Es ist ein offener sozialer und politischer Prozess. Aber die Logik und die Organisation der elektronischen Medien geben der Politik Rahmen und Struktur. Ich will anhand einiger Belege und mit Hilfe einiger kultur-

3 Page und Shapiro (1992).

vergleichender Beispiele zeigen, dass diese Vorgabe eines Rahmens für die Politik durch ihre Festlegung auf den Medienraum (eine für das Informationszeitalter charakteristische Tendenz) nicht nur Folgen für Wahlen hat, sondern auch für politische Organisation, Entscheidungsfindung und Regieren. Damit wird letztlich die Struktur des Verhältnisses zwischen Staat und Gesellschaft modifiziert. Und weil die gegenwärtigen politischen Systeme noch immer auf organisatorischen Formen und politischen Strategien der industriellen Ära beruhen, sind sie politisch obsolet, und ihre Autonomie wird von den Informationsströmen Lügen gestraft, von denen sie abhängen. Das ist die grundlegende Ursache der Krise der Demokratie im Informationszeitalter.

Um die Konturen dieser Krise zu erkunden, verwende ich Daten und Beispiele aus verschiedenen Ländern. Die Vereinigten Staaten sind die Demokratie, die als erste dieses technologische Stadium erreicht hat, und zwar im Rahmen eines sehr offenen, unstrukturierten politischen Systems. Sie bringen daher die großen Entwicklungsstränge besser zum Ausdruck. Ich wende mich gewiss gegen die Vorstellung, andere Länder der Welt müssten dem „amerikanischen Modell" folgen. Nichts ist spezifischer in der Geschichte verankert als politische Institutionen und die in ihnen Handelnden. Aber auf dieselbe Weise, wie demokratische Gewohnheiten und Verfahren, die in England, Amerika und Frankreich ihren Ursprung hatten, sich während der letzten beiden Jahrhunderte über die ganze Welt ausbreiteten, würde ich behaupten, dass die informationelle Politik, wie sie in den Vereinigten Staaten praktiziert wird, ein guter Indikator für das ist, was auf uns zukommt, immer mit der notwendigen kulturell/institutionellen Übersetzung. Das gilt zum Beispiel für die Vorherrschaft des Fernsehens, für das computerisierte politische Marketing, für Augenblicksumfragen (*instant polling*) als Instrument der politischen Steuerung, für Rufmord als politische Strategie usw. Um die Reichweite der Analyse zu erweitern, befasse ich mich auch mit Beispielen jüngerer politischer Prozesse im Vereinigten Königreich, in Russland, Spanien, Italien, Japan, und um die neuen Demokratien in den weniger entwickelten Ländern einzubeziehen, gehe ich näher auf den Fall Boliviens ein. Auf dieser Grundlage versuche ich, die Prozesse der gesellschaftlichen, institutionellen und technologischen Transformation miteinander zu verknüpfen, die an der Wurzel der Krise der Demokratie in der Netzwerkgesellschaft ablaufen. Abschließend werde ich nach dem Potenzial für neue Formen einer „informationellen Demokratie" fragen.

Die Medien als Raum der Politik im Informationszeitalter

Politik und Medien: die Bürger-Verbindung

Ich fasse meine Argumentation kurz zusammen, bevor ich sie empirisch ausführe. Im Kontext demokratischer Politik ist der Zugang zu staatlichen Institutionen von der Fähigkeit abhängig, die Mehrheit der Wählerstimmen zu gewinnen. In den gegenwärtigen Gesellschaften erhalten die Menschen im Wesentlichen durch die Medien und in allererster Linie über das Fernsehen Informationen und bilden sich so ihre Meinung (Tab. 6.1 und 6.2). Außerdem ist zumindest in den Vereinigten Staaten das Fernsehen die glaubwürdigste Nachrichtenquelle, und seine Glaubwürdigkeit hat mit der Zeit zugenommen (Abb. 6.1). Um also auf die Köpfe und den Willen der Menschen einzuwirken, nutzen miteinander in Konflikt stehende politische Optionen, die durch Parteien und Kandidaturen verkörpert werden, die Medien als ihr wichtigstes Vehikel zur Kommunikation, zum Beeinflussen und Überreden. Wenn sie das tun, müssen sich die politischen Akteure, solange die Medien gegenüber der politischen Macht relativ autonom sind, den Regeln, der Technologie und den Interessen der Medien entsprechend verhalten. Und weil die Regierenden davon abhängig sind, ob sie wieder- oder in ein höheres Amt gewählt werden, wird das Regieren selbst abhängig von der täglichen Einschätzung der möglichen Auswirkungen von Regierungsentscheidungen auf die öffentliche Meinung, die mittels Meinungsumfragen, Fokusgruppen und Image-Analysen gemessen wird. Außerdem sind in einer Welt, die immer mehr von Information gesättigt ist, die effektivsten Botschaften diejenigen, die am einfachsten und am ambivalentesten sind, so dass sie den Leuten Raum für eigene Projektionen lassen. Dafür sind Bilder am besten geeignet. Die audiovisuellen Medien sind die wichtigsten Mittel, die Köpfe der Menschen zu erreichen, soweit sie sich überhaupt mit öffentlichen Angelegenheiten befassen.

Aber wer sind die Medien? Was ist die Quelle ihrer politischen Autonomie? Und wie gestalten sie Politik? In demokratischen Gesellschaften sind die weit verbreiteten Medien im Wesentlichen Wirtschaftsgruppen, die zunehmend konzentriert und global miteinander verbunden sind. Freilich sind sie gleichzeitig hochgradig diversifiziert und auf segmentierte Märkte eingestellt (s. Kap. 5 und Bd. I, Kap. 5). Fernsehen und Radio sind, wo sie sich in Staatseigentum befinden, während des letzten Jahrzehnts nahe an das Verhalten der privaten Mediengruppen herangerückt, um im globalen Wettbewerb zu bestehen. Damit sind sie von der Bewertung durch das Publikum ebenso abhängig geworden.[4] Die Quoten sind entscheidend, denn die wichtigste Einkommensquelle im Mediengeschäft ist die Werbung.[5] Eine gute Publikumsbewertung erfordert ein attraktives

4 Perez-Tabernero u.a. (1993).
5 MacDonald (1990).

Tabelle 6.1 Nachrichtenquellen in den USA, 1959-1992 (%)

Zeitpunkt	Fernsehen	Zeitungen	Radio	Zeitschriften	Andere Leute
Dezember 1959	51	57	34	8	4
November 1961	52	57	34	9	5
November 1963	55	53	29	6	4
November 1964	58	56	26	8	5
Januar 1967	64	55	28	7	4
November 1968	59	49	25	7	5
Januar 1971	60	48	23	5	4
November 1972	64	50	21	6	4
November 1974	65	47	21	4	4
November 1976	64	49	19	7	5
Dezember 1978	67	49	20	5	5
November 1980	64	44	18	5	4
Dezember 1982	65	44	18	6	4
Dezember 1984	64	40	14	4	4
Dezember 1986	66	36	14	4	4
November 1988	65	42	14	4	5
Dezember 1990	69	43	15	3	7
Februar 1991	81	35	14	4	6
November 1992	69	43	16	4	6

Anm.: Es wurde folgende Frage gestellt: „Woher bekommen Sie gewöhnlich die meisten Nachrichten über das, was in der Welt heutzutage geschieht – aus Zeitungen, dem Radio, dem Fernsehen, Zeitschriften, Gesprächen mit anderen Leuten oder woher sonst?" (Mehrfachantworten waren möglich).

Quelle: Roper Organization Surveys for the Television Information Service (versch. Jgg.)

Tabelle 6.2 Quellen politischer Information von Einwohnern von Cochabamba, Bolivien 1986

Informationsquelle	% die sich zu ihrer Hauptinformationsquelle äußerten	% die eine bevorzugte Quelle nannten
Zeitungen	32,0	8,7
Radio	43,3	15,7
Fernsehen	51,7	46,0
Andere	4,7	–

Quelle: Studie zu Informationsquellen der Einwohner Cochabambas, Centro de Estudios de la Realidad Económica y Social, Cochabamba, 1996

Medium und im Falle von Nachrichten Glaubwürdigkeit. Ohne Glaubwürdigkeit sind Nachrichten in finanzieller ebenso wie in politischer Hinsicht wertlos. Glaubwürdigkeit erfordert einen relativen Abstand zu allen spezifischen politischen Optionen, jedoch innerhalb der Grenzen der akzeptierten politischen und moralischen Wertvorstellungen der Mitte. Ferner kann diese Unabhängigkeit nur von einer glaubwürdigen Position der Unabhängigkeit aus gelegentlich in eine offene politische Empfehlung umgesetzt werden, oder auch in ein verborgenes finanzielles Geschäft im Austausch gegen Unterstützung bei der Verbreitung oder Unterdrückung von Informationen. Diese in ihrem Geschäftsinteresse verwurzelte Autonomie der Medien passt auch gut zu der Ideologie der Profession und zur Legitimität und zur Selbstachtung von Journalisten und Journalistinnen. Sie berichten und ergreifen nicht Partei. Die Information ist das Allerwichtigste. Die Nachrichtenanalyse muss belegt werden, Meinungen müssen moderiert werden, und Distanz ist die Regel. Diese doppelte Festlegung auf Unabhängigkeit, die von den Konzernen ebenso wie von der Profession herrührt, wird durch die Tatsache verstärkt, dass die Welt der Medien einem unablässigen Wettbewerb unterliegt, wenn es auch ein zunehmend oligopolistischer Wettbewerb ist. Unterläuft einem TV-Netzwerk oder einer Zeitung irgend etwas, das ihre Glaubwürdigkeit beeinträchtigt, so wird die Konkurrenz Teile des Publikums (des Marktes) an sich bringen. So müssen die Medien einerseits der Politik und der Regierung nahe sein, nahe genug, um an Informationen heranzukommen, um von der Regulierung zu profitieren und in vielen Ländern auch erhebliche Subventionen zu bekommen. Andererseits müssen sie neutral genug sein, um ihre Glaubwürdigkeit zu bewahren und so Mittler zwischen den Bürgerinnen und Bürgern auf der einen sowie den Parteien auf der anderen Seite bei der Produktion und Konsumtion von Informationsströmen und Bildern zu sein, die der der öffentlichen Meinungsbildung, des Wahlverhaltens und der politischen Entscheidungsfindung zugrunde liegen.

Abbildung 6.1 Glaubwürdigkeit von Nachrichtenquellen in den USA, 1959-1991

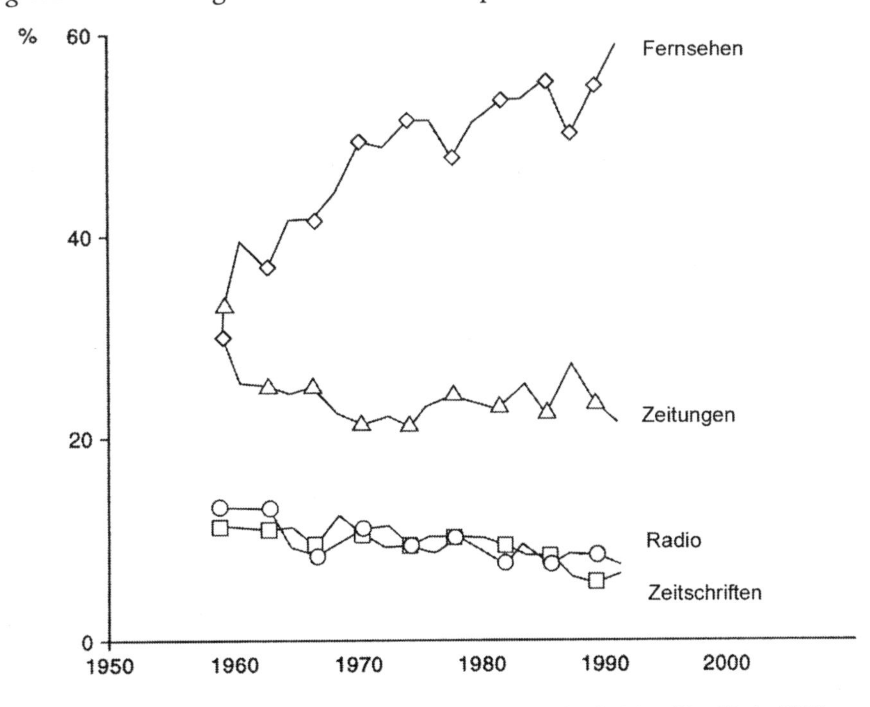

Quelle: Roper Organization, America's Watching: Public Attitudes toward Television (New York, 1991)

Wenn die Politik einmal im Raum der öffentlichen Medien gefangen ist, schließen die politisch Handelnden selbst das Feld der Medienpolitik, indem sie politisches Handeln in erster Linie um die Medien organisieren: Etwa, indem sie Informationen im Vorhinein weitergeben, um bestimmte persönliche oder politische Ziele zu verfolgen. Das führt unausweichlich zu Gegen-Indiskretionen, und die Medien werden so zum Schlachtfeld, auf dem die politischen Kräfte und Persönlichkeiten sowie Interessengruppen versuchen, sich gegenseitig das Wasser abzugraben und in den Wahlkabinen, bei parlamentarischen Abstimmungen und Regierungsentscheidungen Nutzen aus Meinungsumfragen zu ziehen.

Natürlich schließt die über Medien vermittelte Politik andere Formen der politischen Aktivität nicht aus. In den letzten Jahren haben Basiskampagnen ihre politische Lebenskraft unter Beweis gestellt, wie im Fall der Christian Coalition in den Vereinigten Staaten, der Grünen in Deutschland oder der Kommunistischen Partei in Russland. Massenversammlungen und Straßendemonstrationen sind noch immer wesentliche Rituale bei Wahlkämpfen in Spanien, Frankreich, Italien oder Brasilien. Und Kandidaten und Kandidatinnen müssen noch immer reisen, auftreten, Hände schütteln, an Versammlungen teilnehmen, Kinder küssen (aber vorsichtig), zu Studierenden sprechen und zu Polizeibeamten sowie zu jeder denkbaren ethnischen Gruppe (aber nicht in Frankreich). Aber mit Ausnahme des Sammelns von Spendengeldern ist es das Hauptziel dieser unterschiedlichen Formen der Politik von Mensch zu Mensch, in den Medien die Persönlichkeit oder die Botschaft in Szene zu setzen, sei es in den Fernsehnachrichten zur besten Sendezeit, in einer Talkshow im Radio oder als Hintergrundartikel in einer einflussreichen Zeitung. Bei Wahlkämpfen in Spanien (und ich denke, auch in anderen Ländern) werden führende Kandidaten und Kandidatinnen durch ein rotes Licht an ihrem Mikrofon darauf hingewiesen, wenn es – für ein oder zwei Minuten – eine live-Übertragung im Fernsehen gibt. Sie können dann automatisch auf ein vorprogrammiertes Sprachelement zu einem Thema ihrer Wahl umschalten, unabhängig davon, was sie dem physisch anwesenden Publikum gerade gesagt haben. Bei amerikanischen Wahlkämpfen werden Versammlungen, Zusammenkünfte mit Schulkindern, Aufenthalte entlang der Route des Wahlkampfbusses, -zuges oder -flugzeuges nach den Zeiten und Orten möglicher Medienaufmerksamkeit geplant. Gruppen zum Jubeln und solche zum Schmähen sind auf der Bühne, um die Möglichkeit für interessante Szenen zu schaffen.

Ich möchte jedoch wiederholen: Wenn ich sage, die Medien seien der Raum der Politik, so heißt das nicht, das Fernsehen diktiere, wofür sich die Leute entscheiden, oder die Fähigkeit, Geld für TV-Werbung auszugeben oder Bilder zu manipulieren, sei für sich genommen schon von überwältigender Bedeutung. Alle Länder und vor allem die Vereinigten Staaten sind voller Beispiele, dass ein Trommelfeuer von Fernsehwerbung nicht ausgereicht hat, um die Wahl eines bestimmten Kandidaten zu sichern; oder dass eine mittelmäßige mediale Leistung einen Wahlsieg am Ende nicht verhindert hat – wenn es auch ebenso reichlich Beispiele dafür gibt, dass die unterstützende Wirkung der TV-Präsenz wesentlich war, um einen Politiker in den Brennpunkt der öffentlichen Aufmerksamkeit zu bringen und dort zu halten: etwa Ronald Reagan oder Ross Perot in den Vereinigten Staaten, Felipe Gonzalez in Spanien, Berlusconi in Italien, Jirinovskij 1993 in Russland, Aoshima 1995 in Tokyo. 1990 wurde in Brasilien Collor de Mello wegen seiner meisterlichen Fernsehdarstellung aus dem Nichts zum Präsidenten gewählt, aber die Leute gingen auf die Straße und erzwangen seinen Rücktritt, als erst einmal klar wurde, dass er ein Gauner war, der den Staat ausplünderte. Drei Jahre später wurde Fernando Henrique Cardoso, der im Fernsehen nicht ungeschickt auftritt, aber offensichtlich keine Medienspielchen mag, mit überwältigender Mehrheit zum Präsidenten gewählt, weil er es als Finanzminister geschafft hatte, erstmals in Jahrzehnten die Hyperinflation zurückzuführen. Freilich war auch die Unterstützung von *O Globo Televiso* seiner Kandidatur hilfreich. Weder das Fernsehen noch andere Medien bestimmen für sich allein Wahlergebnisse. Denn die Medienpolitik ist ein widersprüchliches Feld, auf dem unterschiedliche Akteure mit unterschiedlichem Geschick und mit verschiedenen Ergebnissen unterschiedliche Strategien verfolgen, was manchmal zu unerwarteten Folgen führt. *Mediakratie* steht nicht im Widerspruch zur Demokratie, weil sie ebenso vielfältig und konkurrenzorientiert ist wie das jeweilige politische System. Also nicht sehr. Außerdem sollten wir das vorhergegangene System der Parteiendemokratie bedenken, in dem Parteiorganisationen, die von der Mehrheit der Bürgerinnen und Bürger weitgehend isoliert waren, vollständige Entscheidungsmacht über politische Programme und über Kandidaturen besaßen; es lässt sich durchaus darüber streiten, welches System stärker die Beiträge der Bürger berücksichtigt, jedenfalls dann, wenn wir erst einmal die mythische Zeit der kommunalen Stadtversammlungen (*town meetings*) hinter uns gelassen haben.

Der entscheidende Punkt ist jedoch, dass politische Vorschläge und Kandidaturen ohne aktive Medienpräsenz keine Chance haben, Unterstützung zu bekommen. Medienpolitik ist nicht die gesamte Politik, aber jegliche Politik muss über die Medien gehen, um Entscheidungen zu beeinflussen. Wenn sie das tut, ist die Politik fundamental in ihrer Substanz, ihrer Organisation, ihrem Prozess und ihrer Führungsgruppe in den Rahmen der immanenten Logik des Mediensystems eingebunden, vor allem der neuen elektronischen Medien. Um zu verstehen, wie diese Einpassung genau vor sich geht, ist es hilfreich, sich mit der tatsächlichen Entwicklung der Medienpolitik zu befassen, wobei wir mit der amerikanischen Erfahrung der letzten drei Jahrzehnte beginnen.

Show-Politik und Politik-Marketing: das amerikanische Modell

Die Transformation der amerikanischen Politik während der letzten drei Jahrzehnte des 20. Jahrhunderts resultierte aus drei miteinander verknüpften Prozessen: (a) dem Niedergang der politischen Parteien und ihrer Rolle bei der Auswahl von Kandidatinnen und Kandidaten; (b) der Entstehung eines komplexen

Mediensystems, das im Fernsehen verankert ist, aber eine zunehmende Vielfalt flexibler Medien aufweist, die elektronisch miteinander verbunden sind; und (c) der Entwicklung des Politik-Marketing mit ständigen Meinungsumfragen, Rückkoppelungssystemen zwischen Umfragen und politischer Praxis, mit Nebenschauplätzen in den Medien, computergesteuerter Direktwerbung und *phone banks*[6] sowie der Anpassung von Kandidaten, Kandidatinnen und Programmen in Echtzeit an das Format, das Siegeschancen besitzt.[7]

Obwohl die Transformation des amerikanischen politischen Systems tief in sozialen und kulturellen Entwicklungen verwurzelt ist, bestanden die unmittelbarsten Ausdrucksformen dieser Transformationen in den Wahlreformen durch das McGovern-Frazer-Komitee, das auf den demokratischen Parteitag 1968 reagierte, als der Parteiapparat Humphrey zum Präsidentschaftskandidaten machte und den populäreren McCarthy überging. Nach dem neuen System wurden die Parteitagsdelegierten hauptsächlich durch direkte Vorwahlen bestimmt, bei denen die Präsidentschaftsanwärter gegeneinander antraten.[8] Während in den 1950er Jahren 40% der Delegierten nach dieser Methode ausgewählt wurden, erreichte dieser Anteil in den 1990er Jahren 80%.[9] Außerdem haben eine Reihe von Reformen bei der Wahlkampffinanzierung die Kandidatinnen und Kandidaten gezwungen, sich stärker auf ihre Fähigkeiten zur Geldbeschaffung und ihre direkten Kontakte zur Gesellschaft zu verlassen und sehr viel weniger auf die Unterstützung der Partei. Die Interessengruppen und die Bürgerinnen und Bürger allgemein haben die Parteiorganisationen in den Hintergrund der amerikanischen Politik verbannt.[10] Beide Tendenzen haben dazu geführt, dass sich die Rolle der Medien außerordentlich verstärkt hat: Sie sind zu privilegierten Vermittlungsinstanzen zwischen den Kandidaten und der Öffentlichkeit geworden, und üben einen entscheidenden Einfluss auf die Präsidentschaftsvorwahlen und auch auf die Kongress- und Gouverneurswahlen aus. Und weil Medienwerbung und medienorientierte Wahlkämpfe sehr kostspielig sind, müssen die Kandidatinnen und Kandidaten auf Privatspenden und politische Aktionskomitees zurückgreifen, die außerhalb des Parteiensystems stehen.[11]

Die politische Rolle der Medien hat sich während der letzten beiden Jahrzehnte aus technologischen ebenso wie aus organisatorischen Gründen erheblich weiterentwickelt. Nach Expertenmeinung war der Wendepunkt in der Beziehung zwischen Medien, Meinungsumfragen und Politik der Wahlkampf von John Kennedy 1960.[12] Nicht nur baute Kennedy erstmals seinen Wahlkampf

6 Telefonzentralen für Wählermotivation und Umfragen (Red.).
7 Abramson u.a, (1988); Patterson (1993); Roberts und McCombs (1994); Balz und Brownstein (1996).
8 Patterson (1993: 30-33).
9 Ansolabehere u.a. (1993: 75).
10 Magleby und Nelson (1990).
11 Garber (1984, 1996); Gunlicks (1993).
12 Jacobs und Shapiro (1995).

auf Meinungsumfragen und einer Fernsehstrategie auf, sondern sein Sieg wurde auch weitgehend seiner Fernsehdebatte mit Nixon zugeschrieben, der ersten ihrer Art. Hier dominierte er, während das Radiopublikum derselben Debatte Nixon zum Sieger erklärte.[13] Danach wurde das Fernsehen zu dem Mittel, das die Tagesordnung der amerikanischen Politik bestimmte. Zwar sind einflussreiche Zeitungen wie die *New York Times* oder die *Washington Post* wichtige Quellen der investigativen Berichterstattung und auch von Meinungstrends, aber nur Ereignisse, die im Fernsehen dargestellt werden, erreichen ein Publikum, das groß genug ist, um eine Tendenz innerhalb der öffentlichen Meinung zu bestimmen oder umzukehren. Fernsehen, Zeitungen und Radio arbeiten daher als ein zusammenhängendes System. Dabei berichten die Zeitungen häufig von einem Ereignis und gehen genauer darauf ein; das Fernsehen bereitet dies auf und bringt es einem größeren Publikum nahe, und die Radio-Talkshows schaffen die Gelegenheit zur Interaktion der Bürgerinnen und Bürger miteinander und zur zielgenauen, parteipolitisch gefärbten Debatte über Fragen, die das Fernsehen aufgeworfen hat.[14] Diese immer zentraler werdende Rolle des Fernsehens hat zwei wichtige Folgen gezeitigt. Einerseits sind die Ausgaben der Politik für das Fernsehen in die Höhe geschossen: Anfang der 1960er Jahre wurden etwa 9% des Budgets einer Präsidentschaftskampagne für Fernsehwerbung ausgegeben, während dieser Anteil in den 1990er Jahren etwa 25% von sehr viel umfangreicheren Budgets ausmachte; 1990 wurden schätzungsweise US$ 203 Mio. für politische Fernsehwerbung ausgegeben.[15] Die Zahl für die Wahlen von 1996 mag über US $800 Mio. gelegen haben.[16] Andererseits sind die flankierenden politischen Auftritte von Kandidatenberatern zu einem wesentlichen Faktor politischer Kampagnen geworden, auch bei Bemühungen, Entscheidungen der Regierung zu unterstützen oder ihnen Widerstand entgegenzusetzen. Worauf es wirklich ankommt, ist weniger das Ereignis, über das zunächst berichtet worden ist, sondern die Debatte, die dadurch angestoßen wird, wie sie geführt wird, von wem sie geführt wird und wie lange sie geführt wird. Der Sieg und nicht Erklärung oder Aufklärung wird zur entscheidenden Frage. So zeigten 1993/94 nach Monaten scharfer Debatte über Clintons Vorschlag zur Gesundheitsreform, der extensives Medieninteresse auf sich zog, die Meinungsumfragen, dass die große Mehrheit der Amerikanerinnen und Amerikaner über den Inhalt des Vorschlages und die Substanz der Kritik verwirrt und unsicher war. Aber gleichviel. Das Trommelfeuer der Medienkontroverse, das von Versicherungsgesellschaften, Ärztevereinigungen und pharmazeutischer Industrie in Gang gehalten wurde, hatte erreicht, dass das Programm eliminiert war, noch bevor es dem Kongress zur Abstimmung vorgelegt wurde, ganz zu schweigen

13 Ansolabehere u.a. (1993: 73)
14 Friedland (1996).
15 Ansolabehere u.a. (1993: 99).
16 Freeman (1994).

davon, dass es von den Bürgern und Bürgerinnen diskutiert worden wäre.[17] Die Medien sind zur Hauptarena der Politik geworden.

Die Technologie hat die politische Rolle der Medien transformiert. Das lag nicht nur an ihren Folgen für die Medien selbst, sondern auch an der Verbindung des Mediensystems mit Politik-Marketing in Echtzeit.[18] Ab den späten 1960er Jahren führte die Einführung von Computern bei den Meinungsumfragen zur Entstehung des „*strategic polling*". Dabei werden unterschiedliche politische Strategien an Zielgruppen potenzieller Wählerinnen und Wähler getestet, so dass man die Strategie, die Form und selbst die Substanz der Botschaft verändern kann, während der Wahlkampf sich fortentwickelt.[19] Während der beiden folgenden Jahrzehnte beeinflussten Meinungsforscher wie Patrick Caddell, Peter Hart und Robert Tecter die Wahlkampfstrategien entscheidend und wurden zu wichtigen Mittlern zwischen Kandidaten, Bürgern und Medien. Gemeinsam mit *Imagebildnern* und Fachleuten für politische Werbung entwickelten sie Wahlkämpfe, Wahlaussagen, Fragestellungen und Persönlichkeitsprofile, indem sie Trends in der öffentlichen Meinung in Medienberichte zurückspeisten und umgekehrt.[20] Als die Technologie die Medienberichterstattung beschleunigte und die Geschwindigkeit und Flexibilität der Informationssysteme erhöhte, wurden Rückkopplungseffekte und Nebenereignisse zu Aspekten des Alltagsgeschäftes. Deshalb treffen sich in den höchsten politischen Ämtern – angefangen beim Weißen Haus – die Medienexperten jeden Tag frühmorgens, um der Nation den Puls zu fühlen; dabei stehen sie bereit, in Echtzeit zu intervenieren und sogar zwischen Vor- und Nachmittag Botschaften und Ablaufpläne zu verändern, je nach der Berichterstattung in den wichtigsten Nachrichtenquellen (CNN, TV-Netzwerke, führende Morgenzeitungen).[21] Die Tatsache, dass die Medien selbst durch ununterbrochene Berichterstattung in der Lage sind, zu jedem Zeitpunkt Neuigkeiten zu übermitteln, bedeutet, dass die Kommunikationskrieger ständig auf der Hut sein müssen. Sie müssen wirklich jede politische Entscheidung in die Sprache der Medienpolitik übertragen und die Auswirkungen durch Meinungsumfragen und an Fokusgruppen messen. Meinungsforscher und *Imagebildner* sind zu entscheidenden politischen Akteuren geworden. Sie sind in der Lage, die Karrieren von Präsidenten, Senatoren, Abgeordneten im Repräsentantenhaus und Gouverneuren zu fördern oder zu vernichten, indem sie Informationstechnologie, Mediologie, politisches Fingerspitzengefühl und freches Magiertum miteinander verschmelzen. Und wenn sie sich mit ihren Umfragen irren sollten, so sind sie doch immer noch einflussreich, weil ihre Fehler politische Trends verändern, wie bei der republikanischen Vorwahl 1996

17 Fallows (1996).
18 D. West (1993).
19 Moore (1992: 128f).
20 Mayer (1994).
21 Fallows (1996).

in New Hampshire, als die Fehler der Meinungsforscher das Ergebnis von Forbes unterminierten: Sie hatten nämlich seine Wählerstimmen an irrtümlichen Vorhersagen eines Aufwärtstrends durch die Meinungsumfragen der vorangegangenen Tage gemessen.[22]

Als sich die Medien während der 1990er Jahre diversifizierten und ihr Spektrum dezentralisierten, wurde ihr Zugriff auf politische Einstellungen und Verhaltensweisen nur noch umfassender.[23] Das lokale Kabelfernsehen und entsprechende Radio-Talkshows schufen ein maßgeschneidertes Publikum und erlaubten es den Politikerinnen und Politikern, ihre Botschaft besser auf Zielgruppen zuzuschneiden. Daneben waren Interessengruppen und ideologisch bestimmte Zielgruppen eher in der Lage, ihre Argumente ohne den vorsichtigen Filter der Medien des *mainstream* vorzubringen. Videorecorder wurden zu unverzichtbaren Werkzeugen, um Videobotschaften mit politischen Untertönen auf lokalen Versammlungen und an Privathaushalte durch Direktwerbung zu verteilen. Die Berichterstattung rund um die Uhr durch C-Span und CNN ermöglichte die augenblickliche Lieferung von Nachrichten und Informationen mit verdeckter politischer Botschaft. Der republikanische Führer Newt Gingrich war in der Lage, über C-Span eine leidenschaftliche, antiliberale Rede vor dem Kongress ins Fernsehen zu bringen, ohne feindliche Reaktionen befürchten zu müssen, weil jenseits der Reichweite der Kameras der Raum leer war. Die begrenzte Ausstrahlung (*narrowcasting*) von Botschaften in bestimmte Gegenden oder an bestimmte soziale Gruppen durch lokale Sender fragmentiert die nationale Politik und unterminiert den Einfluss der TV-Netzwerke, bezieht jedoch einen noch größeren Anteil der politischen Ausdrucksformen in das Universum der elektronischen Medien ein. Zudem ist Mitte der 1990er Jahre das Internet zum Vehikel für Wahlpropaganda, für kontrollierte Debattenforen und für die Verbindung mit Anhängern geworden.[24] Häufig verweisen Fernsehprogramme oder Werbespots auf eine Internetadresse, wo Informationen oder ausführlichere Argumentationen zu finden sind, während die computervermittelte Kommunikation Medienereignisse oder politische Werbung im Fernsehen aufgreift, um einen elektronischen Köder für interessierte Bürgerinnen und Bürger auszulegen.

Indem sie die Politik in ihren elektronischen Raum inkorporieren, bestimmen die Medien den Rahmen für Prozess, Botschaften und Ergebnisse entscheidend, und zwar unabhängig von der eigentlichen Absicht oder der Effektivität spezifischer Botschaften. Nicht, als wäre das Medium die Botschaft, denn die politischen Optionen unterscheiden sich durchaus, und diese Differenzen sind

---

22 Mundy (1996).

23 Garber (1996); Hacker (1996).

24 Klinenberg und Perrin (1996).

bedeutsam. Aber dadurch, dass sie in den Medienraum eintreten, werden politische Projekte und Politiker auf besondere Art geformt.[25] Auf welche Weise?

Um zu verstehen, wie der Rahmen für die Politik durch die Logik der Medien bestimmt wird, müssen wir uns des übergreifenden Prinzips erinnern, das die Nachrichtenmedien regiert: das Rennen um die Publikumsbewertung, in Konkurrenz zur Unterhaltung; die notwendige Distanz zur Politik, um Glaubwürdigkeit zu schaffen. Dies übersetzt sich in traditionelle Vorannahmen bei der Zusammenstellung der Nachrichten, wie sie Gitlin identifiziert: „Bei Nachrichten geht es um das Ereignis, nicht um den ihm zugrundeliegenden Zustand; um die Person, nicht um die Gruppe; um Konflikt, nicht um Konsens; um die Tatsache, die ‚die Story weiterbringt', nicht um die, die sie erklärt."[26] Nur „schlechte Nachrichten," bei denen es um Konflikt, Dramatik, ungesetzliche Machenschaften oder fragwürdiges Verhalten geht, sind interessante Nachrichten. Weil Nachrichten zunehmend so gestaltet werden, dass sie Unterhaltungs-Shows oder Sportereignissen entsprechen oder mit ihnen konkurrieren können, gilt dies auch für ihre Logik. Sie erfordert Dramatik, Spannung, Konflikt, Rivalität, Gier, Betrug, Gewinner und Verlierer und wenn möglich Sex und Gewalt. Orientiert am Tempo und an der Sprache von Sportübertragungen wird über die „Politik à la Pferderennen" als von einem endlosen Spiel von Ehrgeiz, Manövern, Strategien und Gegenstrategien berichtet. Dabei bedient man sich vertraulicher Insider-Informationen und ständiger Meinungsumfragen durch die Medien selbst. Die Medien schenken dem, was die Politiker zu sagen haben, immer weniger Aufmerksamkeit: Der durchschnittliche *soundbite* ist von 42 Sekunden 1968 auf zehn 1992 geschrumpft.[27] Die losgelöste Einstellung der Medien verwandelt sich in Zynismus, wenn buchstäblich alles nur noch als strategisches Spiel interpretiert wird. Nachrichtensendungen bilden die Grundlage dieser Analysen, aber sie werden erheblich verstärkt durch Auguren-Shows (wie *Crossfire* bei CNN), in deren Mittelpunkt um scharf gegensätzliche, unhöfliche, lautstarke Kommentatoren stehen, die natürlich am Ende lächeln und sich die Hände schütteln und so unterstreichen, dass alles nur Show ist. Andererseits haben, wie James Fallows betont, die knappen, zustoßenden, pauschalen Einschätzungen von populären Fernseh-Weisen unmittelbare Auswirkungen auf die Berichterstattung über Ereignisse in den TV-Nachrichten und in den Zeitungen.[28] Mit anderen Worten, Medienaussagen über Politik werden selbst zu politischen Ereignissen, wobei die Gewinner und Verlierer beim politischen Rennen allwöchentlich bekannt gegeben werden. Wie Sandra Moog schreibt:

> Nachrichten-Stories sind dabei, zu bloßen Darstellungen der öffentlichen Reaktion auf die kurz zuvor erfolgte Berichterstattung zu verkommen. Wer sind die Gewinner und Verlierer,

25 Patterson (1993); Balz und Brownstein (1996); Fallows (1996).

26 Gitlin (1980: 28).

27 Patterson (1993: 74).

28 Fallows (1996).

> wessen Popularitätswerte sind als Folge der politischen Ereignisse des letzten Monats, der letzten Woche oder des letzten Tages gestiegen und wessen gefallen. Diese Art von Hyper-Reflexivität wird durch häufige Meinungsumfragen von Nachrichtenagenturen ermöglicht, denn sie schaffen eine vorgeblich objektive Grundlage für journalistische Spekulationen über die Auswirkungen politischer Handlungen und journalistischer Reaktionen auf diese Handlungen, über die Bewertung unterschiedlicher Politiker durch die Öffentlichkeit.[29]

Eine weitere und mächtige Rahmensetzung für politische Nachrichten ist die Personalisierung politischer Ereignisse.[30] Die Politiker und nicht die Politik sind die Akteure in diesem Drama. Und weil diese ihre programmatischen Vorschläge ändern können, während sie durch die politischen Gewässer steuern, besteht das, was in den Köpfen der meisten Menschen hängen bleibt, aus persönlicher Motivation und persönlichen Vorstellungen als Quellen der Politik. So rücken Persönlichkeitsfragen an die Spitze der politischen Tagesordnung, wobei der Bote zur Botschaft wird.

Die Rahmensetzung für politische Nachrichten weitet sich aus zur Rahmensetzung für die Politik selbst, wenn die Strategen in und gemeinsam mit den Medien um Einfluss bei der Wählerschaft spielen. So konzentriert sich die politische Werbung, weil nur schlechte Nachrichten Nachrichten sind, auf die negativen Botschaften, die darauf abzielen, die Vorschläge des Gegners zu desavouieren, während das eigene Programm nur in sehr allgemeiner Form dargestellt wird. Tatsächlich gibt es Experimente, die zeigen, dass negative Botschaften sehr viel wahrscheinlicher im Gedächtnis behalten werden und die politische Meinung beeinflussen.[31] Außerdem wird Rufmord zur schlagkräftigsten Waffe, weil die Politik in einer Welt des *image making* und der Seifenopern personalisiert worden ist.[32] Politische Projekte, Vorschläge der Regierung und politische Karrieren können durch Enthüllungen über inkorrektes Verhalten unterminiert oder gar zerstört werden (Nixons Watergate leitete die neue Ära ein); durch die Offenlegung eines Privatlebens, das von strikten Moralstandards abweicht, sowie des Vertuschungsversuchs (Gary Hart); oder durch die Häufung diverser Anschuldigungen, Gerüchte, Verdächtigungen, die auf die eine oder andere Weise den Medien zugespielt werden, sobald die Wirkung einer Behauptung nachzulassen beginnt (Bill und Hilary Clinton?). In manchen Fällen führen unerwiesene Beschuldigungen zu dramatischen persönlichen Konsequenzen, wie etwa zum Selbstmord des zur Zielscheibe gemachten Politikers (etwa 1993 der französische sozialistische Finanzminister Pierre Beregovoy). Deshalb werden persönliche Angriffe und Gegenangriffe oder deren Androhung unter Aufstellung ähnlicher Behauptungen zu einem grundlegenden Teil des politischen Alltagslebens. Im Präsidentschaftswahlkampf 1992 zwangen die Berater von Clinton die Republikaner, ihre Konzentration auf die außereheliche Affäre von

29 Moog (1996: 20).

30 Ansolabehere u.a. (1993); Fallows (1996).

31 Ansolabehere und Iyengar (1995).

32 Garramone u.a. (1990); Fallows (1996).

Clinton zurückzufahren, indem sie drohten, ausführlicher auf Bushs angebliches Verhältnis mit einer früheren Assistentin im Weißen Haus einzugehen; sie hatten eine weitere Jennifer gefunden.[33] Die Kommunikationsstrategen und Sprecher befinden sich im Zentrum der informationellen Politik.

Über Inhalte politische Vorschläge wird in den Medien immer weniger berichtet (außer in den segmentierten Medien fern vom Massenpublikum; etwa öffentliches Fernsehen oder lange Sonderberichte in Zeitungen), was zu einer extremen Simplifizierung der politischen Botschaften führt. Komplexe politische Programme werden durchforstet, um einige wenige Schlüsselfragen auszuwählen, die dann für ein breites Publikum in dichotomer Form herausgestellt werden: für das Leben oder für Wahlfreiheit; Schwulen-Rechte oder Schwulen-Beschimpfung; soziale Sicherheit und Budgetdefizit oder ausgeglichenes Budget und Abbau von *Medicaid,* der gesundheitlichen Unterstützung sozial Schwacher in den USA. Die Referendum-Politik äfft die Spielshows im Fernsehen nach, wenn der elektronische Brummton Gewinner und Verlierer anzeigt und Glokken (Umfragen) vor den Wahlen Warnungen zum Ausdruck bringen. Bilder, codierte Botschaften und Pferderennen-Politik zwischen Helden und Schuften (sie wechseln periodisch die Rolle) in einer Welt von vorgespiegelten Leidenschaften, verborgenem Ehrgeiz und Hinterhältigkeit: Das ist die amerikanische Politik, wie sie sich in dem in und durch die elektronischen Medien geschaffenen Rahmen darstellt. Auf diese Weise in politische reale Virtualität transformiert, befindet sie über den Zugang zum Staat. Könnte dieses „amerikanische Modell" der Vorläufer einer breiteren Politik-Entwicklung sein, die für das Informationszeitalter charakteristisch ist?

Wird die europäische Politik „amerikanisiert"?

Nein und ja. Nein, denn die europäischen politischen Systeme beruhen in einem viel größeren Ausmaß auf politischen Parteien mit einer langen, fest etablierten Tradition und tiefen Wurzeln in der jeweils spezifischen Geschichte, Kultur und Gesellschaft. Nein, denn nationale Kulturen haben eine Bedeutung, und was in Amerika zulässig ist, wäre im größten Teil Europas unzulässig und würde sogar auf den möglichen Angreifer zurückschlagen: So war etwa in den politischen Kreisen Frankreichs bekannt, dass der verstorbene Präsident Mitterrand eine langjährige außereheliche Beziehung unterhielt, aus der er auch eine Tochter hatte. Das wurde nie gegen ihn eingesetzt, obwohl er viele Feinde hatte, und wäre es geschehen, so hätten die meisten Bürgerinnen und Bürger es als schändlich empfunden, in die Privatsphäre des Präsidenten einzudringen. (Die Medien des Vereinigten Königreiches nehmen, was den Respekt vor dem Privatleben von Politikerinnen und Politikern angeht, eine Zwischenstellung zwi-

33 Swan (1992).

schen Amerika und Europa ein.) Ferner stand bis Ende der 1980er Jahre der größte Teil des europäischen Fernsehens unter staatlicher Kontrolle; damit war der Zugang der Politik zum Fernsehen reguliert, und bezahlte politische Werbung war noch immer verboten. Selbst nach der Liberalisierung und Privatisierung des Fernsehens halten sich private Netzwerke wie ITV in Großbritannien oder Antena 3-TV in Spanien an ein selbstregulierendes Muster des politischen Gleichgewichts, um ihre Glaubwürdigkeit zu wahren. Es bestehen also durchaus wesentliche Unterschiede zwischen Amerika und Europa, sowohl in der Struktur der Medien selbst wie auch in ihrer Beziehung zum politischen System.[34]

Andererseits wird über Kandidaturen und Programme zwar von den Parteien entschieden, doch sind die Medien inzwischen in Europa eben so wichtig wie in Amerika, wenn es um politische Bewerbungen geht.[35] Die Medien und vor allem das Fernsehen sind die grundlegende Quelle, aus der die Menschen politische Informationen und Meinungen beziehen, und die wichtigsten Merkmale der informationellen Politik, die in Amerika identifiziert wurden, kennzeichnen auch die europäische Politik: Vereinfachung der Botschaften, professionelle Werbung und Meinungsforschung als politische Werkzeuge, Personalisierung der Optionen, Negativismus als vorherrschende Strategie, Indiskretion über nachteilige Informationen als politische Waffe, *Imagebildung* und die Wirkungskontrolle als unverzichtbare Mechanismen zur Erringung und Wahrung der Macht. Schauen wir uns kurz einige Vergleiche an.

Im Vereinigten Königreich war während der 1980er Jahre das Fernsehen für 56% der Menschen die wichtigste Quelle politischer Nachrichten; diese Zahl stieg während der 1990er Jahre auf 80%,[36] wobei Zeitungen die wichtigste Quelle für die restlichen 20% waren. Bezahlte politische TV-Werbung ist in Großbritannien jedoch illegal, und die Parteien erhalten während des Wahlkampfes und außerhalb freie Sendezeit. Deregulierung, Privatisierung und die Vervielfachung der Quellen von Fernsehinformationen haben das Publikum jedoch von der formellen politischen Werbung umschwenken lassen zur politischen Berichterstattung.[37] Die Kommentare, die sich im regulären Programm mit der Werbung der Parteien befassen, werden einflussreicher als die Werbung selbst. So sendete die Labour Party 1992 einen Werbespot über Jennifer, ein junges Mädchen, das wegen der Krise im Gesundheitssystem ein Jahr auf eine Ohrenoperation hatte warten müssen. Als ihre Identität, die geheim bleiben sollte, enthüllt wurde, wurde die Unfähigkeit von Labour, Informationen vertraulich zu behandeln, zur eigentlichen Streitfrage. Damit wurde Labours Vertrauenswürdigkeit in einer möglichen Regierung unterminiert.[38] Negativwer-

34 Siune und Truetzschler (1992); Kaid und Holtz-Bacha (1995).

35 Guehenno (1993); Kaid und Holtz-Bacha (1995).

36 Moog (1996).

37 Berry (1992).

38 Scammell und Semetko (1995).

bung wurde vor allem von Seiten der Tories zu einem Schwerpunkt des Wahlkampfes 1992 gemacht und hat beim konservativen Wahlsieg eine Rolle gespielt.[39] Aktuelle Umfragen, gezielte Postsendungen, der Einsatz professioneller Werbe- und Public Relations-Firmen, Ereignisse und Reden, die auf *Imagebildung* und *soundbites* ausgerichtet sind, schicke professionelle Werbung mit Schauspielern und Fotomontagen, Konzentration eher auf das Image als auf politische Strategie sind während der 1990er Jahre in der britischen Politik genauso Routine wie in Amerika.[40] Die Personalisierung der Politik hat in Großbritannien mit so starken Führungspersönlichkeiten wie Winston Churchill, Harold Wilson oder Margaret Thatcher eine lange Tradition. Die neue Welle der Personalisierung bezieht sich jedoch nicht auf historische, charismatische Führungspersönlichkeiten, sondern auf jene, die sich um das Amt des Premierministers bewerben. So konzentrierte Labour seinen Wahlkampf 1987 auf ein „junges und glänzendes" Paar, Neil und Glanys Kinnock, und bestritt seine zentrale Wahlsendung (Party Election Broadcast, PEB) mit einer Fernseh-Biografie unter dem Titel *Kinnock*, die von Hugh Hudson, dem Regisseur von *Chariots of Fire* produziert worden war.[41] 1992 konzentrierten sich zwei von fünf konservativen PEBs auf John Major (*Major – The Journey*, produziert von Schlesinger, dem Regisseur von *Midnight Cowboy* zeigte Majors Aufstieg aus dem Arbeiterviertel Brixton).[42] Die Personalisierung führt zu Rufmord als politischer Strategie. So in der neueren britischen Politik: Während des Wahlkampfes 1992 wurde Kinnock in der Tory-Boulevardpresse angegriffen, und die Geschichten wurden anschließend vom Fernsehen weiter verfolgt. Die Attacken reichten von angeblichen Beziehungen zur Mafia bis zu seinem Privatleben (sog. „Boyo-Affäre"). Paddy Ashdown, Führer der Liberaldemokraten, wurde öffentlich wegen seines Sexuallebens angegriffen. Zwar meinen Axford u.a., die britischen Medien seien nach der Wahl von 1992 bereit, sich mit der Anwendung „schmutziger Tricks" zurückzuhalten, doch scheint diese neu entdeckte Disziplin nicht die königliche Familie verschont zu haben.[43] Ich bin mir zum Zeitpunkt der Niederschrift 1996 vielmehr mit der Voraussage sicher, dass die nächste allgemeine Wahl in Großbritannien, die aller Wahrscheinlichkeit nach einen Labour-Sieg bringen wird, auch durch explosionsartige Versuche zum „Rufmord" bestimmt sein wird, die sich dann gegen die sich abzeichnende Führungsposition von Tony Blair richten werden.

Die Entstehung der russischen Demokratie bedeutete seit den Parlamentswahlen im Dezember 1993 auch die Einführung fernsehorientierter Wahlkämpfe amerikanischen Stils.[44] Bei den entscheidenden russischen Präsident-

39 Berry (1992); Scammell und Semetko (1995).
40 Axford u.a. (1992); Philo (1993); Franklin (1994).
41 Philo (1993: 411).
42 Scammell und Semetko (1995: 35).
43 Axford u.a. (1992).
44 Hughes (1994).

schaftswahlen 1996 drohte die Wählerschaft, aus Verzweiflung zu Sjuganov abzudriften. Jelzin gelang es jedoch, während der letzten Wahlkampfwochen mittels eines Trommelfeuers der Medien und durch den erstmaligen Einsatz von computergesteuerter Direktwerbung, gezielten Meinungsumfragen und zielgruppenorientierter Propaganda in Russland, die Kontrolle zurückzugewinnen. Jelzins Wahlkampf verband alte mit neuen Strategien des Medieneinsatzes, aber bei beiden stand das Fernsehen im Mittelpunkt. Einerseits stellten sich das staatliche und das private Fernsehen auf die Seite Jelzins und benutzten Nachrichtensendungen ebenso wie das allgemeine Programm für antikommunistische Propaganda; dazu gehörte die Ausstrahlung mehrerer Filme über die Schrecken des Stalinismus in der Woche vor der Wahl. Andererseits war Jelzins Wahlwerbung sorgfältig konzipiert. Eine politische Consulting-Firma „Niccolò M“ (M für Machiavelli) spielte beim Entwurf der Medienstrategie eine wesentliche Rolle, nach der Jelzin in den regulären Fernsehnachrichten auftrat, während sich die politische Werbung im Fernsehen auf Menschen „wie du und ich“ konzentrierte, die ihre Unterstützung für Jelzin erklärten. Die Werbespots endeten mit den Worten „Ich glaube, Ich liebe, Ich hoffe,“ gefolgt von Jelzins Unterschrift – und das machte seine gesamte Präsenz in diesem Werbespot aus. Ekaterina Egorova, die Direktorin von „Niccolò M“ formulierte ihre Auffassung so: „Hinter seiner Abwesenheit steht die Überlegung, dass Jelzin als Präsident so oft auf dem Bildschirm auftritt [in den normalen Nachrichten], dass die Leute, käme er auch in der Werbung vor, seiner überdrüssig würden.“[45] So wird „Personalisierung durch Abwesenheit“, in der unterschiedliche Formen von Medienbotschaften kombiniert werden, in einer mit audiovisueller Propaganda übersättigten Welt zu einer neuen, subtilen Strategie. Einige republikanische Berater aus Kalifornien spielten bei der Konzeption der politischen Technologie von Jelzins Wahlkampf ebenfalls eine gewisse Rolle, wenn auch in geringerem Maße, als sie behaupteten. Hinzu kamen verschiedene politische und Medienberater, die Russland die informationelle Politik brachten, bevor es noch Zeit gehabt hatte, eine Informationsgesellschaft zu werden. Es funktionierte: Die Kommunisten waren an Finanzen, Macht und Geschick unterlegen. Sie stützten sich auf Basisorganisationen im großen Stil, was ein zu primitives Medium war, um sich gegen die Allianz aus Fernsehen, Radio und großen Zeitungen zu behaupten, die sich um Jelzin gruppierten. Sicherlich spielten bei der russischen Wahl noch andere Faktoren eine Rolle, wie die Ablehnung des Kommunismus, die Furcht vor Unordnung, Wählerdemagogie, geschickte Präsidenten-Entscheidungen in letzter Minute vor allem zu Tschetschenien, die Einbeziehung von Lebed in die Regierung Jelzin vor dem zweiten Wahlgang. Aber die Entscheidung fiel zwischen dem alten und dem neuen System der Politik, und das Endresultat war ein überwältigender Sieg für Jelzin, nachdem er vier Monate zuvor in den Meinungsumfragen noch weit zurückgelegen hatte.

---

45 *Moscow Times* (1996: 1).

Die junge Demokratie Spaniens lernte das neue Handwerk der informationellen Politik ebenfalls schnell.[46] Bei den allgemeinen Wahlen von 1982 führten der geschickte Einsatz der Medien und die Personalisierung um die Abbildung eines außergewöhnlichen Führers, Felipe Gonzales, die Sozialisten (PSOE) zu einem nie dagewesenen Erdrutschsieg. Danach wurden sie 1986 und 1989 zweimal mit absoluter Mehrheit wiedergewählt und gewannen 1985 sogar unter schwierigsten Bedingungen ein nationales Referendum zum Anschluss an die NATO. Neben den Vorzügen ihrer Politik trugen drei wichtige Faktoren zur überwältigenden politischen Vorherrschaft der Sozialistischen Partei während der 1980er Jahre bei: die charismatische Persönlichkeit von Felipe Gonzales und seine machtvolle Medienpräsenz vor allem im Fernsehen, ob in direkten Debatten, Journalisten-Interviews oder bei Übertragungen von wichtigen Ereignissen; die technologische Expertise der sozialistischen politischen Strategen, die erstmals in Spanien Schwerpunktgruppen, kontinuierliche laufende Umfragen, Image-Analyse und -Design einsetzten und die Probleme in Zeit und Raum mit einer geschlossenen, durchgehaltenen Strategie politischer Propaganda angingen, die auch am Wahltag nicht zuende war; und das Staatsmonopol über das Fernsehen, das der Regierung einen deutlichen Vorteil verschaffte, bis die unablässige Kritik der Opposition an der Fernsehberichterstattung sowie die demokratischen Überzeugungen von Gonzales während der 1990er Jahre zur Liberalisierung und Teilprivatisierung des Fernsehens führten. Andererseits war es während der 1990er Jahre die Niederlage in den Medien, die begann, die sozialistische Regierung in Spanien 1993 zu untergraben und dann 1996 eine Mitte-Rechts-Regierung an die Macht brachte.

Ich gehe im folgenden Abschnitt näher auf Skandalpolitik und die Politik der Korruption als unverzichtbare Strategie im Rahmen der informationellen Politik ein und beziehe mich dabei neben anderen Fällen wieder auf das überaus aufschlussreiche aktuelle spanische Beispiel. Wenn man über die mögliche Übertragung der Politik amerikanischen Stils nach Europa spricht, ist es aber wichtig zu unterstreichen, dass es für das gegenwärtige Spanien von Amerika nichts zu lernen gab, was die Techniken der Medienpolitik, des Rufmordes und die Rückkoppelungen zwischen Meinungsumfragen, Sendungen und Schaukämpfen angeht.

Wenn auch auf weniger dramatische Weise (schließlich ist Spanien ein hochdramatisches Land) ist die Politik in den meisten europäischen Demokratien unter die Herrschaft ähnlicher Prozesse geraten. So haben Beobachter in Frankreich gegen die „*télécratie*“[47] protestiert, während andere die Heraufkunft der „virtuellen Demokratie“ betonen.[48] Berlusconis plötzlicher Aufstieg zur Macht hing unmittelbar mit der neuen Rolle zusammen, die die Medien in der italieni-

---

46 Alonso Zaldivar und Castells (1992).

47 *Esprit* (1994: 3f).

48 Scheer (1994).

schen Politik spielen.[49] Eine komparative Analyse anderer europäischer Länder in den 1990er Jahren[50] beschreibt eine komplexe Übergangssituation, in der die Medien die Informationsverbreitung dominieren, während die Parteien für die neuen Anforderungen nicht ausgerüstet und unterfinanziert sind. Außerdem unterliegen sie strengen Regelungen. Sie haben daher Schwierigkeiten, sich an die neue technologische Umwelt anzupassen. Das Ergebnis scheint im Großen und Ganzen so auszusehen, dass die Parteien mit Unterstützung des Staates ihre Autonomie gegenüber den Medien aufrechterhalten. Weil aber die Parteien nur eingeschränkten Zugang zu den Medien haben, bilden die Leute sich ihre politische Meinung zunehmend aus Quellen von außerhalb des politischen Systems. Damit wird die Distanz zwischen den Parteien und den Bürgern noch unterstrichen.[51] Während daher Institutionen, Kultur und Geschichte die europäische Politik hochgradig spezifisch machen, regen Technologie, Globalisierung und die Netzwerkgesellschaft die politisch Handelnden und die Institutionen dazu an, auf Technologie-getriebene informationelle Politik zurückzugreifen. Ich behaupte, dass dies eine neue historische Tendenz ist, die in aufeinanderfolgenden Wellen die gesamte Welt erfasst, wenn auch unter spezifischen historischen Bedingungen, die zu weitreichenden Variationen des politischen Wettbewerbs und der politischen Verfahrensweisen führen. Bolivien bietet eine außerordentliche Möglichkeit, diese Hypothese zu überprüfen.

Boliviens elektronischer Populismus: compadre *Palenque* und das Kommen des *Jach'a Uru*[52]

Wenn wir das Land auf der Welt auswählen sollten, von dem am ehesten anzunehmen ist, dass es der Globalisierung der Kultur widersteht und Basispolitik in den Vordergrund stellt, so wäre Bolivien ein naheliegender Kandidat. Seine indianische Identität ist im kollektiven Gedächtnis seiner Bevölkerung überaus gegenwärtig (auch wenn sie sich zu 67% als *mestizos* bezeichnet), und Aymará und Quechua werden verbreitet gesprochen. Der Nationalismus ist die bei weitem wichtigste Ideologie aller politischen Parteien. Seit der Revolution von 1952 gehören die bolivianischen Bergarbeiter- und Bauerngemeinschaften zu

---

49 Di Marco (1994); Santoni Rugiu (1994); Walter (1994).

50 Kaid und Holtz-Bacha (1995).

51 Di Marco (1993).

52 Für ihre Hilfe bei der Ausarbeitung dieses Abschnittes über die bolivianische Medienpolitik bin ich Fernando Calderon in La Paz und Roberto Laserna in Cochabamba zu Dank verpflichtet. Die Analyse beruht auf Untersuchungen folgender bolivianischer Forscherinnen und Forscher: Mesa (1986); Archondo (1991); Contreras Basnipeiro (1991); Saravia und Sandoval (1991); Laserna (1992); Albo (1993); Mayorga (1993); Perez Iribarne (1993a, b); Ardaya und Verdesoto (1994); Calderon und Laserna (1994); Bilbao La Vieja Diaz u.a. (1996); Szmukler (1996).

den bewusstesten, organisiertesten und militantesten gesellschaftlichen Akteuren in Lateinamerika. Die wichtigste nationalistisch-populistische Partei, der *Movimiento Nacionalista Revolucionario*, war während der letzten vier Jahrzehnte immer wieder an der Macht und hat 1996 mit Hilfe der linken Nationalisten vom *Movimiento Bolivia Libre* sowie der kataristischen (indigenistischen) Bewegung die Präsidentschaft inne. Gesellschaftliche Spannungen und politische Militanz im Land lösten häufige Militärputschs aus, nicht immer zum Missfallen der US-Botschaft. Erst die offene Beteiligung hoher Armeechargen am Rauschgifthandel Ende der 1970er Jahre und der Politikwechsel unter Carter veränderten die Position der USA und erleichterten 1982 die Wiederherstellung einer stabilen Demokratie, als eine linke Koalition an die Macht kam. Seither haben sich zwar wegen der Strukturanpassungspolitik, die der MNR 1985 einleitete und die später von anderen Regierungen weiter verfolgt wurde, die sozialen Spannungen verschärft, doch scheint die Demokratie fest etabliert zu sein. Es entwickelte sich ein überaus lebhafter politischer Kampf, wobei Parteien gegründet wurden, sich spalteten und neu formierten; und es wurden die unwahrscheinlichsten politischen Bündnisse geschmiedet, um die Macht im Staat zu erlangen. Die soziale Mobilisierung und die demokratische Politik sind demnach in Bolivien wohlauf, so dass anscheinend wenig Raum bleibt für eine Transformation der Szenerie durch eine andine Version der informationellen Politik. Und dennoch wird seit 1989 die Politik von La Paz-El Alto (der bolivianischen Hauptstadt mit ihrer Peripherie von Siedlungen der Unterklassen) von einer politischen Bewegung beherrscht, die sich um Carlos Palenque herum gebildet hat, einen ehemaligen Volksmusiker bescheidener Herkunft, der Showmaster bei Radio und Fernsehen wurde, dann Eigentümer eines Mediennetzwerkes (RTP, *Radio Television Popular*) und schließlich Führer von *Conciencia de Patria* (Condepa), die am 21. September 1988 in Tihuanaco, der alten Hauptstadt der Aymará-Welt, gegründet wurde. Wenn die Geschichte für diejenigen, die sich mit der alten Tradition des lateinamerikanischen Populismus auskennen, auch vertraut klingen mag, so ist sie doch ungewöhnlich, komplex und aufschlussreich.

Die Saga Palenque begann um 1968, als er mit seiner Folk-Gruppe *Los Caminantes* eine Radiosendung begründete, die allmählich auch den direkten Kontakt mit dem Publikum einbezog und dabei mit einer Mischung aus Spanisch und Aymará eine volkstümliche Sprache benutzte, die es Leuten aus den armen städtischen Schichten erleichterte zu kommunizieren, ohne durch den Formalismus des Mediums eingeschüchtert zu werden. 1978 begann er mit einer Fernsehshow, in der er ein Forum bot, auf dem Leute ihre Klagen vorbringen konnten. Er stellte sich auch selbst als *compadre* des Publikums vor und bezeichnete seine Gesprächspartnerinnen und -partnern als *compadres* und *comadres*. Auf diese Weise schuf er einen nichthierarchischen Kommunikationszusammenhang und führte zugleich einen Bezug auf eine grundlegende Gemeinsamkeit ein, die in den katholischen und Aymará-Traditionen wurzelte.[53] 1980 gelang es ihm, Radio Metropolitana zu kaufen und später Canal 4, einen Fernsehsender in La Paz. Sie wurden bald zu den meist gehörten Medien in der Gegend von La Paz, und sie sind es noch: So erklärten 25% des Radiopublikums, dass sie ausschließlich Metropolitana hörten.

Fünf Elemente sind für Palenques Kommunikationsstrategie von entscheidender Bedeutung. Das erste ist die Personalisierung der Shows. Dabei vertreten eindrucksvolle *compadres* und *comadres* unterschiedliche soziale Gruppen; so ist etwa *comadre* Remedios Loza eine gewöhnliche Frau (*mujer de pollera*), ein Menschentyp, wie er nie zuvor im Fernsehen vorgekommen war, ungeachtet des allgemein verbreiteten Bildes der Unterschichtenfamilien von La Paz; oder *compadre* Paco, der eher der Mittelklasse nahe steht; oder seine eigene Frau, Monica Medina de Palenque, eine frühere Flamenco-Balletttänzerin, die die Rolle der Weisen übernimmt, die alles zusammenfasst und die Schlussfolgerungen zieht. Die personalisierte Interaktion mit dem Publikum endet nicht mit den live-Shows, sondern erstreckt sich über einen Großteil der Programmgestaltung. So sendet Canal 4 zwar dieselben lateinamerikanischen Seifenopern, die die Aufmerksamkeit der gesamten spanischsprachigen Welt fesseln, aber *compadre* Palenque und sein Team kommentieren die Ereignisse und die Aufregung in den verschiedenen Folgen persönlich und bemühen sich zusammen mit ihrem Publikum, das Geschehen der Seifenoper mit dem Alltagsleben der *paceños* in Beziehung zu setzen. Das zweite Element besteht darin, dass Frauen, und vor allem Frauen der unteren Klassen, zu einer wichtigen Zielgruppe werden, sowie in der deutlichen Präsenz von Frauen in den Sendungen. Drittens wird eine unmittelbare Verbindung zu den Sorgen und Freuden der Leute hergestellt, wenn Sendungen wie *Samstag des Volkes* live unter Beteiligung von Hunderten von Menschen aus armen städtischen Randsiedlungen ausgestrahlt werden; oder *Tribüne des Volkes*, wo Leute sich live über die schlechte Behandlung beschweren, die sie von wem auch immer zu erleiden haben. Viertens besteht hier die Bereitschaft, die Klagen der Menschen anzuhören, ein offenes Ohr für die Beschwerden, die sich aus der schmerzhaften Integration des ländlichen und indianischen Lebens in die expandierende städtische Peripherie von La Paz ergeben. Und fünftens ist der religiöse Bezug zu nennen, durch den Hoffnung als der Wille Gottes mit dem Versprechen legitimiert wird, dass *Jach'a Uru* kommen wird, der Tag, an dem nach der Aymará-Tradition alles Leiden ein Ende nehmen wird.

Doch war Palenques Weg ins Rampenlicht nicht geradlinig und einfach. Wegen seiner Kritik an den Behörden wurde das RTP-Mediennetzwerk unter

---

53 *Compadre* und *comadre* sind Termini, die Mitgliedschaft in der Gemeinschaft zum Ausdruck bringen. Sie vereinen Elemente der Aymará-Tradition mit solchen der katholischen Festkultur (z.B. Paten und Patinnen für getaufte Kinder). So wird von *compadres* und *comadres* erwartet, dass sie Verständnis zeigen, zur Gemeinschaft beitragen, mit ihr teilen und Reziprozitätsverpflichtungen eingehen.

dem Vorwand eines Radiointerviews mit einem führenden Drogenhändler im Juni und November 1988 zweimal von der Regierung geschlossen. Aber Massenproteste und eine Entscheidung des Obersten Gerichtshofes führten Monate danach zur Wiedereröffnung. Palenque antwortete, indem er eine Partei (Condepa) gründete und für die Präsidentschaft kandidierte. Bei ihrer ersten Wahlteilnahme 1988 wurde Condepa viertstärkste Partei und stärkste in der Hauptstadt. Bei den Kommunalwahlen gewann sie das Bürgermeisteramt in El Alto (viertgrößtes Stadtgebiet Boliviens) und gelangte in den Stadtrat von La Paz. Bei den nächsten Kommunalwahlen wurde Monica Medina de Palenque Bürgermeisterin von La Paz und behielt dieses Amt bis 1996. Condepa ist auch im Nationalen Kongress präsent: Unter den Abgeordneten spielte *comadre* Remigios eine führende Rolle bei der Durchsetzung von Gesetzen zugunsten der bolivianischen Frauen. Trotz ihres Populismus hat Condepa gegenüber den verschiedenen Regierungen keine konfrontative Haltung angenommen. 1989 verhalf sie mit ihren Stimmen im Kongress Jaime Paz Zamora zur Präsidentschaft, obwohl er bei der Volkswahl nur Dritter geworden war. Und als 1993 ein neuer MNR-Präsident, Sanchez de Losada, gewählt wurde, beteiligte sich Condepa zwar nicht an der Regierungsbildung, kooperierte aber mit der Regierung bei mehreren Gesetzesinitiativen.

Der Erfolg von *compadre* Palenque ereignete sich nicht in einem gesellschaftlichen Vakuum. Er hatte eine pointierte Botschaft, nicht bloß ein Medium, die offensichtlich gut zur tatsächlichen Erfahrung der städtischen Massen in La Paz passte. Er appellierte durch den Gebrauch der Sprache, durch die Betonung von Aymará-Traditionen, durch Rückgriffe auf Volkssitten und Religion an die kulturelle Identität neu nach La Paz gekommener Migranten und Migrantinnen. Der Politik wirtschaftlicher Anpassung und der Integration in die globale Wirtschaft stellte er das alltägliche Leiden der Arbeitenden und der städtischen Armen gegenüber, den Missbrauch, der ihnen unter dem Vorwand wirtschaftlicher Rationalität auferlegt wurden. *Compadre* Palenque wurde zur Stimme derer, die keine Stimme haben. Palenque nutzte die Medien als Plattform zur Durchführung einer Reihe von sozialen Programmen, jedoch unter Rückgriff auf lokale Institutionen, in denen Condepa präsent war. Eines der erfolgreichsten sollte industriellen Arbeiterinnen und Arbeitern helfen, die durch die Neustrukturierung und Privatisierung ihren Job verloren hatten. *Compadre* Palenque lehnte den kategorischen Imperativ der Globalisierung ab und vertrat – wenn auch in recht vager Form – ein Modell der „endogenen Entwicklung", das auf den eigenen Ressourcen Boliviens aufbauen und sich auf den Gemeinschaftsgeist des Volkes stützen sollte. So ist der Einfluss von Condepa nicht einfach bloß eine Medienmanipulation: Ihre Themen beziehen sich auf die wirklichen Leiden der Menschen in La Paz, und ihre Sprache kommuniziert unmittelbar mit der kulturellen und lokalen Identität der Unterschichten in La Paz und Palo Alto. Das geht so weit, dass die Bewegung insgesamt lokal geblieben ist, was manche Analytiker veranlasst hat, vom „metropolitanen *ayl-*

lu"[54] zu sprechen. Doch ohne die Macht der Medien und ohne eine aufmerksame Kommunikationsstrategie, in der Unterhaltungsradio und -fernsehen mit einem Raum für öffentliche Beschwerden und mit dem Aufbau eines charismatischen Vertrauensverhältnisses zwischen Führungspersonen und Publikum vermischt wurden, wäre Condepa auf eine untergeordnete Rolle beschränkt geblieben, wie dies anderen populistischen Bewegungen in Bolivien widerfahren ist, etwa der *Unidad Civica Solidaridad* von Max Fernandez. Und wirklich vertrauen 1996 Bolivianer den Medien mehr als ihren politischen Vertretern (Tab. 6.3).

Tabelle 6.3 Meinung bolivianischer Bürger zu den Institutionen, die ihre Interessen vertreten

Institution	*% positiver Stellungnahmen*
Deputiertenkongress	3,5
Eine politische Partei	3,4
Präsident	3,3
Bürgermeister	6,9
Nachbarschaftskomitee	11,3
Gewerkschaft	12,6
Massenmedien	23,4

Anm.: Antworten auf die Frage: „Glauben Sie, dass die folgenden Institutionen Ihre Interessen vertreten?" (Prozent aller befragten Bürger; national repräsentative Stichprobe)

Quelle: Autorenkollektiv (1996)

Demnach muss Medienpolitik nicht unbedingt das Monopol einflussreicher Interessengruppen oder etablierter politischer Parteien sein, die die Macht der Technologie einsetzen, um die Technologie der Macht zu perfektionieren. Wie der Aufstieg von *compadre* Palenque zu belegen scheint, können auf Identität gegründeter Kommunalismus und Bewegungen armer Leute, die manchmal in der Form des religiösen Chiliasmus auftreten, durch Medieneinsatz Zugang zum Hauptstrom der Politik gewinnen. Dadurch zwingen sie andere politische Akteure, ein ähnliches Spiel zu spielen (wie in Bolivien in den 1990er Jahren). Sie tragen damit zur allmählichen Einbeziehung der Politik in den Medienraum bei, wenn auch mit spezifischen Merkmalen, die auf die kulturelle Tradition, die wirtschaftliche Lage und die politische Dynamik Boliviens passen. Außerdem finden wir ungeachtet der kommunalen Orientierung von Condepa in der Erfahrung von *compadre* Palenque eine Reihe von Merkmalen, die den oben beschriebenen breiteren Tendenzen der informationellen Politik nicht unähnlich sind: die extreme Personalisierung der Führungsgruppe; die Vereinfachung von Botschaften in Form von Dichotomien: gut und böse; das Vorherrschen moralischer und religiöser Urteile zur Gestaltung des öffentlichen und privaten Le-

54 *Ayllu* ist die traditionelle Form der territorial-kulturellen Gemeinschaft in der Aymará-Tradition.

bens; die entscheidende Bedeutung von elektronisch ausgestrahlter Sprache, Bildern und Symbolen zur Mobilisierung von Bewusstsein und zur Herbeiführung politischer Entscheidungen; die Wankelmütigkeit der öffentlichen Stimmungen, die sich in dem Gefühl verloren haben, dass die Welt außer Kontrolle geraten ist; die Schwierigkeit, diese neuen politischen Ausdrucksformen in traditionelle politische Kategorien einzufügen, was so weit geht, dass manche bolivianische Analysen von der Entstehung „informeller Politik" in Parallele zur „informellen Wirtschaft" sprechen;[55] und schließlich finden wir bei diesen *compadres* und *comadres* auch die Abhängigkeit von der eigenen finanziellen Fähigkeit, die mediengestützte Politik aufrechtzuerhalten, was zu einem Rückkoppelungskreislauf (oder einem *circulus vitiosus*) zwischen Macht, Medien und Geld führt. Während die „Wiederauferstehung eines metropolitanen *ayllu*"[56] die Grenzen der Globalisierung aufzeigt, machen die traditionellen Kulturen ihre Macht geltend, indem sie den Raum der Medienströme bewohnen. Auf diese Weise überleben sie, aber sie transformieren sich auch zugleich und betreten eine neue Welt von Tönen und Bildern, von elektronisch modulierten *charangos*, von durch Umweltschutz bewahrten Kondoren und eines *Jach'a Uru* nach einem Fernsehskript.

Die informationelle Politik in der Praxis: die Politik des Skandals[57]

Während des letzten Jahrzehnts sind die politischen Systeme auf der ganzen Welt durch eine unaufhörliche Folge von Skandalen erschüttert, und politische Führungspersonen durch sie demontiert worden. In manchen Fällen sind politische Parteien, die sich ein halbes Jahrhundert lang fest im Machtzentrum etab-

---

55 Ardaya und Verdesoto (1994).

56 Archondo (1991).

57 Dieser Abschnitt beruht teilweise auf der Lektüre verbreiteter Zeitungen aus verschiedenen Ländern sowie auf der persönlichen Kenntnis einiger der Ereignisse. Ich halte es für überflüssig, Einzelbelege für Fakten anzuführen, die zum öffentlichen Wissensbestand gehören. Einen internationalen Überblick über politische Skandale gibt Longman (1990) *Political Scandals and Causes Célèbres since 1945*. Ein wichtiges wissenschaftliches, komparatives Werk über das Thema ist Heidenfelder u.a. (1989). Historische Darstellungen amerikanischer Skandale sind zu finden in Fackler und Lin (1995) und Rosa (1988). Eine neuere Darstellung von Skandalen im amerikanischen Kongress enthält Balz und Brownstein (1996: 27ff). Eine annotierte Bibliografie über amerikanische politische Korruption ist Johansen (1990). Zusätzlich werden in diesem Abschnitt folgende Quellen benutzt: King (1984); Markovits und Silverstein (1988a); Bellers (1989); Ebbinghausen und Neckel (1989); Bouissou (1991); Morris (1991); Sabato (1991); Barker (1992); *CQ Researcher* (1992); Meny (1992); Phillips (1992); Swan (1992); Tranfaglia (1992); Barber (1993); Buckler (1993); DeLeon (1993); Grubbe (1993); Roman (1993); *Esprit* (1994); Gumbel (1994); Walter (1994); Arlachi (1995); Fackler und Lin (1995); Garcia Cotarelo (1995); Johnson (1995); Sechi (1995); Thompson (1995).

liert hatten, zusammengebrochen und haben das politische System, das sie in ihrem eigenen Interesse geformt hatten, mit ins Verderben gerissen. Zu den Beispielen für diese Entwicklung gehören: die italienischen Christdemokraten, die während der 1990er Jahre buchstäblich zerfielen; die japanische Liberaldemokratische Partei, die sich spaltete und 1993 erstmals die Regierungsmacht verlor, auch wenn die Partei als solche überlebte und noch immer in einer Koalition oder Minderheitsregierung an der Macht ist; oder die indische Kongresspartei, die, nachdem sie die größte Demokratie der Welt 44 der über 48 Jahre seit der Unabhängigkeit regiert hatte, nach einem großen Skandal um den Kongressführer Narasimha Rao in den Wahlen von 1996 eine demütigende Niederlage erlitt, was die Hindu-Nationalisten begünstigte und anscheinend dem politischen System ein Ende setzte, das auf der unumstrittenen Herrschaft der Nachfolger Nehrus beruht hatte. Mit Ausnahme der skandinavischen Demokratien und ein paar anderer kleiner Länder, kann ich kein Land in Nordamerika, Lateinamerika, West- und Osteuropa, Asien oder Afrika nennen, wo nicht in den letzten Jahren große politische Skandale mit einschneidenden und manchmal dramatischen Konsequenzen aufgeflogen sind.[58]

In einigen Fällen bezogen sich die Skandale auf die persönliche Moral einer Führungspersönlichkeit (gewöhnlich eines Mannes, der in unstatthafter Weise Sex oder dem Alkohol zum Opfer fiel). Aber in den meisten Fällen ging es um politische Korruption, die nach der Definition von Carl J. Friedrich vorliegt, „wann immer ein Machthaber, der beauftragt ist, bestimmte Dinge zu tun, d.h. ein verantwortlicher Funktionär oder Amtsinhaber ist, durch Geld oder andere rechtlich nicht vorgesehene Belohnungen veranlasst wird, Handlungen zugunsten desjenigen vorzunehmen, der die Belohnungen gibt, und damit der Öffentlichkeit und ihren Interessen Schaden zufügt."[59] In manchen Fällen nahmen staatliche Funktionsträger einfach Geld, ohne sich auch nur verstecken zu müssen. Jedenfalls glaubten sie das. Von Südkoreas Präsident Roh bis zu Brasiliens Präsident Collor de Mello und von Mitgliedern des russischen Militärs oder des US-Kongresses bis zu hochrangigen Mitgliedern der sozialistischen Regierungen in Spanien und Frankreich wurden während der 1990er Jahre immer wieder politische Korruptionsskandale verursacht und zur Alltagskost des öffentlichen Lebens auf der ganzen Welt gemacht. Warum? Sind unsere politischen Systeme die korruptesten der Geschichte? Ich bezweifle es. Gebrauch und Missbrauch von Macht zum persönlichen Nutzen ist eine der Eigenschaften, die man zur „menschlichen Natur" rechnen müsste, wenn es ein solches Wesen denn gäbe.[60] Dies ist genau einer der Gründe, weshalb die Demokratie erfunden und zur am meisten angestrebten, wenn auch nicht idealen Regierungsform geworden ist.

58 Heidenheimer u.a. (1989); Longman (1990); Garment (1991); *CQ Researcher* (1992); Meny (1992); Grubbe (1993); Roman (1993); Gumbel (1994); Walter (1994); Thompson (1995).

59 Friedrich (1966: 74).

60 Leys (1989).

Hinter den Kulissen, in Situationen, wo der Staat Informationen kontrollierte, waren es die politischen Eliten in alten Zeiten wie in den letzten Jahren sehr wohl zufrieden, Untertanen und Interessengruppen ihr persönliches Steuersystem aufzuerlegen. Die hauptsächlichen Unterschiede bestehen im Grad der Willkür, mit der Bestechung erfolgt, und in der unterschiedlichen Dysfunktionalität verdeckter Zuwendungen für die Verwaltung öffentlicher Angelegenheiten. Daher verweist eine erste Beobachtung darauf, dass die Aufdeckung von Korruption gerade ein guter Indikator für eine demokratische Gesellschaft und für Pressefreiheit sein könnte.[61] So litt etwa Spanien während der Franco-Diktatur unter der unmittelbaren Ausplünderung des Landes durch die Entourage des Diktators, angefangen mit den notorischen Besuchen von Frau Franco in Juweliergeschäften, deren Eigentümer es niemals wagten, Seiner Exzellenz die Rechnung zu schicken. Kein ernsthafter Beobachter würde behaupten, die politische Korruption sei in Spanien unter den sozialistischen Regierungen der 1980er Jahre weiter verbreitet gewesen als unter Franco.[62] Während jedoch unter der Diktatur politische Korruption hauptsächlich ein Gegenstand des Klatsches unter vertrauenswürdigen Freunden war, wurde die spanische Demokratie während der 1990er Jahre vollständig von Enthüllungen und Anschuldigungen über regierungsamtliche Korruption und ungesetzliches Verhalten bestimmt. Außerdem nimmt in lang etablierten Demokratien wie den Vereinigten Staaten politische Korruption nach Presseberichten ohne deutlich erkennbare langfristige Tendenz zu und ab. Das zeigt Abbildung 6.2, die von Fackler und Lin für die letzten hundert Jahre erarbeitet wurde.[63] Es gibt jedoch eine überaus spektakuläre Zunahme von Berichten über politische Korruption um die Zeit von Nixons Watergate. Dies war genau das Ereignis, das Journalisten wie Politiker durch die Möglichkeit faszinierte, den Inhaber des höchsten politischen Amtes auf der Erde dadurch zu stürzen, dass man für ihn schädliche Information beschaffte und verbreitete. Die historische Studie von King über politische Korruption im Großbritannien des 19. Jahrhunderts[64] zeigt die weite Verbreitung des Phänomens, das im Zuge der Fortschritte der Demokratie zur Reformakte von 1867 geführt hat. Und Bouissou berichtet, dass 1890 die japanische Presse die weit verbreitete Wahlfälschung anprangerte, wobei die Zeitung *Asahi* schrieb, dass „wer sich seine Wahl kauft, zum Verkauf steht, wenn er erst einmal gewählt ist".[65] Außerdem hat Barker in einer sehr aufschlussreichen Studie gezeigt, dass in Fällen, wo ungesetzliche Handlungen von Politikern nicht genügend Munition zu ihrer Diskreditierung liefern, andere Verhaltenstypen (etwa ungehöriges Sexualverhalten) zum Rohmaterial für politische Skandale werden.[66] So berech-

61 Markovits und Silverstein (1988).
62 Alonso Zaldivar und Castells (1992).
63 Fackler und Lin (1995).
64 King (1989).
65 Bouissou (1991: 84).
66 Barker (1992).

nete er auf der Grundlage des Überblicks über internationale politische Skandale von Longman,[67] dass das Verhältnis politischer Skandale mit und ohne Gesetzesübertretung für alle Länder (73 : 27) relativ nah an den Zahlen für die USA und Frankreich lag, sich aber sehr deutlich vom Vereinigten Königreich (41 : 59) unterschied. So wurden Sex und Spionage in Großbritannien zum funktionalen Äquivalent für Unterschlagung und Bestechung in anderen Ländern. Die Korruption als solche scheint weniger bedeutend zu sein als die Skandale, also die Enthüllung von Korruption und Verfehlungen, und deren politischen Auswirkungen.[68]

Abbildung 6.2 Durchschnittliche Zahl von Korruptionsberichten pro Zeitung/Zeitschrift in den USA, 1880-1992

Quelle: Fackler und Lin (1995)

Aber warum jetzt? Es ist unwahrscheinlich, dass sich die Korruption auf einem historischen Höhepunkt befindet. Warum breitet sie sich explosionsartig in der Medienberichterstattung aus, und warum hat sie in den 1990er Jahren so verheerende Auswirkungen auf die politischen Systeme und die politisch Handelnden? Es gibt eine Reihe struktureller Faktoren und makropolitischer Tendenzen, durch die die politischen Systeme geschwächt wurden. Dadurch wurden sie anfälliger für Turbulenzen in der öffentlichen Meinung. Die politische Konkur-

67 Longman (1990).
68 Lowi (1988).

renz und der Kampf um Einfluss im Zentrum des politischen Spektrums der Wählerschaft haben die ideologischen Unterschiede heruntergespielt. Parteien und Koalitionen haben ihre Stammwählerschaft gesichert und bemühen sich weitestgehend, die Themen und Positionen ihrer Gegner zu stehlen. Deshalb verwischen sich die politischen Positionen, die Bürger reagieren sensibler auf die Frage, ob Parteien und Kandidaten verlässlich sind als auf ihre erklärten Positionen zu bestimmten Fragen. Auch die Personalisierung der Politik konzentriert die Aufmerksamkeit auf die Führungsfiguren und ihr charakterliches Verhalten und öffnet so den Weg für Angriffe genau darauf mit dem Ziel, Stimmen zu gewinnen. Mit der Entstehung einer starken kriminellen Wirtschaft ist diese in vielen Ländern in staatliche Institutionen und oft bis zu den höchsten Regierungsebenen durchdrungen und hat so Munition für Skandale geliefert, aber auch die Möglichkeit geschaffen, Politiker mit solchen Informationen zu erpressen. Geopolitische Faktoren spielen ebenfalls eine Rolle: So wurden das italienische und das japanische politische System, in deren Zentren die christdemokratische bzw. die liberaldemokratische Partei standen, in der Zeit nach dem Zweiten Weltkrieg etabliert. Dabei spielten Hilfe und Einfluss der USA zur Schaffung eines Bollwerkes gegen den Kommunismus in zwei Demokratien eine Rolle, deren Bedeutung im Kontext des Kalten Krieges entscheidend war, und in denen es starke kommunistische und sozialistische Parteien gab.[69] Die langfristigen und wohlbekannten Verbindungen einiger führender Christdemokraten zur Mafia[70] und einiger liberaldemokratischer Führer zu den *Yakuza*[71] waren kein Hindernis für die beständige Unterstützung dieser Parteien durch internationale und interne Kräfte, solange es allzu riskant gewesen wäre, sie zu ersetzen. In der Welt nach dem Kalten Krieg bleibt jede Partei sich selbst überlassen, den Bewegungen des politischen Marktes in jedem Land; die innerparteiliche Disziplin ist gelockert, weil man sich ohne äußeren Feind scharfen Wettbewerb eher leisten kann. Guehenno vermutet außerdem, dass in einer Welt schwindender Nationalstaaten und unsicherer ideologischer Engagements die Anreize für das Innehaben politischer Ämter sich nicht länger von denjenigen unterscheiden, die innerhalb der Gesellschaft insgesamt geboten werden. Es geht letztlich um Geld als Schlüssel zu persönlichen und organisatorischen Projekten, angefangen von Lebensgenuss bis hin zur Sorge für die Familie und zur Unterstützung humanitärer Anliegen.[72]

All diese Faktoren scheinen dazu beizutragen, die politischen Systeme für Korruption verwundbar zu machen. Aber es gibt noch etwas anderes, etwas, das aus meiner Sicht in den gegenwärtigen Gesellschaften die Natur der politischen Systeme verändert. *Ich behaupte, dass die Skandal-Politik beim Kampf und beim Wettbewerb in der informationellen Politik die Waffe der Wahl ist.* Das beruht auf

69 Johnson (1995).
70 Tranfaglia (1992).
71 Bouissou (1991); Johnson (1995).
72 Guehenno (1993).

folgender Überlegung: Die Politik ist im Großen und Ganzen in den Medienraum verbannt. Die Medien sind technologisch, finanziell und politisch mächtiger als je zuvor. Ihre globale Reichweite und Vernetzung ermöglichen es ihnen, sich strikten politischen Kontrollen zu entziehen. Ihre Fähigkeit zu investigativem Journalismus und ihre relative Autonomie gegenüber der politischen Macht haben sie für die Gesamtgesellschaft zur wichtigsten Quelle für Informationen und Meinungsbildung werden lassen. Um die Gesellschaft zu erreichen, müssen Parteien und Kandidaten in den Medien und durch die Medien agieren. Nicht, als wären die Medien die Vierte Gewalt: Sie sind vielmehr das Terrain für Machtkämpfe. Medienpolitik ist ein immer weiter ausuferndes Geschäft, das durch das ganze Beiwerk der informationellen Politik ständig teurer wird: Meinungsumfragen, Werbung, Marketing, Analysen, Imagepflege und Informationsverarbeitung. Die gegenwärtigen institutionellen Systeme zur Finanzierung der Politik können das nicht leisten. Die politischen Akteure sind chronisch unterfinanziert, und die Kluft zwischen notwendigen Ausgaben und legalen Einnahmen ist exponentiell gewachsen und nimmt weiter zu.[73] Wenn sie daher alle legalen Quellen, persönlichen Zuwendungen und Geschäfte erschöpft haben, greifen Parteien und Politiker oft auf die einzige wirkliche Geldquelle zurück: Geheime Zuwendungen von Wirtschafts- und Interessengruppen, natürlich im Austausch gegen Regierungsentscheidungen, die diese Interessen begünstigen.[74] *Das ist die Matrix der systemischen politischen Korruption, aus der sich ein Schattennetzwerk von Schein-Unternehmen und Mittelsleuten entwickelt.* Hat sich Korruption erst einmal ausgebreitet und fügen ein paar Leute ihren persönlichen Anteil den Kanälen der Politikfinanzierung hinzu, dann wissen in Politik und Medien jede und jeder – oder glauben zu wissen – dass, wenn man nahe und lang genug hin sieht, nachteilige Informationen über nahezu jeden zu finden sein werden. Also beginnt die Jagd auf Informationen: Politische Berater sammeln sie für Angriff oder Verteidigung; Journalisten, um ihre Aufgabe der investigativen Berichterstattung zu erfüllen und Material zu finden, wodurch sich ihr Publikum vergrößert und ihre Verkaufszahlen steigern; Freibeuter und Gauner suchen Information, um sie für mögliche Erpressung zu nutzen oder auch an interessierte Beteiligte zu verkaufen. In der Tat wird der größte Teil des in den Medien veröffentlichten nachteiligen Materials diesen von den politischen Akteuren selbst oder von ihnen verbundenen Wirtschaftsinteressen zugespielt. Ist der Markt für gefährliche politische Informationen einmal vorhanden, können schließlich, wenn es nicht genügend eindeutiges Material gibt, auch Behauptungen, Andeutungen oder sogar Erfindungen hinzukommen, was natürlich von der persönlichen Ethik der Politiker, Journalisten und Medien abhängt. Praktisch zielt die Strategie der Skandalpolitik nicht unbedingt auf einen Augenblicksschlag auf der Grundlage eines einzigen Skandals. Es ist der unablässige

73 Weinberg (1991); Freeman (1994); Pattie u.a. (1995).

74 Meny (1992).

Strom verschiedener Skandale unterschiedlicher Art und mit unterschiedlichen Wahrscheinlichkeitsgraden, von harter Information über einen kleinen Vorfall bis zu wackligen Behauptungen über eine wichtige Frage, woraus der Faden gesponnen wird, mit dem schließlich politische Ambitionen abgewürgt und politische Träume beendet werden – wenn es nicht zu einem Arrangement kommt und damit zu einer Rückkoppelung ins System. Was zählt, ist die letztendliche Wirkung auf die öffentliche Meinung durch die Anhäufung vieler unterschiedlicher Komponenten.[75] Wie in dem alten russischen Sprichwort: „Ich weiß nicht mehr, ob sie den Mantel gestohlen hat, oder ob er ihr gestohlen worden ist."

Das höchste Stadium der Skandalpolitik ist die juristische oder parlamentarische Untersuchung, die zu Anklagen und mit steigender Häufigkeit auch zu Gefängnisstrafen für politische Führungspersonen führt.[76] Richter, Staatsanwälte und Mitglieder von Untersuchungsausschüssen treten in eine symbiotische Beziehung zu den Medien. Sie schützen die Medien (sichern ihre Unabhängigkeit) und versorgen sie oft mit gezielten Indiskretionen. Dafür werden sie von den Medien geschützt, sie werden zu Medienhelden und mit Hilfe der Medien manchmal zu erfolgreichen Politikern. Gemeinsam kämpfen sie für Demokratie und eine saubere Regierung, sie kontrollieren die Exzesse von Politikern, sie entreißen in letzter Instanz dem politischen Prozess die Macht und diffundieren diese in die Gesellschaft. Mit alledem können sie auch Parteien, Politiker, Politik und letztlich die Demokratie in ihrer gegenwärtigen Ausprägung delegitimieren.[77]

Die Politik des Skandals, die während der 1990er Jahre gegen die regierende spanische Sozialistische Partei eingesetzt wurde, ist eine interessante Illustration dieser Analyse. Nach dem sozialistischen Sieg bei den spanischen allgemeinen Wahlen von 1989 beschloss ein hinter den Kulissen agierendes Bündnis von Interessengruppen (*wahrscheinlich ohne Beteiligung der Führer der politischen Oppositionsparteien*), es sei an der Zeit, der unangefochtenen Vorherrschaft der Sozialisten über das politische Leben Spaniens entgegenzutreten, zumal absehbar war, dass diese Vorherrschaft in das 21. Jahrhundert hineinreichen würde.[78] Explosive politische Dossiers wurden der Presse zugespielt, entdeckt, manipuliert oder erfunden und in den Zeitungen veröffentlicht. Wegen der Selbstdisziplin der großen spanischen Zeitungen (*El País, El Periodico, La Vanguardia*) wurden die meisten der anti-sozialistischen „Skandale" zuerst in *El Mundo* veröffentlicht, einer 1990 gegründeten, seriös aufgemachten Zeitung. Von da aus bearbeiteten wöchentliche Boulevardblätter und Auguren von Radio-Talkshows (hauptsächlich vom katholischen, in Kircheneigentum befindlichen Radionetzwerk) das Publikum, bis der Rest der Medien einschließlich des Fernsehens ebenfalls die Nachrichten wiedergab. Die Aufdeckung von Skandalen begann

75 Barker (1992); *CQ Researcher* (1992).
76 Garment (1991); Garcia Cotarelo (1995); Thompson (1995).
77 Bellers (1989); Arlachi (1995); Garcia Cotarelo (1995); Fallows (1996).
78 Cacho (1994); Garcia Cotarelo (1995); *Temas* (1995).

im Januar 1990 mit der Information, der Bruder des damaligen stellvertretenden Ministerpräsidenten habe seinen vorgeblichen politischen Einfluss an verschiedene Geschäftsleute verkauft. Obwohl die Verfehlungen dieses kleinen Gauners nicht von allzu großer Bedeutung waren und die Gerichte den Vizepremier von jeder Inkorrektheit freisprachen, beherrschte die „Affäre“ doch nahezu zwei Jahre lang die Schlagzeilen der spanischen Medien. Sie führte tatsächlich zum Rücktritt des Vizepremiers, der einflussreichen Nummer zwei der Sozialistischen Partei, der sich weigerte, seinen Bruder öffentlich zu verurteilen. Sobald dieser Skandal nachzulassen begann, setzte eine neue Medienkampagne ein, die sich auf die illegale Finanzierung der Sozialistischen Partei konzentrierte, nachdem ein Partei-Buchhalter ausgestiegen war und anscheinend aus persönlichen Rachegefühlen heraus Informationen an die Medien gegeben hatte. Es gab eine gerichtliche Untersuchung, die zur Anklageerhebung gegen einige sozialistische Führungspersönlichkeiten führte. Als die Sozialistische Partei trotz all dieser Anschuldigungen bei den Wahlen von 1993 doch noch genügend Sitze behielt, um die Regierung zu bilden, beschleunigte die Skandalpolitik in den spanischen Medien und auf der gerichtlichen Bühne das Tempo: Der Gouverneur der Bank von Spanien wurde wegen Insider-Geschäften verdächtigt und gestand, Steuern hinterzogen zu haben; der erste zivile Direktor der legendären Guardia Civil wurde dabei erwischt, Bestechungsgelder zu verlangen, floh ins Ausland, wurde in Bangkok verhaftet und kehrte in ein spanisches Gefängnis zurück – eine Handlungsabfolge zwischen Thriller und Burleske. Ernster war, dass ein Offizier des spanischen militärischen Geheimdienstes aus Ressentiment Papiere weitergab, die ungesetzliche Lauschangriffe auf spanische Führungspersönlichkeiten belegten, darunter auch auf den König; und zur Vervollständigung der Auflösung der öffentlichen Moral wechselten ehemalige Agenten der spanischen Polizei die Seiten. Sie waren inhaftiert, weil sie während des „schmutzigen Krieges“ in den 1980er Jahren gegen die baskischen Terroristen (bei dem man Thatchers Taktik gegen die IRA zum Vorbild nahm) tödliche Attentate organisiert hatten. Jetzt wandten sie sich gegen die Regierung und behaupteten die Beteiligung des Innenministers und mehrerer hochrangiger Beamter an der Verschwörung. Von allerhöchster Bedeutung war in diesem politischen Prozess die Einstellung der spanischen Gerichte, die ernsthaft auch der kleinsten Möglichkeit nachgingen, die Sozialistische Partei in Schwierigkeiten zu bringen. Felipe Gonzales vollführte darauf hin ein, wie man dachte, brillantes Manöver, indem er den berühmtesten dieser eifrigen Richter als unabhängigen Abgeordneten auf die sozialistische Wahlliste von 1993 setzte und ihm einen hohen Posten im Justizministerium gab. Es war ein Desaster: Ob der Posten nun nicht hoch genug war (sozialistische Version), oder ob der Richter entsetzt darüber war, was er zu Gesicht bekam (seine Version), er verließ jedenfalls die Regierung und begann mit einer überaus militanten Verfolgung jedes möglichen Fehlverhaltens auf den höchsten Ebenen der sozialistischen Regierung. Nachdem parlamentarische und gerichtliche Untersuchungen begonnen hatten, von denen einige zur Anklageerhebung führten und andere aus Mangel an Substanz im Sand verliefen, wurden politische Skandale für etwa fünf Jahre zum Gegenstand der alltäglichen Schlagzeilen in den spanischen Medien. Sie machten die Regierung buchstäblich handlungsunfähig, demontierten eine Anzahl von Figuren in Politik und Geschäftswelt und erschütterten die stärkste politische Kraft in Spanien. Die Sozialisten wurden am Ende 1996 besiegt, obwohl sie den Angriff dank der persönlichen Glaubwürdigkeit ihres charismatischen Führers noch überlebten.

Warum und wie es zu diesem gerichtlich-medialen anti-sozialistischen Trommelfeuer in Spanien gekommen ist, ist eine komplexe Angelegenheit, die bisher noch nicht an das Licht der Öffentlichkeit gekommen ist. Es handelte sich jedenfalls um eine Kombination verschiedener Faktoren, die einander verstärkten: die illegale Finanzierung der Sozialistischen Partei, wobei mehrere Führungsmitglieder am Aufbau eines Netzwerkes von Scheinunternehmen beteiligt waren; die tatsächliche Korruption und ungesetzliche Handlungsweise mehrerer hochrangiger Mitglieder der sozialistischen Regierung und vieler lokaler sozialistischer Parteichefs; die Verärgerung einiger Gruppen über die Regierung (ein paar marginale Geschäftsleute, darunter ein von den Sozialisten enteigneter Finanzhai; einige ultra-konservative Kräfte; wahrscheinlich Elemente des extrem traditionalistischen Flügels der Katholischen Kirche; einige Sonderinteressen; unzufriedene Journalisten, die sich durch die sozialistische Machtstellung marginalisiert fühlten); die inneren Streitigkeiten der Sozialistischen Partei, wobei mehrere führende Funktionäre Indiskretionen gegeneinander begingen, um die Glaubwürdigkeit ihrer Rivalen in den Augen von Felipe Gonzalez, des unbestrittenen, über dem Getümmel stehenden Führers, zu untergraben; der Kampf zwischen zwei großen Finanzgruppen, von denen eine die traditionelle, dem Wirtschaftsteam der spanischen Regierung nahestehende spanische Finanz repräsentierte, während die andere von einem Außenseiter angeführt wurde, der versuchte, Breschen in das System zu schlagen und Bündnisse mit einigen sozialistischen Fraktionen gegen andere herzustellen; eine Schlacht zwischen Mediengruppen, die um die Kontrolle über das neue Mediensystem in Spanien wetteiferten; persönliche Rachefeldzüge, wie derjenige des Herausgebers der militantesten antisozialistischen Zeitung, der überzeugt war, dass er wegen des von der Regierung ausgeübten Drucks seinen Job verloren hatte; und eine komplexere, diffuse Meinung in der Medienwelt und in anderen Bereichen des spanischen Lebens, nach der die sozialistische Dominanz zu weit ging und die Arroganz mancher führender Sozialisten unerträglich war, weshalb die informierten gesellschaftlichen Eliten reagieren und das wahre Gesicht der Sozialisten gegenüber dem fehlgeleiteten Wahlvolk aufdecken sollten, das in seiner Mehrheit in vier aufeinander folgenden Wahlen beständig für die Sozialisten gestimmt hatte. So brachten am Ende und ungeachtet persönlicher Motivation oder spezifischer Geschäftsinteressen die Medien kollektiv ihre Macht zur Geltung und sorgten im Bündnis mit der Justiz dafür, dass die politische Klasse Spaniens einschließlich der Konservativen (*Partido Popular*) ihre Lektion für die Zukunft lernte. Zwar ist es unbestreitbar, dass es in der sozialistischen Regierung und in der Sozialistischen Partei ungesetzliches Verhalten und ein erhebliches Ausmaß an Korruption gegeben hat; aber für die Zwecke unserer Analyse kommt es vor allem darauf an, wie die Skandalpolitik in den Medien und durch sie eingesetzt wurde. Hier wurden die Skandale zur wichtigsten Waffe, die von politischen Akteuren, Geschäftsinteressen und sozialen Gruppen genutzt wurde, um sich wechselseitig zu bekämpfen. Auf diese Weise haben sie die spanische Politik in Abhängigkeit von den Medien gebracht und damit für immer verändert.

Charakteristisch für Skandalpolitik ist, dass alle politischen Akteure, die sie praktizieren, am Ende selbst durch das System gefangen sind, wobei sich häufig die Rollen verkehren: Die Jäger von heute sind die Gejagten von morgen. Ein herausragendes Beispiel ist das Abenteuer Berlusconis in Italien. Die Tatsachen sind bekannt: Berlusconi setzte seine Kontrolle über alle drei privaten TV-Netzwerke um in die Inszenierung einer vernichtenden Kampagne gegen das korrupte politische System Italiens.[79] Dann schuf er innerhalb von drei Monaten eine ad hoc-„Partei" (*Forza Italia*, benannt nach dem Schlachtruf der Fans für die italienische Fußballnationalmannschaft), gewann im Bündnis mit der neofaschistischen Partei und der *Lega Nord* die allgemeinen Wahlen von 1994 und wurde Premierminister. Die Kontrolle über die Regierung verschaffte ihm theoretisch die Hoheit über die drei anderen, in Staatseigentum befindlichen TV-Netzwerke. Medien und Journalisten machten ihre Autonomie jedoch energisch geltend. Trotz seiner überwältigenden Präsenz im Mediengeschäft (neben dem Fernsehen auch in Zeitungen und Zeitschriften) begannen die Justiz und die Medien, sobald Berlusconi Premierminister geworden war, wiederum gemeinsam einen rückhaltlosen Angriff auf Berlusconis Finanzschiebereien und Schmiergeldsysteme. Sie unterminierten so seine Geschäfte, brachten einige seiner Partner vor Gericht, beschuldigten Berlusconi selbst und ramponierten sein Image am Ende in einer Weise, dass das Parlament seine Regierung scharf kritisierte. Dann lehnte 1996 das Wahlvolk Berlusconi ab und wählte stattdessen die Mitte-Links-Koalition *L'Ulivo*, deren wichtigster Bestandteil, der ex-kommunistische, jetzt sozialistische *Partido Democratico di Sinistra*, noch an keiner nationalen Regierung beteiligt gewesen war und damit seinen guten Ruf hatte bewahren können.

Die äußerst wichtige Lehre aus dieser Entwicklung in der italienischen Politik besteht darin, dass ein übermächtiger wirtschaftlicher Einfluss im Medienbereich nicht gleichbedeutend ist mit politischer Kontrolle über die informationelle Politik. Das Mediensystem mit seinen symbiotischen Verbindungen zur Justiz und den Strafverfolgungsinstitutionen der Demokratie gibt sein eigenes Tempo vor und erhält Signale aus dem gesamten Spektrum des politischen Systems. Es verwandelt sie unabhängig vom Ursprung und der Bestimmung der politischen Impulse in Verkaufszahlen und Einfluss. Die goldene Regel lautet, dass das am Wertvollsten ist, was in jeder konkreten Situation die größte Wirkung hervorruft.

---

79 Walter (1994).

Werden ein Politiker oder eine Partei unwichtig, so sind sie kein Gegenstand mehr für Nachrichten. Das politische System wird umspült von der endlosen Turbulenz der Medienberichterstattung, der Indiskretionen und Gegen-Indiskretionen und des Skandalmachens. Sicherlich versuchen einige wagemutige politische Strategen, auf dem Tiger zu reiten und sich im Mediengeschäft zu positionieren, Bündnisse zu schließen, zielbewusst und zeitlich exakt kalkuliert informationelle Streiks zu inszenieren. Das ist genau das, was Berlusconi versucht hat. Sein Schicksal ähnelte am Ende dem Schicksal jener Finanzspekulanten, die vorgaben, den Kurs zu kennen, mit dem sie die unvorhersagbaren globalen Finanzmärkte durchsteuern könnten. In der Skandalpolitik überwältigt wie in anderen Bereichen der Netzwerkgesellschaft die Macht der Ströme die Ströme der Macht.

Die Krise der Demokratie

Führen wir die verschiedenen Fäden zusammen, die wir im Hinblick auf die Transformation des Nationalstaates und des politischen Prozesses in gegenwärtigen Gesellschaften ausgemacht haben. Wenn wir sie im historischen Kontext zu einander in Beziehung setzen, so enthüllen sie die Krise der Demokratie, wie wir sie während des letzten Jahrhunderts gekannt haben.[80]

Der Nationalstaat, der den Bereich und den Gegenstand der Staatsbürgerschaft definierte, hat viel von seiner Souveränität verloren. Sie wurde von der Dynamik der globalen Ströme und der organisationsübergreifenden Netzwerke von Reichtum, Information und Macht untergraben. Ein besonders kritischer Aspekt dieser Legitimationskrise des Staates ist seine Unfähigkeit, die Verpflichtungen als Wohlfahrtsstaat zu erfüllen. Dies ist auf die Integration von Produktion und Konsumtion in ein System gegenseitiger globaler Abhängigkeit und auf den damit zusammenhängenden Prozess der kapitalistischen Neustrukturierung zurückzuführen. Der Wohlfahrtsstaat ist in seinen je nach Geschichte der jeweiligen Gesellschaften unterschiedlichen Manifestationen tatsächlich eine entscheidende Quelle politischer Legitimität für die Neukonstituierung staatlicher Institutionen nach der Weltwirtschaftskrise der 1930er Jahre und dem Zweiten Weltkrieg gewesen.[81] Die Abkehr vom Keynesianismus und der Niedergang der Arbeiterbewegung können das Ende des souveränen Nationalstaates akzentuieren, weil dies mit einer Schwächung seiner Legitimität verbunden war.

Die (Neu-)Konstituierung politischen Sinns auf der Grundlage spezifischer Identitäten stellt den Begriff der Staatsbürgerschaft geradezu grundlegend in Frage. Der Staat konnte die Quelle seiner Legitimität nur dadurch von der Repräsentation des Willens des Volkes und der Sorge für das Wohlbefinden der

80 Minc (1993); Guehenno (1993); Patterson (1993); Ginsborg (1994); Touraine (1995b); Katznelson (1996); Weisberg (1996).

81 Navarro (1995).

Menschen auf die Ansprüche kollektiver Identität verlagern, dass er sich in einem Ausmaß mit dem Kommunalismus identifizierte, dass dabei andere Werte und Minderheitenrechte ausgeschlossen wurden. Dies ist der Ausgangspunkt für die Entstehung der fundamentalistisch nationalistischen, ethnischen, territorialen oder religiösen Staaten, die aus den gegenwärtigen politischen Legitimationskrisen hervorzugehen scheinen. Ich behaupte, dass sie die Demokratie (d.h. die liberale Demokratie) nicht erhalten können und werden, weil bereits die Repräsentationsprinzipien beider Systeme – hier nationale Staatsbürgerschaft, hier singuläre Identität – einander widersprechen.

Zu dieser Legitimationskrise des Nationalstaates kommt die Glaubwürdigkeitskrise des politischen Systems, das auf dem offenen Wettbewerb zwischen politischen Parteien beruht. Das Parteiensystem ist in der Medienarena gefangen, es ist auf personalisierte Führerschaft reduziert, abhängig von technologisch raffinierter Manipulation, sieht sich zu ungesetzlichen Finanzierungsstrategien gedrängt und wird auf eine Skandalpolitik zugetrieben, die gleichzeitig sein eigener Motor ist. Es hat seine Anziehungskraft und seine Vertrauenswürdigkeit eingebüßt und ist faktisch nichts als ein bürokratischer Überrest, der das öffentliche Vertrauen verloren hat.[82]

Als Folge dieser konvergierenden und interagierenden Prozesse zeigen die öffentliche Meinung und die individuellen und kollektiven Ausdrucksformen der Bürger und Bürgerinnen eine zunehmende und grundlegende Unzufriedenheit gegenüber Parteien, Politikern und berufsmäßig betriebener Politik. So heißt es in einer Studie des Times Mirror Center vom September 1994: „Tausende von Interviews mit amerikanischen Wählerinnen und Wählern haben in diesem Sommer keine klare Richtung im politischen Denken der Öffentlichkeit ergeben, außer der Frustration über das gegenwärtige System und begieriger Aufnahmebereitschaft für alternative politische Lösungen und Parolen."[83] Bei einer nationalen Harris-Umfrage 1996 glaubten 82% nicht, dass die Regierung ihre Interessen vertrete (gegenüber 72% 1980), und 72% fanden, die Regierung repräsentiere in Wirklichkeit Interessengruppen (wobei 68% diese Gruppen als Wirtschaftsinteressen identifizierten); genauso ergab 1995 eine Roper-Umfrage, dass 68% meinten, es gebe nicht viele Unterschiede zwischen Republikanern und Demokraten, und 82% wünschten eine neue Partei.[84] Abbildung 6.3 zeigt die verbreitete Unzufriedenheit mit Regierungen jedweder politischen Couleur in sechs der sieben Mitgliedsländer im G 7-Klub, wie sie in Meinungsumfragen geäußert wurde.

---

82 West (1993); Anderson und Comiller (1994); Mouffe (1995); Navarro (1995); Salvati (1995); Balz und Brownstein (1996).

83 Zit. von Balz und Brownstein (1996: 28).

84 Zit. von Navarro (1995: 55).

Abbildung 6.3 Zustimmungsquoten zu verschiedenen Regierungen um 1993

Frage: Billigen oder missbilligen Sie die Arbeit von Bill Clinton als Präsident?

USA

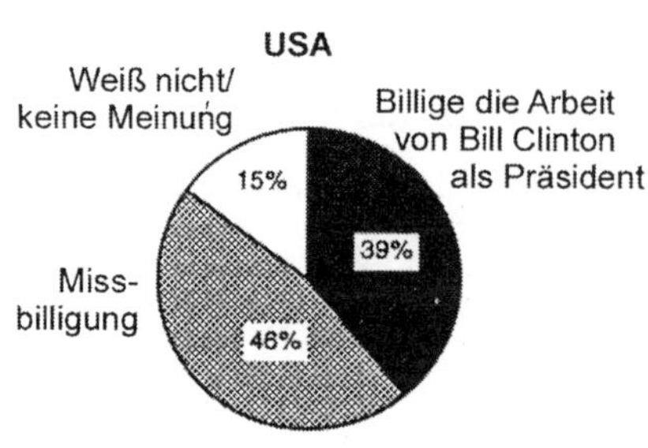

Anm.: Bei einer Umfrage von CBS News/New York Times, die unmittelbar vor der Wahl im November 1992 durchgeführt wurde, sagten 37% der Antwortenden, sie seien mit Bushs Arbeit als Präsident zufrieden und 56% waren unzufrieden.
Quelle: Umfrage von CBS News/*New York Times,* 21.-24. Juni 1993

Frage: Sind Sie mit Herrn Major als Premierminister zufrieden?

Großbritannien

Weiß nicht (6%)
Zufrieden mit Major als Premierminister
21%
Unzufrieden
73%

Anm.: Der Prozentsatz derjenigen, die sagten, sie seien zufrieden, ist der niedrigste, der je für einen britischen Premierminister erhoben wurde, seit Umfragedaten vorhanden sind.
Quelle: Survey by Social Surveys (Gallup Poll) Ltd., 26.-31. Mai 1993

Frage: Sind Sie mit Herrn François Mitterrand als Präsident der Republik zufrieden oder unzufrieden?

Frankreich

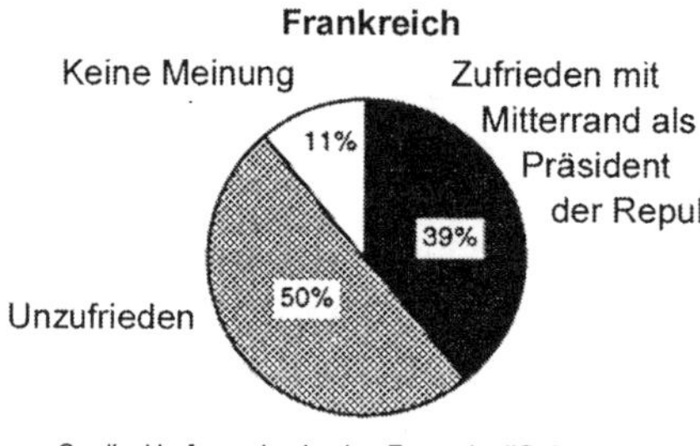

Quelle: Umfrage des Institut Français d'Opinion Publique et d'Etude de Marchés (IFOP) für *Le Journal du Dimanche,* 6.-13. Mai 1993

Frage: Billigen oder missbilligen Sie die Arbeit von Mulroney als Premierminister?

Kanada

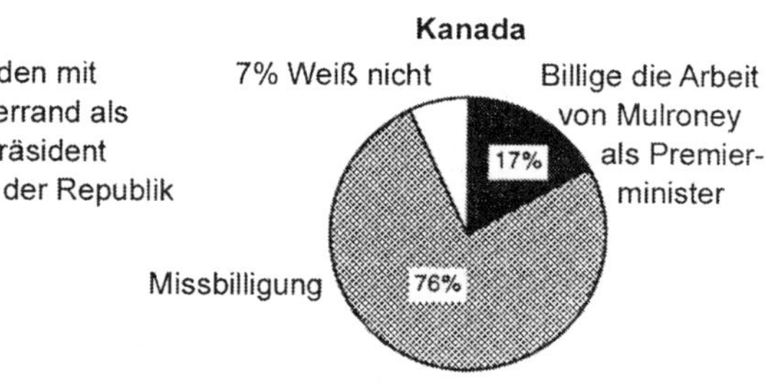

Anm.: Auf Brian Mulroney folgte am 25. Juni 1993 im Amt des Premierministers Kim Campbell.
Quelle: Umfrage von Gallup Canada, 13.-18. Januar 1993

Frage: Unterstützen Sie das Kabinett Miyazawa?

Japan

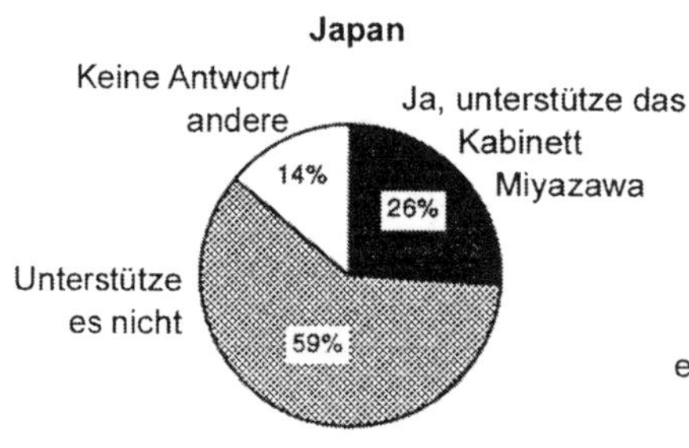

Quelle: Umfrage von *Yomiuri Shimbun,* Mai 1993

Frage: Sind Sie mit der Arbeit von Giuliano Amato als Präsident des Kabinetts während des letzten Monats einverstanden oder nicht einverstanden?

Italien

5% unsicher/ andere
Einverstanden mit der Arbeit von Giuliano Amato als Präsident des Kabinetts
27%
Weder einverstanden noch nicht einverstanden
23%
Nicht einverstanden
45%

Quelle: Umfrage von DOXA, 1. Januar 1993

Quelle: Zusammengestellt und bearbeitet vom Roper Center of Public Opinion and Polling (1995)

Diese Skepsis gegenüber den beherrschenden Tendenzen in Parteien und Politik bedeutet jedoch nicht zwingend, dass die Leute nicht mehr zur Wahl gehen oder dass sie die Demokratie ablehnen. Schließlich wurde in einem großen Teil der Welt die Demokratie erst kürzlich nach riesigen Anstrengungen erreicht, erkämpft mit Blut, Schweiß und Tränen, so dass die Menschen nicht so einfach bereit sind, ihre Hoffnung aufzugeben. In der Tat mobilisieren sich die Leute dann, wenn sie die Chance zu sinnvoller politischer Betätigung wahrnehmen, mit großen Enthusiasmus, wie dies 1994 während der Wahl von Fernando Henrique Cardoso zum Präsidenten von Brasilien geschehen ist. Selbst in altgedienten Demokratien, wo die Rituale freier Wahlen seit zweihundert Jahren (außer für die Hälfte des Volkes, die Frauen) praktiziert werden, steigt die politische Beteiligung das eine Mal und nimmt ein anderes Mal ab. Die Menschen in den Vereinigten Staaten wählen nicht viel (49% bei den Präsidentschaftswahlen 1996, 54% 1992, 51% 1984, ein Rückgang gegenüber den 65% von 1968), aber in Frankreich, Italien, Spanien, Deutschland und den meisten europäischen Ländern ist die Wahlbeteiligung mit 65 bis 80% konstant hoch (s. Tabelle 6.4). Doch die Europäer vertrauen ihren Politikern nicht mehr als die Amerikaner den ihren.[85] Es scheint, dass eher der Individualismus als die politische Unzufriedenheit für die Sonderstellung Amerikas verantwortlich ist.[86]

Tabelle 6.4 Beteiligung an den Wahlen zur unteren Kammer des Parlaments: Neuere Zahlen im Vergleich zu den Quoten der 1970er und 1980er Jahre (%)

	1970er-1980er Jahre		1990er Jahre
	Durchschnittliche Beteiligung	Streuung der Beteiligung	(nur eine Wahl)
Deutschland	88,6	84,3–91,1	79,1 (1994)
Frankreich (1. Wahlgang)	76,0	66,2–83,2	68,9 (1993)
Italien	91,4	89,0–93,2	86,4 (1992)
Japan	71,2	67,9–74,6	67,3 (1993)
Spanien	73,9	70,6–77,0	77,3 (1993)
Vereinigtes Kgr.	74,8	72,2–78,9	75,8 (1992)
USA	42,6	33,4–50,9	50,8 (1992)
			36,0 (1994)

Quellen: 1970er und 1980er Jahre: *The International Almanac of Electoral History* (überarb. 3. Aufl., Thomas T. Mackie und Richard Rose, Washington, DC: Macmillan Press, 1991); spätere Wahlen: *The Statesman's Yearbook, 1994-1995* und *1995-1996* (Brian Hunter, Hg., New York: St Martin's Press, 1994, 1995); USA: *Vital Statistics on American Politics*, 4. Aufl., Harold W. Stanley und Richard G. Niemi, Washington DC: CQ Press 1994)

Zusammengestellt von Sandra Moog.

Es gibt trotzdem weltweit machtvolle Ausdrucksformen der Entfremdung breiter Schichten vom Staat, weil die Menschen sehen, dass der Staat unfähig ist, ih-

85 *Eurobarometer* (versch. Jgg.).

86 Lipset (1996).

re Probleme zu lösen, und weil sie die zynische, instrumentelle Einstellung der Berufspolitiker erfahren. Eine dieser Ausdrucksformen ist die zunehmende Unterstützung für eine Vielzahl von „dritten Parteien" und für Regionalparteien. Für gewöhnlich fällt in den meisten politischen Systemen die Entscheidung bei der Auseinandersetzung um die nationale Regierungsgewalt letztlich zwischen zwei Kandidaten, die jeweils ein breites Bündnis vertreten. Die Wahlentscheidung für jemand anderes wird so zur Protestwahl gegen das gesamte politische System und vielleicht zum Versuch, sich am Aufbau einer Alternative zu beteiligen, was auf lokaler oder regionaler Basis häufig geschieht. Sandra Moog und ich haben einen Index der Wahlentscheidung für die großen Parteien der Mitte in einigen wichtigen Demokratien auf verschiedenen Kontinenten konstruiert und seine Entwicklung zu verschiedenen Zeitpunkten während der 1980er und 1990er Jahre gemessen.[87] Wie Abbildung 6.4 zeigt, scheint sich ein übergreifender Trend zu abnehmenden Stimmanteilen für die großen Parteien zu bestätigen. Es gibt aber Abweichungen von dieser Tendenz, wenn es etwa einer Partei gelingt, ihr Wählerpotenzial zu mobilisieren, wie dies die konservative Partei in Spanien bei den Wahlen 1996 erreicht hat. Spezifische politische Rhythmen ergeben zwar Variationen innerhalb des Gesamttrends. Aber auf der Makroebene scheint die vorhergesagte Tendenz klar zum Ausdruck zu kommen. Während die Mehrheit der Wählerinnen und Wähler sich noch immer am instrumentellen Stimmverhalten orientiert und daher für Kandidatinnen und Kandidaten votiert, die eine realistische Chance haben, gewählt zu werden, verändert die Erosion dieser Haltung bereits die Vorhersagbarkeit der Wahlchancen. Damit wird die Glaubwürdigkeitskrise der großen Koalitionen verstärkt und schließlich ihr Ende eingeleitet, wie dies 1994 in der italienischen Politik (Christdemokraten, Sozialisten) und in der amerikanischen Politik (demokratisch beherrschter Kongress) geschehen ist. Jedoch mahnen Zaller und Hunt in ihrer ausgezeichneten Analyse des Präsidentschaftswahlkampfes von Ross Perot 1992 zur Vorsicht und weisen auf die politischen Grenzen der „dritten Parteien" hin:

> Selbst in einer Massendemokratie wie den Vereinigten Staaten reicht großes Kommunikationsgeschick nicht aus, um das höchste Amt im Staat zu erringen. Man muss dann immer noch von den etablierten Mächten akzeptiert werden. Das amerikanische System zur Auswahl des Präsidenten bleibt trotz der eingebauten Unbeständigkeit eines Nominierungsprozesses, der das letzte Wort an die Massen unbeständiger und häufig politisch desinteressierte Wählerinnen und Wähler gibt, eine mächtige institutionelle Kraft, die in der Lage ist, Kandidaten und Kandidatinnen dazu zu zwingen, durch dieses System hindurchzugehen und es nicht zu umschiffen.[88]

Es fragt sich, wie lange? Wie viel Distanz lässt sich für welche Zeit aushalten zwischen der Sehnsucht des Wahlvolkes nach alternativen politischen Optionen und der Form, wie solche Optionen von Institutionen der politischen Mitte in

87 Zu Quellen, Definitionen und Berechnungsmethoden s. den Methodologischen Anhang.
88 Zaller und Hunt (1994: 386).

einer Situation eingebunden werden, in der die Medien innerhalb von Stunden neue Sterne aufleuchten (und wieder verlöschen) lassen können?

Abbildung 6.4 Niveau der Unterstützung für die Parteien der Mitte bei nationalen Wahlen 1980-1994 (Zahlen für die USA beziehen sich auf Präsidentschaftswahlen, alle anderen Zahlen sind Ergebnisse für die untere Kammer des Parlaments)

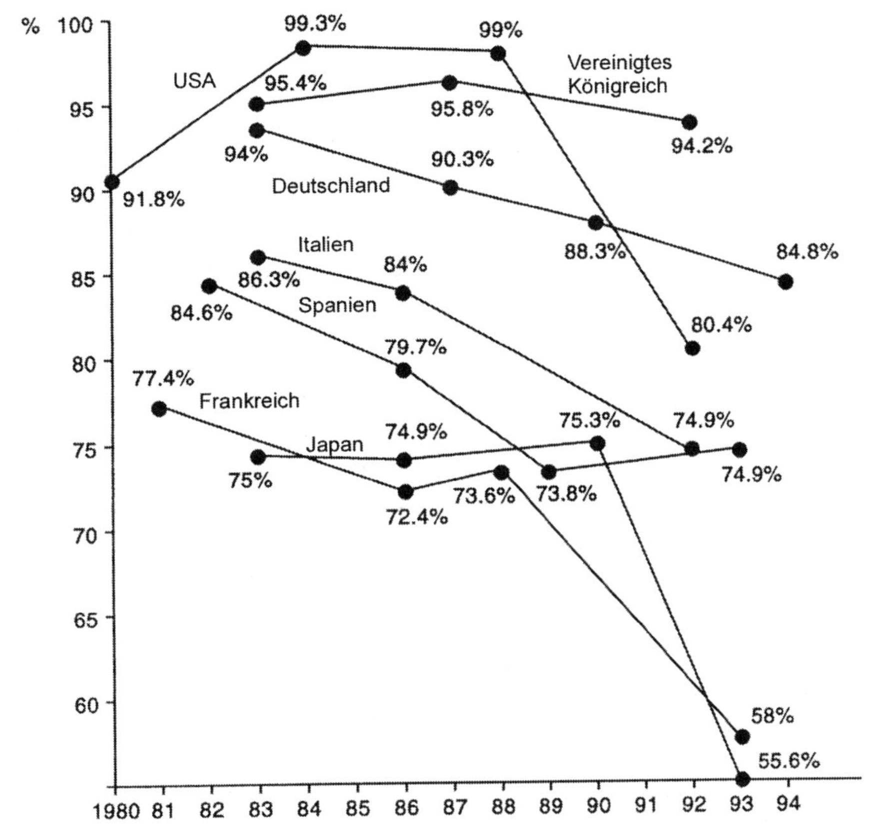

Quelle: S. Methodologischer Anhang zu Zahlen und Quellen; zusammengestellt und bearbeitet von Sandra Moog

Dennoch sind für den Augenblick die meisten Leute in den meisten Ländern in ihren Wahlentscheidungen noch immer durch das Gewicht der Institutionen, der politischen Apparate und der politischen Traditionen eingeschränkt. Unter diesen Umständen ist die weltweit zu beobachtende Unbeständigkeit der Wählerinnen und Wähler ein zusätzlicher Indikator für die politische Unzufriedenheit mit dem traditionellen Parteiensystem. So werden Regierungsparteien gestürzt, und das Tempo der politischen Veränderung beschleunigt sich. In der Zeit von 1992-1996 wechselten die Wählerinnen und Wähler in den amerikanischen Präsidentschaftswahlen 1992 von den Republikanern zu den Demokraten, in den Kongresswahlen 1994 von den Demokraten zu den Republikanern und 1996 wieder zurück zu Clinton (nachdem er seine Orientierung als „neuer Demokrat" betont hatte); bei den französischen Präsidentschaftswahlen von den Sozialisten zu den Gaullisten; in Italien von der Mitte zur Rechten und dann zur linken Mitte; in Spanien von den Sozialisten plus Nationalisten zu den Konservativen plus Nationalisten; in Japan von den Konservativen zu einer Vielfach-Koalition, dann zu den Konservativen in einer Minderheitsregierung; in Griechenland von den Sozialisten zu den Konservativen und dann zurück zu den Sozialisten; in Brasilien von Nirgendwo zu Fernando H. Cardoso; bei den russischen Parlamentswahlen von den Demokraten zu den Kommunisten, dann zurück zu Jelzin in den Präsidentschaftswahlen; und höchstwahrscheinlich im Vereinigten Königreich 1997 von den Tories zu Labour. So wechseln die Leute – unzufrieden und entmutigt – mit zunehmender Geschwindigkeit von einer Option zur nächsten und erleben zumeist eine Abfolge von Enttäuschungen. Von Mal zu Mal wird die Moral schlechter, Zynismus setzt ein und die Hoffnung schwindet dahin.

Als Ergebnis der oben dargestellten Entwicklungen kommt es zu einem weiteren wichtigen Prozess: der zunehmenden Fragmentierung des politischen Systems. So bedeuteten zwar die indischen Wahlen von 1996 wahrscheinlich das Ende für die Ära der Vorherrschaft der Kongresspartei, aber die hinduistischen Nationalisten als die Wahlsieger vermochten es nicht, sich die Regierungsgewalt zu sichern, weil sie nur über ein Drittel der Sitze verfügten. Im Mai 1996 bildete sich eine bunt gemischte „Einheitsfront" und brachte ein unsicheres Bündnis aus linken Parteien, Regionalparteien und Parteien der niederen Kasten an die Regierung. Das Auftreten und Abschneiden der letzteren bei den Wahlen war der Hauptgrund für die Krise des politischen Regimes. Indien, dessen demokratische politische Stabilität einmal den Neid der Entwicklungswelt erregt hat, könnte in einen Zustand struktureller politischer Fragmentierung und der Regionalisierung seines politischen Systems eingetreten sein.

Unter den großen Demokratien schien während der 1990er Jahre allein Deutschland politische Stabilität zu bewahren. Aber das war, bevor Kohl 1996 unter dem Druck des globalen Wettbewerbs an den Abbau des deutschen Wohlfahrtsstaates und an die Reform der industriellen Mitbestimmung ging, die zum Kernbereich des politischen Konsenses in Deutschland gehören.

Als Konsequenz dieser Entwicklungen beobachten wir allgemein gesprochen nicht den Rückzug der Menschen von der politischen Bühne, sondern die Durchdringung des politischen Systems durch symbolische Politik, durch Single-Issue-Mobilisierungen, durch Lokalismus, durch eine um Referenden zentrierte Politik und vor allem durch die ad hoc-Unterstützung für personalisierte Formen politischer Führung. Das führt zu systemischer Unberechenbarkeit. Das könnte sich als Regeneration der Politik erweisen, wie mit Fernando Henrique Cardoso oder vielleicht Colin Powell (es wäre ironisch, aber historisch anregend, wenn es ein republikanischer Afro-Amerikaner, Sohn eines Immigranten aus Jamaika wäre, der die amerikanische Politik neu legitimiert). Oder anders könnte alles in einem demagogischen Feuerwerk enden, wobei die politischen Institutionen sich auflösen würden, die Stabilität der ganzen Welt in Gefahr geriete, oder ein neuer Angriff auf die Vernunft eingeleitet würde.

Was die Zukunft auch bringen mag, die Beobachtung der Gegenwart scheint darauf hinzuweisen, dass wir in verschiedenen Formen und durch die Vielfalt der Prozesse hindurch, die ich umrissen habe, die Fragmentierung des Staates beobachten, die Unvorhersehbarkeit des politischen Systems und die Singularisierung der Politik. Politische Freiheit kann es nach wie vor geben, weil die Menschen weiter darum kämpfen werden. Aber die politische Demokratie, so wie sie in den liberalen Revolutionen des 18. Jahrhunderts konzipiert und im 20. Jahrhundert über die ganze Welt verbreitet wurde, ist zu einer leeren Hülle geworden. Nicht dass es sich nur um „formale Demokratie" handelte: Die Demokratie lebt gerade aus diesen „Formen" heraus, wie geheime allgemeine Wahlen und Achtung der bürgerlichen Freiheiten.[89] Aber die neuen institutionellen, kulturellen und technologischen Bedingungen, unter denen die Demokratie ausgeübt wird, haben das bestehende Parteiensystem und das gegenwärtige Regime der politischen Konkurrenz obsolet werden lassen. Dies sind in der Netzwerkgesellschaft nicht mehr die adäquaten Mechanismen politischer Vertretung. Die Menschen wissen es und fühlen es, aber sie wissen in ihrem kollektiven Gedächtnis auch, wie wichtig es ist, Tyrannen daran zu hindern, den schwindenden Raum der demokratischen Politik ihrerseits zu besetzen. Bürger sind noch immer Bürger, aber sie wissen nicht mehr sicher, welcher „Burg" sie sich zurechnen sollen, und auch nicht, wem diese „Burg" gehört.

Schluss: Die Rekonstruktion der Demokratie?

Das sind nun wirklich alarmierende Worte. Es wäre reizvoll, hier die Gelegenheit zu nutzen, Ihnen einen Vortrag über mein persönliches Modell einer informationellen Demokratie zu halten. Keine Angst. Aus Gründen, die ich in der übergreifenden Schlussbetrachtung zu diesem Buch (in Bd. III) darlegen werde, habe ich mir normative Rezepturen und politische Ermahnungen versagt. Um der politischen Hoffnung aber unbedingt Gerechtigkeit widerfahren zu lassen, schließe ich meine Überlegungen ab, indem ich etwas zu den möglichen Wegen der demokratischen Rekonstruktion sage, *wie sie in der beobachtbaren Praxis der Gesellschaften Mitte der 1990er Jahre zum Ausdruck kommen.* Dies geschieht ganz unabhängig von meinen persönlichen Ansichten darüber, ob diese Prozesse nun gut oder schlecht sind. Weil die Embryonen einer neuen demokratischen Politik auf der ganzen Welt glücklicherweise zahlreich und vielgestaltig sind, beschrän-

89 Katznelson (1996).

ke ich meine Bemerkungen auf drei Tendenzen, die ich für die Zukunft der informationellen Politik für besonders bedeutsam halte.

Die erste ist die Wieder-Erschaffung des lokalen Staates. In vielen Gesellschaften auf der ganzen Welt scheint die lokale Demokratie aus Gründen, die in Kapitel 5 dargestellt sind, in Blüte zu stehen, wenigstens im Verhältnis zur politischen Demokratie auf nationaler Ebene. Das gilt vor allem dann, wenn regionale und lokale Regierungsorgane miteinander kooperieren und wenn sie ihre Reichweite soweit ausdehnen, dass es zur Dezentralisierung auf der Ebene von Stadtvierteln und zur Bürgerbeteiligung kommt. Wenn elektronische Hilfsmittel wie computervermittelte Kommunikation oder lokale Radio- und Fernsehstationen hinzu kommen und die Partizipation und Konsultation der Bürgerinnen und Bürger ausweiten, so tragen die neuen Technologien zur verstärkten Partizipation in der Lokalverwaltung bei. Beispiele sind Amsterdam oder die Präfektur Fukuoka. Erfahrungen mit lokaler Selbstverwaltung, etwa in der Form, wie sie in der Stadt Cuiaba im brasilianischen Bundesstaat Mato Grosso entwickelt wurde, zeigen die Möglichkeit des Neuaufbaus von Verbindungen, mit denen die Herausforderungen der wirtschaftlichen Globalisierung und der politischen Unwägbarkeit *geteilt* (wenn schon nicht kontrolliert) werden können. Dieser Lokalismus stößt auf offenkundige Grenzen, weil er die Fragmentierung des Nationalstaates noch verstärkt. Aber wenn wir uns strikt an die Beobachtung halten, so finden sich die stärksten Tendenzen zur Legitimierung der Demokratie Mitte der 1990er Jahre weltweit auf der lokalen Ebene.[90]

Eine zweite Perspektive, die in der Literatur[91] und auch in den Medien[92] häufig diskutiert wird, betrifft die Chancen, die die elektronische Kommunikation für die Stärkung der politischen Demokratie und der horizontalen Kommunikation unter den Bürgerinnen und Bürgern bietet. Der Zugang zu Informationen on-line und die computervermittelte Kommunikation erleichtern auch Verbreitung und Verfügbarkeit von Informationen. Sie schaffen Möglichkeiten der Interaktion und Debatte in einem autonomen, elektronischen Forum und umgehen dabei die Kontrolle der Medien. Probeabstimmungen über eine Vielzahl von Fragen könnten zu einem nützlichen Instrument werden, wenn es vorsichtig eingesetzt wird, ohne sich dem allzu vereinfachenden Bezugsrahmen der Referendums-Politik zu unterwerfen. Wichtiger ist die Möglichkeit, die auch schon genutzt wird, dass Bürgerinnen und Bürger ihre eigenen politischen und ideologischen Konstellationen bilden und damit die etablierten politischen Strukturen umgehen. So entsteht ein flexibles, anpassungsfähiges politisches Feld. Die Aussichten auf eine digitale Demokratie lassen sich jedoch auch ernsthaft kritisieren, und dies ist bereits geschehen.[93] Einerseits würde diese Form

90 Cooke (1994); Graham (1995); Ziccardi (1995); Borja und Castells (1996).
91 Ganley (1991).
92 *The Economist* (1995a).
93 High Level Experts Group (1996).

demokratischer Politik, wenn sie sich als wichtiges Instrument der Debatte, Repräsentation und Entscheidungsfindung erweisen sollte, sicherlich auf nationaler wie auf internationaler Ebene so etwas wie eine Form „attischer Demokratie" institutionalisieren. Das bedeutet, dass eine relativ kleine, gebildete und wohlhabende Elite in ein paar Ländern und großen Städten Zugang zu einem außerordentlichen Werkzeug der Information und politischen Partizipation hätte, das tatsächlich eine Verstärkung der bürgerlichen Rechte und Mitwirkungsmöglichkeiten bedeuten würde. Aber die ungebildeten, abgeschalteten Massen der Welt und des Landes würden aus dem neuen demokratischen Kernbereich ausgeschlossen bleiben, wie die Sklaven und Barbaren am Beginn der Demokratie in Griechenland. Andererseits würde die Unbeständigkeit des Mediums zu einer Verstärkung der „Show-Politik" führen. Moden und Mythen würden aufflammen, wenn erst die rationalisierende Macht der Parteien und Institutionen durch die Ströme plötzlich konvergierender und divergierender politischer Stimmungen umgangen würde. Mit anderen Worten könnte die on-line-Politik die Individualisierung der Politik und der Gesellschaft weiter vorantreiben. Dabei könnte ein Punkt erreicht werden, an dem es in gefährlicher Weise schwierig würde, Integration, Konsens und den Aufbau von Institutionen zu bewerkstelligen.

Um dieses Thema zu erkunden, haben meine Studierenden im Graduiertenseminar zur Soziologie der Informationsgesellschaft in Berkeley im Frühjahr 1996 einiges an on-line-Beobachtung im Internet betrieben. Die Ergebnisse ihrer Analyse zeigen ein paar interessante Tendenzen auf. So beobachteten Klinenberg und Perrin, dass die Internetnutzung während der republikanischen Vorwahlen zur Präsidentschaftskandidatur 1996 eine wichtige Rolle spielte, um Information über die Kandidaten zu verbreiten (Dole), und auch, um Unterstützung (Buchanan) und Spenden (alle Kandidaten) einzuwerben.[94] Die Kommunikationskanäle wurden jedoch überwacht und genau kontrolliert, so dass es sich am Ende nur um Einbahn-Kommunikationssysteme handelte, die zwar mächtiger und flexibler als das Fernsehen waren, aber eben nicht offener für Bürgerbeteiligung. Das könnte sich in Zukunft ändern, es scheint aber, als beschränke die Logik der informationellen Politik die Offenheit des Systems. Die Kandidaten müssen nämlich die Botschaften in ihren Netzwerken kontrollieren, damit sie nicht für Aussagen verantwortlich gemacht werden, die für die Wählerinnen und Wähler schädlich oder bedeutungslos sind. Strikte politische Kontrolle und digitale Offenheit scheinen sich im augenblicklichen System gegenseitig auszuschließen. Solange daher politische Parteien und organisierte Kampagnen die politischen Verfahren kontrollieren, wird die elektronische Bürgerbeteiligung in der informationellen Politik eine Nebenrolle spielen, soweit es um formelle Wahlen und Entscheidungen geht.

Andererseits fanden Steve Bartz in seiner Studie über die Umweltbewegung und Matthew Zook in seiner Forschung über die amerikanische Milizenbewe-

94 Klinenberg und Perrin (1996).

gung jedoch einen Prozess des Machtzugewinns für Gruppen an der Basis vor, die das Internet als Instrument zur Information, Kommunikation und Organisation benutzen.[95] Es scheint, als könne die neue elektronische Kommunikation ihre einschneidendsten Konsequenzen im Bereich der symbolischen Politik entfalten und weiter in der Entwicklung problemorientierter Mobilisierung durch Gruppen und Individuen abseits des vorherrschenden politischen Systems. Die Folgen derartiger Entwicklungen für die Demokratie sind unklar. Einerseits könnten die Institutionen der Demokratie noch weiter unterhöhlt werden, wenn die Mobilisierung zu zentralen Fragen die formale Politik umgehen kann. Andererseits ließe sich eine neue Art ziviler Gesellschaft rekonstruieren, wenn politische Repräsentation und Entscheidungsfindung eine Verbindung zu diesen neuen Quellen von Beiträgen finden könnten, die von betroffenen Bürgerinnen und Bürgern geleistet werden, ohne sich einer technologisch ausgefuchsten Elite zu unterwerfen. Dies würde es ermöglichen, die Demokratie elektronisch an die Basis anzuschließen.

Die Entwicklung der symbolischen Politik und der politischen Mobilisierung durch „nicht-politische" Anliegen, ob auf elektronischem Wege oder anders, ist die dritte Tendenz, die beim Prozess der Rekonstruktion der Demokratie in der Netzwerkgesellschaft eine Rolle spielen könnte. Humanitäre Anliegen wie diejenigen, die von Amnesty International, *Médecins sans frontières*, Greenpeace, Oxfam, *Food First* sowie Tausenden und Abertausenden von Aktivistengruppen und Nichtregierungsorganisationen auf der ganzen Welt unterstützt werden, sind der machtvollste Mobilisierungsfaktor in der informationellen Politik, von dem auch die meisten Initiativen ausgehen.[96] Diese Mobilisierungsansätze entwickeln sich zu Forderungen, die auf einen breiten Konsens stoßen und nicht zwingend mit bestimmten politischen Parteien verbunden sind. Ihren offiziellen Positionen nach unterstützen die meisten politischen Parteien anscheinend den Großteil dieser Anliegen. Weiter verzichten die meisten humanitären Organisationen darauf, außer in besonderen Fragen und zu besonderen Zeitpunkten eine bestimmte politische Partei zu unterstützen. Die meisten dieser Mobilisierungen bewegen sich im Mittelbereich zwischen sozialen Bewegungen und politischen Aktionen, weil sie sich an Bürgerinnen und Bürger wenden und Menschen auffordern, Druck auf öffentliche Institutionen oder private Unternehmen auszuüben, die für das spezifische Ziel der Mobilisierung von Bedeutung sein können. In anderen Fällen appellieren sie unmittelbar an die Solidarität der Menschen. Letztlich bewegen sie sich in dem Horizont der Einwirkung auf den politischen Prozess; d.h. Einfluss auf das Management der Gesellschaft durch die Repräsentanten der Gesellschaft zu nehmen. Aber sie benutzen dazu nicht unbedingt und sogar recht selten die Kanäle der politischen Repräsentation und Entscheidungsfindung, etwa durch die Wahl ihrer Kandidatinnen und

95 Bartz (1996); Zook (1996).

96 Guehenno (1993).

Kandidaten in politische Ämter. Diese Formen der politischen Mobilisierung lassen sich als problemorientierte, nicht-parteigebundene Politik definieren. Sie scheinen in allen Gesellschaften zunehmend an Legitimität zu gewinnen und die Regeln und Ergebnisse der formalen politischen Konkurrenz wesentlich zu beeinflussen. Sie re-legitimieren in den Köpfen und im Leben der Menschen die Sorge um öffentliche Angelegenheiten. Sie tun das, indem sie neue politische Prozesse und neue politische Fragen einführen und so die Krise der klassischen liberalen Demokratie vorantreiben. Zugleich aber fördern sie die Entstehung der informationellen Demokratie, die es erst noch zu entdecken gilt.

Schluss: Sozialer Wandel in der Netzwerkgesellschaft

Am Anbruch des Informationszeitalters entleert eine Legitimitätskrise die Institutionen der industriellen Ära ihres Sinns und ihrer Funktion. Da die globalen Netzwerke von Reichtum, Macht und Information den modernen Nationalstaat umgehen, hat er viel von seiner Souveränität verloren. Der Staat versucht, strategisch auf dieser globalen Bühne zu intervenieren und vermindert so seine Fähigkeit, die territorial verwurzelten Bevölkerungsgruppen zu vertreten, die seine Grundlage sind. In einer Welt, wo der Multilateralismus zur Regel geworden ist, führt die Trennung zwischen Nationen und Staaten, zwischen der Politik der Repräsentation und der Politik der Intervention dazu, dass die Einheit politischer Buchhaltung, auf der die liberale Demokratie während der letzten zwei Jahrhunderte aufgebaut war und ausgeübt wurde, desorganisiert wird. Die Privatisierung öffentlicher Einrichtungen und das Ende des Wohlfahrtsstaates nehmen den Gesellschaften zwar etwas von ihrer bürokratischen Last, verschlechtern aber die Lebensbedingungen für die Mehrheit der Bürgerinnen und Bürger, brechen den historischen Gesellschaftsvertrag zwischen Kapital, Arbeit und Staat und entfernen das soziale Sicherheitsnetz, also die Grundlagen einer für das gemeine Volk legitimen Regierung. Zerrissen durch die Internationalisierung von Finanz und Produktion, unfähig, sich an die Vernetzungsprozesse der Unternehmen und an die Individualisierung der Arbeit anzupassen und herausgefordert durch das Ende der geschlechtsspezifischen Teilung von Arbeit und Beschäftigung, schwindet die Arbeiterbewegung als wesentliche Quelle der sozialen Kohäsion und der Vertretung der Arbeitenden dahin. Sie verschwindet nicht ganz, sondern sie wird in der Hauptsache zum politischen Akteur, der in den Bereich der politischen Institutionen integriert ist. Die etablierten Kirchen praktizieren eine Form säkularisierter Religion und sind entweder vom Staat oder vom Markt abhängig; damit verlieren sie einen Großteil ihrer Fähigkeit zur Durchsetzung von Verhaltensnormen im Austausch gegen das Spenden von Trost oder den Verkauf himmlischer Immobilien. Die Herausforderung an den Patriarchalismus und die Krise der patriarchalischen Familie bringen die ordnungsgemäße Abfolge durcheinander, in der kulturelle Codes von einer Generation zur anderen weitergegeben werden, und erschüttern die Grundlagen persönlicher Sicherheit. Sie zwingen daher Männer, Frauen und Kinder dazu, neue

Lebensformen zu finden. Politische Ideologien, die aus den industriellen Institutionen und Organisationen hervorgegangen waren – vom demokratischen Liberalismus auf der Grundlage des Nationalstaates bis hin zum auf der Arbeit basierenden Sozialismus – sehen sich in dem neuen gesellschaftlichen Zusammenhang ernsthafter Bedeutung beraubt. Damit verlieren sie ihre Anziehungskraft, versuchen ihr Überleben durch endlose Anpassungsversuche zu sichern und rennen der neuen Gesellschaft wie verstaubte Banner vergessener Kriege hinterher.

Als Ergebnis dieser konvergierenden Prozesse werden die *Quellen* dessen, was ich in Kapitel I als *legitimierende Identitäten* bezeichnet habe, ausgetrocknet. Die Institutionen und Organisationen der zivilen Gesellschaft, die um den demokratischen Staat und um den Sozialkontrakt zwischen Kapital und Arbeit aufgebaut worden waren, sind im Großen und Ganzen zu leeren Hüllen geworden. Sie sind immer weniger dazu in der Lage, für das Leben und die Werte der Menschen in den meisten Gesellschaften eine bedeutsame Rolle zu spielen. Es ist wahrhaftig eine tragische Ironie, dass zu einem Zeitpunkt, zu dem sich endlich die meisten Länder auf der Welt den Zugang zu den Institutionen der liberalen Demokratie (meiner Ansicht nach Grundlage jeglicher politischen Demokratie) erkämpft haben, diese Institutionen so weit von den Strukturen und Prozessen entfernt sind, auf die es wirklich ankommt, dass sie den meisten Menschen nur noch als sarkastische Grimasse im neuen Gesicht der Geschichte erscheinen. An dieser Jahrtausendwende sind der Kaiser und die Kaiserin, der Staat und die Zivilgesellschaft, beide nackt, und ihre Kinder – die Bürgerinnen und Bürger – irren in den Häusern verschiedener Pflegeeltern umher.

Die Auflösung gemeinsamer Identitäten ist gleichbedeutend mit der Auflösung der Gesellschaft als sinngebendes soziales System. Das kann sehr wohl der Stand der Dinge unserer Zeit sein. Nichts besagt, dass neue Identitäten auftauchen, dass neue soziale Bewegungen die Gesellschaft neu erschaffen müssten und dass neue Institutionen wieder aufgebaut würden, hin auf die *lendemains qui chantent*. Auf den ersten Blick beobachten wir die Entstehung einer Welt, die ausschließlich aus Märkten, Netzwerken, Individuen und strategischen Organisationen gemacht ist und anscheinend durch Muster „rationaler Erwartungen“ (die neue, einflussreiche Wirtschaftstheorie) regiert wird – außer dann, wenn diese „rationalen Individuen“ plötzlich ihre Nachbarn erschießen, ein kleines Mädchen vergewaltigen oder in der U-Bahn Nervengas versprühen. Kein Bedarf an Identität in dieser neuen Welt: Grundinstinkte, Machtantriebe, selbstzentrierte strategische Berechnungen und auf der sozialen Makro-Ebene „die deutlichen Züge einer barbarischen, nomadisierenden Dynamik, eines dionysischen Elementes, das droht, alle Grenzen zu überspülen und die internationalen politisch-rechtlichen und zivilisatorischen Normen problematisch werden zu lassen“.[1] Eine Welt, deren Kontrapunkt, wie wir bereits in einer Reihe von Ländern sehen können, ein neuerliches, nationalistisches Geltendmachen der Reste staatlicher

1 Panarin (1994: 37).

Strukturen wäre, wobei jeder Anspruch auf Legitimität aufgegeben würde. Man würde dann aus der Mottenkiste der Geschichte verzweifelt das Prinzip der Macht um der Macht willen herausholen, manchmal verpackt in nationalistische Rhetorik. In den Landschaften, die wir in den ersten beiden Bänden dieses Werkes durchschritten haben, haben wir die Keime einer Gesellschaft wahrgenommen, deren Weltanschauung gespalten wäre, zwischen der alten Logik der Macht und einer neuen Logik von Selbstanschauung.[2]

Wir haben jedoch auch die Entstehung kraftvoller Widerstands-Identitäten beobachtet, die sich in kommunalen Himmeln verschanzen und sich weigern, von den globalen Strömen und dem radikalen Individualismus weggespült zu werden. Sie bauen ihre Kommunen um die traditionellen Werte von Gott, Nation und Familie, und sie sichern die Palisaden ihrer Lager mit ethnischen Emblemen und territorialen Bastionen. Widerstands-Identitäten sind nicht auf traditionelle Werte beschränkt. Sie können auch durch offensive soziale Bewegungen und um sie herum aufgebaut werden, wenn diese sich dazu entschließen, ihre Autonomie in ihrem kommunalen Widerstand zu verankern, solange sie nicht stark genug für den Angriff auf die repressiven Institutionen sind, gegen die sie sich wenden. Dies ist im Großen und Ganzen bei der Frauenbewegung der Fall, die Frauenräume schafft, in denen ein neues, anti-patriarchalisches Bewusstsein entstehen und sich befestigen könnte; und dies gilt sicherlich für die sexuellen Befreiungsbewegungen, deren Freiheitsräume von den Bars bis zu den Stadtvierteln entscheidende Voraussetzungen der Selbst-Anerkennung sind. Selbst die Umweltbewegung, deren Horizont letztlich kosmologisch ist, beginnt in den meisten Fällen in den Hinterhöfen und in den Gemeinschaften auf der ganzen Welt und schützt Räume, bevor sie sich an die Eroberung der Zeit macht.

So sind Widerstands-Identitäten in der Netzwerkgesellschaft ebenso allgegenwärtig wie die individualistischen Projekte, die aus der Auflösung vormals legitimierender Identitäten entstehen, wie sie einstmals die Zivilgesellschaft der Industrieära ausgemacht haben. Doch diese Identitäten widerstreben, sie kommunizieren kaum. Sie kommunizieren nicht mit dem Staat, es sei denn, sie kämpfen oder verhandeln für ihre spezifischen Interessen oder Werte. Sie kommunizieren selten miteinander, weil sie durch klar voneinander abgegrenzte Prinzipien konstituiert sind, die ein „Innen" und ein „Außen" definieren. Und weil die kommunale Logik der Schlüssel zu ihrem Überleben ist, sind individuelle Selbst-Definitionen nicht willkommen. So bestehen einerseits die herrschenden, globalen Eliten, die den Raum der Ströme bevölkern, weitgehend aus identitätslosen Individuen („Weltbürgerinnen und Weltbürgern"); während an-

---

2 *Macht* = *strong power*; *Weltanschauung* = kulturzentrierte Weltsicht; *Selbstanschauung* (Vorschlag eines Neologismus) = selbstzentrierte Weltsicht [„Macht", „Weltanschauung" und „Selbstanschauung" im Original deutsch; d.Ü.].

dererseits Leute, die der wirtschaftlichen, kulturellen und politischen Entrechtung widerstehen, eher von kommunaler Identität angezogen werden.

Wir sollten daher der sozialen Dynamik der Netzwerkgesellschaft eine weitere Ebene hinzufügen. Neben den Staatsapparaten, den globalen Netzwerken und den selbstzentrierten Individuen gibt es noch die Kommunen, die sich um *Widerstands-Identität* herum bilden. Doch haben all diese Elemente keinen Zusammenhalt, ihre Logiken schließen sich gegenseitig aus, und ihre Koexistenz wird aller Wahrscheinlichkeit nach nicht friedlich sein.

Zur Schlüsselfrage wird daher die Entstehung von *Projektidentitäten* (s. Kap. 1), die potenziell in der Lage wären, wieder eine Art neue Zivilgesellschaft und schließlich auch eine neue Art von Staat aufzubauen. In dieser Frage möchte ich keine Empfehlungen oder Prophezeiungen abgeben, sondern ausführlicher auf die vorläufigen Ergebnisse meiner Beobachtung sozialer Bewegungen und politischer Prozesse eingehen. Meine Analyse schließt die Möglichkeit nicht aus, dass soziale Bewegungen, die sich von den hier betrachteten stark unterscheiden, eine wichtige Rolle bei der Konstituierung der neuen Gesellschaft spielen werden. Aber auf dem Stand von 1996 habe ich keine Anzeichen dafür entdeckt.

Neue *Projektidentitäten* scheinen nicht aus den früheren Identitäten der Zivilgesellschaft der industriellen Ära zu entstehen, sondern aus der Entwicklung gegenwärtiger *Widerstands-Identitäten.* Es gibt meiner Meinung nach theoretische Gründe und auch empirische Argumente für eine solche Entwicklungslinie bei der Herausbildung neuer historischer Subjekte. Bevor ich dazu einige Überlegungen vortrage, möchte ich aber klären, wie Projektidentitäten aus den von uns beobachteten Widerstands-Identitäten entstehen können.

Die Tatsache, dass eine Kommune auf einer Widerstands-Identität beruht, bedeutet noch nicht, dass sie sich zum Aufbau einer Projektidentität weiterentwickeln wird. Sie kann durchaus eine defensive Kommune bleiben. Oder sie kann auch zu einer Interessengruppe werden und sich der Logik des generalisierten Aushandelns anschließen, der vorherrschenden Logik der Netzwerkgesellschaft. In anderen Fällen können Widerstands-Identitäten jedoch Projektidentitäten hervorbringen, die auf die Transformation der Gesellschaft als ganzer hinzielen und dabei in Kontinuität mit den Werten des kommunalen Widerstandes gegen die herrschenden Interessen stehen, wie sie sich in den globalen Strömen von Kapital, Macht und Information niederschlagen.

Religiöse Kommunen können sich zu religiösen fundamentalistischen Bewegungen entwickeln mit dem Ziel, die Gesellschaft zu re-moralisieren, den gottgefälligen ewigen Werten neue Geltung zu verschaffen und die ganze Welt oder mindestens die nächsten Nachbarn in eine Gemeinschaft der Gläubigen einzuschließen, was die Gründung einer neuen Gesellschaft bedeutet.

Die Entwicklungslinie des Nationalismus im Informationszeitalter erscheint, wenn man neuere Erfahrungen berücksichtigt, eher unbestimmter. Einerseits kann sie zur Verschanzung in einem rekonstruierten Nationalstaat führen, der im Namen der Nation, nicht des Staates re-legitimiert wird. Andererseits kann der Nationalismus den modernen Nationalstaat verdrängen und überlagern, indem er sich auf Nationen jenseits des Staates beruft und multilaterale Netzwerke politischer Institutionen mit einer variablen Geometrie geteilter Souveränität aufbaut.

Ethnizität ist ein wesentlicher Bestandteil sowohl von Unterdrückung als auch von Befreiung. Doch scheint sie sich gewöhnlich im Rahmen der Unterstützung anderer kommunaler Identitäten zu bilden, also religiöser, nationaler, territorialer Identitäten. Weniger regt sie selbst zu Widerstand oder neuen Projekten an.

Territoriale Identität findet sich an der Quelle der weltweiten Flut lokaler und regionaler Regierungen, die zu bedeutsamen Akteuren sowohl der Repräsentation wie der Intervention werden und besser in der Lage sind, sich den endlosen Variationen der globalen Ströme anzupassen. Die Wiedererfindung des Stadtstaates ist ein herausragendes Charakteristikum dieses neuen Zeitalters der Globalisierung, weil er im Zusammenhang mit der Entstehung einer handeltreibenden internationalen Wirtschaft zu sehen ist, die am Ursprung der Neuzeit stand.

Frauen-Kommunen und die Freiräume sexueller Identität weiten sich auf die Gesamtgesellschaft aus, indem sie den Patriarchalismus untergraben und die Familie auf einer neuen, egalitären Grundlage rekonstruieren. Dies bedeutet, dass die gesellschaftlichen Institutionen im Gegensatz zum patriarchalischen Kapitalismus und zum patriarchalischen Staat ihrer geschlechtsspezifischen Strukturen entkleidet werden.

Die Umweltbewegung verlagert sich von der Verteidigung der persönlichen Umwelt, der eigenen Gesundheit und des eigenen Wohlbefindens auf das ökologische Projekt der Integration von Menschheit und Natur auf der Grundlage der soziobiologischen Identität der Gattung und des Ernstnehmens der kosmologischen Bedeutung der Menschheit.

Diese Identitätsprojekte entstehen aus kommunalem Widerstand und nicht aus der Rekonstruktion der Institutionen der Zivilgesellschaft. Denn die Krise dieser Institutionen und die Entstehung der Widerstands-Identitäten geht gerade auf die neuen Charakteristika der Netzwerkgesellschaft zurück, die die ersteren unterhöhlen und den letzteren Vorschub leisten. Globalisierung, kapitalistische Neustrukturierung, organisatorische Vernetzung, die Kultur der realen Virtualität und die vorrangige Bedeutung von Technologie um der Technologie willen sind nämlich nicht nur die Schlüsselmerkmale der Gesellschaftsstruktur im Informationszeitalter, sondern zugleich auch die eigentlichen Ursachen für die Krise des Staates und der Zivilgesellschaft, wie sie sich während der industriellen Ära konstituiert hatten. Dies sind auch die Mächte, gegen die kommunaler Widerstand organisiert wird, wobei neue Identitätsprojekte potenziell aus dem Umfeld dieser Widerstandsimpulse entstehen. Widerstand ebenso wie Projekte widersprechen der herrschenden Logik der Netzwerkgesellschaft, weil sie defensive und offensive Kämpfe in drei grundlegenden Bereichen der neuen Gesellschaftsstruktur führen: Raum, Zeit und Technologie.

Die Widerstands-Kommunen verteidigen ihren Raum, ihre Orte gegen die ortlose Logik des Raumes der Ströme, die die gesellschaftliche Herrschaft im Informationszeitalter kennzeichnet (Bd. I, Kap. 6). Sie nehmen ihr historisches Gedächtnis in Anspruch und/oder betonen die Dauerhaftigkeit ihrer Werte gegen die Auflösung der Geschichte in der zeitlosen Zeit und gegen die Feier des Ephemeren in der Kultur der realen Virtualität (Bd. I, Kap. 7). Sie nutzen die Informationstechnologie zur horizontalen Kommunikation zwischen den Menschen und für kommunale Gebete und weisen zugleich den neuen Götzendienst der Technologie zurück. So bewahren sie transzendente Werte gegen die dekonstruierende Logik der selbstregulierenden Computer-Netzwerke.

Die Ökologen beanspruchen die Nutzung des Raumes im Namen von Mensch und Natur gegen die a-natürliche, abstrakte Logik des Raumes der Ströme. Sie vertreten die kosmologische Vision der glazialen Zeit, durch die die menschliche Spezies in die sich entwickelnde Umwelt integriert wird, und sie lehnen die Vernichtung der Zeit durch die Vernichtung des Aufeinanderfolgens ab, wie dies in der Logik liegt, die der zeitlosen Zeit eingeschrieben ist (Bd. I, Kap. 7). Und sie befürworten den Einsatz von Wissenschaft und Technologie für das Leben, während sie sich gegen die Beherrschung des Lebens durch Wissenschaft und Technologie wenden.

Feministinnen und sexuelle Identitäts-Bewegungen betonen die Kontrolle ihrer unmittelbarsten Räume, ihrer Körper, gegenüber der Entkörperlichung im Raum der Ströme unter Einfluss des Patriarchalismus. Dort lösen rekonstruierte Bilder von der Frau und Fetische der Sexualität ihre Menschlichkeit auf und verleugnen ihre Identität. Sie kämpfen auch um die Kontrolle über ihre Zeit, während die zeitlose Logik der Netzwerkgesellschaft Frauen mit Rollen und Funktionen überhäuft, ohne ihr Leben dem neuen Zeitregime anzupassen. So wird ein entfremdetes Zeitregime zum konkretesten Ausdruck der Last, die es bedeutet, eine befreite Frau in einer nicht-befreiten gesellschaftlichen Organisationsform zu sein. Frauen und sexuelle Identitäts-Bewegungen verfolgen ebenfalls das Ziel, die Technologie einzusetzen, um ihre Rechte zu stärken, beispielsweise ihre reproduktiven Rechte und das Recht zur Kontrolle über den eigenen Körper. Sie wenden sich damit gegen den patriarchalischen Einsatz von Wissenschaft und Technik, wie dies in der Unterwerfung von Frauen unter willkürliche medizinische Rituale und Vorurteile zum Ausdruck kommt; oder in dem vorübergehenden Mangel, den einige wissenschaftliche Institutionen hinsichtlich ihrer Bereitschaft zeigten, AIDS zu bekämpfen, solange dies als Homosexuellen-Krankheit galt. In dem Augenblick, wo die Menschheit die technologische Grenze der gesellschaftlichen Kontrolle über die biologische Reproduktion der Gattung erreicht, wird eine grundsätzliche Schlacht geschlagen zwischen Körpern als autonomen Identitäten und Körpern als gesellschaftlichen Artefakten. Das ist der Grund, warum Identitätspolitik mit unserem Körper beginnt.

Demnach löst die herrschende Logik der Netzwerkgesellschaft ihre eigene Herausforderung aus. Sie erfolgt in Form der kommunalen Widerstands-

Identitäten und in Form von Projektidentitäten, die potenziell aus diesen Räumen hervorgehen, *unter Bedingungen und durch Prozesse, die für jeden einzelnen institutionellen und kulturellen Kontext spezifisch sind.* Die sich daraus ergebende widersprüchliche Dynamik befindet sich im Herzen des historischen Prozesses, durch den eine neue Gesellschaftsstruktur sowie das Fleisch und das Blut unserer Gesellschaften konstituiert werden. Wo ist in dieser Gesellschaftsstruktur Macht? Und was ist Macht unter diesen historischen Bedingungen?

Wie in diesem und in Band I dieses Buches behauptet und bis zu einem gewissen Grad auch nachgewiesen wurde, ist Macht nicht mehr in Institutionen (im Staat), in Organisationen (kapitalistischen Unternehmen) oder bei symbolischen Kontrollinstanzen (Medienkonzernen, Kirchen) konzentriert. Sie ist über globale Netzwerke von Reichtum, Macht, Informationen und Bilder verstreut, die in einem System variabler Geometrie und entmaterialisierter Geografie zirkulieren und sich wandeln. Sie verschwindet jedoch nicht. *Macht regiert noch immer die Gesellschaft; sie prägt und beherrscht uns noch immer.* Nicht nur, weil Apparate unterschiedlicher Art noch immer den Körper disziplinieren und den Verstand zum Schweigen bringen. Diese Form der Macht ist zugleich ewig und verschwindend. Sie ist ewig, weil Menschen Raubtiere sind und bleiben werden. Aber in ihrer gegenwärtigen Existenzform ist sie im Schwinden; die Ausübung dieser Art von Macht wird für die Interessen, denen sie dienen soll, immer ineffektiver. Staaten können schießen, weil aber das Profil ihrer Feinde und der Aufenthaltsort ihrer Herausforderinnen und Herausforderer zunehmend unklar sind, tendieren sie dazu, auf gut Glück zu schießen. Dabei besteht eine gewisse Wahrscheinlichkeit, dass sie sich selbst treffen.

Die neue Macht befindet sich in den Informationscodes und in den bildlichen Repräsentationen, um die herum die Gesellschaften ihre Institutionen organisieren und die Menschen ihr Leben aufbauen und über ihr Verhalten entscheiden. Der Sitz dieser Macht sind die Köpfe der Menschen. Aus diesem Grund ist Macht im Informationszeitalter identifizierbar und diffus zugleich. Wir wissen, was sie ist, aber wir können sie nicht fassen, weil Macht eine Funktion eines endlosen Kampfes ist, der um die kulturellen Codes der Gesellschaft ausgetragen wird. Wer oder was auch immer die Schlacht um den Verstand der Menschen gewinnt, wird regieren; denn mächtige, rigide Apparate werden auf irgend absehbare Zeit hinaus den Köpfen, die um die Macht flexibler, alternativer Netzwerke organisiert sind, nicht standhalten können. Aber es könnte sein, dass die Siege nur von kurzer Dauer sind, weil die Turbulenzen der Informationsströme die Codes in einem beständigen Wirbel halten. Darum sind Identitäten in dieser sich beständig wandelnden Machtstruktur so wichtig und letztendlich auch so mächtig – weil sie Interessen, Werte und Projekte um Erfahrung herum aufbauen und ihrer Auflösung dadurch widerstehen, dass sie eine spezifische Verbindung zwischen Natur, Geschichte, Geografie und Kultur herstellen. Identitäten verankern in manchen Bereichen der Gesellschaftsstruktur Macht und bauen von daher ihren Widerstand oder ihre Offensiven im informationellen Kampf um die kulturellen Codes auf, die das Verhalten und damit auch neue Institutionen konstruieren.

Wer sind nun unter diesen Bedingungen die Subjekte des Informationszeitalters? Wir kennen bereits die Quellen, aus denen sie wahrscheinlich hervorgehen werden. Das behaupte ich wenigstens. Ich würde auch hinzufügen, dass ich glaube, wir wissen, woher sie sich wahrscheinlich nicht entwickeln werden. So scheint etwa die Arbeiterbewegung historisch überholt zu sein. Nicht, dass sie ganz verschwinden würde, obwohl sie in einem großen Teil der Welt stark im Rückgang begriffen ist, oder dass sie all ihre Bedeutung verloren hätte. Die Gewerkschaften sind in vielen Ländern sogar einflussreiche politische Akteure. Und in vielen Fällen sind sie die wichtigsten oder die einzigen Instrumente, mit denen sich die Arbeitenden gegen den Missbrauch von Kapital und Staat zur Wehr setzen können. Wegen der strukturellen Merkmale und historischen Prozesse, die ich in den ersten beiden Bänden dieses Buches zu vermitteln gesucht habe, scheint die Arbeiterbewegung jedoch nicht in der Lage zu sein, für sich allein und aus sich selbst heraus eine Projektidentität hervorzubringen, die es vermöchte, im Informationszeitalter soziale Kontrolle zu rekonstruieren und soziale Institutionen neu aufzubauen. Militante der Arbeiterbewegung werden zweifellos Teil der neuen, transformativen sozialen Dynamik sein. Ich bin nicht so sicher, ob das auch für die Gewerkschaften gilt.

Die politischen Parteien haben gleichfalls ihr Potenzial als autonome Kräfte sozialen Wandels erschöpft. Sie sind gefangen in der Logik der informationellen Politik und ihre wichtigste Grundlage, die Institutionen des Nationalstaates, hat viel von ihrer Bedeutung verloren. Sie sind jedoch noch immer wesentliche Instrumente, um die Forderungen der Gesellschaft, an deren Spitze die sozialen Bewegungen stehen, für die nationalen, internationalen und supranationalen politischen Institutionen aufzubereiten. Während nämlich die sozialen Bewegungen die neuen Codes zu liefern haben, nach denen die Gesellschaften neu erdacht und neu gestaltet werden können, sind politische Parteien irgendeiner Art – vielleicht in neuer, informationeller Inkarnation – noch immer entscheidend wichtige Instanzen, um soziale Transformation zu institutionalisieren. Sie sind eher einflussreiche Makler denn mächtige Neuerer.

Demnach sind die sozialen Bewegungen, die aus dem kommunalen Widerstand gegen Globalisierung, kapitalistische Restrukturierung, organisatorische Vernetzung, unkontrollierten Informationalismus und Patriarchalismus hervorgehen – also wenigstens vorläufig Ökologen, Feministinnen, religiöse Fundamentalisten, Nationalistinnen und Lokalisten – die potenziellen Subjekte des Informationszeitalters. In welchen Formen werden sie sich ausdrücken? Meine Analyse ist hier zwangsläufig spekulativ, obwohl ich es für erforderlich halte, einige Hypothesen zu formulieren, die ich so gut wie möglich mit den Beobachtungen begründen möchte, von denen ich in diesem Band berichtet habe.

Die Instanzen, die Identitätsprojekte artikulieren und sich die Veränderung der kulturellen Codes zum Ziel setzen, müssen Symbole mobilisieren. Sie sollten auf die Kultur der realen Virtualität einwirken, die der Kommunikation in der Netzwerkgesellschaft den Rahmen gibt, sie im Sinne alternativer Werte unterwandern und Codes einführen, die sich aus den autonomen Identitätsprojekten ergeben. Ich habe zwei Hauptformen solcher potenzieller Instanzen beobachtet. Die erste will ich als *die Propheten* bezeichnen. Es sind symbolische Persönlichkeiten, deren Rolle nicht die von charismatischen Führern oder abgebrühten Strategen ist, sondern darin besteht, einer symbolischen Aufstandsbewegung ein Gesicht (oder eine Maske) zu verleihen, so dass sie im Namen der Aufständischen sprechen. Damit besitzen Aufständische ohne Stimme eine Stimme, ihre Identität kann in den Bereich symbolischer Kämpfe eintreten und besitzt eine Chance, Macht zu erringen – in den Köpfen der Menschen. Das gilt natürlich für Subcommandante Marcos, den zapatistischen Führer Mexikos. Aber auch für *compadre* Palenque in La Paz-El Alto. Oder für Asahara, den Guru des mörderischen japanischen Kultes. Oder, um die Vielfalt der Ausdrucksformen solcher potenzieller Orakel zu unterstreichen, auch im Fall des katalanischen nationalistischen Führers Jordi Pujol, dessen Mäßigung, Rationalität und strategische Gewitztheit oftmals seine geduldige Entschlossenheit verbergen, *Catalunya* einen Platz als Nation unter den anderen europäischen Nationen zu verschaffen, indem er für *Catalunya* spricht und eine karolingische Identität rekonstruiert. Er könnte die Stimme einer neuen, originellen, staatenlosen Spielart des Nationalismus im informationellen Europa sein. In einem anderen, hiervon klar abweichenden Beispiel wird ökologisches Bewusstsein häufig von populären Rocksängern zum Ausdruck gebracht, wie etwa von Sting während seiner Tournee zur Rettung von Amazonien; oder von Filmstars wie Brigitte Bardot, die sich auf einen Kreuzzug für die Rechte der Tiere begeben hat. Eine andere Sorte Prophet wäre der neoludditische Una-Bomber in Amerika, der die anarchistische Tradition mit der gewaltsamen Verteidigung einer wesenhaften Natur gegen die Übel der Technologie verknüpft hat. In den islamischen oder christlichen fundamentalistischen Bewegungen übernehmen eine Reihe religiöser Führer (ich nenne keine Namen) eine ähnliche Rolle, indem sie heilige Texte interpretieren und so Gottes Wahrheit in der Hoffnung neu formulieren, sie möge den Verstand und die Seele möglicher Gläubiger erreichen und bewegen. Menschenrechtsbewegungen sind ebenfalls häufig vom Handeln symbolischer, kompromissloser Persönlichkeiten abhängig, wie dies in der Tradition der russischen Dissidenten der Fall ist, die historisch durch Sacharov repräsentiert werden und deren Beispiel in den 1990er Jahren Sergej Kovalov ist. Ich will hier bewusst die Genres meiner Beispiele mischen, um darauf hinzuweisen, dass es „gute" und „schlechte" Propheten gibt, je nach individuellem Geschmack, einschließlich meines eigenen. Aber sie alle sind Propheten in dem Sinne, dass sie den Pfad weisen, die Werte betonen und als Aussender von Symbolen fungieren. So werden sie selbst zu Symbolen, und die Botschaft ist vom Boten nicht abzukoppeln. Historische Übergänge, die oft inmitten zerbröckelnder Institutionen und erschöpfter politischer Formen vonstatten gegangen sind, waren schon immer eine Zeit für Propheten. Und das sollte beim Übergang ins Informationszeitalter umso mehr gelten, also beim Übergang zu einer Gesellschaftsstruktur, die um Informationsströme und die Manipulation von Symbolen organisiert ist.

Die zweite und *Hauptinstanz*, die wir auf unserer Reise über die Lande entdeckt haben, die von den sozialen Bewegungen bevölkert werden, ist jedoch eine *vernetzte, dezentrierte Form der Organisation und der Intervention, die charakteristisch ist für die neuen sozialen Bewegungen.* Sie spiegelt die Vernetzungslogik der Herrschaft in der informationellen Gesellschaft wider und wirkt ihr zugleich entgegen. Das gilt in klarer Weise für die Umweltbewegung, die auf nationalen und internationalen Netzwerken dezentralisierter Aktivität aufbaut. Aber ich habe auch gezeigt, dass dies auf Frauenbewegungen zutrifft, auf Rebellionen gegen die globale Ordnung und auf religiöse fundamentalistische Bewegungen. Diese Netzwerke tun mehr als Aktivitäten zu organisieren und Informationen auszutauschen. *Sie sind die wirklichen Produzenten und Verteiler kultureller Codes.* Nicht nur über das Netz, sondern in den vielfältigen Formen ihres Austauschs und ihrer Interaktion. Ihre Wirkung auf die Gesellschaft ergibt sich selten aus einer abgestimmten Strategie, die von einem Zentrum vorgedacht worden wäre. Ihre erfolgreichsten Kampagnen, ihre bemerkenswertesten Initiativen sind häufig das Ergebnis von „Turbulenzen" innerhalb des interaktiven Netzwerkes vielschichtiger Kommunikation – wie in der Produktion einer „grünen Kultur" durch ein universelles Forum, das Erfahrungen zusammenführte, die damit gemacht wurden, die Natur zu bewahren und gleichzeitig den Kapitalismus zu überleben. Oder am Ende des Patriarchalismus als Ergebnis des Austausches der Erfahrungen von Frauen in Frauengruppen, Frauen-Zeitschriften, Frauenbuchläden, Frauenfilmen, Frauen-Gesundheitszentren und Frauenunterstützungsnetzwerken zum Aufziehen der Kinder. Es ist der dezentrierte, subtile Charakter der *Netzwerke sozialen Wandels*, der es so schwierig macht, im Entstehen begriffene neue Identitätsprojekte zu erkennen und zu identifizieren. Weil unsere historische Vorstellungswelt sich so sehr an die ordentlichen Bataillone, bunten Fahnen und auf Plakaten zu lesenden Proklamationen gesellschaftlicher Veränderung gewöhnt hat, sind wir hilflos, wenn wir uns der subtilen Allgegenwart einer zunehmenden Veränderung von Symbolen gegenüber sehen, die in vielförmigen Netzwerken abseits der Korridore der Macht verarbeitet werden. In diesen Hinterhöfen der Gesellschaft, ob in alternativen elektronischen Netzwerken oder in basisverbundenen Netzwerken kommunalen Widerstandes habe ich die Embryonen der neuen Gesellschaft gespürt, mit denen die Macht der Identität auf den Feldern der Geschichte in Wehen liegt.

Fortsetzung folgt.

Methodologischer Anhang

Anhang zu den Tabellen 5.1 und 5.2

Die Verhältniszahlen und Veränderungsraten in den Tabellen 5.1 und 5.2 wurden aufgrund von Daten aus einer Anzahl unterschiedlicher statistischer Quellen berechnet. Die folgenden Tabellen wurden so aufgebaut, dass sie die bei diesen Berechnungen tatsächlich benutzten Zahlen sowie die Verhältnisse und Raten der Veränderung ausweisen, die mittels dieser Daten berechnet wurden. In den Zeilen, in denen die Originaldaten aufgeführt sind, werden die Quellen in der letzten Spalte rechts nach folgenden Abkürzungen aufgeführt:

GFSY = *Government Finance Statistics Yearbook*, Bd. 18 (Washington DC: IMF, 1994)
IFSY = *International Financial Statistics Yearbook*, Bd. 48 (Washington DC: IMF, 1995)
EWY = *The Europa World Yearbook* (London: Europa Publications, 1982, 1985, 1995)
OECDNA = *National Accounts: Detailed Tables, 1980-1992*, Bd. 2 (Paris: OECD, 1994)
WT = World Tables, 1994 (The World Bank, Baltimore: The Johns Hopkins University Press, 1994)

Die Tabellen sind alphabetisch nach Ländern angeordnet. Tabelle 5.1A enthält die Daten für jedes Land, Berechnungen und Quellen für Tabelle 5.1, und Tabelle 5.2A liefert die Informationen für Tabelle 5.2.

Es folgen ein paar Definitionen und Erläuterungen zu unseren Berechnungen. Die vollständigen Definitionen aller in diesen Tabellen enthaltenen Kategorien und Erläuterungen zu den Originalquellen der Daten und den Berechnungsmethoden finden sich in den Anhängen zu den benutzten Quellen.

Wechselkurse = Durchschnitt der Marktkurse und der amtlichen Kurse für den jeweiligen Zeitraum
Devisenreserven = Reserven außer Gold in nationaler Währung
Exporte = Warenexporte FOB
Auslandsschuld = unterschieden von der Inlandsschuld, wenn möglich nach Wohnort des Gläubigers, ansonsten nach der Währung, in der die Schuld ausgewiesen ist
Inlandsinvestition = berechnet durch die Multiplikation der Zahlen eines jeden Landes in den Angaben der weltweiten Tabelle des IFSY „Investitionen in Prozent des BIP". Investitionen umfassen das Brutto der fixen Kapitalformation und die Zunahme der Aktien

Ein (p) nach einer Zahl weist diese als vorläufig aus.
Ein (f) bedeutet, dass diese Zahl endgültig ist.

Ein * verweist auf einen Wechsel in der Berechnungsmethode im Vergleich zur Vorjahreszahl. Die Tabellen 5.1 und 5.2 sowie diese Anhänge wurden von Sandra Moog zusammengestellt und bearbeitet.

Deutschland

Tabelle 5.1A Internationalisierung der Volkswirtschaft und der öffentlichen Finanzen (in Mrd. DM, wo nicht anders angegeben)

	1980	*1991*	*1992*	*1993*	*1994*	*Veränderung 1980-1993 (%)*	*Quelle*
Durchschn. Wechselkurs (DM zu US$)	1,8177	1,6595	1,5617	1,6533	1,6228	–	IFSY ' 95
BIP (DM)	1.470,0	2.647,6	2.813,0	2.853,7	2.977,7	–	IFSY '95
(DM 1990)	(1.942,4)	(2.548,6)	(2.593,5)	(2.549,5)	(2.608,3)		IFSY '95
Staatl. Auslandsschuld	38,05	243,21	311,73*	472,87 (p)	–	–	IFSY '95
Staatl. Auslandsschuld/ BIP (%)	2,6	9,2	28,5	16,6	–	538,5	–
Staatl. Nettoschuldenaufnahme im Ausland	20,84	45,05	68,52*	161,14 (p)	–	–	–
Gesamte Währungsreserven ohne Gold (Mio. US$)	48.592	63.001	90.967	77.640	77.363	–	IFSY '95
Gesamte Währungsreserven ohne Gold (Mrd. DM)	88,33	104,55	121,25	128,36	125,54	–	–
Staatl. Auslandsschuld/ Währungsreserven (%)	43,1	232,6	257,1	368,4	–	325,3 (p)	–
Export	350,33	665,81	658,47	628,39	677,81	–	IFSY '95
Staatl. Auslandsschuld/ Export (%)	10,9	36,5	47,3	75,3	–	590,8	–
Staatsausgaben	447,54	860,74	1.022,95*	1.062,38 (p)	–	–	IFSY '95
Staatl. Auslandsschuld/ Staatsausgaben (%)	8,5	28,3	30,5	44,5	–	423,5 (p)	–
Staatl. Nettoschuldenaufnahme im Ausland/ Staatsausgaben (%)	4,7	5,2	6,7	15,2	–	223,4	–
Inlandsinvestitionen	367,73	680,43	706,06	684,89	738,47	–	IFSY '95
Auslandsdirektinvestitionen im Ausland (Mrd. US$)	4,7	23,72	19,67	14,48	14,65	–	IFSY '95
Auslandsdirektinvestitionen im Ausland (Mrd. DM)	8,54	39,36	30,72	23,94	23,77	–	–
Auslandsdirektinvestitionen im Ausland/Inlandsinvestitionen (%)	2,3	5,8	4,4	3,5	3,2	52,2	–
Zufluss an Auslandsdirektinvestitionen (Mrd. US$)	0,33	4,07	2,44	0,32	–3,02	–	IFSY '95
Zufluss an Auslandsdirektinvestitionen (Mrd. DM)	0,60	6,75	3,81	0,53	–4,90	–	–
Zufluss an Auslandsdirektinvestitionen/ Inlandsinvestitionen (%)	0,2	1,0	0,5	0,1	–0,7	–50,0	–

Tabelle 5.2A Rolle der Regierung in der Wirtschaft und öffentliche Finanzen (in Mrd. DM, wo nicht anders angegeben)

	1980	1991	1992	1993	1994	Veränderung 1980-1992 (%)	Quelle
BIP	1.470,9	2.647,6	2.813,0	2.853,7	2.977,7	–	IFSY '95
Staatsausgaben	447,54	860,74	1.022,95*	1.062,38 (p)	–	–	IFSY '95
Staatsausgaben/BIP (%)	30,4	32,5	36,4	37,2 (p)	–	19,7	
Steueraufkommen (Haushalt der Zentralreg.)	177,54	351,74	378,82 (p)*	–	–	–	GFSY '90,'94
Steueraufkommen/ BIP (%)	12,1	13,3	13,5 (p)	–	–	11,6	
Staatl. Haushaltsdefizit	-26,91	-62,29	-73,10*	-75,56 (p)	–	–	IFSY '95
Staatl. Haushaltsdefizit/BIP (%)	1,8	2,3	2,6	2,6	–	44,4	
Staatsschuld	235,77	680,81	801,57	902,52 (p)	–	–	IFSY '95
Staatsschuld/BIP (%)	16,0	25,7	28,5	31,6	–	78,1	
Staatl. Beschäftigung (Tsd. Besch.)	3.929	4.307	4.340	–	–	–	OECDNA '92
Gesamtbeschäftigung	23.818	26.183	26.432	–	–	–	OECDNA '92
Staatl. Beschäftigung/ Gesamtbeschäftigung	16,5	16,5	16,4	–	–	-0,6	
Staatskonsum	298,0	466,5	502,9	508,5	520,2	–	IFSY '95
Privatkonsum	837,0	1.448,8	1.536,3	1.588,9	1.644,5	–	IFSY '95
Staatskonsum/ Privatkonsum (%)	35,6	32,2	32,7	32,0	31,6	-8,1	
Staatl. Kapitalausgaben	101,52	175,92	197,72	199,51	–	–	EWY '84, '95
Staatl. Kapitalbildung	337,98	652,07	709,22	705,71	–	–	EWY '85, '95
Staatl. Kapitalausgaben/ Brutto der fixen Kapitalbildung (%)	30,0	27,0	27,9	28,3	–	-7,0	

Indien

Tabelle 5.1A Internationalisierung der Volkswirtschaft und der öffentlichen Finanzen (in Mrd. Rupien, wo nicht anders angegeben)

	1980	*1991*	*1992*	*1993*	*1994*	*Veränderung 1980-1993 (%)*	*Quelle*
Durchschn. Wechselkurs (Rupien zu US$)	8,659	22,724	25,918	30,493	31,374	–	IFSY '95
BIP (Rupien)	1.360,1	6.160,6	7.028,3	7.863,6			
(Rupien 1990)	(3.031,6)	(5.381,3)	(5.629,1)	(5.824,6)	–	–	IFSY '95
Staatl. Auslandsschuld	107,6	365,5	412,2 (p)	464,5 (f)	–	–	IFSY '95
Staatl. Auslandsschuld/BIP (%)	7,9	6,0	5,3 (p)	5,9 (f)	–	–25,3	–
Staatl. Nettoschuldenaufnahme im Ausland	7,0	54,2	46,8	55,8	–	–	–
Gesamte Währungsreserven ohne Gold (Mio. US$)	6.944	3.627	5.757	10.199	19.698	–	IFSY '95
Gesamte Währungsreserven ohne Gold (Mrd. Rupien)	60,13	82,42	149,21	311,00	618,01	–	–
Staatl. Auslandsschuld/Währungsreserven (%)	178,9	448,3	276,3 (p)	149,4 (f)	–	–16,5	–
Export	67,52	401,23	508,71	656,89	785,94	–	IFSY '95
Staatl. Auslandsschuld/Export (%)	159,4	92,1	81,0 (p)	70,7 (f)	–	–55,6	–
Staatsausgaben	180,3	1.050,5	1.209,6 (p)	1.310,7 (f)	–	–	IFSY '95
Staatl. Auslandsschuld/Staatsausgaben (%)	59,7	35,2	34,1 (p)	35,4 (f)	–	–40,7	–
Staatl. Nettoschuldenaufnahme im Ausland/Staatsausgaben (%)	3,9	5,2	3,9	4,3	–	10,3	–
Inlandsinvestitionen	284,26	1.410,78	1.637,59	1.674,95	–	–	IFSY '95

Tabelle 5.2A Rolle der Regierung in der Wirtschaft und öffentliche Finanzen (in Mrd. Rupien, wo nicht anders angegeben)

	1980	1991	1992	1993	1994	Veränderung 1980-1992 (%)	Quelle
BIP	1.360,1	6.160,6	7.028,3	7.863,6	–	–	IFSY '95
Staatsausgaben	180,3	1.050,5	1.209,6 (p)	1.310,7 (f)	–	–	IFSY '95
Staatsausgaben/ BIP (%)	13,3	17,1	17,2 (p)	16,7 (f)	–	29,3 (p)	
Steueraufkommen (konsol. für Zentralreg.)	132,7	673,6	787,8 (p)	848,7 (f)	–	–	GFSY '90, '94
Steueraufkommen/BIP (%)	9,8	10,9	11,2	10,8 (f)	–	17,3 (p)	
Staatl. Haushaltsdefizit	-88,6	-358,2	-366,5 (p)	-372,0	–	–	IFSY '95
Staatl. Haushaltsdefizit/BIP (%)	6,5	5,8	5,2	4,7	–	–20,0 (p)	
Staatsschuld	561,0	3.312,0	3.714,0 (p)	4.136,6 (f)	–	–	IFSY '95
Staatsschuld/BIP (%)	41,2	53,8	52,8 (p)	52,6	–	28,2	
Staatskonsum	130,8	694,6	785,9	910,5	–	–	IFSY '95
Privatkonsum	992,9	3.848,0	4.245,6	4.795,9	–	–	IFSY '95
Staatskonsum/ Privatkonsum (%)	13,2	18,1	18,5	19,0	–	40,2	
Brutto der fixen Kapitalbildung	262,8	1.367,8	1.511,8	1.643,8	–	–	EWY '85, '95

Japan

Tabelle 5.1A Internationalisierung der Volkswirtschaft und der öffentlichen Finanzen (in Mrd. Yen, wo nicht anders angegeben)

	1980	*1991*	*1992*	*1993*	*1994*	*Veränderung 1980-1993 (%)*	*Quelle*
Durchschn. Wechselkurs (Yen zu US$)	226,74	134,71	126,65	111,20	102,21	–	IFSY '95
BIP (Yen)	240.176	451.297	463.145				IFSY '95
(Yen 1990)	(271.500)	(422.720)	(428.210)	465.972	469.240	–	(WT '94)
Staatl. Auslandsschuld	621	1.186 ('90)	–	–	–	–	IFSY '95
Staatl. Auslandsschuld/BIP (%)	0,3	0,3	–	–	–	0,0 ('90)	
Gesamte Währungsreserven ohne Gold (Mio. US$)	24.636	72.059	71.623	98.524	125.860	–	IFSY '95
Gesamte Währungsreserven ohne Gold (Mrd. Yen)	5.586	9.707,1	9.071,1	10.956	12.864	–	
Staatl. Auslandsschuld/Währungsreserven (%)	11,1	12,2	–	–	–	9,9 ('90)	
Export	29.382	42.359	43.011	40.200	40.470	–	IFSY '95
Staatl. Auslandsschuld/Export (%)	2,1	2,3 ('90)	–	–	–	9,5 ('90)	
Staatsausgaben	44.137	–	–	–	–	–	IFSY '95
Staatl. Auslandsschuld/Staatsausgaben (%)	1,4	–	–	–	–	–	
Inlandsinvestitionen	77.337	146.672	144.038	139.326	135.610	–	IFSY '95
Auslandsdirektinvestitionen im Ausland (Mrd. US$)	2,39	30,74	17,24	13,74	17,97	–	IFSY '95
Auslandsdirektinvestitionen im Ausland (Mrd. Yen)	541,91	4.140,99	2.183,45	1.527,89	1.836,71	–	
Auslandsdirektinvestitionen im Ausland/Inlandsinvestitionen (%)	0,7	2,8	1,5	1,1	1,4	57,1	
Zufluss an Auslandsdirektinvestitionen (Mrd. US$)	0,28	1,37	2,72	0,10	0,89	–	IFSY '95
Zufluss an Auslandsdirektinvestitionen (Mrd. Yen)	63,49	184,55	344,49	11,12	90,97	–	
Zufluss an Auslandsdirektinvestitionen/Inlandsinvestitionen (%)	0,08	0,13	0,23	0,01	0,07	(erratic)	

Tabelle 5.2A Rolle der Regierung in der Wirtschaft und öffentliche Finanzen (in Mrd. Yen, wo nicht anders angegeben)

	1980	1991	1992	1993	1994	Veränderung 1980-1992 (%)	Quelle
BIP	240.176	451.297	463.145	465.972	469.240	–	IFSY '95
Staatsausgaben	44.137	–	–	–	–	–	IFSY '95
Staatsausgaben/ BIP (%)	0,18	–	–	–	–	–	
Steueraufkommen (Haushalt der Zentralreg.)	26.392	58.730 ('90)	–	–	–	–	GFSY '90, '94
Steueraufkommen/BIP (%)	11,0	13,0 ('90)	–	–	–	18,2 ('90)	
Staatl. Haushaltsdefizit	16.872	6.781 ('90)	–	–	–	–	IFSY '95
Staatl. Haushaltsdefizit/BIP (%)	7,0	1,5	–	–	–	–78,6 ('90)	
Staatsschuld	98.149	239.932 ('90)	–	–	–	–	IFSY '95
Staatsschuld/BIP (%)	40,9	53,2 ('90)	–	–	–	30,1 ('90)	
Staatl. Beschäftigung (Tsd. Besch.)	43.070	54.185	55.381	–	–	–	OECDNA '92
Gesamtbeschäftigung	3.911	3.960	3.975	–	–	–	OECDNA '92
Staatl. Beschäftigung/Gesamtbeschäftigung	9,1	7,3	7,2	–	–	–20,9	
Staatskonsum	23.568	41.232	43.258	44.666	46.108	–	IFSY '95
Privatkonsum	240.176	255.084	264.824	270.919	277.677	–	IFSY '95
Staatskonsum/ Privatkonsum (%)	9,8	16,2	16,3	16,5	16,6	66,3	
Brutto der fixen Kapitalbildung	75.420	143.429	142.999	141.322	–	–	EWY '85, '95

Spanien

Tabelle 5.1A Internationalisierung der Volkswirtschaft und der öffentlichen Finanzen (in Mrd. Pesetas, wo nicht anders angegeben)

	1980	*1991*	*1992*	*1993*	*1994*	*Veränderung 1980-1993 (%)*	*Quelle*
Durchschn. Wechselkurs (Pesetas zu US$)	71,70	103,91	102,38	127,26	133,96	–	IFSY '95
BIP (Pesetas)	15.168	54.901	59.002	60.904	64.673		
(Pesetas 1990)	(37.305)	(51.269)	(51.625	(51.054)	(52.064)	–	IFSY '95
Staatl. Auslandsschuld	133,6	2.968,8	3.259,9	6.364,6	5.893,0	–	IFSY '95
Staatl. Auslandsschuld/BIP (%)	0,9	5,4	5,5	10,5	9,1	1.066,7	
Staatl. Nettoschuldenaufnahme im Ausland	–	1.775,0	124,2	2.712,9	462,4	–	
Gesamte Währungsreserven ohne Gold (Mio. US$)	11.863	65.822	45.504	41.045	41.569	–	IFSY '95
Gesamte Währungsreserven ohne Gold (Mrd. Pesetas)	850,60	6.839,56	4.658,70	5.233,39	5.568,58	–	
Staatl. Auslandsschuld/ Währungsreserven (%)	15,7	43,4	70,0	121,6	105,8	674,5	
Export	1.493,2	6.225,7	6.605,7	7.982,3	9.795,2	–	IFSY '95
Staatl. Auslandsschuld/ Export (%)	8,9	47,7	49,3	79,7	60,2	795,5	
Staatsausgaben	2.522,7	13.102,1	14.835,5	17.503,0	17.034,0	–	IFSY '95
Staatl. Auslandsschuld/ Staatsausgaben (%)	5,3	22,7	22,0	36,4	34,6	586,8	
Staatl. Nettoschuldenaufnahme im Ausland/ Staatsausgaben (%)	–	13,5	0,9	15,5	2,7	–	
Inlandsinvestitionen	3.518,98	13.505,65	13.393,45	12.119,90	12.740.85	–	IFSY '95
Auslandsdirektinvestitionen im Ausland (Mio. US$)	311	4.442	2.192	2.652	4.170	–	IFSY '95
Auslandsdirektinvestitionen im Ausland (Mrd. Pesetas)	22,30	461,57	224,42	337,49	558,61	–	
Auslandsdirektinvestitionen im Ausland/Inlandsinvestitionen (%)	0,6	3,4	1,7	2,8	4,4	183,3	
Zufluss an Auslandsdirektinvestitionen (Mio. US$)	1.493	12.493	13.276	8.144	9.700	–	IFSY '95
Zufluss an Auslandsdirektinvestitionen (Mrd. Pesetas)	107,05	1.298,15	1.359,20	1.306,41	1.299,41	–	
Zufluss an Auslandsdirektinvestitionen/Inlandsinvestitionen (%)	3,0	9,6	10,1	8,6	10,2	236,7	

Tabelle 5.2A Rolle der Regierung in der Wirtschaft und öffentliche Finanzen (in Mrd. Pesetas, wo nicht anders angegeben)

	1980	1991	1992	1993	1994	Veränderung 1980-1992 (%)	Quelle
BIP	15.168	54.901	59.002	60.904	64.673	–	IFSY '95
Staatsausgaben	2.552,7	13.102,1	14.835,5	17.503,0	17.034,0	–	IFSY '95
Staatsausgaben/BIP (%)	16,8	23,9	25,1	28,7	26,3	49,4	
Steueraufkommen (Haushalt der Zentralreg.)	1.602,4	9.530,6	–	–	–	–	GFSY '90, '94
Steueraufkommen/BIP (%)	10,6	17,4	–	–	–	64,2 ('91)	
Staatl. Haushaltsdefizit	–555,8	–1.758,0	–2.523,5	–4.221,4	–4.943,9	–	IFSY '95
Staatl. Haushaltsdefizit/BIP (%)	3,7	3,2	4,3	6,9	7,6	16,2	
Staatsschuld	2.316,7	20.837,3	23.552,7	28.708,9	34.448,0	–	IFSY '95
Staatsschuld/BIP (%)	15,3	38,0	39,9	47,1	53,5	160,8	
Staatl. Beschäftigung (Tsd. Besch.)	–	2.041	2.084	–	–	–	OECDNA '92
Gesamtbeschäftigung	–	9.789	9.616	–	–	–	OECDNA '92
Staatl. Beschäftigung/Gesamtbeschäftigung (%)	–	20,8	21,7	–	–	–	
Staatskonsum	2.008	8.882	10.027	10.669	10.992	–	IFSY '95
Privatkonsum	9.992	34.244	37.220	38.511	40.854	–	IFSY '95
Staatskonsum/Privatkonsum (%)	20,1	25,9	26,9	27,7	26,9	33,8	
Brutto der fixen Kapitalbildung	3.368	13.041	12.859	12.040	12.709	–	IFSY '95

Vereinigtes Königreich

Tabelle 5.1A Internationalisierung der Volkswirtschaft und der öffentlichen Finanzen (in Mrd. Pfund Sterling, wo nicht anders angegeben)

	1980	*1991*	*1992*	*1993*	*1994*	*Veränderung 1980-1993 (%)*	*Quelle*
Durchschn. Wechselkurs (Pfund Sterling zu US$)	0,4299	0,5652	0,5664	0,6658	0,6529	–	IFSY '95
BIP (Pfund Sterling)	231,7	575,32	597,24	630,71	668,87		
(Pfund Sterling 1990)	(423,49)	(540,31)	(537.45)	(549,59)	(570,72)	–	IFSY '95
Staatl. Auslandsschuld	10,14	28,45	34,89	–	–	–	IFSY '95
Staatl. Auslandsschuld/BIP (%)	4,4	4,9	5,8	–	–	31,8 ('92)	
Staatl. Nettoschuldenaufnahme im Ausland	1,43	5,50	4,71	–	–	–	
Gesamte Währungsreserven ohne Gold (Mrd. US$)	20,65	41,89	36,64	36,78	41,01	–	IFSY '95
Gesamte Währungsreserven ohne Gold (Mrd. Pfund Sterling)	8,73	23,68	20,75	24,49	26,78	–	
Staatl. Auslandsschuld/ Währungsreserven (%)	116,2	120,1	168,1	–	–	44,7 ('92)	
Export	47,36	104,88	108,51	120,94	133,03	–	IFSY '95
Staatl. Auslandsschuld/Export (%)	21,4	27,1	32,2	–	–	50,5 ('92)	
Staatsausgaben	88,48	229,15	257,89	–	–	–	GSFY '90, '94
Staatl. Auslandsschuld/ Staatsausgaben (%)	11,5	12,4	13,5	–	–	17,4 ('92)	
Staatl. Nettoschuldenaufnahme im Ausland/ Staatsausgaben (%)	1,6	18,3	14,2	–	–	787,5 ('92)	
Inlandsinvestitionen	38,94	92,63	91,97	95,24	103,67	–	IFSY '95
Auslandsdirektinvestitionen im Ausland (Mio. US$)	11,23	16,40	19,35	25,64	29,95	–	IFSY '95
Auslandsdirektinvestitionen im Ausland (Mio. Pfund Sterling)	4,83	9,27	10,96	17,07	19,55	–	
Auslandsdirektinvestitionen im Ausland/Inlandsinvestitionen (%)	12,4	10,0	11,9	17,9	18,9	44,4	
Zufluss an Auslandsdirektinvestitionen (Mio. US$)	10,12	16,06	16,49	14,56	10,94	–	IFSY '95
Zufluss an Auslandsdirektinvestitionen (Mio. Pfund Sterling)	4,35	9,08	9,34	9,69	7,14	–	
Zufluss an Auslandsdirektinvestitionen/ Inlandsinvestitionen (%)	11,2	9,8	10,2	10,2	6,9	–8,9	

Tabelle 5.2A Rolle der Regierung in der Wirtschaft und öffentliche Finanzen (in Mrd. Pfund Sterling, wo nicht anders angegeben)

	1980	1991	1992	1993	1994	Veränderung 1980-1992 (%)	Quelle
BIP (Pfund Sterling (Pfund Sterling 1990)	231,7 (423,49)	575,32 (540,31)	597,24 (537,45)	630,71 (549,59)	668,87 (570,72)	–	IFSY '95
Staatsausgaben	88,48	229,15	257,89	–	–	–	GSFY '90, '94
Staatsausgaben/BIP (%)	38,2	39,8	43,2	–	–	13,1	
Steueraufkommen (Haushalt der Zentralreg.)	58,04	159,87	161,21	–	–	8,0	GSFY '90, '94
Steueraufkommen/BIP (%)	25,0	27,8	27,0	–	–	–	
Staatl. Haushaltsdefizit	–10,73	–5,69	–30,0	–	–	–	IFSY '95
Staatl. Haushaltsdefizit/BIP (%)	4,6	1,0	5,0	–	–	8,7	
Staatsschuld	106,75	189,65	203,51	–	–	–	IFSY '95
Staatsschuld/BIP (%)	46,1	33,0	34,1	–	–	–26,0	
Staatl. Beschäftigung (Tsd. Besch.)	5.349	5.129	4.915	–	–	–	OECDNA '92
Gesamtbeschäftigung	23.314	22.559	22.138	–	–	–	OECDNA '92
Staatl. Beschäftigung/Gesamtbeschäftigung (%)	22,9	22,7	22,2	–	–	–3,1	
Staatskonsum	49,98	124,11	131,88	137,97	144,08	–	IFSY '95
Privatkonsum	138,56	364,97	381,72	405,46	428,08	–	IFSY '95
Staatskonsum/Privatkonsum (%)	36,1	34,0	34,5	34,0	–	–2,7	
Staatl. Kapitalausgaben	–	20,23	20,08	19,64	–	–	EWY '95
Staatl. Kapitalbildung	–	41,79	45,99	49,56	–	–	EWY '95
Staatl. Kapitalausgaben/ Brutto der fixen Kapitalbildung (%)	48,4	43,7	39,6	–	–	–	

Vereinigte Staaten

Tabelle 5.1A Internationalisierung der Volkswirtschaft und der öffentlichen Finanzen (in Mrd. US$, wo nicht anders angegeben)

	1980	*1991*	*1992*	*1993*	*1994*	*Veränderung 1980-1993 (%)*	*Quelle*
BIP (US$)	2.708,1	5.722,0	6.020,2	6.343,3	6.738,4		
(US$ 1990)	(4.275,6)	(5.458,3)	(5.673,5)	(5.813,2)	(6.050,4)	–	IFSY '95
Staatl. Auslandsschuld	129,7	491,7	549,7	622,6	–	–	IFSY '95
Staatl. Auslandsschuld/BIP (%)	4,8	8,6	9,1	9,8	–	104,2	
Staatl. Nettoschuldenaufnahme im Ausland	0,2	68,8	57,6	91,4	–	–	IFSY '95
Gesamte Währungsreserven ohne Gold	15,60	66,66	60,27	62,35	63,28	–	IFSY '95
Staatl. Auslandsschuld/Währungsreserven (%)	831,4	737,6	912,1	998,6	–	20,1	
Export	225,57	421,73	448,16	464,77	512,52	–	IFSY '95
Staatl. Auslandsschuld/Export (%)	57,5	116,6	122,7	134,0	–	133,0	
Staatsausgaben	596,6	1.429,1	1.445,1	1.492,4	–	–	IFSY '95
Staatl. Auslandsschuld/Staatsausgaben (%)	21,7	34,4	38,0	41,7	–	92,2	
Staatl. Nettoschuldenaufnahme im Ausland/Ausgaben (%)	0,03	4,8	4,0	6,12	–	203,0	
Inlandsinvestitionen	541,62	875,60	939,15	1.052,99	1.246,60	–	IFSY '95
Auslandsdirektinvestitionen im Ausland	19,23	31,30	41,01	57,87	58,44	–	IFSY '95
Auslandsdirektinvestitionen im Ausland/Inlandsinvestitionen (%)	3,6	3,6	4,4	5,5	4,7	52,8	
Zufluss an Auslandsdirektinvestitionen	16,93	26,09	9,89	21,37	60,07	–	IFSY '95
Zufluss an Auslandsdirektinvestitionen/ Inlandsinvestitionen (%)	3,1	3,0	1,1	2,0	4,8	–35,5	

Tabelle 5.2A Rolle der Regierung in der Wirtschaft und öffentliche Finanzen (in Mrd. US$, wo nicht anders angegeben)

	1980	1991	1992	1993	1994	Veränderung 1980-1992 (%)	Quelle
BIP	2.708,1	5.722,9	6.020,2	6.343,3	6.738,4	–	IFSY '95
Staatsausgaben	596,6	1.429,1	1.445,1	1.492,4	–	–	IFSY '95
Staatsausgaben/BIP (%)	22,0	25,0	24,0	23,5	–	9,1	
Steueraufkommen (Haushalt der Zentralreg.)	346,83	635,54	651,00	706,79	–	–	GFSY '88, '94
Steueraufkommen/BIP (%)	12,8	11,1	10,8	11,1	–	–15,6	
Staatl. Haushaltsdefizit	–76,2	–272,5	–289,3	–254,1	–	–	IFSY '95
Staatl. Haushaltsdefizit/BIP (%)	2,8	4,8	4,0	–	–	42,9	
Staatsschuld	737,7	2.845,0	3.142,4	3.391,9	–	–	IFSY '95
Staatsschuld/BIP (%)	27,2	49,7	52,2	53,5	–	91,9	
Staatl. Beschäftigung (Tsd. Besch.)	14.890	16.893	16.799	–	–	–	OECDNA '95
Gesamtbeschäftigung	87.401	103.499	103.637	–	–	–	OECDNA '92
Staatl. Beschäftigung/Gesamtbeschäftigung (%)	17,0	16,3	16,2	–	–	–4,7	
Staatl. Konsum und Investitionen	507,1	1.099,3	1.125,3	1.148,4	1.175,3	–	IFSY '95
Privatkonsum	1.748,1	3.906,4	4.136,9	4.378,2	4.628,4	–	IFSY '95
Staatskonsum/ Privatkonsum (%)	29,0	28,1	27,2	26,2	25,4	–6,9	
Staatl. Kapitalbildung	72,7	139,6	150,6	155,1	160,8	–	IFSY '95
Brutto fixe Kapitalbildung	549,8	876,5	938,9	1.037,1	1.193,7	–	IFSY '95
Staatl. Kapitalausgaben/ Brutto der fixen Kapitalbildung (%)	13,2	15,9	16,0	15,0	13,5	21,2	

Anhang zu Abbildung 6.4: Niveau des Wählerzuspruchs für die Parteien der Mitte bei nationalen Wahlen 1980-1994

Die Prozentzahlen in Abbildung 6.4 wurden auf der Grundlage der Wahlergebnisse zur unteren Kammer des Parlaments ermittelt, mit Ausnahme der Vereinigten Staaten, wo die Ergebnisse der Präsidentschaftswahlen benutzt wurden. Parteien wurden als zur Mitte gehörig betrachtet, wenn sie einmal an der Regierung beteiligt waren, außer der Französischen und Italienischen Kommunistischen Partei.

Quellen s. unten, letzte Zeile der jeweiligen Länder-Tabelle. Alle Daten stammen aus folgenden Quellen:

EWY = *Europa World Yearbook* (London: Europa Publications, 1982-1994)
SY = *Statesman's Yearbook* (Hg. Brian Hunter, New York: St. Martin's Press, 1994-1995, 1995-1996).
MDI = *Ministerio del Interior* (zit. nach *España, fin del siglo*, von Alonso Zaldivar und Manuel Castells, Madrid: Allianza Editorial, 1992)
Valles = „The Spanish general election of 1993" von Joseph M. Valles, *Electoral Studies*, 1994, 13 (1): 89

Alle Zahlen in den Tabellen sind Prozentzahlen

Deutschland: Bundestagswahlen

	1983	*1987*	*1990*	*1994*
Parteien der Mitte				
CDU/CSU	48,8	44,2	43,8	41,5
SPD	38,2	37,0	33,5	36,4
FDP	7,0	9,1	11,0	6,9
Andere Parteien				
DKP	0,2	–	–	–
PDS	–	–	2,4	4,4
Republikaner	–	–	1,2	1,9
NPD	0,2	0,6	–	–
Grüne (1990 und 1994 mit Bündnis 90)	5,6	8,3	5,0	7,3
ÖDP	–	0,3	–	–
Frauenpartei	–	0,2	–	–
Andere	–	0,3	2,1	1,7
Gesamter Stimmenanteil der Parteien der Mitte	*94,0*	*90,3*	*88,3*	*84,8*
Quelle	EWY-84	EWY-88	EWY-92	EWY-95

Frankreich: Erste Runde der Wahl zur Nationalversammlung

	1981 (1. Wahlgang)	1986 (1. Wahlgang)	1988 (1. Wahlgang)	1993 (1. Wahlgang)
Parteien der Mitte				
RPR	20,8	11,2	19,2	20,4
UDF	19,2	8,3	18,5	19,1
RPR +UDF	–	21,5	–	–
Sozialisten (PS)	–	31,0	34,8	17,6
MR de G	–	0,4	1,1	0,9
PS + MR de G	37,4	–	–	–
Andere Parteien				
Kommunisten (PCF)	16,1	9,8	11,3	9,2
Andere Linke	0,8	1,0	1,7	3,6
Extreme Linke	1,4	1,5	–	3,6
Andere Rechte	2,8	3,9	2,9	5,0
Extreme Rechte	0,4	0,2	–	–
Front National	–	9,7	9,7	12,4
Ökologen	–	1,2	–	0,1
Les Verts	–	–	–	4,0
Regionalisten	–	0,1	–	–
Andere	–	–	0,9	4,2
Gesamter Stimmenanteil der Parteien der Mitte	*77,4*	*72,4*	*73,6*	*58*
Quelle	EWY-82	EWY-88	EWY-90	EWY-95

Italien: Wahlen zur Deputiertenkammer

	1983	1987	1992
Parteien der Mitte			
Republikaner (PRI)	5,1	3,7	4,4
Liberale (PLI)	2,9	2,1	2,8
Christdemokraten (DC)	32,9	34,3	29,7
Sozialdemokraten (PSDI)	4,1	3,0	2,7
Sozialisten (PSI)	11,4	1 4,3	13,6
Kommunisten (PCI)	29,9	26,6	-
Partei der dem. Linken (Ex-Komm.)	–	–	16,1
Rifundazione Communista (Ex-Komm.)	–	–	5,6
Andere Parteien			
Italienische Soziale Bewegung (MSI)	6,8	5,9	5,4
Neue Vereinigte Linke (Proletar. Demokraten + Lotta Continua)	1,5	1,7	–
Partido Radicale (PR)	2,2	2,6	–
Regionalparteien			
Lega Nord	–	–	8,7
Südtiroler Volkspartei	0,5	–	–
La Rete	–	–	1,9
Grüne	–	2,5	2,8
Andere	2,7	3,3	6,3
Gesamter Stimmenanteil der Parteien der Mitte	86,3	84,0	79,9
Quelle	EWY-84	EWY-88	SY-94/5

Japan: Wahlen zum Repräsentantenhaus

	1983	*1986*	*1990*	*1993*
Parteien der Mitte				
Liberaldemokraten (LDP)	45,8	49,4	46,1	36,62
Neuer Lib. Club (NLC) (ab '86 wieder zur LDP)	2,4	1,8	–	–
Dem.-Soz. Partei (DSP)	7,3	6,5	4,8	3,51
Sozialisten (JSP) (ab 1992 Sozialdem. Partei Japans)	19,5	17,2	24,4	15,43
Andere Parteien				
Progressive Partei	–	–	0,4	–
Komeito	10,1	9,4	8,0	8,14
Japan New Party (JNP)	–	–	–	8,05
Japan Erneuerungspartei	–	–	–	10,10
Soz.-Dem. Föd. (SDF) (mit der Un. Soz. Dem. P. ab 1993)	0,7	0,8	0,9	0,73
Kommunisten (JKP)	9,3	8,8	8,0	7,70
Unabhängige	4,9	5,8	7,3	6,85
Sakigake	–	–	–	2,00
Andere	0,1	0,2	0,1	0,23
Gesamter Stimmenanteil der Parteien der Mitte	*75,0*	*74,9*	*75,3*	*55,56*
Quelle	EWY-86	EWY-88	EWY-90	EWY-95

Spanien: Wahlen zum Deputiertenkongress

	1982	1986	1989	1993
Parteien der Mitte				
ADP + PDP ('88 + PL = CP)	26,4	26,1	–	–
Volkspartei (AP, 1989 PP)	–	–	26,0	34,6
Union de Centro Dem. (UCD)	9,8	–	–	–
Soziales und Dem. Zentrum (CDS)	–	9,2	8,0	1,8
Sozialistische Spanische Arbeiterpartei (PSOE)	48,4	44,4	39,8	38,5
Andere Parteien				
Span. Komm. Partei (PCE)	3,9	–	–	–
Vereinigte Linke (IU)	–	4,7	9,1	9,5
Bask. Nationalist. Partei (PNV)	1,9	1,5	1,2	1,2
Konvergenz und Union (CIU)	3,7	5,1	5,1	4,9
Andere	5,9	9,1	10,8	9,4
Gesamter Stimmenanteil der Parteien der Mitte	84,6	79,7	73,8	74,9
Quelle	MDI	MDI	MDI	Valles

Vereinigtes Königreich: Unterhauswahlen

	1983	*1987*	*1992*
Parteien der Mitte			
Konservative	42,4	42,3	41,9
Liberale (+ Soz.-Dem.)	25,4	22,6	17,9
Labour Party	27,6	30,9	34,4
Andere Parteien			
Soc. and Dem. Lab. Party	0,4	0,5	0,5
Plaid Cymru	0,4	0,4	0,5
Scottish National Party	1,1	1,3	1,9
Sinn Fein	0,3	0,3	–
Ulster Popular Unionist Party	0,1	–	–
Ulster Unionists	0,8	–	–
Dem. Unionist Party	0,5	–	–
Unionisten zus.	–	1,2	1,2
Andere	1,0	0,5	1,8
Gesamter Stimmenanteil der Parteien der Mitte	95,4	95,8	94,2
Quelle	EWY-86	EWY-90	EWY-95

Vereinigte Staaten: Wählerstimmen bei der Präsidentschaftswahl

	1980	1984	1988	1992
Parteien der Mitte				
Demokraten	41,0	40,5	45,6	42,9
Republikaner	50,8	58,8	53,4	37,5
Andere				
John Anderson	6,6	–	–	–
Ross Perot	–	–	–	18,9
Andere	1,6	0,7	1,0	0,8
Gesamter Stimmenanteil der Parteien der Mitte	*91,8*	*99,3*	*99,0*	*80,4*
Quelle	EWY-81	EWY-88	EWY-90	EWY-94

Literaturverzeichnis

Abelove, Henry, Barale, Michele Aina und Halperin, David M. (Hg.) (1993) *The Lesbian and Gay Studies Reader*, New York: Routledge.

Abramson, Jeffrey B., Artertone, F. Christopher und Orren, Cary R. (1988) *The Electronic Commonwealth: The Impact of New Media Technologies in Democratic Politics*, New York: Basic Books.

Adler, Margot (1979) *Drawing Down the Moon: Witches, Druids, Goddess-worshippers, and Other Pagans in America Today*, Boston: Beacon.

Aguirre, Pedro u.a. (1995) *Una reforma electoral para la democracia. Argumentos para el consenso*, Mexico: Instituto de Estudios para la transicion democratica

Achmatova, Anna (1990) *Socinenija v dvuch tomach* (Werke in zwei Bänden), Bd. 1, Moskau: Izdatel'stvo "Pravda".

Al-Azmeh, Aziz (1993) *Islams and Modernities*, London: Verso.

Alberdi, Ines (Hg.) (1995) *Informe sobre la situacion de la familia en España*, Madrid: Ministerio de Asuntos Sociales.

Albo, Xavier (1993) *Y e Kataristas a MNRistas? La soprendente y audaz. Alianca entre Aymarás y neoliberales en Bolivia*, La Paz: CEDOIN-UNITAS.

Alexander, Herbert E. (1992) *Financing Politics. Money, Elections, and Political Reform*, Washington, DC: CQ Press.

Allen, Thomas B. (1987) *Guardian of the Wild. The Story of the National Wildlife Federation, 1936-1986*, Bloomington, Ind.: Indiana.

Alley, Kelly D. u.a. (1995) "The historical transformation of a grass-roots environmental group", *Human Organisation*, 54 (4): 410-416.

Alonso Zaldivar, Carlos (1996) *Variaciones sobre un mundo en cambio*. Madrid: Alianza Editorial.

– und Castells, Manuel (1992) *España fin de siglo*, Madrid: Alianza Editorial.

Ammerman, Nancy (1987) *Bible Believers: Fundamentalists in the Modern World*, New Brunswick, NJ: Rutgers University Press.

Anderson, Benedict (1983) *Imagined Communities: Reflections on the Origin and Spread of Nationalism*, London: Verso (nach der zweiten Ausgabe 1991).

Anderson, P. und Comiller, P. (Hg.) (1994) *Mapping the West European Left*, London: Verso.

Ansolabehere, Stephen und Iyengar, Shanto (1994) „Riding the wave and claiming ownership over issues: the joint effects of advertising and news coverage in campaigns", *Public Opinion Quarterly*, 58: 335-357.

– u.a. (1993) *The Media Game: American Politics in the Television Age*, New York: Macmillan.

Anthes, Gary H. (1993) „Government ties to Internet expand citizens' access to data", *Computerworld*, 27, (34): 77.

Anti-Defamation League (1994) *Armed and Dangerous*, New York.

Anti-Defamation League (1995) *Special Report: Paranoia as Patriotism: Far-Right Influence on the Militia Movement*, New York: Anti-Defamation League of B'nai B'rith.

Aoyama, Yoshinobu (1991) *Riso Shakai: kyosanto sengen kara shinri'e* (Die ideale Gesellschaft: vom Kommunistischen Manifest zur Wahrheit), Tokyo: AUM Press.

Appiah, Kwame Anthony und Gates, Henry Louis, Jr. (Hg.) (1995) *Identities*, Chicago: The University of Chicago Press.

Archondo, Rafael (1991) *Compadres al microfono: la resurrección metropolitana del ayllu*, La Paz: Hisbol.

Ardaya, Gloria and Verdesoto, Luis (1994) *Racionalidades democráticas en construccion*, La Paz: ILDIS.

Arlachi, Pino (1995) „The Mafia, Cosa Nostra, and Italian institutions", in Sechi (Hg.): 153-63.

Armond, Paul (1995) „Militia of Montana meeting at the Maltby Community Center", World Wide Web, *MOM site*, 11. Februar.

Armstrong, David (1995) „Cyberhoax!", *Columbia Journalism Review*, September/Oktober.

Arquilla, John und Rondfeldt, David (1993) „Cyberwar is coming!", *Comparative Strategy*, 12 (2): 141-65.

Arrieta, Carlos G. u.a. (1991) *Narcotrafico en Colombia. Dimensiones politicas, economicas, juridicas e internacionales*, Bogota: Tercer Mundo Editores.

Asahara, Shoko (1994) *Metsubo no Hi* (Das letzte Gericht), Tokyo: AUM Press.

– (1995) *Hi huru Kuni Wazawai Chikashi* (Katastrophen nähern sich der Nation wie die aufgehende Sonne), Tokyo: AUM Press.

Astrachan, Anthony (1986) *How Men Feel: Their Response to Women's Demands for Equality und Power*, Garden City, NY: Anchor Press / Doubleday.

Athanasion, Tom (1996) *Divided Planet: The Ecology of Rich and Poor*, Boston: Little, Brown and Comp.

Autorenkollektiv (1996) *La seguridad humana en Bolivia: percepciónes politicas, sodales y economicas de los bolivianos de hoy*, La Paz: PRONAGOB-PNUD-ULDIS.

Awakening (1995) Sonderheft Nr. 158-1961, Taipei (Chinesisch).

Axford, Barrie u.a. (1992) „Image management, stunts, and dirty tricks: the marketing of political brands in television campaigns", *Media, Culture, and Society*, 14 (4): 637-651.

Azevedo, Milton (Hg.) (1991) *Contemporary Catalonia in Spain and Europe*, Berkeley: University of California, Gaspar de Porcola Catalonian Studies Program.

Bachr, Peter R. und Gordenker, Leon (1994) *The UN in the 1990s*, New York: St. Martin's Press.

Badie, Bertrand (1992) *L'État importé: essai sur l'occidentalisation de l'ordre politique*, Paris: Fayard.

Bakhash, Shaul (1990) „The Islamic Republic of Iran, 1979-1989", *Middle East Focus*, 12 (3): 8-12, 27.

Balta, Paul (Hg.) (1991) *Islam: Civilisations et sociétés*, Paris: Editions du Rocher.

Balz, Dan und Brownstein, Ronald (1996) *Storming the Gates: Protest Politics and the Republican Revival*, Boston: Little, Brown and Comp.

Barber, Benjamin R. (1991) „Letter from America, September 1993: the rise of Clinton, the fall of democrats, the scandal and the media", *Government and Opposition*, 28 (4): 433-443.

Barker, Anthony (1992) *The Upturned Stone: Political Scandals in Twenty Democracies and their Investigation Process*, Colchester: University of Essex, Essex Papers in Politics and Government.

Barnett, Bernice McNair (1995) „Black women's collectivist movement organizations: their struggles during the ‚doldrums'„, in Ferree und Martin (Hg.): 199-222.

Barone, Michael und Ujifusa, Grant (1995) *The Almanac of American Politics 1996*. Washington, DC: National Journal.

Barron, Brure und Shupe, Anson (1992) „Reasons for growing popularity of Christian reconstructionism: the determination to attain dominion", in Misztal und Shupe (Hg.): 83-96.

Bartholet, E. (1990) *Family Bonds, Adoption and the Politics of Parenting*, New York: Houghton Mifflin.

Bartz, Steve (1996) „Environmental organizations and evolving information technologies", Berkeley: University of Califonia, Department of Sociology, unveröffentlichtes Seminarpapier für SOC 290.2, Mai.

Baylis, John und Rengger, N.J. (Hg.) (1992) *Dilemmas of World Politics. International Issues in a Changing World*, Oxford: Clarendon Press.

Beccalli, Bianca (1994) „The modern women's movement in Italy", *New Left Review*, 204, March/April: 86-112.

Bellah, Robert N., Sullivan, William M., Swidler, Ann und Tipton, Steven M. (1985) *Habits of the Heart. Individualism and Commitment in American Life*, Berkeley: University of California Press (zit. nach der Ausgabe in der Perennial Library von Harper and Row, New York, 1986).

Bellers, Jürgen (Hg.) (1989) *Politische Korruption*, Münster: Lit.

Bennett, David H. (1995) *The Party of Fear: the American Far Right from Nativism to the Militia Movement*, New York: Vintage Books.

Bennett, William J. (1994) *The Index of Leading Cultural Indicators: Facts and Figures on the State of American Society*, New York: Touchstone.

Berdal, Mats R. (1993) *Whither UN Peacekeeping?: An Analysis of the Changing Military Requirements of UN Peacekeeping with Proposals for its Enhancement*, London: Brassey's für das International Institute of Strategic Studies.

Berins Collier, Ruth (1992) *The Contradictory Alliance. State-Labor Relationships and Regime Changes in Mexico*, Berkeley: University of California, International and Area Studies.

Berlet, Chips und Lyons, Matthew N. (1995) „Militia nation", *The Progressive*, Juni.

Berman, Jerry und Weitzner, Daniel J. (1995) „Abundance and user control: renewing the democratic heart of the First Amendment in the age of interactive media", *Yale Law Journal*, 104, (7): 1619-1637.

Bernard, Jessie (1987) *The Female World from a Global Perspective*, Bloomington, Ind.: Indiana University Press.

Berry, Sebastian (1992) „Party strategy and the media: the failure of Labour's 1991 election campaign", *Parliamentary Affairs*, 45, (4): 565-581.

Betts, Mitch (1995) "The politicizing of Cyberspace", *Computerworld*, 29 (3): 20.

Bilbao La Vieja Diaz, Antonio, Perez de Rada, Ernesto und Asturizaga, Ramiro (1996) „CONDEPA movimiento patriotico", La Paz: Naciones Unidas / CIDES, unveröff. Forschungsmonografie.

Birnbaum, Lucia Chiavola (1986) *Liberazione della donna: Feminism in Italy*, Middletown, Conn.: Wesleyan University Press.

Black, Gordon S. und Black, Benjamin D. (1994) *The Politics of American Discontent: How a New Party Can Make Democracy Work Again*, New York: John Wiley and Sons.

Blakely, Edward und Goldsmith, William (1993) *Separate Societies: Poverty and Inequality in American Cities*, Philadelphia: Temple University Press.

Blas Guerrero, Andres (1994) *Nacionalismos y naciónes en Europa*, Madrid: Alianza Editorial.

Blossfeld, Hans-Peter (Hg.) (1995) *The New Pole of Women: Family Formation in Modern Societies*, Boulder, Col.: Westview Press.

Blum, Linda (1991) *Between Feminism and Labor: The Politics of the Comparable Worth Movement*, Berkeley: University of California Press.

Blumberg, Raf Lesser, Rakowski, Cathy A. Tinker, Irene und Montfon, Michael (Hg.) (1995) *EnGENDERing Wealth and Well-Being*, Boulder, Col.: Westview Press.

Blumenfield, Seth D. (1994) „Developing the global information infrastructure", *Federal Communications Law Journal*, 47 (2): 193-196. Blumstein, Philip und Schwartz, Pepper (1983) *American Couples: Money, Work, Sex*, New York: William Morrow.

Boardmann, Robert (1994) *Post-socialist World Orders: Russia, China, and the UN System*, New York: St. Martin's Press.

Bobbio, Norberto (1994) *Destra e sinistra: ragioni e significati di una distinzione politica*, Rom: Donzelli editore.

Borja, Jordi (1988) *Estado y ciudad*, Barcelona: Promociones y Publicaciones Universitarias.

– und Castells, Manuel (1996) *Local and Global: The Management of Cities in the Information Age*, London: Earthscan.

– u.a. (1992) *Estrategias de desarollo e internacionalizacion de las ciudades europeas: las redes de ciudades*. Barcelona: Consultores Europeos Asociados, Forschungsbericht.

Bouissou, Jean-Marie (1991) „Corruption à la Japonaise", *L'Histoire*, 142, März: 84-87.

Bramwell, Anna (1989) *Ecology in the 20th Century: A History*, New Haven: Yale University Press.

– (1994) *The fading of the Greens: The Decline of Environmental Politics in the West*, New Haven: Yale University Press.

Brenner, Daniel (1994) „In search of the multimedia grail", *Federal Communications Law Journal*, 47 (2): 197-203.

Broadcasting & Cable (1995) „Top of the week", Mai.

Brown, Helen (1992) *Women Organising*, London: Routledge.

Brown, Michael (1993) „Earth warship or black magic?", *The Amicus Journal*, 14 (4): 32-4.

Brubaker, Timothy H. (Hg.) (1993) *Family Relations: Challenges for the Future*. Newbury Park, Calif.: Sage.

Bruce, Judith, Lloyd, Cynthia B. und Leonard, Ann (1995) *Families in Focus: New Perspectives of Mothers, Fathers, and Children*, New York: Population Council.

Brulle, Robert J. (1996) „Environmental discourse and social movement organizations: a historical and rhetorical perspective on the development of US environmental organizations", *Sociological Inquiry*, 66 (1): 58-83.

Buci-Glucksmann, Christine (1981) *Gramsci und der Staat: für eine materialistische Theorie der Philosophie*, Köln: Pahl-Rugenstein.

Buckler, Steve (1993) *Dirty Hands: the Problem of Political Morality*, Brookfield: Averbury.

Buckley, Peter (Hg.) (1994) *Cooperative Forms of Transnational Corporation Activity*, London / New York: Routledge.

Buechler, Steven M. (1990) *Women's Movement in the United States*, Brunswick, NJ; Rutgers University Press.

Bull, Hedley (1977) *The Anarchical Society*, London: Macmillan.

Burgat, Francois und Dowell, William (1993) *The Islamic Movement in North Africa, Austin*, Texas: University of Texas, Center for Middle Eastern Studies.

Burnham, David (1983) *The Rise of the Computer State*, New York: Vintage.

Business Week (1995a) "The future of money", 12. Juni.

Business Week (1995b) „Hot money", 20. März.

Business Week (1995c), „Mexico: Salinasis fast becoming a dirty word", 25. Dezember: 54-55.

Business Week (1995d) „The new populism", März.

Business Week (1995e) „Power to the states", August: 49-56.

Buss, David M. (1994) *The Evolution of Desire: Strategies of Human Mating*. New York: Basic Books.

Butler, Judith (1990) *Gender Trouble: Feminism and the Subversion of Identity*, New York: Routledge.

Cabre, Anna (1990) „Es compatible la protección de la familia con la liberación de la mujer?", in Instituto de la Mujer (Hg.), *Mujer y Demografia*, Madrid: Ministerio de Asuntos Sociales.

– und Domingo, Antonio (1992) „La Europa despues de Maastrich: reflexiones desde la demografia", *Revista de Economia*, 13: 63-69.

Cacho, Jesus (1994) *MC: un intruso en el laberinto de los elegidos*, Madrid: Temas de hoy.

Caipora Women's Group (1993) *Women in Brazil*, London: Latin American Bureau.

Calabrese, Andrew und Borchert, Mark (1996) „Prospects for electronic democracy in the United States: rethinking communication and social policy", *Media, Culture, and Society*, 18: 249-268.

Calderon, Fernando (1995) *Movimientos sociales y politica*, Mexico: Siglo XXI.

– und Laserna, Roberto (1994) *Paradojas de la modernidad*, La Paz: Fundación Milenio.

– u.a. (1996) *Esa esquiva modernidad: desarrollo, ciudadania y cultura en América Latina y el Caribe*, Caracas: Nueva Sociedad/UNESCO.

Calhoun, Craig (Hg.) (1994) *Social Theory and the Politics of Identity*, Oxford: Blackwell.

Camilleri, J.-A. und Falk, K. (1992) *The End of Sovereignty*, Aldershot: Edward Elgar.

Campbell, B. (1992) „Feminist politics after Thatcher", in H. Hinds, u.a. (Hg.) *Working Out: New Directions for Women's Studies*, London: Taylor and Francis: 13-17.

Campbell, Colin und Rockman, Bert A. (Hg.) (1995) *The Clinton Presidency: First Appraisals*, Chatham, NJ: Chatham House.

Campo Vidal, Manuel (1996) *La transición audiovisual*, Barcelona: Ediciones B.

Cardoso de Leite, Ruth (1983) „Movimientos socials urbanos: balanço critico", *in Sociedade e politica no Brasil* pos-64, São Paulo: Brasiliense.

Carnoy, Martin (1984) *The State and Political Theory*, Princeton, NJ: Princeton University Press.

– (1993) „Multinationals in a changing world economy: whither the nation-state?", in Carnoy u.a. (Hg.): 45-96.

– (1994) *Faded Dreams: The Politics and Economics of Race in America*, New York: Cambridge University Press.

–, Castells, Manuel, Cohen, Stephen S. und Cardoso, Fernando H. (1993) *The New Global Economy in the Information Age*, University Park, PA: Penn State University Press.

Carre, Olivier (1984) *Mystique et politique: Lecture révolutionnaire du Coran by Sayyed Qutb*, Paris: Editions du Cerf-Presses de la Fondation Nationale des Sciences Politiques.

Carrère d'Encausse, Hélène (1987) *Le grand defi: Bolchéviks et nations, 1917-1930*, Paris: Flammarion.

– (1993) *The End of the Soviet Empire: The Triumph of Nations*, New York: Basic Books (frz. Orig. 1991).

Castells, Manuel (1981) „Local government, urban crisis, and political change", in *Political Power and Social Theory: A Research Annual*, Greenwich, CT: JAI Press, 2: 1-20.

– (1983) *The City and the Grassroots: A Cross-cultural Theory of Urban Social Movements*, Berkeley: University of California Press, und London: Edward Arnold.

– (1992a) „Four Asian tigers with a dragon head: a comparative analysis of the state, economy, and society in the Asian Pacific rim", in Appelbaum, Richard und Henderson, Jeffrey (Hg.) *States and Development in the Asian Pacific Rim*, Newbury Park, CA: Sage: 33-70.

– (1992b) *La nueva revolución rusa*, Madrid: Sistema.

– (1992c) „Las redes sociales del SIDA." Eröffnungsansprache auf dem Social Sciences Symposium, *World Congress on AIDS research*, Madrid, Mai 1992.

– (1996) „El futuro del estado del bienestar en la sociedad informacional", *Sistema*, 131, März: 35-53.

– und Murphy, Karen (1982) „Cultural identity and urban structure: the spatial organization of San Francisco's gay community", in Fainstein, Norman T. und Fainstein, Susan S. (Hg.) *Urban Policy under Capitalism, Urban Affairs Annual Reviews*, Bd. 22, Beverly Hills, Calif.: Sage: 237-60.

–, Yazawa, Shujiro und Kiselyova, Emma (1996) „Insurgents against the global order: a comparative analysis of the Zapatistas in Mexico, the American Militia and Japan's Aum Shinrikyo", *Berkeley Journal of Sociology*, 40: 21-60.

Castells, Nuria (i.E.) *Environmental policies and international agreements in the European Union: a comparative analysis*, Amsterdam: University of Amsterdam, Economics Department, unveröff. Diss.

Chatterjee, Partha (1993) *The Nation and its Fragments: Colonial and Postcolonial Histories*, Princeton, NJ: Princeton University Press.

Chesnais, Francois (1994) *La mondialisation du capital*, Paris: Syros.

Cheung, Peter T.Y. (1994) „Relations between the central government and Guandong“, in Y.M. Yeung und David K.Y Chu (Hg.), *Guandong: Survey of a Province Undergoing Rapid Change*, Hong Kong: The Chinese University Press: 19-51.

Cho, Lee-Jay und Yada, Moto (Hg.) (1994) *Tradition and Change in the Asian Family*, Honolulu: University of Hawaii Press.

Chodorow, Nancy (1978) *The Reproduction of Mothering: Psychoanalysis and the Sociology of Gender*, Berkeley: University of California Press.

– (1985) Das *Erbe der Mütter. Psychoanalyse und Soziologie der Geschlechter.* Aus dem Amerikanischen von Gitta Mühlen-Achs. München: Frauenoffensive.

– (1989) *Feminism and Psychoanalytical Theory*, New Haven: Yale University Press.

– (1994) *Feminities, Masculinities, Sexualities: Freud and Beyond*, Lexington, Ky; University Press of Kentucky.

Chong, Rachelle (1994) „Trends in communication and other musings on our future“, *Federal Communications Law Journal*, 47 (2): 213-219.

Choueri, Youssef M. (1993) *Il fondamentalismo islamico: Origine storiche e basi sociali*, Bologna: II Mulino.

Coalition for Human Dignity (1995) *Against the New World Order: the American Militia Movement*, Portland, Oregon: Coalition for Human Dignity Publications.

Coates, Thomas J. u.a. (1988) *Changes in Sex Behavior of Gay and Bisexual Men since the Beginning of the AIDS Epidemics*, San Francisco: University of California, Center for AIDS Prevention Studies.

Cobble, Dorothy S. (Hg.) (1993) *Women and Unions: Forging a Partnership*, New York: International Labour Review Press.

Cohen, Roger (1996) „Global forces batter politics“, *The New York Times*, Sunday, 17. November Teil. 4: 1-4.

Cohen, Stephen (1993) „Geo-economics: lessons from America's mistakes“, in Carnoy u.a. (Hg.): 97-148.

Cohen, Jeffrey E. (1986) „The dynamics of the 'revolving door' on the FCC“, *American Journal of Political Science*, 30 (4).

Coleman, Marilyn und Ganong, Lawrence H. (1993) „Families and marital disruption", in Brubaker (Hg.): 112-28.

Coleman, William E. Jr. und Coleman, William E. Sr. (1993) *A Rhetoric of the People: the German Greens and the New Politics*, Westport, Conn.: Praeger.

Collier, George A. (1995) *Restructuring Ethnicity in Chiapas and the World*, Stanford University, Department of Anthropology, Research Paper (auf Spanisch veröff. in Nash u.a. (Hg.): 7-20).

– und Lowery Quaratiello, Elizabeth (1994) *Basta! Land and the Zapatista Rebellion in Chiapas*, Oakland, California: Food First Books.

Conquest, Robert (Hg.) (1967) *Soviet Nationalities Policy in Practice*, New York: Praeger.

Contreras Basnipeiro, Adalid (1991) „Medios multiples, pocas voces: inventario de los medios de comunicación de masas en Bolivia“, *Revista UNITAS* : 61-105.

Cook, Maria Elena u.a. (Hg.) (1994) *The Politics of Economic Restructuring: State-society Relations and Regime Change in Mexico*, La Jolla: University of California at San Diego, Center of US-Mexican Studies.

Cooke, Philip (1994) *The Cooperative Advantage of Regions*, Cardiff: University of Wales, Centre for Advanced Studies.

Cooper, Jerry (1995) *The Militia and the National Guard in America since Colonial Times: a Research Guide*, Westport, Conn.: Greenwood Press.
Cooper, Marc (1995) „Montana's mother of all militias", *The Nation*, 22. Mai.
Corn, David (1995) „Playing with fire", *The Nation*, 15. Mai.
Costain, W. Douglas und Costain, Anne N. (1992) „The political strategies of social movements: a comparison of the women's and environmental movements", in *Congress and the Presidency*, 19 (1): 1-27.
Cott, Nancy (1989) „What's in a name? The limits of 'social feminism'; or, expanding the vocabulary of women's history", *Journal of American History*, 76: 809-829.
Couch, Carl J. (1990) „Mass communications and state structures", *The Social Science Journal*, 27, (2): 111-128.
CQ Researcher (1992) Sonderheft: „Politicians and privacy", 2 (15), 17. April.
Dalton, Russell J. (1994) *The Green Rainbow: Environmental Groups in Western Europe*, New Haven: Yale University Press.
– und Kuechler, Manfred (1990) *Challenging the Political Order: New Social and Political Movements in Western Democracies*, Cambridge: Polity Press. Daniel, Donald und Hayes, Bradd (Hg.) (1995) *Beyond Traditional Peacekeeping*, New York: St. Martin's Press.
Davidson, Osha Grey (1993) *Under Fire: the NRA and the Battle for Gun Control*, New York: Henry Holt.
Davis, John (Hg.) (1991) *The Earth First! Reader*, Salt Lake City: Peregrine Smith Books.
Dees, Morris, und Corcoran, James (1996) *Gathering Storm: America's Militia Network*, New York: Harper-Collins.
Dekmejian, R. Hrair (1995) *Islam in Revolution: Fundamentalism in the Arab World*, Syracuse, NY: Syracuse University Press.
Delcroix, Catherine (1995) „Algeriennes et Egyptiennes: enjeux et sujets de sociétés en crise", in Dubet und Wieviorka (Hg.) : 257-72.
DeLeon, Peter (1993) *Thinking about Political Corruption*, Armonk, NY: M.E. Sharpe.
Delphy, Christine (Hg.) (1984) *Particularisme et universalisme*, Paris: Nouvelles Questions Feministes, Nr. 17/17/18.
D'Emilio, John (1980/1993) „Capitalism and gay identity", in Abelove u.a. (Hg.): 467-76.
– (1983) *Sexual Politics, Sexual Communities: the Making of a Homosexual Minority in the United States, 1940-1970*, Chicago: University of Chicago Press.
DeMont, John (1991) „Frontline fighters", *Mclean's*, 104 (50): 46-47.
Dentsu Institute for Human Studies (1994) *Media in Japan*, Tokyo: DataFlow International.
Deutsch, Karl (1953) *Nationalism and Social Communication: an Inquiry into the Foundations of Nationality* (nach der Ausg. von MIT Press, Cambridge, Mass. 1966).
De Vos, Susan (1995) *Household Composition in Latin America*, New York: Plenum Press.
Diamond, Irene und Orenstein, Gloria (1990) *Reweaving the World: the Emergence of Ecofeminism*, San Francisco: Sierra Club Books.
Diani, Mario (1995) *Green Networks: a Structural Analysis of the Italian Environmental Movement*, Edinburgh: Edinburgh University Press.
Dickens, Peter (1990) „Science, social science and environmental issues: Ecological movements as the recovery of human nature", Papier für die Konferenz der British Association for the Advancement of Science, University of Swansea, August.
Dietz, Thomas und Kalof, Linda (1992) „Environmentalism among nation-states", *Social Indicators Research*, 26: 353-366.
Di Marco, Sabina (1993) „Se la televisione guarda a sinistra", *Ponte*, 49
(7): 869-78.
– (1994) „La televisione, la politica e il cavaliere", *Ponte*, 50 (2): 9-11.
Dionne, E.J. (1996) *They Only Look Dead: Why Progressives Will Dominate the Next Political Era*, New York: Simon and Schuster.

Dobson, Andrew (1990) *Green Political Thought: an Introduction*, London: Unwin Hyman.
– (Hg.) (1991) *The Green Reader: Essays toward a Sustainable Society*, San Francisco: Mercury House.
Doyle, Marc (1992) *The Future of Television: a Global Overview of Programming, Advertising, Technology and Growth*, Lincolnwood, Ill.: NTC Business Books.
Drew, Christopher (1995) "Japanese sect tried to buy US arms, technology, Senator says", *The New York Times*, 31. Oktober: A5.
Dubet, François und Wieviorka, Michel (Hg.) (1995) *Penser le sujet*, Paris: Fayard.
Duffy, Ann und Pupo, Norene (Hg.) (1992) *Part-time Paradox: Connecting Gender, Work and Family*, Toronto: The Canadian Publishers.
Dulong, René (1978) *Les regions, l'état et la société locale*, Paris: Presses Universitaires de France.
Dunaher, Kevin (Hg.) (1994) *50 Years is Enough: the Case against the World Bank and the IMF*, Boston: South End Press.
Ebbinghausen, Rolf und Neckel, Sighard (Hg.) (1989) *Anatomie des politischen Skandals*, Frankfurt/M.: Suhrkamp.
Ehrenreich, Barbara (1983) *The Hearts of Men: American Dreams and the Flight from Commitment*, Garden City, NY: Anchor Press/Doubleday.
Eisenstein, Zillah R. (1981/1993) *The Radical Future of Liberal Feminism*, Boston: Northeastern University Press.
Ejercito Zapatista de Liberación Nacional (1994) *Documentos y comunicados*, Mexico: Ediciones Era (Vorwort von Antonio Garcia de Leon, Chroniken von Elena Poniatowska und Carlos Monsivais).
– /Subcomandante Marcos (1995) *Chiapas: del dolor a la esperanza*, Madrid: Los libros de la catarata.
Eley, Geoff und Suny, Ronald Grigor (Hg.) (1996) *Becoming National: a Reader*, New York: Oxford University Press.
Elliott, J.H. und de la Pena, J.F. (1978) *Memoriales y cartas del Conde-Duque de Olivares*, Madrid: Alfaguara.
Epstein, Barbara (1991) *Political Protest and Cultural Revolution: Nonviolent Direct Action in the 1970s and 1980s*, Berkeley: University of California Press.
– (1995) „Grassroots environmentalism and strategies for social change", *New Political Science*, 32: 1-24.
Ergas, Yasmine (1985) *Nelle maglie della politica: femminismo, instituzione e politiche sociale nell'Italia degli anni settanta*, Mailand: Feltrinelli.
Espinosa, Maria und Useche, Helena (1992) *Abriendo camino: historias de mujeres*, Bogota: FUNDAC.
Esposito, John L. (1990) *The Iranian Revolution: its Global Impact*, Miami: Florida International University Press.
Esprit (1994) „Editorial: face à la télécratie", 5: 3-4.
Etzioni, Amitai (1993) *The Spirit of Community: Rights, Responsibilities, and the Communitarian Agenda*, New York: Crown.
Evans, Sara (1979) *Personal Politics: the Roots of Women's Liberation in Civil Rights Movement and the New Left*, New York: Alfred A. Knopf.
Eyerman, Ron und Jamison, Andrew (1989) „Environmental knowledge as an organizational weapon: the case of Greenpeace", *Social Science Information*, 28 (l): 99-119.
Fackler, Tim und Lin, Tse-Min (1995) „Political corruption and presidential elections, 1929-1992", *The Journal of Politics*, 57 (4): 971-93.
Faison, Seth (1996) „Chinese cruise Internet, wary of watchdogs", *The New York Times*, 5. Februar: A1.
Falk, Richard (1995) *On Humane Governance: Towards a New Global Politics*, University Park, PA: Pennsylvania State University Press.

Fallows, James (1996) *Breaking the News: How the Media Undermine American Democracy*, New York: Pantheon.

Faludi, Susan (1991) *Backlash: the Undeclared War on American Women*, New York: Crown.

Farnsworth Riche, Martha (1996) „How America is changing – the view from the Census Bureau, 1995", in *The World Almanac and Book of Facts*, 1996: 382-383.

Fassin, Didier (1996) „Exclusions, underclass, marginalidad: figures contemporaines de la pauvreté urbaine en France, aux Etats-Unis et en Amérique Latine", *Revue Française de Sociologie*, 37: 37-75.

Ferraresi, Franco und Kemeny, Pietro (1977) *Classi sociali e politica urbana*, Rom: Officina Edizioni.

Ferrater Mora, Josep (1960) *Les formes de la vida catalana*, Barcelona: Editorial Selecta.

Ferree, Myra Marx und Hess, Beth B. (1994) *Controversy and Coalition: the New Feminist Movement across Three Decades of Change*, New York: Maxwell Macmillan.

– und Martin, Patricia Yancey (Hg.) (1995) *Feminist Organizations: Harvest of the Women's Movement*, Philadelphia: Temple University Press.

Ferrer i Girones, F. (1985) *La persecució politica de la llengua catalana*, Barcelona: Edicions 62.

Financial Technology International Bulletin (1995) „A lawless frontier", 12 (12): 10.

Fischer, Claude S. (1982) *To Dwell among Friends: Personal Networks in Town and City*, Chicago: University of Chicago Press.

– u.a. (1995) *Inequality by Design*, Princeton, NJ, Princeton University Press.

Fisher, Robert und Kling, Joseph (Hg.) (1993) *Mobilizing the Community: Local Politics in the Era of the Global City*, Thousand Oaks, CA: Sage.

Fitzpatrick, Mary Anne und Vangelisti, Anita L. (Hg.) (1995) *Explaining Family Interactions*, Thousand Oaks, CA: Sage.

Fooner, Michael (1989) *Interpol: Issues in World Crime and International Criminal Justice*, New York: Plenum Press.

Foucault, Michel (1976) *La volonté de savoir: histoire de la sexualité*, Bd. I, Paris: Gallimard.

– (1984a) *L'usage des plaisirs: histoire de la sexualité*, Bd. II, Paris: NRF.

– (1984b) *Le souci de soi: histoire de la sexualité*, Bd. III, Paris: NRF.

Frankel, J. (1988) *International Relations in a Changing World*, Oxford: Oxford University Press.

Frankland, E. Gene (1995) „The rise, fall, and recovery of Die Grünen", in Richardson und Rootes (Hg.): 23-44.

Franklin, Bob (1994) *Packaging Politics: Political Communications in Britain's Media Democracy*, London: Edward Arnold.

Freeman, Michael (1994) „Polls set spending record", *Mediaweek*, 4 (44): 6. Friedland, Lewis A. (1996) „Electronic democracy and the new citizenship", *Media, Culture, and Society*, 18: 185-11.

Friedrich, Carl J. (1966) „Political pathology", *Political Quarterly*, 37: 74.

Fujita, Shoichi (1995) *AUM Shinrikyo Jiken* (Die Zwischenfälle mit AUM Shinrikyo), Tokyo: Asahi-Shinbunsha.

Funk, Nanette und Mueller, Magda (Hg.) (1993) *Gender Politics and Post-Communism: Reflections from Eastern Europe and the Former Soviet Union*, New York: Routledge.

Fuss, Diana (1989) *Essentially Speaking: Feminism, Nature, and Difference*, London: Routledge.

Ganley, Gladys G. (1991) „Power to the people via personal electronic media", *The Washington Quarterly*, Frühjahr: 5-22.

Gans, Herbert J. (1995) *The War against the Poor: the Underclass and Anti-poverty Policy*, New York: Basic Books.

Garaudy, Roger (1990) *Integrismes*, Paris: Belfont.

Garber, Doris A. (1984) *Mass Media in American Politics*, 2. Ausg., Washington, DC: CQ Press.

– (1996) „The new media and politics – what does the future hold?", *Political Science and Politics*, 29 (l): 33-6.

Garcia Cotarelo, Ramon (1995) *La conspiración*, Barcelona: Ediciones B.
Garcia de Leon, Antonio (1985) *Resistencia y utopia: memorial de agravios y cronica de revueltas y profecias acaecidas en la provincia de Chiapas durante los ultimos quinientos años de su historia*, Bd. 2, Mexico: Ediciones Era.
Garcia-Ramon, Maria Dolors und Nogue-Font, Joan (1994) „Nationalism and geography in Catalonia", in Hooson (Hg.): 197-211.
Garment, Suzanne (1991) *Scandal: the Culture of Mistrust in American Politics*, New York: New York Times Books.
Garramone, Gina M. u.a. (1990) „Effects of negative political advertising on the political process", *Journal of Broadcasting and Electronic Media*, 34 (3): 299-311.
Gates, Henry Louis, Jr. (1996) „Parable of the talents", in Gates und West (Hg.): 1-52.
– und West, Cornel (Hg.) (1996) *The Future of the Race*, New York: Alfred A. Knopf.
Gelb, Joyce und Lief-Palley, Marian (Hg.) (1994) *Women of Japan and Korea: Continuity and Change*, Philadelphia: Temple University Press.
Gellner, Ernest (1991): *Nationalismus und Moderne*, Berlin: Rotbuch (engl. Orig. *Nations and Nationalism*, Oxford: Blackwell 1983).
Gerami, Shahin (1996) *Women and Fundamentalism: Islam and Christianity*, New York: Garland.
Gerbner, George, Mowlana, Hamid und Nordenstreng, Kaarle (Hg.) (1993) *The Global Media Debate: its Rise, Fall, and Renewal*, Norwood, NJ: Ablex.
Giddens, Anthony (1985) *A Contemporary Critique of Historical Materialism*, Bd. II: *The Nation-state and Violence*, Berkeley: University of California Press.
– (1991) *Modernity and Self-identity: Self and Society in the Late Modern Age*, Cambridge: Polity Press.
– (1992) *The Transformation of Intimacy: Sexuality, Love and Eroticism in Modern Societies*, Stanford: Stanford University Press.
Gil, Jorge u.a. (1993) „La red de poder mexicana: el caso de Miguel Aleman", *Revista Mexicana de Sociologia*, 3/95: 103-120.
Ginsborg, Paul (Hg.) (1994) *Stato dell'Italia*, Mailand: II Saggiatore.
Giroux, Henry A. (1996) *Fugitive Cultures: Race, Violence and Youth*, New York: Routledge.
Gitlin, Todd (1980) *The Whole World is Watching: Mass Media in the Making and Unmaking of the New Left*, Berkeley: University of California Press.
Gleason, Nancy (1995) „Freenets: cities open the electronic door", *Government Finance Review*, 11 (4): 54-55.
Godard, Francis (Hg.) (1996) Villes, Sonderheft von *Le Courrier du CNRS*, Paris: Centre National de la Recherche Scientique.
Gohn, Maria da Gloria (1991) *Movimientos socials e luta pela moradia*, São Paulo: Edições Loyola.
Golden, Tim (1995) „A cocaine trail in Mexico points to official corruption", *The New York Times*, 19. April: l, 8.
Goldsmith, M. (1993) „The Europeanisation of local government", *Urban Studies*, 30: 683-99.
Gole, Nilufer (1995) „L'emergence du sujet islamique", in Dubet und Wieviorka (Hg.): 221-34.
Gonsioreck, J.C. und Weinrich, J.D. (1991) *Homosexuality: Research Implications for Public Policy*, Newbury Park, CA: Sage.
Goode, William J. (1993) *World Changes in Divorce Patterns*, New Haven: Yale University Press.
Gottlieb, Robert (1993) *Forcing the Spring: the Transformation of the American Environmental Movement*, Washington, DC: Island Press.
Graf, James E. (1995) „Global information infrastructure first principles", *Telecommunications*, 29 (l): 72-73.
Graham, Stephen (1995) „From urban competition to urban collaboration? The development of interurban telematic networks", *Environment and Planning C: Government and Policy*, 13: 503-524.

Granberg, A. (1993) "The national and regional commodity markets in the USSR: trends and contradictions in the transition period", *Papers in Regional Science*, 72: l.

– und Spehl, H. (1989) *Regionale Wirtschaftspolitik in der UdSSR und der BRD*, Bericht des Vierten Sowjetisch-Deutschen Seminars zur Regionalentwicklung, Kiev, 1.-10. Oktober 1989.

Greenberg, Stanley B. (1995) *Middle Class Dreams: The Politics of Power of the New American Majority*, New York: Times Books.

Gremion, Pierre (1976) *Le pouvoir periphérique*, Paris: Seuil.

Grier, Peter (1995) „Preparing for the 21st Century information war", *Government Executive*, 28 (8): 130-132.

Griffin, Gabriele (Hg.) (1995) *Feminist Activism in the 1990s*, London: Francis and Taylor.

– u.a. (Hg.) (1994) *Stirring It: Challenges for Feminism*, London: Taylor and Francis.

Grosz, Elizabeth (1995) *Space, Time, and Perversion*, London: Routledge.

Grubbe, Peter (1993) *Selbstbedienungsladen: vom Verfall der Demokratischen Moral*, Wuppertal: Hammer.

Guehenno, Jean Marie (1993) *La fin de la démocratie*, Paris: Flammarion (zit. Nach der spanischen Übersetzung, Barcelona: Paidós 1995, eigene Übersetzung ins Englische).

Gumbel, Andrew (1994) „French deception", *New Statesman and Society*, 7, 328: 24.

Gunlicks Arthur B. (Hg.) (1993) *Campaign and Party Finance in North America and Western Europe*, Boulder, Col.: Westview Press.

Habermas, Jürgen (1973) *Legitimationsprobleme im Spätkapitalismus*, Frankfurt/M.: Suhrkamp.

Hacker, Kenneth L. (1996) „Missing links and the evolution of electronic democratization", *Media, Culture, and Society*, 18: 213-323.

Hadden, Jeffrey und Shupe, Hanson (1989) *Fundamentalism and Secularization Reconsidered*, New York: Paragon House.

Hage, Jerald und Powers, Charles (1992) *Postindustrial Lives: Roles and Relationships in the 21st Century*, London: Sage.

Halperin, David M., Winkler, John J. und Zeitlin, Froma I. (Hg.) (1990) *Before Sexuality: the Construction of Erotic Experience in the Ancient Greek World*, Princeton, NJ: Princeton University Press.

Halperin Donghi, Tulio (1969) *Historia contemporanea de America Latina*, Madrid: Alianza Editorial.

Handelman, Stephen (1995) *Comrade Criminal: Russia's New Mafiya*, New Haven: Yale University Press.

Hay, Colin (1994) „Environmental security and state legitimacy", *Capitalism, Nature, Socialism*, l: 83-98.

Heard, Alex (1995) „The road to Oklahoma City", *The New Republic*, 15. Mai.

Heidenheimer, Arnold J., Johnston, Michael und LeVine, Victor T. (Hg.) (1989) *Political Corruption: a Handbook*, New Brunswick, NJ: Transaction.

Held, David (1991) „Democracy, the nation-state and the global system", *Economy and Society*, 20 (2): 138-172.

– (Hg.) (1993) *Prospects for Democracy*, Cambridge: Polity Press.

Heller, Karen S. (1992) „Silence equals death: discourses on AIDS and identity in the gay press, 1981-1986", unveröff. Diss, San Francisco: University of California.

Helvarg, David (1995) "The anti-enviro connection", *The Nation*, 22. Mai.

Hempel, Lamont C. (1996) *Environmental Governance: the Global Challenge*, Washington, DC: Island Press.

Herek, Gregory M. und Greene, Beverly (Hg.) (1995) *HIV, Identity and Community: the HIV Epidemics*, Thousand Oaks, CA: Sage.

Hernandez Navarro, Luis (1995) *Chiapas: la guerra y la paz*, Mexico: ADN Editores.

Hester, Marianne, Kelly, Liz und Radford, Jill (1995) *Women, Violence, and Male Power: Feminist Activism, Research and Practice*, Philadelphia: Open University Press.

Hicks, L. Edward (1994) *Sometimes in the Wrong, but Never in Doubt: George S. Benson and the Education of the New Religious Right*, Knoxville: University of Tennessee Press.

High Level Experts Group (1996) *The Information Society in Europe, Report to the European Commission,* Brüssel: Commission of the European Union.

Himmelfarb, Gertrude (1995) *The De-moralization of Society: from Victorian Virtues to Modern Values,* New York: Alfred A. Knopf.

Hirkett, Mervyn (1992) *Some to Mecca Turn to Pray. Islamic Values in the Modern World,* St. Albans: Claridge Press.

Hiro, Dilip (1989) *Holy Wars: The Rise of Islamic Fundamentalism*, New York: Routledge.

Hirst, Paul und Thompson, Grahame (1996) *Globalization in Question: the International Economy and the Possibilities of Governance*, Cambridge: Polity Press.

Hobsbawm, Eric J. (1990) *Nations and Nationalism since 1780*, Cambridge: Cambridge University Press.

– (1991) *Nationen und Nationalismus. Mythos und Realität seit 1780*, Frankfurt/M./New York: Campus

– (1992) *Nations and Nationalism since 1780. Programme, Myth, Reality*, 2. Ausg. Cambridge: Cambridge University Press.

– (1994) *The Age of Extremes: a History of the World, 1914-1991*, New York: Pantheon Books.

Hochschild, Jennifer L. (1995) *Facing up to the American Dream: Race, Class, and the Soul of the Nation*, Princeton, NJ: Princeton University Press.

Holliman, Jonathan (1990) „Environmentalism with a global scope", *Japan Quarterly*, Juli-September: 284-290.

hooks, bell (1989) *Talking Back: Thinking Feminist, Thinking Black,* Boston: South End Press.

– (1990) *Yearning: Race, Gender, and Cultural Politics*, Boston: South End Press.

– (1993) *Sisters of the Yaw: Black Women and Self-Recovery*, Boston: South End Press.

Hooson, David (1994a) „Ex-Soviet identities and the return of geography", in Hooson (Hg.): 134-140.

– (Hg.) (1994b) *Geography and National Identity,* Oxford: Blackwell.

Horsman, M. und Marshall, A. (1994) *After the Nation State*, New York: Harper-Collins.

Horton, Tom (1991) "The green giant", *Rolling Stone*, 5. September: 43-112.

Hsia, Chu-joe (1996) Persönliche Mitteilung.

Hsing, You-tien (1996) *Making Capitalism in China: the Taiwan Connection*, New York: Oxford University Press.

Hughes, James (1994) „The 'Americanization' of Russian politics: Russia's first television election, December 1993", *The Journal of Communist Studies and Transition Politics*, 10 (2): 125-150.

Hulsberg, Werner (1988) *The German Greens: a Social and Political Profile*, London: Verso.

Hunter, Robert (1979) *Warriors of the Rainbow: a Chronicle of the Greenpeace Movement*, New York: Holt, Rinehart and Winston.

– „Issues, candidate image and priming: the use of private polls in Kennedy's 1960 presidential campaign", *American Political Science Review*, 88 (3): 527-540.

Inoguchi, Takashi (1993) „Japanese politics in transition: a theoretical review", *Government and Opposition*, 28 (4): 443-455.

Irigaray, Luce (1977/1985) *Ce sexe qui n'en est pas un*, zit. nach der englischen Übersetzung (1985), Ithaca, NY: Cornell University Press.

– 1984: *Ethik der sexuellen Differenz*. Frankfurt/M.: Suhrkamp.

Irving, Larry (1994) „Steps towards a global information infrastructure", *Federal Communications Law Journal*, 47 (2): 271-9.

Ivins, Molly (1995) „Fertilizer of hate", *The Progressive*, Juni.

Jacobs, Lawrence R. und Shapiro, Robert Y. (1995) "The rise of presidential polling: the Nixon White House in historical perspective", *Public Opinion Quarterly*, 59: 163-195.
Janowitz, Morris (1976) *Social Control of the Welfare State*, Chicago: University of Chicago Press.
Jaquette, Jane S. (Hg.) (1994) *The Women's Movement in Latin America. Participation and Democracy*, Boulder, Col.: Westview Press.
Jarrett-Macauley, Delia (Hg.) (1996) *Reconstructing Womanhood, Reconstructing Feminism: Writings on Black Women*, London: Routledge.
Jelen, Ted (Hg.) (1989) *Religion and Political Behavior in America*, New York: Praeger.
– (1991) *The Political Mobilization of Religious Belief*, New York: Praeger.
Johansen, Elaine R. (1990) *Political Corruption: Scope and Resources: an Annotated Bibliography*, New York: Garland.
Johnson, Chalmers (1982) *MITI and the Japanese Miracle*, Stanford: Stanford University Press.
– (1995) Japan: *Who Governs? The Rise of the Developmental State*, New York: W.W. Norton.
Johnston, R.J, Knight, David und Kofman, Eleanore (Hg.) (1988) *Nationalism, Self-determination, and Political Geography*, London: Croom Helm.
Jordan, June (1995) „In the land of white supremacy", *The Progressive*, Juni.
Judge, David, Stokes, Gerry und Wolman, Hall (1995) *Theories of Urban Politics*, Thousand Oaks, CA: Sage.
Juergensmayer, Mark (1993) *The New Cold War? Religious Fundamentalism Confronts the Secular State*, Berkeley: University of California Press.
Jutglar, Antoni (1966) *Els burgesos catalans*, Barcelona: Fontanella.
Kahn, Robert E. (1994) "The role of government in the evolution of the Internet", *Communications of the ACM*, 37 (8): 15-9.
Kahne, Hilda und Giele, Janet Z. (Hg.). (1992) *Women's Work and Women's Lives: The Continuing Struggle Worldwide*, Boulder, Col.: Westview Press.
Kaid, Lynda Lee und Holtz-Bacha, Christina (Hg.) (1995) *Political Advertising in Western Democracies*, Thousand Oaks, CA: Sage.
Kaminiecki, Sheldon (Hg.) (1993) *Environmental Politics in the International Arena: Movements, Parties, Organizations, Policy*, Albany: State University of New York Press.
Kanagy, Conrad L. u.a. (1994) „Surging environmentalisms: changing public opinion or changing publics", *Social Science Quarterly*, 75 (4): 804-819.
Katznelson, Ira (1996) *Liberalism's Crooked Circle: Letters to Adam Michnik*, Princeton, NJ: Princeton University Press.
Kazin, Michael (1995) *The Populist Persuasion: an American History*, New York: Basic Books.
Keating, Michael (1995) *Nations against the State: the New Politics of Nationalism in Quebec, Catalonia, and Scotland*, New York: St. Martin's Press.
Keen, Sam (1991) *Fire in the Belly: on Being a Man*, New York: Bantam Books.
Kelly, Petra (1994) *Thinking Green: Essays on Environmentalism, Feminism, and Nonviolence*, Berkeley: Parallax Press.
Kepel, Gilles (1995) „Entre société et communauté: les musulmans au Royaume-Uni et au France aujourd'hui", in Dubet und Wieviorka (Hg.) : 273-88.
Khazanov, Anatoly M. (1995) *After the USSR: Ethnicity, Nationalism, and Politics in the Commonwealth of Independent States*, Madison: University of Wisconsin Press.
Khosrokhavar, Farhad (1995) „Le quasi-individu: de la neo-communauté à la necrocommunauté", in Dubet und Wieviorka (Hg.) : 235-56.
Khoury, Philip und Kostiner, Joseph (Hg.) (1990) Tribes and State Formation in the Middle East, Berkeley: University of California Press.
Kim, Marlene (1993) „Comments", in Cobble (Hg.): 85-92.
King, Anthony (1984) „Sex, money and power: political scandals in Britain and the United States", Colchester, University of Essex, Essex Papers in Politics and Government.

King, Joseph P. (1989) „Socioeconomic development and corrupt campaign practices in England", in Heidenheimer u.a. (Hg.): 233-250.

Kiselyova, Emma und Castells, Manuel (1997) *The New Russian Federalism in Siberia and the Far East*, Berkeley: University of California, Center for Eastern European and Slavic Studies/Center for German and European Studies, Research Paper.

Klanwatch/MilitiaTask Force (KMTF) (1996) *False Patriots. The Threat from Antigovernment Extremists*, Montgomery, Alabama: Southern Poverty Law Center.

Klinenberg, Eric und Perrin, Andrew (1996) „Symbolic politics in the Information Age: the 1996 presidential campaign in Cyberspace", Berkeley: University of California, Department of Sociology, Forschungspapier für Soc 290.2, unveröff.

Kolodny, Annette (1984) *The Land before Her: Fantasy and Experience of the American Frontiers, 1630-1860*, Chapel Hill: University of North Carolina Press.

Kozlov, Viktor (1988) *The Peoples of the Soviet Union*, Bloomington, Ind.: Indiana University Press.

Kraus, K. und Knight, A. (1995) *State, Society, and the UN System: Changing Perspectives on Multilateralism*, New York: United Nations University Press.

Kuppers, Gary (Hg.) (1994) *Compañeras: Voices from the Latin American Women's Movement*, London: Latin American Bureau.

Kuttner, Robert (1995) "The net as free-market utopia? Think again", *Business Week*, 4. September: 24.

Lamberts-Bendroth, Margaret (1993) *Fundamentalism and Gender: 1875 to Present*, New Haven, CT: Yale University Press.

Langguth, Gerd (1984) *The Green Factor in German Politics: from Protest Movement to Political Party*, Boulder, Col.: Westview Press.

Lasch, Christopher (1980) *The Culture of Narcissism*, London: Abacus.

Laserna, Roberto (1992) *Productores de democracia: actores sociales y procesos politicos*, Cochabamba: Centro de Estudios de la Realidad Economica y Social.

Lash, Scott und Urry, John (1994) *Economies of Signs and Space*, London: Sage.

Laumann, Edward O. u.a. (1994) *The Social Organisation of Sexuality: Sexual Practices in the United States*, Chicago: University of Chicago Press.

L'Avenc: Revista d'Historia (1996) Sonderheft: „Catalunya-Espanya", Nr. 200, Februar.

Lavrakas, Paul J. u.a. (Hg.) (1995) *Presidential Polls and the New Media*, Boulder, Col.: Westview Press.

Lawton, Kim A. (1989) „Whatever happened to the Religious Right?", *Christianity Today*, 15. December: 44.

Leal, Jesus u.a. (1996) *Familia y vivienda en España*, Madrid: Universidad Autonoma de Madrid, Instituto de Sociologia, Forschungsbericht.

Lechner, Frank J. (1991) „Religion, law, and global order", in Robertson und Garrett (Hg.): 263-280.

Lesthaeghe, R. (1995) „The second demographic transition in Western countries: an interpretation", in Mason und Jensen (Hg.): 17-62.

Levin, Murray B. (1987) *Talk Radio and the American Dream*, Lexington, MA: Heath.

Levine, Martin (1979) „Gay ghetto", in Levine (Hg.), Gay Men, New York: Harper and Row.

Lewis, Bernard (1988) *The Political Language of Islam*, Chicago: University of Chicago Press.

Lewis, Peter H. (1996a) „Judge temporarily blocks law that bars indecency on Internet", *The New York Times*, 16. Februar: C1-C16.

– (1996b) „Judges turn back law to regulate Internet decency", *The New York Times*, 13. Juni: A1.

Leys, Colin (1989) „What is the problem about corruption?", in Heidenheimer u.a. (Hg.): 51-66.

L'Histoire (1993) Sonderdossier „Argent, politique et corruption: 1789-1993", Mai, 166: 48ff.

Li, Zhilan (1995) „Shanghai, Guandong ruheyu zhongyang zhouxuan (Wie haben Schanghai und Guandong mit der Zentralregierung verhandelt?)“, *The Nineties Monthly*, Dezember, 311: 36-39.
Lienesch, Michael (1993) *Redeeming America: Piety and Politics in the New Christian Right*, Chapel Hill: University of North Carolina Press.
Lipschutz, Ronnie D. und Coca, Ken (1993) „The implications of global ecological interdependence“, in Ronnie D. Lipschutz und Ken Coca (Hg.), *The State and Social Power in Global Environmental Politics*, New York: Columbia University Press.
Lipset, Seymour M. (1996) *American Exceptionalism: a Double-edged Sword*, New York: Norton.
– und Raab, Earl (1978) *The Politics of Unreason: Right-wing Extremism in America, 1790-1970*, New York: Harper and Row.
Lloyd, Gary A. und Kuselewickz J. (Hg.) (1995) *HIV Disease: Lesbians, Gays, and the Social Services*, New York: Haworth Press.
Lodato, Saverio (1994) *Quindici anni di Mafia*, Mailand: Biblioteca Universale Rizzoli.
Longman (1990) *Political Scandals and Causes Celebres since 1945*, London: Longman's International Reference Compendium.
Lowi, Theodore J. (1988) „Foreword“, in Markovits und Silverstein (Hg.): vii-xii.
Lücke, Hanna (1993) *Islamischer Fundamentalismus – Rückfall ins Mittelalter oder Wegbereiter der Moderne?*, Berlin: Klaus Schwarz Verlag.
Lyday, Corbin (Hg.) (1994) *Ethnicity, Federalism and Democratic Transition in Russia: A Conference Report*, Bericht einer Konferenz gefördert vom Berkeley-Stanford Program in Soviet and Post-Soviet Studies, die vom 11.-17. November 1993 in Berkeley stattfand.
Lyon, David (1994) *The Electronic Eye: the Rise of Surveillance Society*, Cambridge: Polity Press.
MacDonald, Greg (1990) *The Emergence of Multimedia Conglomerates*, Genf: ILO, Multinational Enterprises Program, Working Paper 70.
McDonogh, Gary W. (Hg.) (1986) *Conflict in Catalonia*, Gainsville: University of Florida Press.
McGrew, Anthony G. (1992a) „Global politics in a transitional era“, in McGrew u.a. (Hg.): 312-330.
– (1992b) „Military technology and the dynamics of global militarization“, in McGrew u.a. (Hg.): 83-117.
– Lewis, Paul G. u.a. (1992) *Global Politics: Globalization and the Nation State*, Cambridge: Polity Press.
McInnes, Colin (1992) „Technology and modern warfare“, in Baylis und Rengger (Hg.): 130-158.
– und Sheffield, G.D. (Hg.) (1988) *Warfare in the 20th Century: Theory and Practice*, London: Unwin Hyman.
McLaughlin, Andrew (1993) *Regarding Nature: Industrialism and Deep Ecology*, Albany: State University of New York Press.
Macy, Joanna (1991) *World as Lover, World as Self*, Berkeley: Parallax Press.
Magleby, David B. und Nelson, Candice J. (1990) *The Money Chase: Congressional Campaign Finance Reform*, Washington, DC: Brookings Institution.
Maheu, Louis (1995) „Les mouvements sociaux: plaidoyer pour une sociologie de l'ambivalence“, in Dubet und Wieviorka (Hg.) : 313-34.
Mainichi Shinbun (1995), 1. Mai.
Manes, Christopher (1990) *Green Rage: Radical Environmentalism and the Unmaking of Civilization*, Boston: Little, Brown and Comp.
Mansbridge, Jane (1995) „What is the feminist movement?“, in Ferree und Martin (Hg.): 27-34.
Markovits, Andrei S. und Silverstein, Mark (Hg.) (1988a) *The Politics of Scandal: Power and Process in Liberal Democracies*, New York: Holmes and Meier.
– und – (1988b) „Power and process in liberal democracies“, in Markovits und Silverstein (Hg.): 15-37.

Marquez, Enrique (1995) *Por que perdio Camacho*, Mexico: Oceano.

Marsden, George M. (1980) *Fundamentalism and American Culture: the Shaping of the 20th Century Evangelicalism, 1870-1925*, New York: Oxford University Press.

Martinez Torres, Maria Elena (1994) „The Zapatista rebellion and identity", Berkeley: University of California, Program of Latin American Studies, Forschungspapier (unveröff.).

– (1996) „Networking global civil society: the Zapatista movement. The first informational guerrilla", Berkeley: University of California, Seminarpapier für CP 229 (unveröff.).

Marty, Martin E. (1988) „Fundamentalism as a social phenomenon", *Bulletin of the American Academy of Arts and Sciences*, 42: 15-29.

– und Appleby, Scott (Hg.) (1991) *Fundamentalisms Observed*, Chicago: University of Chicago Press.

Masnick, George S. und Ardle, Nancy M. (1994) *Revised US Households Projections: New Methods and New Assumptions*, Cambridge, Mass.: Harvard University, Graduate School of Design/John F. Kennedy School of Government, Joint Center for Housing Studies, Working Papers Series.

– und Kim, Joshua M. (1995) *The Decline of Demand: Housing's Next Generation*, Cambridge, Mass.: Harvard University, Joint Center for Housing Studies, Working Papers Series.

Mason, Karen O. und Jensen, An-Magritt (1995) *Gender and Family Change in Industrialized Countries*, New York: Oxford University Press.

Mass, Lawrence (1990) *Dialogues of the Sexual Revolution*, New York: Haworth Press.

Massolo, Alejandra (1992) *Por amor y coraje: Mujeres en movimientos urbanos de la Ciudad de Mexico*, Mexico: El Colegio de Mexico.

Mattelart, Armand (1991) *La communication-monde: histoire des idées et des strategies*, Paris: La Découverte.

Matthews, Nancy A. (1989) „Surmounting a legacy: the expansion of racial diversity in a local anti-rape movement", *Gender and Society*, 3: 519-533.

Maxwell, Joe und Tapia, Andres (1995) „Guns and Bibles", *Christianity Today* 39 (7): 34.

Mayer, William G. (1994) "The polls – poll trends: the rise of the new media", *Public Opinion Quarterly*, 58: 124-146.

Mayorga, Fernando (1993) *Discurso y politica en Bolivia*, La Paz, ILDIS-CERES.

Mejia Barquera, Fernando u.a. (1985) *Televisa: el quinto poder*, Mexico: Claves Latinoamericanas.

Melchett, Peter (1995) „The fruits of passion", *New Statesman and Society*, 28. April: 37-8.

Melucci, Alberto (1995) „Individualisation et globalisation: au-delà de la modernité?", in Dubet und Wieviorka (Hg.) : 433-448.

Meny, Yves (1992) *La corruption de la République*, Paris: Fayard.

Merchant, Carolyn (1987) *Der Tod der Natur: Ökologie, Frauen und neuzeitliche Naturwissenschaft*, München: Beck (The Death of Nature: Women, Ecology, and the Scientific Revolution 1980).

Mesa, Carlos D. (1986) „Como se fabrica un presidente", in *Cuarto Intermedio*: 4-23.

Michelson, William (1985) *From Sun to Sun: Daily Obligations and Community Structure in the Lives of Employed Women and their Families*, Totowa, NJ: Rowman and Allanheld.

Mikulskij, D.V. (1992) *Ideologiceskaja koncepcija Islamskoj partii vozrocdenija* (Die ideologische Konzeption der Partei der islamischen Wiedergeburt), Moskau: Gorbacev-Fonds.

Minc, Alain (1993) *Le nouveau Moyen Age*, Paris: Gallimard.

Misztal, Bronislaw und Shupe, Anson (1992a) „Making sense of the global revival of fundamentalism", in Bronislaw und Shupe (Hg.): 3-9.

– und – (Hg.) (1992b) *Religion and Politics in Comparative Perspective: Revival of Religious Fundamentalism in East and West*, Westport, Conn.: Praeger.

Mitchell, Juliet (1966) „Women: the longest revolution", *New Left Review*, 40, November/Dezember.

Miyadai, Shinji (1995) *Ouwarinaki Nichijo of Ikiro* (Leben im endlosen Alltagsleben), Tokyo: Chikuma-Shobo.

Moen, Matthew C. (1992) *The Transformation of the Christian Right*, Tuscaloosa: University of Alabama Press.

– und Gustafson, Lowell S. (Hg.) (1992) *The Religious Challenge to the State*, Philadelphia: Temple University Press.

Mokhtari, Fariborz (Hg.) (1994) *Peacemaking, Peacekeeping and Coalition Warfare: the Future of the UN*, Washington, DC: National Defense University.

Monnier, Alain und de Guibert-Lantoine, Catherine (1993) „La conjoncture démographique: l'Europe et les pays développés d'outre-mer", *Population*, 48 (4): 1043-67.

Moog, Sandra (1995) "To the root: the mobilization of the culture concept in the development of radical environmental thought", Berkeley: University of California, Department of Anthropology, Seminarpapier für Anthro. 250X (unveröff.).

– (1996) „Electronic media and informational politics in America", Berkeley: University of California, Department of Sociology, Forschungspapier für Soc 290.2 (unveröff.).

Moore, David W. (1992) *The Superpollsters: How They Measure and Manipulate Public Opinion in America*, New York: Four Walls Eight Windows.

Moreau Deffarges, Philippe (1993) *La mondialisation: vers la fin des frontières?*, Paris: Dunod.

Moreno Toscano, Alejandra (1996) *Turbulencia politica: causas y razones del 94*, Mexico: Oceano.

Morgen, Sandra (1988) „The dream of diversity, the dilemmas of difference: race and class contradictions in a feminist health clinic" in J. Sole (Hg.), *Anthropology for the Nineties*, New York: Free Press.

Morin, Edgar und Kern, Anne B. (1993) *Terre-Patrie*, Paris: Seuil.

Morris, Stephen D. (1991) *Corruption and Politics in Contemporary Mexico*, Tuscaloosa: The University of Alabama Press.

Moscow Times (1996), „Style beats substance in ad campaigns", 30. Mai: 1.

Moser, Leo (1985) *The Chinese Mosaic: the Peoples and Provinces of China*, London: Westview Press.

Mouffe, Chantal (1995) „The end of politics and the rise of the radical right", *Dissent*, Herbst: 488.

Mundy, Alicia (1996) „Taking a poll on polls", *Media Week*, 6 (8): 17-20.

Murray, Charles und Herrnstein, Richard (1994) *The Bell Curve: Intelligence and Class Structure in American Life*, New York: Free Press.

Nair, Sami (1996) „La crisis argelina", in *Claves*, April: 14-17.

Nakazawa, Shinichi u.a. (1995) „AUM Jiken to wa Nandatta no ka (War AUM ein Zwischenfall?)", in *Kokoku Hihyo*, Juni.

Nash, June u.a. (1995) *La explosion de comunidades en Chiapas*, Kopenhagen: International Working Group on Indian Affairs, Document IWGIA, Nr. 16.

Navarro, Vicente (1994) *The Politics of Health Policy: The US Reforms, 1980-1994*, Oxford: Blackwell.

– (1995) „Gobernabilidad, desigualdad y estado del bienestar. La situacion en Estados Unidos y su relevancia para Europa", Barcelona: Papier für das Internationale Symposium über Regierbarkeit, Ungleichheit und Sozialpolitik, organisiert vom Institut d'Estudis Socials Avancats, 23-25. November (unveröff.).

Negroponte, Nicholas (1995) *Being Digital*, New York: Alfred A. Knopf.

Norman, E. Herbert (1940) *Japan's Emergence as a Modern State: Political and Economic Problems of the Meiji Period*, New York: Institute of Pacific Relations.

Nunnenkamp, Peter u.a. (1994) *Globalisation of Production and Markets*, Tübingen: Kieler Studien, J.C.B. Mohr.

OECD (1993-95) *Employment Outlook*, Paris: OECD.

– (1994a) *The OECD Jobs Study*, Paris: OECD.

– (1994b) *Women and Structural Change: New Perspectives*, Paris: OECD.

– (1995) *Labour Force Statistics*, Paris: OECD.

Offen, Karen (1988) „Defining feminism: a comparative historical approach“, *Signs*, 14 (II): 119-57.

Ohama, Itsuro (1995) „AUM toiu Danso (AUM als Versuch, sich von der Geschichte abzukoppeln)“, in *Seiron*, Juli.

Orr, Robert M. (1995) „Home-grown terrorism plagues both the US and Japan“, *Tokyo Business*, Juli.

Orstrom Moller, J. (1995) *The Future European Model: Economic Internationalization and Cultural Decentralization*, Westport, Conn.: Praeger.

Osawa, Masachi (1995) „AUM wa Naze Sarin ni Hashitakka (Warum hat AUM Sarin benutzt)?“, in *Gendai*, Oktober.

Ostertag, Bob (1991) „Greenpeace takes over the world“, *Mother Jones*, März-April: 32-87.

Oumlil, Ali (1992) *Islam et état national*, Casablanca: Editions Le Fennec.

Oversight of the IMF and the World Bank (1995) *A Meeting of a Multinational Group of Parliamentarians Involved in Oversight of the IMF and the World Bank*, Washington, DC: US Government Printing Office.

Page, Benjamin I. und Shapiro, Robert Y. (1992) *The Rational Public: Fifty Years of Trends in American's Policy Preferences*, Chicago: University of Chicago Press.

Pagano, Michael A. und Bowman, Ann O.M. (1995) "The state of American federalism, 1994-95“, *Publius: The Journal of Federalism*, 25 (3): 1-21.

Panarin, Alexander S. (1994) „Rossija v evrazii: geopoliticeskie vyzovy i civilizacionnye otvety“, Voprosy filosofii, 12: 19-31 (zit. nach *Russian Social Science Review: A Journal of Translations*, Mai-Juni 1996: 35-53).

Pardo, Mary (1995) „Doing it for the kids: Mexican American community activists, border feminists?“, in Ferree und Martin (Hg.): 356-71.

Partido Revolucionario Institucional (1994) *La reforma del PRI y el cambio democratico en Mexico*, Mexico: Editorial Limusa.

Patterson, T.E. (1993) *Out of Order: How the Decline of the Political Parties and the Growing Power of the News Media Undermine the American Way of Electing Presidents*, New York: Alfred A. Knopf.

Pattie, Charles u.a. (1995) „Winning the local vote: the effectiveness of constituency campaign spending in Great Britain, 1983-1992“, *American Political Science Review*, 89 (4): 969-985.

Perez-Argote, Alfonso (Hg.) (1989) *Sociologia del nacionalismo*, Vitoria: Argitarapen Zerbitzua Euskal Herriko Unibertsitatea.

Perez Fernandez del Castillo, German u.a. (1995) *La voz de los votos: un analisis critico de las elecciones de 1994*, Mexico: Miguel Angel Porrua Grupo Editorial.

Perez Iribarne, Eduardo (1993a) *La opinion publica al poder*, La Paz: Empresa Encuestas y Estudios.

– (1993b) „La television imposible“, *Fe y Pueblo*, 3: 67-84.

Perez-Tabernero, Alfonso u.a. (1993) *Concentración de la comunicación en Europa: empresa comercial e interes publico*, Barcelona: Generalita de Catalunya, Centre d'Investigacio de la Comunicacio.

Phillips, Andrew (1992) „Pocketbook politics: Britain's Tones face a tough fight against Labour Party rivals in an April election“, *Maclean's*, 105 (12): 22-25.

Philo, Greg (1993) „Political advertising, popular belief and the 1992 British general election“, *Media, Culture, and Society*, 15 (3): 407-18.

Pi, Ramon (Hg.) (1996) *Jordi Pujol: Cataluna, Espana*, Madrid: Espasa Hoy.

Pinelli, Antonella (1995) „Women's condition, low fertility, and emerging union patterns in Europe“, in Mason und Jensen (Hg.): S. 82-104.

Pipes, Richard (1954) *The Formation of the Soviet Union: Communism and Nationalism, 1917-23*, Cambridge, Mass.: Harvard University Press.

Piscatori, James (1986) *Islam in a World of Nation-states*, Cambridge: Cambridge University Press.

Pi-Sunyer, Oriol (1991) „Catalan politics and Spanish democracy: the matter of cultural sovereignty", in Azevedo (Hg.): 1-20.

Plant, Judith (1991) „Ecofeminism", in Dobson (Hg.): 100-104.

Po, Lan-chih (1996) „Feminism, identity, and women's movements: theoretical debates and a case study in Taiwan", Berkeley: University of California, Department of City and Regional Planning, Forschungspapier (unveröff.).

Poguntke, Thomas (1993) *Alternative Politics: the German Green Party*, Edinburgh: Edinburgh University Press.

Pollith, Katha (1995) „Subject to debate", *The Nation*, 260 (22): 784.

Porrit, Jonathan (1994) *Seeing Green: the Politics of Ecology Explained*, Oxford: Blackwell.

Portes, Alejandro u.a. (Hg.) (1989) *The Informal Economy*, Baltimore: Johns Hopkins University Press.

Poulantzas, Nicos (1978) *Staatstheorie. Politischer Überbau, Ideologie, Sozialistische Demokratie.* Hamburg: VSA (L'état, le pouvoir, le socialisme, 1977).

Prat de la Riba, Enric (1906) *La nacionalitat catalana*, Barcelona: Edicions 62, Neudruck 1978.

Price, Vincent und Hsu, Mei-Ling (1992) „Public opinion about AIDS policies: the role of misinformation and attitudes towards homosexuals", *Public Opinion Quarterly*, 56 (1).

Puiggene i Riera, Ariadna u.a. (1991) „Official language policies in contemporary Catalonia", in Azevedo (Hg.): 30-49.

Putnam, Robert (1995) „Bowling alone: America's declining social capital", *Journal of Democracy*, 6(1): 65-78.

Reigot, Betty Polisar und Spina, Rita K. (1996) *Beyond the Traditional Family. Voices of Diversity*, New York: Springer Verlag.

Rich, Adrienne (1980/1993) „Compulsory heterosexuality and lesbian existence", in Abelove u.a. (Hg.): 227-54.

Richardson, Dick und Rootes, Chris (Hg.) (1995) *The Green Challenge: The Development of Green Parties in Europe*, London: Routledge.

Riechmann, Jorge und Fernandez Buey, Francisco (1994) *Redes que dan libertad: introducción a los nuevos movimientos sociales*, Barcelona: Paidos.

Riesebrodt, Martin (1993) *Pious Passion: the Emergence of Modern Fundamentalism in the United States and Iran*, Berkeley: University of California Press.

Roberts, Marilyn und McCombs, Maxwell (1994) „Agenda setting and political advertising: origins of the news agenda", *Political Communication*, 11: 249-262.

Robertson, Roland und Garrett, William R. (Hg.) (1991) *Religion and Global Order*, New York: Paragon House.

Rochester, J. Martin (1993) *Waiting for the Millennium: the UN and the Future of World Order*, Columbia, SC: University of South Carolina Press.

Rodgers, Gerry (Hg.) (1994) *Workers, Institutions and Economic Growth in Asia*, Genf: International Institute of Labour Studies.

Rojas, Rosa (1995) *Chiapas: la paz violenta*, Mexico: Ediciones La Jornada.

Rokkan, Stein und Urwin, Derek W. (Hg.) (1982) *The Politics of Territorial Identity*, London: Sage.

Roman, Joel (1993) „La gauche, le pouvoir, les medias: à-propos du suicide de Pierre Beregovoy", *Esprit*, 6: 143-146.

Rondfeldt, David (1995) „The battle for the mind of Mexico", im Juni 1995 elektronisch auf der Homepage der RAND Corporation veröffentlicht: http://*www.eco.utexas.edu/homepages/faculty/cleaver/chiapas95/netawars*.

Roper Center of Public Opinion and Polling (1995) „How much government, at what level? Change and persistence in American ideas", *The Public Perspective*, 6 (3).

Rosenau, J. (1990) *Turbulence in World Politics*, London: Harvester Wheatsheaf.

Ross, Loretta J. (1995) „Saying it with a gun", *The Progressive*, Juni.

Ross, Shelley (1988) *Fall from Grace: Sex, Scandal, and Corruption in American Politics from 1702 to present*, New York: Ballantine.

Roth, Jürgen und Frey, Marc (1992) *Die Verbrecher-Holding: das vereinte Europa im Griff der Mafia*, München: Piper.

Rovira i Virgili, A. (1988) *Catalunya: Espanya*, Barcelona: Edicions de la Magrana (zuerst 1912).

Rowbotham, Sheila (1974) *Hidden from History: Rediscovering Women in History from the 17th Century to the Present*, New York: Pantheon Books.

– (1989) *The Past is Before Us: Feminism and Action since the 1960s*, London: Pandora.

– (1992) *Women in Movement: Feminism and Social Action*, New York: Routledge.

Rowlands, Ian H. (1992) „Environmental issues and world politics", in Baylis und Rengger (Hg.): 287-309.

Rubert de Ventos, Xavier (1994) *Nacionalismos: el laberinto de la identidad*, Madrid: Espasa-Calpe.

Rubin, Rose M. und Riney, Rose (1994) *Working Wives and Dual-earner Families*, Westport, Conn.: Praeger.

Ruiz-Cabanas, Miguel (1993) „La campaña permanente de Mexico: costos, beneficios y consecuencia", in Smith (Hg.): 207-20.

Rupp, Leila J. und Taylor, Verta (1987) *Survival in the Doldrums: the American Women's Rights Movement, 1945 to the 1960s*, New York: Oxford University Press.

Sabato, Larry J. (1991) Feeding Frenzy: *How Attack Journalism has Transformed American Politics*, New York: Free Press.

Saboulin, Michel und Thave, Suzanne (1993) „La vie en couple marie: un modèle qui s'affaiblit", in INSEE, *La société française: données sociales*, Paris: INSEE.

Salaff, Janet (1981) *Working Daughters of Hong Kong*, Cambridge: Cambridge University Press.

– (1988) *State and Family in Singapore: Restructuring a Developing Society*, Ithaca: Cornell University Press.

– (1992) „Women, family and the state in Hong Kong, Taiwan and Singapore", in Richard Appelbaum und Jeffrey Henderson (Hg.), *States and Development in the Asian Pacific Rim*, Newbury Park, CA: Sage Publications.

Salmin, A.M. (1992) *SNG: Sostojanie i perspektivy razvitija*, Moskau: Gorbacev-Fonds.

Salrach, Josep M. (1996) „Catalunya, Castella i Espanya vistes per si mateixes a l'edad mitjana", *L'Avenc*, 200: 30-37.

Saltzman-Chafetz, Janet (1995) „Chicken or egg? A theory of relationship between feminist movements and family change", in Mason und Jensen (Hg.): 63-81.

Salvati, Michele (1995) „Italy's fateful choices", *New Left Review*, 213: 79-96.

Sanchez, Magaly und Pedrazzini, Yves (1996) *Los malandros: la culture de l'urgence chez les jeunes des quartiers populaires de Caracas*, Paris: Fondation Humanisme et Developpement.

Sanchez Jankowski, Martin (1991) *Islands in the Street: Gangs and American Urban Society*, Berkeley: University of California Press.

Santoni Rugiu, Antonio (1994) „La bisciopedagogia", *Ponte*, 50 (2): 20-25.

Saravia, Joaquin und Sandoval, Godofredo (1991) *Jach'a Uru: la esperanza de un pueblo?*, La Paz: CEP-ILDIS.

Savigear, Peter (1992) „The United States: superpower in decline?" in Baylis und Rengger (Hg.): 334-353.

Scammell, Margaret und Semetko, Holli A. (1995) „Political advertising on television: the British experience", in Kaid und Holtz-Bacha (Hg.): 19-43.

Scanlan, J. (Hg.) (1990) *Surviving the Blues: Growing up in the Thatcher Decade*, London: Virago.

Scarce, Rik (1990) *Eco-warriors: Understanding the Radical Environmental Movement*, Chicago: Noble Press.

Schaeffer, Francis (1982) *Time for Anger: the Myth of Neutrality*, Westchester, Ill.: Crossway Books.

Scharf, Thomas (1994) *The German Greens: Challenging the Consensus*, Oxford: Berg.

Scheer, Leo (1994) *La democratie virtuelle*, Paris: Flammarion.

Scheer, Leo (1997) *Die virtuelle Demokratie*, Berlin: Rotbuch.

Scheff, Thomas (1994) „Emotions and identity: a theory of ethnic nationalism", in Calhoun (Hg.): 277-303.

Schlesinger, Philip (1991) „Media, the political order and national identity", *Media, Culture, and Society*, 13: 297-308.

Schneir, Miriam (Hg.) (1994) *Feminism in our Time: The Essential Writings, World War II to the Present*, New York: Vintage Books.

Scott, Allen (1995) *From Silicon Valley to Hollywood: Growth and Development of the Multimedia Industry in California*, Los Angeles, UCLA's Lewis Center for Regional Policy Studies, Working Paper Nr. 13, November 1995.

Scott, Beardsley u.a. (1995) „The great European multimedia gamble", *McKinsey Quarterly*, 3: 142-161.

Sechi, Salvatore (Hg.) (1995) *Deconstructing Italy: Italy in the Nineties*, Berkeley: University of California, International and Area Studies, Research Series.

Sengenberger, Werner und Campbell, Duncan (Hg.) (1994) Creating Economic Opportunities: The Role of Labour Standards in Industrial Restructuring, Geneva: ILO, International Institute of Labour Studies.

Sennett, Richard (1978) *The Fall of Public Man*, New York: Vintage Books.

– (1980) *Authority*, New York: Alfred A. Knopf.

Servon, Lisa und Castells, Manuel (1996) *The Feminist City: a Plural Blueprint*, Berkeley: University of California, Institute of Urban and Regional Development, Working Paper.

Shabecoff, Philip (1993) *A Fierce Green Fire: The American Environmental Movement*, New York: Hill and Wang.

Shaiken, Harley (1990) *Mexico in the Global Economy: High Technology and Work Organization in Export Industries*, La Jolla, CA: University of California at San Diego, Center for US-Mexican Studies.

Shapiro, Jerrold L. u.a. (Hg.) (1995) *Becoming a Father: Contemporary Social, Developmental, and Clinical Perspectives*, New York: Springer Verlag.

Sheps, Sheldon (1995) „Militia - History and Law FAQ", World Wide Web, September.

Shimazono, Susumu (1995) *AUM Shinrikyo no Kiseki* (Der Entwicklungsweg von AUM Shinrikyo), Tokyo: Iwanami-Shoten.

Simpson, John H. (1992) „Fundamentalism in America revisited: the fading of modernity as a source of symbolic capital", in Misztal und Shupe (Hg.): 10-27.

Singh, Tejpal (1982) *The Soviet Federal State: Theory, Formation, and Development*, Neu-Delhi: Sterling.

Sisk, Timothy D. (1992) *Islam and Democracy: Religion, Politics, and Power in the Middle East*, Washington, DC: United States Institute of Peace Press.

Siune, Karen und Truetzschler, Wolfgang (Hg.) (1992) *Dynamics of Media Politics. Broadcast and Electronic Media in Western Europe*, London: Sage.

Sklair, Leslie (1991) *The Sociology of the Global System*, London: Harvester/Wheatsheaf.

Siezkine, Yuri (1994) „The USSR as a communal apartment, or how a Socialist state promoted ethnic particularism", *Slavic Review*, 53 (2): 414-452.

Smith, Anthony D. (1986) *The Ethnic Origins of Nations*, Oxford: Blackwell.

– (1989) "The origins of nations", *Ethnic and Racial Studies*, 12 (3): 340-67 (zit. nach Eley und Suny (Hg.) (1996): 125).

Smith, Michael P. (1991) *City, State and Market: The Political Economy of Urban Society*, Oxford: Blackwell.

Smith, Peter H. (Hg.) (1993) *El combate a las drogas en America*, Mexico: Fondo de Cultura Economica.

Sole-Tura, Jordi (1967) *Catalanisme i revoludo burgesa: la sintesi de Prat de la Riba*, Barcelona: Edicions 62.

Spalter-Roth, Roberta und Schreiber, Ronnee (1995) „Outsider issues and insider tactics: Strategic tensions in the women's policy network during the 1980s", in Ferree und Martin (Hg.): 105-27.

Spence, Jonathan D. (1996) *God's Chinese Son: the Taiping Heavenly Kingdom of Hong Xiuquan*, New York: Norton.

Spitz, Glenna (1988) „Women's employment and family relations: a review", *Journal of Marriage and the Family*, 50: 595-618.

Spivak, Gayatri Chakravorty (1990) *The Postcolonial Critique: Interviews, Strategies, Dialogues* (hg. von Sarah Harasym), New York: Routledge.

Spragen, William C. (1995) *Electronic Magazines: Soft News Programs on Network Television*, Westport, Conn.: Praeger.

Spretnak, Charlene (Hg.) (1982) *The Politics of Women's Spirituality: Essays on the Rise of Spiritual Power within the Women's Movement*, New York: Anchor.

Spruyt, Hendrik (1994) *The Sovereign State and its Competitors*, Princeton, NJ: Princeton University Press.

Stacey, Judith (1990) *Brave New Families: Stories of Domestic Upheaval in Late Twentieth Century America*, New York: Basic Books.

Staggenborg, Susan (1991) *The Pro-choice Movement*, New York: Oxford University Press.

Stallings, Barbara (1992) „International influence on economic policy: debt, stabilization, and structural reform", in Stephan Haggard und Robert Kaufman (Hg.) *The Politics of Economic Adjustment*, Princeton, NJ: Princeton University Press: 41-88.

Standing, Guy (1990) „Global feminization through flexible labor", *World Development*, 17 (7): 1077-1096.

Stanley, Harold W. und Niemi, Richard G. (1992) *Vital Statistics on American Politics*, 3. Aufl., Washington, DC: CQ Press.

Starovoytova, Galina (1994) „Lecture at the Center for Slavic and East European Studies", University of California at Berkeley, 23. Februar.

Stebelsky, Igor (1994) „National identity of Ukraine", in Hooson (Hg.): 233-48.

Sterling, Claire (1994) *Thieves' World: the Threat of the New Global Network of Organized Crime*, New York: Simon and Schuster.

Stern, Kenneth S. (1996) *A Force upon the Plain: the American Militia Movement and the Politics of Hate*, New York: Simon and Schuster.

Stevens, Mark (1995) „Big boys will be cow boys", *The New York Times Sunday Magazine*, 19. November: 72-9.

Streeck, Wolfgang und Schmitter, Philippe C. (1991) „From national corporatism to transnational pluralism: organized interests in the single European market", *Politics and Society*, 19 (2): 133-63.

Strobel, Margaret (1995) „Organizational learning in the Chicago Women's Liberation Union", in Ferree und Martin (Hg.): 145-164.

Summers, Lawrence (1995) „Ten lessons to learn", *The Economist*, 23. Dezember: 46-48.

Sun Tzu (ca. 505-496 v. Chr.) *On the Art of War*, kritisch annotierte Übersetzung von Lionel Giles, Singapore: Graham Brash, 1988 (erste Veröffentlichung in Englisch 1910).

Suny, Ronald Grigor (1993) *The Revenge of the East: Nationalism, Revolution, and the Collapse of the Soviet Union*, Stanford: Stanford University Press.

Susser, Ida (1982) *Norman Street: Poverty and Politics in an Urban Neighborhood*, New York: Oxford University Press.

– (1991) „The Separation of mothers and children", in John Mollenkopf und Manuel Castells (Hg.) *Dual City: Restructuring New York*, New York: Russell Sage: 207-224.

– (1996) „The construction of poverty and homelessness in US cities", *Annual Reviews of Anthropology*, 25: 411-435.

– (i.E.) "The flexible woman: re-gendering labor in the informational society", *Critique of Anthropology*.

Swan, Jon (1992) „Jennifer", *Columbia Joumalism Review* 31 (4): 36.

Szasz, Andrew (1994) *EcoPopulism: Toxic Waste and the Movement for Environmental Justice*, Minneapolis: University of Minnesota Press.

Szmukler, Monica (1996) *Politicas urbanas y democracia: la ciudad de La Paz entre 1985 y 1995*, Santiago de Chile: ILADES.

Tanaka, Martin (1995) „La participación politica de los sectores populares en America Latina", *Revista Mexicana de Sociologia*, 3: 41-65.

Tarrow, Sydney (1978) *Between Center and Periphery*, New Haven, Conn.: Yale University Press.

Tello Diaz, Carlos (1995) *La rebelión de las canadas*, Mexico: Cal y Arena.

Temas (1995) Sonderheft „Prensa y poder", 5: 18-50.

The Economist (1994), „Feeling for the future: special survey of television", 12. Februar.

The Economist (1995a) „The future of democracy", 17. Juni: 13-14.

The Economist (1995b), „The Mexican connection", 26. Dezember: S. 39-40.

The Economist (1995c) „Mexico: the long haul", 26. August: 17-19.

The Economist (1996) „Satellite TV in Asia: a little local interference", 3. Februar.

The Gallup Poll Monthly (1995) April, 355: 2.

The Nation (1995) Editorial, 15. Mai.

The New Republic (1995a) „An American darkness", 15. Mai.

The New Republic (1995b) „TRB from Washington", 15. Mai.

The New York Times (1995) „Where cotton's king, trouble reigns", 9. Oktober: A6.

The New York Times Sunday (1995a) „The rich: a special issue", 19. November.

The New York Times Sunday (1995b) „The unending search for demons in the American imagination", 23. Juli: 7.

The Progressive (1995) „The far right is upon us", Juni.

The World Almanac of Books and Facts, 1996 (1996) New York: Funk and Wagnalls Corporation, World Almanac Books.

Thompson, Dennis F. (1995) *Ethics in Congress: from Individual to Institutional Corruption*, Washington, DC: The Brookings Institution.

Thurman, Joseph E. und Trah, Gabriele (1990) „Part-time work in international perspective", *International Labour Review*, 129 (1): 23-40.

Thurow, Lester (1992) *Head to Head: the Coming Economic Battle between Japan, Europe, and the United States*, New York: Morrow.

Tibi, Bassam (1991) *Die Krise des modernen Islams: eine vorindustrielle Kultur im wissenschaftlich-technischen Zeitalter*; Mit einem Essay: „Islamischer Fundamentalismus als Antwort auf die doppelte Krise", erw. Ausg., 1. Aufl. Frankfurt/M.: Suhrkamp.

– (1992a) *Die fundamentalistische Herausforderung: der Islam und die Weltpolitik*, München: Beck.

– (1992b) *Religious Fundamentalism and Ethnicity in the Crisis of the Nation state in the Middle-East: Superordinate Islamic and Pan-Arabic Identities and Subordinate Ethnic and Sectarian Identities*, Berkeley: University of California, Center for German and European Studies, Working Paper.

Tilly, Charles (Hg.) (1975) *The Formation of Nation States in Western Europe*, Ann Arbor: University of Michigan Press.

– (1995) „State-incited violence, 1900-1999“, *Political Power and Social Theory*, 9: 161-79.
Time (1995) „Hell raiser: a Huey Long for the 90s: Pat Buchanan wields the most lethal weapon in Campaign 96: scapegoat politics“, 6. November.
Tirado, Ricardo und Lima, Matilde (1995) „El Consejo Coordinador Empresarial de Mexico: de la unidad contra el reformismo a la unidad para el Tratado de Libre Comercio (1975-1993)“, *Revista Mexicana de Sociologia*, 4: 27-60.
Toner, Robin (1996) „Coming home from the revolution“, *The New York Times Sunday*, 10. November Teil 4: 1.
Tonry, Michael (1995) *Malign Neglect: Race, Crime, and Punishment in America*, New York: Oxford University Press.
Touraine, Alain (1965) *Sociologie de l'action*, Paris: Seuil.
– (1966) *La conscience ouvrière*, Paris: Seuil.
– (1988) *La parole et le sang: politique et société en Amerique Latine*, Paris: Odile Jacob.
– (1992) *Critique de la modernité*, Paris: Fayard.
– (1994) *Qu'est-ce que la democratie?*, Paris: Fayard.
– (1995a) „La formation du sujet“, in Dubet und Wieviorka (Hg.): S. 21-46.
– (1995b) *Lettre à Lionel, Michel, Jacques, Martine, Bernard, Dominique ... et vous*, Paris: Fayard.
– u.a. (1996) *Le grand refus: reflexions sur la grève de decembre 1995*, Paris: Fayard.
Tranfaglia, Nicola (1992) *Mafia, Politica e Affari, 1943-91*, Rom: Laterza.
Trejo Delarbre, Raul (1994a) *Chiapas: la comunicacion en mascarada. Los medios y el pasamontanas*, Mexico: Diana.
– (Hg.) (1994b) *Chiapas: La guerra de las ideas*, Mexico: Diana.
Trend, David (Hg.) (1996) *Radical Democracy: Identity, Citizenship, and the State*, New York und London: Routledge.
Trias, Eugenio (1996) „Entrevista: el modelo catalan puede ser muy util para Europa“, *El Mundo*, 30. Juni: 32.
Tsuya, Noriko O. und Mason, Karen O. (1995) „Changing gender roles and below-replacement fertility in Japan“, in Mason und Jensen (Hg.): 139-167.
Twinning, David T. (1993) *The New Eurasia: a Guide to the Republics of the Former Soviet Union*, Westport, Conn.: Praeger.
Ubois, Jeff (1995) „Legitimate government has its limits“, *Midrange Systems*, 8 (22): 28.
United Nations (1970-1995) *Demographic Yearbook*, versch. Jgg., New York: United Nations.
– (1995) *Women in a Changing Global Economy: 1994 World Survey on the Role of Women in Development*, New York: United Nations.
United Nations Commission on Global Governance (1995) *Report of the Commission*, New York: United Nations.
United Nations, Economic and Social Council (1994) „Problems and Dangers Posed by Organized Transnational Crime in the Various Regions of the World“, Hintergrundpapier für die World Ministerial Conference on Organized Transnational Crime, Neapel, 21.-23. November (unveröff.).
US Bureau of the Census (1994) *Diverse Living Arrangements of Children*, Washington, DC: US Bureau of the Census.
– (1996) *Composition of American Households*, Washington, DC: Department of Commerce, Bureau of the Census.
US Department of Commerce, Economics and Statistics Administration, Bureau of the Census, Current Population Reports Washington, DC: Bureau of the Census:
– (1989) *Singleness in America: Single Parents and their Children. Married-couple Families with their Children.*
– (1991) *Population Profile of the United States, 1991*, Series P23, Nr. 173.
– (1992a) *Households, Families, and Children: a 30-year Perspective*, P23-181.

– (1992b) *When Households Continue, Discontinue, and Form*, von Donald J. Hernandez, P23, Nr. 179.
– (1992c) *Marriage, Divorce, and Remarriage in the 1990s*, von Arthur J. Norton und Louisa F. Miller, P23-180.
– (1992d) *Population Trends in the 1980s*, P-23, Nr. 175.
Vajrayana Sacca (1994), August, Nr. 1, Tokyo: Aum Press.
Valdes, Teresa und Gomariz, Enrique (1993) *Mujeres latinoamericanas en cifras*, Madrid: Ministerio de Asuntos Sociales, Instituto de la Mujer.
Vedel, Thierry und Dutton, William H. (1990) „New media politics: shaping cable television policy in France", Media, *Culture, and Society*, 12 (4): 491-524.
Vicens Vives, Jaume (1959) *Historia social y economica de España y America*, Barcelona: Ariel.
– und Llorens, Montserrat (1958) *Industriais i Politics del Segle XIX*, Barcelona: Editorial Teide.
Vilar, Pierre (1964) *Catalunya dins l'Espanya Moderna*, Barcelona: Edicions 62.
– (Hg.) (1987-90) *Historia de Catalunya*, Barcelona: Edicions 62, 8 Bde.
Vogler, John (1992) „Regimes and the global commons: space, atmosphere and oceans", in McGrew u.a. (Hg.): 118-137.
Wacquant, Loïc J.D. (1994) „The new urban color line: the state and fate of the ghetto in postfordist America", in Calhoun (Hg.): 231-176.
Walter, David (1994) „Winner takes all: the incredible rise – and could it be fall – of Silvio Berlusconi", *Contents*, 23, (4/5): 18-24.
Wapner, Paul (1995) „Politics beyond the state: environmental activism and world civic politics", *World Politics*, April: 311-340.
– (1996) *Environmental Activism and World Civic Politics*, Albany, NY: State University of New York Press.
Weinberg, Steve (1991) „Following the money", *Columbia Journalism Review* 30 (2): 49-51.
Weisberg, Jacob (1996) *In Defense of Government: the Fall and Rise of Public Trust*, New York: Scribner.
Wellman, Barry (1979) "The community question", *American Journal of Sociology*, 84: 1201-1231.
WEPIN Store (1995), „Michigan Militia T-shirt", World Wide Web, West El Paso Information Network.
West, Cornel (1993) *Race Matters*, Boston: Beacon Press.
– (1996) „Black strivings in a twilight civilization", in Gates und West (Hg.): 53-112.
West, Darrell M. (1993) *Air Wars: Television Advertising in Election Campaigns, 1952-1992*, Washington, DC: CQ Press.
Whisker, James B. (1992) *The Militia*, Lewiston, NY: E. Meilen Press.
Whittier, Nancy (1995) *Feminist Generations: the Persistence of the Radical Women's Movement*, Philadelphia: Temple University Press.
Wideman, Daniel J. und Preston, Rohan B. (Hg.) (1995) *Soulfires: Young Block Men on Love and Violence*, New York: Penguin.
Wiesenthal, Helmut (1993) *Realism in Green Politics: Social Movements and Ecological Reform in Germany*, hg. von John Ferris, Manchester: Manchester University Press.
Wieviorka, Michel (1988) Sociétés et terrorisme, Paris: Fayard.
– (1993) *La démocratie à l'epreuve: nationalisme, populisme, ethnicité*, Paris: La Découverte.
Wilcox, Clyde (1992) *God's Warriors: the Christian Right in 20th Century America*, Baltimore: Johns Hopkins University Press.
Wilensky, Harold (1975) *The Welfare State and Equality: Structural and Ideological Roots of Public Expenditures*, Berkeley: University of California Press.
Williams, Lance und Winokour, Scott (1995) „Militia extremists defend their views", *San Francisco Examiner*, 23. April.
Wilson, William Julius (1987) *The Truly Disadvantaged: the Inner City, the Underclass, and Public Policy*, Chicago: University of Chicago Press.

Winerip, Michael (1996) „An American place: the paramilitary movement. Ohio case typifies the tensions between Militia groups and law“, *The New York Times*, 23. Juni: A1.

Wittig, Monique (1992) *The Straight Mind*, Boston: Beacon Press.

Woldenberg, Jose (1995) *Violencia y politica*, Mexico: Caly Arena.

Woodward, Bob (1994) *The Agenda: Inside the Clinton White House*, New York: Simon and Schuster.

WuDunn, Sheryl (1996) „Uproar over a debt crisis: does Japan's mob bear part of the blame?“, *The New York Times*, 14. Februar: C1.

Yazawa, Shujiro (i.E.) *Japanese Social Movements since World War II*, Boston: Beacon Press.

Yoshino, Kosaku (1992) *Cultural Nationalism in Contemporary Japan*, London: Routledge.

Zaller, John und Hunt, Mark (1994) "The rise and fall of candidate Perot: unmediated versus mediated politics, part I“, Political Communication, 11: 357-390.

Zaretsky, Eli (1994) „Identity theory, identity politics: psychoanalysis, marxism, post-structuralism“, in Calhoun (Hg.): 198-215.

Zeskind, Leonard (1986) *The Christian Identity Movement: Analyzing its Theological Rationalization for Racist and Anti-semitic Violence*, Atlanta, GA: National Council of the Churches of the Christ in the USA, Center for Democratic Renewal.

Ziccardi, Alicia (Hg.) (1991) *Ciudades y gobiernos locales en la America Latina de los noventa*, Mexico: Miguel Angel Porrua Grupo Editorial.

– (Hg.) (1995) *La tarea de gobernar: gobiernos locales y demandas ciudadanas*, Mexico: Miguel Angel Porrua Grupo Editorial.

Zisk, Betty H. (1992) *The Politics of Transformation: Local Activism in the Peace and Environmental Movements*, Westport, Conn.: Praeger.

Zook, Matthew (1996) „The unorganized militia network: conspiracies, Computers, and community“, Berkeley: University of California, Department of Sociology, Seminar paper for SOC 290.2 (unveröff.).

Register

G

J

P

Q

R

S

V

W